Sous la direction de
Anne Cheng

Avec la collaboration de
Éric Vigne

Penser
en Chine

Contributions de Séverine ARSÈNE, CHU Xiaoquan,
Magnus FISKESJÖ, Ruth GAMBLE, GE Zhaoguang,
JI Zhe, Frédéric KECK, Anne KERLAN,
John MAKEHAM, Damien MORIER-GENOUD,
David OWNBY, QIN Hui, Marshall SAHLINS,
Nathan SPERBER, Isabelle THIREAU, Sebastian VEG

Gallimard ·

Les références entre parenthèses citées dans les textes renvoient aux titres des bibliographies figurant à la fin de chaque chapitre.

Explication de l'image de couverture :
Le caractère en rouge (« longévité ») apparaît sous le caractère en noir (« poison »), les deux se combinant pour n'en former plus qu'un seul, qui signifierait soit que la vie se prolonge malgré le poison, soit au contraire qu'un poison vient compromettre la longue vie – intéressante ambiguïté rendue possible par la plasticité graphique du chinois...

Anne Cheng

Présentation

ANNE CHENG

Mais que se passe-t-il donc, et que se pense-t-il en Chine en ce début si troublé de nos années 2020 ? Est-il au demeurant encore permis de penser tout haut, ou de penser tout court, dans ce pays qui fait tant parler de lui sans qu'il soit possible d'y prendre la parole librement ? Comment, dans la furieuse déferlante de nouvelles qui nous arrivent quotidiennement de et sur la Chine, faire entendre d'autres voix que celles des hommes politiques et des médias ? Plus de dix ans après la parution du collectif *La pensée en Chine aujourd'hui*, nous avons réuni de nouveau avec la complicité et le soutien indéfectible d'Éric Vigne un ensemble de contributions provenant de différentes parties du monde et de disciplines diverses, afin de démultiplier les horizons, les points de vue et les méthodes d'approche sur un pays qui s'est toujours considéré comme celui du Milieu et qui, depuis le début du XXIᵉ siècle et du troisième millénaire, se verrait bien comme le monde à lui tout seul. En 2007, lorsqu'a paru notre premier collectif, la Chine était encore dans la phase ascendante d'un décollage économique amorcé au début des années 2000 sur la lancée de la « Réforme et ouverture » décidée par Deng Xiaoping dix ans

auparavant, si emblématique de la volonté de sortir
d'un demi-siècle de régime maoïste et de faire oublier
le massacre de la place Tian'anmen de juin 1989. La
Chine s'apprêtait alors à s'imposer sur la scène planétaire avec le grand spectacle des jeux Olympiques
de 2008 à Pékin, au moment même où le monde
connaissait une crise financière majeure. En tant
qu'observateurs et analystes de ces mutations, nous
en étions encore à nous poser la question classique
des ruptures que pouvait provoquer un tel effort de
modernisation, c'est-à-dire de rattrapage du retard
sur l'Occident, dans des domaines tels que le récit
historique, le discours philosophique, la médecine
dite traditionnelle, le religieux, l'écriture, jusqu'au
sens de l'identité et de la « sinité » elles-mêmes.

Or, aujourd'hui, alors que nous entrons dans une
nouvelle décennie et que la rotation périodique de
l'équipe dirigeante chinoise a laissé place en 2018
à la concentration de tous les pouvoirs entre les
mains d'un leader unique et autoproclamé à vie,
l'heure n'est plus à un questionnement relativement
tranquille et distancié, mais à l'urgence de fournir
les informations les plus fiables possible et des clés
pour comprendre au milieu de l'affolant tourbillon
de « news » plus ou moins « fake » dans lequel nous
sommes plongés. Les événements se bousculent à
une vitesse et avec une violence que nous avons
peine à suivre et encore plus à supporter : pensons
à tout ce qui a rempli la une des médias concernant
la Chine dans la seule année 2020 — le contrôle et
l'enfermement de plus en plus féroces de la population ouïghoure du Xinjiang, la répression de plus
en plus brutale des mouvements de protestations à
Hong Kong aboutissant à la nouvelle loi sur la « sécurité nationale », sans parler de la pandémie mondialisée de Covid-19 et de la guerre d'informations

et de désinformations qu'elle a suscitée. Dans tout le bruit et la fureur générés par cette avalanche de cataclysmes, on a beaucoup entendu les vociférations et les discours tonitruants des dirigeants politiques et des puissants de ce monde en folie, ainsi que les préconisations et vaticinations d'experts en tout genre (économistes, géopoliticiens, responsables d'organismes de santé publique, et bien d'autres), mais à quel moment avons-nous pu prêter l'oreille aux analyses en profondeur de connaisseurs de la Chine dans la durée et, *a fortiori*, aux discours quasi inaudibles des intellectuels chinois eux-mêmes ? C'est pour remédier à cette surdité et pour aiguiser notre capacité à percevoir des voix autres que celles du matraquage quotidien que nous proposons ce nouveau collectif.

Le but est de nous situer par rapport à une Chine qui a envahi notre horizon au point de l'obstruer presque entièrement du fait de sa vertigineuse et écrasante montée en puissance économique, mais aussi géopolitique et militaire, accréditant ainsi la thèse, devenue un thème central de la propagande officielle, d'un retour en force de son passé impérial. Mais qu'y a-t-il de plus problématique que cette prétention à l'universalité et à la continuité d'une « civilisation vieille de cinq mille ans » proclamée par un régime communiste héritier du maoïsme qui s'est construit, tout à l'opposé, sur la rupture radicale et révolutionnaire avec un passé qualifié de « féodal », rejeté en bloc dans la poubelle de l'histoire, et détruit — au moral comme au physique — avec un acharnement exemplaire pendant la trentaine d'années entre l'instauration de la République populaire en 1949 et la sortie de la Révolution dite culturelle (1966-1976) ? Certains d'entre nous avons connu la Chine de la fin des années 1970, symboliquement

assise sur un champ de ruines et à mille lieues
d'imaginer être un jour en mesure de se projeter
à l'échelle de la planète. Or, force est de constater
qu'aujourd'hui les élites intellectuelles chinoises se
sentent assez sûres d'elles-mêmes pour se proclamer
sans ambages détentrices de valeurs universelles qui
ne doivent rien à l'universalité des Lumières d'origine européenne.

Dans le chapitre qui ouvre ce volume, l'éminent
sinologue australien John Makeham présente un état
des lieux de ce qui n'hésite plus à s'appeler « philosophie chinoise », étant définitivement sorti des
« tribulations » que je décrivais dans le collectif de
2007. Pour autant, l'auteur commence par rappeler
que le processus de « sinisation » ou d'« indigénisation » des sciences sociales est apparu entre la
fin des années 1970 et le début des années 1980 à
Taïwan et à Hong Kong, au moment où la République populaire émergeait à peine des affres de la
Révolution culturelle et s'efforçait de sortir de l'utopie maoïste. Mais vingt ans plus tard, à l'aube des
années 2000, et sans doute à la faveur de la nouvelle
politique économique de l'ère Deng Xiaoping, on a
commencé à percevoir en Chine continentale le ton
vindicatif des débats sur la « légitimité de la philosophie chinoise », suivis de près par l'engouement
pour les « études nationales » et la revendication,
articulée haut et fort par des philosophes en vue
à Pékin et martelée sur tous les tons par la propagande officielle, des « valeurs chinoises » destinées à
contrer les « valeurs universelles » de l'impérialisme
culturel occidental jusqu'à prétendre se substituer
à elles. D'autres philosophes croient voir dans le
« retour à Kang Youwei (1858-1927) », réformiste de
la fin du XIXᵉ-début du XXᵉ siècle, la promesse d'une
« renaissance » chinoise proprement confucéenne,

tandis que certains mettent en avant la « redécouverte » de la notion antique de *tianxia* (« tout sous le ciel ») pour repenser l'ordre du monde.

Or, c'est précisément aux zélateurs de la « clique Kang » (*Kang dang*) et aux théoriciens du *tianxia*-isme que s'en prend l'historien de Shanghai Ge Zhaoguang dont le très long essai sur les nouveaux fantasmes de « l'Empire-Monde » est donné ici en traduction partielle. Ge Zhaoguang met sa vaste érudition et ses connaissances d'historien au service d'un démontage et d'une critique en règle des constructions intellectuelles des philosophes-idéologues passés en revue par John Makeham, à commencer par celles d'un Zhao Tingyang qui ont connu un succès mondial grâce à leurs traductions en anglais et en français. Alors que Zhao voudrait nous faire croire, à coups de citations soigneusement sélectionnées et tronquées des sources classiques, que ce qu'il appelle le « système *tianxia* » a bel et bien été mis en pratique dans la haute Antiquité chinoise pour assurer un ordre du monde harmonieux dans lequel toutes les puissances se trouvaient sur un pied d'égalité et « sans ennemis », Ge s'emploie d'abord à rappeler méthodiquement que la notion de *tianxia* désignait en réalité un ordre impérial instaurant un rapport de force hiérarchique et exclusif entre supérieurs et inférieurs, et entre ceux qui étaient considérés comme faisant partie de la « grande famille » de la civilisation sinisée et les « barbares » qui en étaient par nature exclus. Ge se montre bien conscient de la concomitance évidente entre l'envolée de ces fantasmes élucubratoires et la récente montée en puissance de la Chine qui lui fait entrevoir un destin mondialisé susceptible de faire pièce à la fois au néolibéralisme américain et au communisme soviétique. Ceci fournit à Ge l'occasion de tester la validité historique du concept de « civilisation-État » appliqué à la Chine et censé en expliquer le caractère unique et spécifique, autrement dit la fameuse « altérité ». Ge se lance ensuite dans des développements trop longs et spécialisés pour être livrés ici en intégralité, dont il suffit de dire qu'ils visent à retracer la généalogie d'une relecture de certains auteurs confucéens prémodernes, parmi lesquels figure Kang Youwei, idole de la « clique Kang », que Ge juge faussée par les exigences d'une Chine actuelle en mal de récit et d'identité.

En tout état de cause, cette passe d'armes entre un historien lucide et critique et des philosophes ayant pris à leur compte les visées grandioses de celle qui se projette déjà comme la prochaine puissance mondiale a le mérite de témoigner de l'âpreté des discussions et des dissensions au sein des élites intellectuelles qui sont assez loin de l'image docile et moutonnière que les médias occidentaux nous en donnent trop souvent. Il convient tout autant de faire la distinction entre, d'une part, les débats qui continuent à se tenir en Chine dans les milieux intellectuels et universitaires, malgré le notoire tour de vis sur la liberté de s'exprimer publiquement qui se ressent fortement depuis la prise en main du pouvoir par Xi Jinping et, d'autre part, les stratégies adoptées par la propagande officielle qui visent en particulier à gagner à l'extérieur le plus grand nombre possible de sympathisants et d'admirateurs de la « civilisation plurimillénaire » de la Chine. C'est le rôle dévolu aux Instituts Confucius dont le célèbre anthropologue de Chicago Marshall Sahlins, dans un pamphlet fameux dont des extraits sont donnés ici en traduction, démonte les mécanismes et dénonce les objectifs véritables : sous couvert de vouloir imiter les Alliances françaises ou les Instituts Goethe, les Instituts Confucius, qui sont financés directement par l'État chinois et qui constituent le bras armé de son pouvoir d'influence (le prétendu et si mal nommé *soft power*) dans le monde, sont généralement implantés à même les universités des pays étrangers, contrairement aux organismes européens qui sont censés leur servir de modèles, ce qui conduit Marshall Sahlins à parler de « programme académique malveillant » (*academic malware*). De fait, un nombre croissant d'universités aux États-Unis et en Europe ont d'ores et déjà mis fin à leur partenariat avec les Instituts Confucius qui conservent toutefois le monopole de l'enseignement de la langue et de la « culture » chinoises dans les pays dits « du Sud », notamment ceux d'Afrique et d'Amérique latine, ce qui permet de doubler la dépendance économique de ces pays vis-à-vis de la Chine d'une vision idyllique de cette nouvelle puissance prétendument aux antipodes des anciens colons « blancs ». On pourrait ainsi considérer le maillage idéologique des Instituts Confucius comme venant se superposer à celui, économique et géopolitique, des « nouvelles routes de la soie » (ou **OBOR**, *One Belt, One Road*).

*

Outre la volonté d'expansion dans l'espace (dans tous les sens du terme) manifestée par la Chine depuis le début du siècle, l'autre grande préoccupation semble être de conserver un contrôle étroit sur la dimension temporelle de son histoire et du récit qu'elle tient à en donner. Damien Morier-Genoud souligne à juste titre le paradoxal engouement qui s'est emparé du lectorat chinois au cours des dernières décennies pour l'« histoire nationale » enfin libérée du carcan de la périodisation marxiste, mais pas pour autant libre de mener l'enquête sur les pans particulièrement sombres du passé, surtout le plus récent. Autant les librairies ont rarement entretenu des rayons « histoire » aussi pléthoriques, autant la censure, l'amnésie délibérée et la mémoire sélective sévissent avec plus de sévérité que jamais. L'histoire de la Chine depuis la fondation de la République populaire se confond volontiers avec celle du Parti, qui fait l'objet d'un cours distinct et obligatoire dans le cursus scolaire et universitaire et dont les récits des actes et des vies de héros révolutionnaires frisent le plus souvent l'hagiographie. Toutefois, on y cherchera en vain des descriptions, voire la seule mention, de certains épisodes tels que la campagne « anti-droitière » et la purge des intellectuels de 1957, la terrible famine qui a suivi le Grand Bond en avant de 1958, ainsi que les violences et les destructions de la Révolution culturelle entre 1966 et 1976. Et ne parlons pas du massacre de juin 1989 sur la place Tian'anmen qui est purement et simplement censé n'avoir jamais existé, alors qu'il est dans toutes les mémoires et qu'il a profondément et durablement ébranlé l'équilibre même du Parti. C'est donc à juste titre que 1989 apparaît dans de nombreux chapitres de ce volume comme une année-charnière, voire une année-bascule, avec un « avant » et un « après ».

Comme l'ont fait leurs prédécesseurs lettrés et compilateurs des « histoires officielles » de la Chine impériale, les historiens d'aujourd'hui sont tenus de tisser pour la postérité un récit à la gloire du régime en place. Certains ont toutefois le courage d'accomplir un véritable travail de recherche au risque d'aller contre le récit officiel, mais d'autres préfèrent éviter de se heurter frontalement à la censure en perpétuant l'art séculaire de faire passer des messages cryptés entre les lignes que des lecteurs aguerris à ce genre d'exercice sauront recueillir pour leur propre gouverne. Telle semble être la stratégie adoptée par des intellectuels renommés comme Qin Hui dont David Ownby fait le portrait d'autodidacte doué d'une intelligence acérée et d'une curiosité sans limite, et présente en traduction une conférence donnée lors du lancement en 2015 de son livre *Sortir du régime impérial*, interdit un mois après sa parution. Dans son style très oral et faussement bonhomme, Qin Hui nous montre en acte la technique consommée développée par les intellectuels chinois de toutes époques de toréer avec le pouvoir et de faire passer une critique en règle de la situation politique contemporaine sous couvert de parler du passé. La démarche est ici compliquée par le fait que Qin Hui doit également batailler contre ses pairs, ces intellectuels qui se sentent investis, du fait de leur allégeance à une puissance en pleine ascension, de la mission de « repenser la Chine » dans ses propres termes. En font partie les tenants du nationalisme culturel qui pensent pouvoir promouvoir une « voie chinoise » qui se distinguerait à la fois du libéralisme à l'américaine et du communisme à la soviétique, mais aussi les néoconservateurs prétendument confucéens dont beaucoup se rattachent à la « clique Kang », comme la nomment ses détracteurs. Ces derniers, dont on a vu qu'ils sont la cible de l'historien Ge Zhaoguang, vouent un culte à Kang Youwei qu'ils considèrent comme le véritable père de la nation chinoise moderne pour avoir élaboré un programme politique confucéen, façon de discréditer la Révolution républicaine de 1911 menée par Sun Yat-sen, qui marque selon eux le commencement de tous les déboires de la Chine du XXᵉ siècle. À l'opposé, Qin Hui défend le constitutionnalisme républicain comme la seule voie possible pour « sortir du régime impérial » instauré par le Premier empereur en – 221 selon un modèle légiste totalitaire. À l'issue de sa conférence, il apparaît toutefois assez clairement que Qin Hui a en réalité en ligne de mire le régime actuel qu'il qualifie d'« autoritaire » et qui, pour reprendre ses propres termes, « relève de l'existence de pouvoirs illimités sans qu'il y ait moyen de le forcer à assumer ses responsabilités ».

En se réclamant d'un constitutionnalisme d'inspiration européenne, Qin Hui prend ainsi le contrepied de toutes les thèses qui vont dans le sens d'une « altérité » ou d'un « exceptionnalisme » chinois défendues tant par les zélateurs d'un nationalisme triomphant en Chine même, que par les conceptions néo-orientalistes de certains « experts de la Chine » en Occident. On observe ici un intéressant effet de chassé-croisé entre, d'un côté, des intellectuels chinois comme Qin Hui qui prônent l'ouverture sur des ressources et des solutions ne relevant pas des traditions autochtones et, de l'autre, des théoriciens européens qui pensent trouver dans la tradition dite chinoise l'« impensé » de leurs propres présupposés philosophiques, mais qui se trouvent désormais rejoints en Chine par les revendications identitaires et culturalistes de la nouvelle fierté nationale confortée, qui plus est, par le discours officiel. Tel le serpent qui se mord la queue, la boucle est ainsi bouclée. C'est ce phénomène fascinant qui se trouve décrit avec un amusement ironique, teinté d'un agacement non dissimulé, dans les chapitres dus à Anne Kerlan et à Chu Xiaoquan.

En parlant de l'invention du « cinéma chinois », Anne Kerlan part de la constatation que le cinéma, « cet art transnational, ce divertissement de masse, ne cesse d'être ramené (peut-être justement parce qu'il est transnational et de masse) à la question des identités nationales. Il peut être dès lors intéressant d'observer comment les débats se sont formulés localement. En Chine, ces débats ont très tôt tourné autour de la légitimité culturelle d'un produit importé d'Occident et s'articulent en un double discours : d'une part il est reproché dès les années 1920 au cinéma d'être le bras armé d'un Occident conquérant ; d'autre part, la recherche d'une voie chinoise prend forme alors même que les modèles artistiques locaux sont en train de se transformer en intégrant les arts étrangers (américains, européens ou soviétiques). L'histoire se complexifie lorsque, plus tard, les pays occidentaux formulent à leur tour une certaine idée du cinéma chinois, véhiculée notamment dans les milieux festivaliers européens à partir des années 1980. On observe alors un jeu de chassé-croisé entre ce "cinéma chinois" d'Occident et celui de Chine. » Anne Kerlan analyse en particulier le discours généré par la sortie en février 2019 du film de science-fiction à grand spectacle et à gros budget de Frant Gwo, *La Terre errante*, qui est une parfaite projection sur grand écran du fantasme de l'Empire-Monde dénoncé par Ge Zhaoguang. Dans le scénario de ce film qui est aussitôt devenu un succès de box-office sans précédent, dépassant même les plus gros *blockbusters* hollywoodiens, il ne s'agit pas de sauver la Chine mais *le monde entier*. Et de le faire à la chinoise, en confiant cette « mission impossible » non pas à un super-héros solitaire, mais à une *collectivité* de Chinois tous prêts à se sacrifier au nom de la « communauté de destin pour l'humanité », réalisant ainsi l'idéal du *tianxia datong* (la grande harmonie sous le ciel) énoncé par les classiques confucéens et ressuscité de nos jours, comme on l'a vu, par les tenants du *tianxia*-isme. On obtient de cette façon la fusion parfaite de l'ancien et du nouveau, du confucianisme et du socialisme

lorsqu'il se décline en collectivisme, en somme la
quintessence d'un cinéma proprement « chinois ».

Le même chassé-croisé, qui serait amusant s'il
n'était pas aussi consternant, est observé par Chu
Xiaoquan, professeur à l'Université Fudan de Shanghai, dans son chapitre sur « Mai 68 vu de Chine ».
Le titre annonce une inversion du regard, un renversement de perspective, qui débouche sur le constat
d'un profond malentendu : tandis que les maoïstes
parisiens de Mai 1968 s'exaltaient à l'idée d'être
partie prenante de la Grande Révolution culturelle
prolétarienne alors en cours en Chine, ce que les
Chinois percevaient de ce mouvement de la lointaine
France à travers les quelques lignes qui lui étaient
dévolues dans *Le Quotidien du Peuple*, la seule source
d'informations à leur disposition, n'avait rien à voir
avec la révolte de la jeunesse estudiantine incarnée
par les Geismar et les Cohn-Bendit, mais mettait en
scène l'obscur personnage de Jacques Jurquet, secrétaire général du groupusculaire Parti communiste
marxiste-léniniste de France, dans sa lutte héroïque
contre le Parti communiste français dirigé par
l'ignoble Waldeck Rochet dans la « ligne révisionniste soviétique » que la Chine de Mao avait décidé
de pourfendre à partir des années 1960 comme une
trahison de l'esprit du communisme pur et dur. Ceci
amène Chu Xiaoquan à l'amer constat, là aussi,
d'un tragique chassé-croisé : « En réalité vivait-on
le même temps historique à Pékin et à Paris ? Avec
le recul, nous savons que quand les jeunes Français
descendaient dans la rue pour défier l'ordre établi,
la France vivait encore dans les "Trente glorieuses"
qui y ont instauré une société d'affluence ; quant
à la Chine, elle sortait d'une gigantesque famine
lorsque la Révolution culturelle éclata. En France,
les étudiants en révolte réclamaient l'ouverture de

leurs facultés fermées par la police, mais en Chine c'étaient Mao et ses Gardes rouges qui avaient fermé toutes les universités et les lycées pendant de longues années. Une fois passé le moment révolutionnaire, ces deux sociétés se sont tournées vers des avenirs sans commune mesure. Les soixante-huitards français poursuivirent ensuite leur propre destin dans une société plus tolérante et ouverte, tandis que tous les Gardes rouges et les jeunes révoltés des premières heures de la Révolution culturelle, une fois leur utilité passée pour le Parti, furent envoyés, contraints et forcés, dans des campagnes lointaines et déshéritées, pour ne pas troubler la fête du IXe Congrès du Parti en 1969. La France d'après Mai 1968 fut marquée par une forte aspiration à l'autonomie individuelle, par une revendication des droits de l'homme et une affirmation des identités minoritaires, tandis qu'en Chine, sous l'impulsion de Mao, les autorités poursuivaient une radicalisation du fondamentalisme léniniste qui étouffait toute expression de la liberté individuelle. Il y a peut-être une simultanéité des événements chinois et français en Mai 1968, mais je pense que l'on n'est pas fondé à croire que les deux pays ont vécu un processus parallèle dans un temps historique commun. »

*

On l'aura compris, la construction d'une histoire et d'une identité nationales dans la Chine d'aujourd'hui est tout autant une affaire d'État que la tâche des historiens. On aura sans doute également commencé à percevoir la complexité des rapports entretenus par les intellectuels avec le pouvoir, dans la mesure où ils ne se réduisent pas à la caricature du musellement par la censure politique qu'affectionnent les médias. Les quatre chapitres qui composent la troisième partie de notre collectif ont ceci en commun qu'ils insistent tous sur les négociations et tiraillements plus ou moins difficiles, mais permanents, entre les représentants de la société civile et ceux de l'État-Parti qui cherche à les maintenir sous contrôle. Les études de Sebastian Veg et d'Isabelle Thireau sur les regroupements citoyens non institutionnels se rejoignent : « leur méfiance vis-à-vis des grandes théories induit une position pluraliste qui rompt enfin avec quelques-uns des piliers du monisme théorique qui accable encore le monde intellectuel chinois : l'éloge de la modernisation, la vision téléologique de l'histoire, l'exceptionnalisme chinois. Pour autant, il ne s'agit pas d'une société civile organisée (et encore moins de dissidence) ; le terme *minjian*, vague et diffus, est justement mieux à même que les concepts occidentaux à rendre compte des nuances de la société chinoise. » Sebastian Veg a recours à ce terme *minjian* qui signifie littéralement « parmi le peuple », par opposition aux « officiels » (*guanfang*), pour désigner la frange de citoyens éduqués et engagés à titre non officiel et non institutionnel dans la vie de la Cité et dans la réflexion sur les moyens de la gérer au mieux. Selon Isabelle Thireau, qui étudie d'un point de vue sociologique les rassemblements informels organisés dans les nouveaux milieux protestants de la métropole de Tianjin : « Il en résulte toutes sortes d'obstacles pour ancrer l'expérience actuelle dans son historicité — obstacles d'autant plus insurmontables que les décennies dites révolutionnaires (1949-1979) et officiellement porteuses d'une rupture radicale avec le passé sont à la fois posées comme des références, mais ne peuvent faire l'objet de débats publics, tandis qu'un lien est en revanche établi avec le passé considéré dans sa longue durée, quitte à revêtir une forme d'anhistoricité. Si ces écarts et ces incohérences ont été escamotés jusqu'en 2013 [prise en main du pouvoir par Xi Jinping], ils sont désormais manifestes dans le discours officiel, occasionnant toutes sortes d'inquiétudes, d'incompréhensions et de paralysies, y compris au sein de l'administration du Parti et de l'État. Et ce, en dépit des débats très intéressants qu'ils suscitent parmi certains intellectuels qui s'interrogent sur le processus de sinisation de la pensée marxiste ou sur la possibilité de subsumer l'histoire de la Chine — et éventuellement celle du monde —, dans sa longue durée jusqu'à la période actuelle, sous des concepts forgés en Chine il y a plusieurs millénaires. »

Ji Zhe, sociologue formé en Chine et en France, s'intéresse pour sa part aux communautés bouddhistes qui faisaient partie du tissu de la société chinoise traditionnelle, depuis l'introduction de la foi bouddhique venue de l'Inde dès le début de l'ère chrétienne, avant d'être réprimées dans les années 1950 par le régime communiste, réputé pour considérer toute religion comme « opium du peuple ». Mais comme le montre ce chapitre intitulé « Bouddhisme et État : une histoire de négociations », ces communautés ont réussi à se reformer petit à petit en commençant par se couler dans le moule des institutions religieuses officielles comme l'Association Bouddhiste de Chine au niveau national, puis de plus en plus régional, jusqu'à retrouver une masse critique que le pouvoir central ne peut plus ignorer ni prétendre contrôler totalement et avec laquelle il est bien obligé de composer. Tout comme Isabelle Thireau dans le cas des assemblées protestantes, Ji Zhe observe l'importance grandissante des organisations laïques chez les bouddhistes qui ont pris l'habitude de se réunir de manière informelle, souvent chez des particuliers, ou de s'associer en vue d'actions caritatives, échappant ainsi à la surveillance qui s'exerce sur les rassemblements institutionnels publics.

Cette partie sur les modes de contrôle de la société civile ne pourrait se clore autrement que sur la fameuse question du système de Crédit social, sujet qui hante tous les esprits à juste titre, mais qui génère par là même une foule de fantasmagories plus infondées les unes que les autres. Posément, point par point et sans parti pris, Séverine Arsène passe en revue les éléments de continuité et de discontinuité entre les pratiques de gouvernance présentes et passées (un passé qui remonte à l'Antiquité préimpériale, mais qui peut aussi concerner les décennies écoulées depuis l'instauration du régime communiste en 1949). Sans pour autant diluer son propos, elle montre aussi comment la Chine actuelle ne fait qu'exploiter, certes en l'absence de tout frein et de contre-pouvoir, des technologies et des techniques d'influence qui s'imposent également dans le quotidien des citoyens partout dans le monde capitaliste libéral. Elle nous explique que, loin de dystopies fantasmées telles que *Black Mirror* auxquelles on l'a trop souvent et trop hâtivement associé, le système du Crédit social n'est pas tant un système de surveillance policière qu'un effort pour pallier les défaillances du dispositif légal et que le problème central auquel il s'adresse est celui d'un manque d'efficacité dans l'application des lois — problème en partie structurel, du fait de l'absence de séparation des pouvoirs et de la corruption. Le système de Crédit social apparaît donc comme « une solution technocratique, à la fois au problème pratique d'ordre public et au problème de légitimité politique que représente l'impunité. [...] Comme pour les dispositifs antérieurs, le système est motivé par une forme d'utilitarisme. Le respect des lois et règlements est clairement destiné à un objectif de développement économique, et le système doit fournir des indicateurs permettant de faciliter l'établissement de relations de confiance entre acteurs économiques. L'enjeu est aussi de permettre le développement d'un marché intérieur, dans une Chine trop dépendante de ses exportations, et engagée dans des relations géopolitiques complexes avec ses principaux partenaires commerciaux, à commencer par les États-Unis. C'est aussi un enjeu de légitimité pour le Parti communiste chinois, qui doit convaincre qu'il peut efficacement lutter contre la corruption, mettre en œuvre les mesures de protection de l'environnement et fournir la croissance économique sur laquelle repose le contrat social établi depuis Deng Xiaoping. »

*

Dans une veine similaire à l'exposé de Séverine Arsène, celui de Nathan Sperber, en ouverture de la dernière partie consacrée aux tensions qui traversent la Chine d'aujourd'hui, nous emmène dans les méandres de la constitution de ce qu'il choisit d'appeler le « capitalisme d'État » qui préside actuellement au fonctionnement de l'économie chinoise et qui est ici montré en tension entre le discours officiel sur la « voie socialiste » (*shehuizhuyi daolu*) et le schéma interprétatif libéral (*free market economy*), en passant par le fameux oxymore de l'« économie socialiste de marché ». Cette véritable saga, pleine de rebondissements, d'hésitations, voire de retours en arrière, est assez éloignée de la montée en puissance à la trajectoire linéaire et téléologique dont nous abreuvent les médias et aboutit à la conclusion paradoxale que « la trajectoire chinoise est le fruit de la contingence » et que « le processus heurté des réformes n'a pas mis la Chine sur les rails d'une convergence vers un modèle d'économie libre, comme escompté par tant de transitologues libéraux occidentaux et chinois. La marchandisation des échanges et la capitalisation de la base productive sont advenues sans pour autant être accompagnées d'une libéralisation achevée du système économique. »

Cette mainmise renforcée du politique sur l'économique, au lieu de la libéralisation attendue à la suite de la « réforme et ouverture » des années 1990, est probablement au cœur des tensions les plus visibles, avec des conséquences humaines immédiatement et massivement dramatiques, que sont la situation de répression politique à Hong Kong et la condition réservée par le pouvoir central de Pékin aux « minorités ethniques » du Xinjiang, à commencer par les Ouïghours, pour lesquels Magnus Fiskesjö prend fait et cause avec l'ardeur et la ferveur du militant. En l'absence aisément explicable de documents officiels du fait de l'impossibilité d'accéder aux informations sur le terrain, cet enseignant-chercheur au Département d'anthropologie de l'Université Cornell natif de Suède s'est employé à recueillir et rassembler le maximum de données auprès de témoins directs ou de victimes rescapées de la répression chinoise qui s'est abattue sur cette région du Grand Ouest qui n'a d'autonome que le nom et qui a surtout le malheur de se trouver en première ligne sur les « nouvelles routes de la soie » en direction de l'Asie centrale. Magnus Fiskesjö décrit par le menu toutes les formes prises par cette répression, des plus brutales consistant en l'internement concentrationnaire et en la condamnation aux travaux forcés de larges portions de la population autochtone, jusqu'aux plus insidieuses qui tendent à éliminer tout signe de culte musulman sous prétexte de lutte contre l'extrémisme jihadiste, voire toute trace des langues et des cultures locales au nom de la supériorité de la « civilisation » et de l'ethnie dominante Han. L'auteur se sent autorisé à parler d'entreprise génocidaire dans la mesure où l'on observe une volonté systématique de la part du pouvoir central d'éliminer physiquement ou par des méthodes eugénistes ces « minorités » considérées comme réfractaires à la réalisation du grand « rêve chinois ».

Comme chacun sait, le Xinjiang (littéralement, la « nouvelle frontière » de l'empire mandchou) et, sous une autre forme, l'ancienne colonie britannique de Hong Kong ne sont que les terrains actuels sur lesquels s'exerce dans toute sa brutalité la puissance chinoise, après qu'elle a sévi pendant des décennies sur le Tibet, autre région dite « autonome ». L'historienne australienne Ruth Gamble aborde cette région toujours aussi fortement contestée sous l'angle économique et écologique des conflits régionaux inter-États autour du contrôle des fleuves et des ressources en eau sur le haut plateau himalayen. Son exposé a en particulier le mérite de montrer l'implication régionale de la Chine que l'on voit ici en contact et en conflit directs avec ses voisins immédiats, à commencer par l'Inde, avec laquelle le régime chinois entretient des relations très ambivalentes et brusquement changeantes, notamment depuis la guerre ouverte de 1962 dont on a vu des résurgences dans les récents incidents frontaliers d'une extrême violence entre militaires chinois et indiens. Mais, par-delà les disputes sur le tracé des frontières, c'est tout l'écosystème du massif himalayen irriguant une bonne partie de l'Asie du Sud et du Sud-Est qui est en jeu.

À travers le cas du Tibet comme celui du Xinjiang, on perçoit les enjeux économiques, écologiques et géopolitiques qui motivent les persécutions contre les populations autochtones et qui ont une portée largement régionale, bien au-delà du tracé des frontières géographiques. Or, la crise sanitaire provoquée par la pandémie de Covid-19, partie du cœur de la Chine entre la fin 2019 et le début 2020, a pris pour sa part une dimension largement planétaire. Frédéric Keck, dont le chapitre clôt notre collectif tout en restant ouvert sur un avenir plus qu'incertain, rappelle que cette crise était largement annoncée : « L'émergence de la grippe aviaire en 1997 a été une crise à la fois sanitaire et environnementale parce qu'elle signalait, au moment d'un changement de mandat politique (la rétrocession de la colonie britannique de Hong Kong à la République populaire de Chine), la dépendance croissante du reste du monde à l'égard des transformations de l'environnement chinois (l'augmentation du nombre de volailles élevées de façon industrielle et exportées dans des conditions peu contrôlées). D'où le décalage entre le faible nombre de victimes humaines et le grand nombre de volailles abattues pour anticiper et préparer les crises sanitaires à venir. La crise du SRAS, du fait du plus grand nombre de victimes humaines, a confirmé le scénario pandémique construit par les experts de la grippe aviaire. » En remontant encore bien plus haut dans le passé de la « civilisation » chinoise, Frédéric Keck prend le parti de situer son analyse dans la longue durée : « L'histoire environnementale montre que la Chine a été soumise très tôt à une forte pression anthropique du fait d'une importante population sur un territoire relativement restreint et pauvre en ressources énergétiques, par comparaison avec celles dont bénéficiaient les pays européens du fait de la colonisation. Les observateurs de la Chine classique soulignaient déjà le lien entre la déforestation, la désertification, la disparition des espèces sauvages, le débordement des rivières et l'apparition de nouvelles maladies pour souligner la nécessité d'une « harmonie entre l'homme et le ciel » (*tian ren heyi*). Mais l'idée d'une nature à protéger des interventions humaines (*ziran*, ce qui croît de soi-même) est une invention récente, issue d'écrits inspirés des romantiques occidentaux et de mobilisations contre les projets modernisateurs. »

Même si, selon certains observateurs, l'économie chinoise, de par son poids dans l'économie mondiale, a peut-être des chances de se tirer sans trop de dommages de la crise du Covid-19, il reste que l'autoprojection de la Chine comme grande puissance pacifique, garante d'harmonie et de prospérité « gagnant-gagnant » pour tous dans laquelle beaucoup d'entrepreneurs du monde entier ont voulu croire — et surtout investir — au cours des dernières décennies, n'a aujourd'hui plus guère de crédibilité. Les hommes politiques occidentaux, qui ont longtemps observé une remarquable *omertà* sur les exactions perpétrées par le pouvoir de Pékin au Xinjiang ou à Hong Kong, commencent l'un après l'autre à sortir de leur réserve et à demander ouvertement des comptes à leurs homologues chinois. Alors qu'en 2007, lors de la parution de notre premier collectif, la Chine était un objet de fascination, baignant dans son rôle millénaire de centre d'attraction pour le monde, elle se retrouve aujourd'hui exposée sous son vrai visage, sans masque (pour ainsi dire !), tel le roi nu de la fable d'Andersen auquel faisait déjà allusion Simon Leys en 1971 dans *Les habits neufs du Président Mao*. Cinquante ans après la parution de ce livre prophétique, allons-nous continuer à accorder un quelconque crédit aux constructions fantasmatiques et fallacieuses du « rêve chinois » dont on voit bien que le désir de puissance a fini par occulter celui de redevenir une authentique civilisation ? Quand donc la Chine comprendra-t-elle qu'elle ferait mieux de se remettre à penser au lieu de continuer à dépenser ?

> « Un grand pays se tient au plus bas
> Là où coulent les rivières
> Là où le monde se rencontre
> Là où se trouve le Féminin »

Laozi 61

PREMIÈRE PARTIE

PROJECTIONS
DE LA CHINE-MONDE

PHILOSOPHIE CHINOISE
ET VALEURS UNIVERSELLES
DANS LA CHINE D'AUJOURD'HUI

JOHN MAKEHAM
Université La Trobe, Melbourne

À la fin des années 1970 et dans les années 1980, on a vu se développer à Taïwan et à Hong Kong un mouvement influent visant à « siniser » (*Zhongguohua*) ou « indigéniser » (*bentuhua*) les sciences sociales, en particulier la psychologie sociale, l'anthropologie et la sociologie[1]. Le mouvement a favorisé un retour aux racines culturelles de l'identité chinoise et le développement d'approches « sinisées » de la recherche en sciences sociales et comportementales. À Taïwan, le processus d'indigénisation a commencé sous le nom de *Zhongguohua* (« sinisation ») parce que, dans les sciences sociales des années 1980, la Chine désignait le « local ». Le terme *bentuhua* a également été adopté pour rendre cette même idée. Dans l'ensemble, le terme *Zhongguohua* traduisait une ambition : que les sciences sociales (ou des disciplines particulières des sciences sociales) soient fondées sur la culture, l'expérience et les perspectives locales / régionales — « locales / régionales » faisant référence de manière assez vague à l'idée de « Chine », de société chinoise (intégrant Taïwan), ou à des sociétés *Huaren* (sinitiques) particulières ou à Taïwan. À la base de ce mouvement, on trouve l'idée selon laquelle les chercheurs en sciences sociales chinois se doivent d'être conscients d'eux-mêmes, autocritiques et indépendants (c'est-à-dire non subordonnés à l'Occident) afin de contribuer à rendre les disciplines des sciences sociales du monde plus cosmopolites et globalisées en tenant dûment compte des spécificités nationales et culturelles. Au milieu des années 1980, cependant, le terme « indigénisation » tel qu'utilisé à Taïwan en est venu à désigner le processus de « taïwanisation » dans les domaines culturel et politique. Avec la fin de la loi martiale, la levée des restrictions imposées à la presse en 1987 et l'émergence du nationalisme culturel taïwanais pendant cette même décennie, on a assisté à un regain d'intérêt pour l'histoire et la culture taïwanaises, et à son affirmation tant dans les discours intellectuels que populaires. Le renoncement en 1991 du Kuomintang à se revendiquer gouvernement légitime de toute la Chine et l'instauration au niveau national d'un système électoral démocratique ont légitimé l'intérêt politique et intellectuel pour l'identité taïwanaise. Si, avec l'évolution du paysage politique dans les années 1990[2], la sinisation a progressivement perdu de son attrait à Taïwan, les termes « sinisation » et « indigénisation » ont tous deux, à la même époque, trouvé des relais sur le continent parmi les anthropologues et les psychologues[3]. C'est également dans les années 1990 qu'une tendance similaire s'est progressivement enracinée dans le domaine de la philosophie chinoise, en particulier sur le continent. Cependant, à la différence du mouvement de sinisation des années 1970 et 1980 à Taïwan, la demande de reconnaissance du local ne visait pas à faire entendre une voix chinoise dans la discipline de la philosophie afin de rendre celle-ci plus globale et plus cosmopolite et de renforcer ainsi ses revendications universalistes. La défense d'une philosophie chinoise s'est plutôt constituée comme une réponse à la perception des menaces que les revendications universalistes du travail théorique représentaient pour la particularité de l'identité culturelle locale.

Un tournant dans ce processus de développement s'est produit dans les premières années du nouveau millénaire avec le débat concernant ladite légitimité de la philosophie chinoise (*Zhongguo zhexue de hefaxing*). De nombreux universitaires chinois ont fait valoir que la « philosophie occidentale » se devait encore de reconnaître « la légitimité » de la philosophie chinoise et de la considérer en tant que partenaire égal dans la réflexion. D'autres ont en outre insisté sur le fait que l'articulation et le développement du patrimoine philosophique de la Chine doivent s'inspirer exclusivement des paradigmes et des normes des traditions indigènes chinoises, et que les paradigmes et les normes dérivés de l'Occident, en particulier, ne sont pas seulement inappropriés mais hégémoniques et / ou mal adaptés aux « conditions » nationales de la Chine. Par exemple, en 2009, le philosophe hongkongais Shun Kwong-loi a souligné que « c'est en étudiant la pensée éthique chinoise dans les termes qui lui sont propres que nous pouvons dégager ses idées les plus spécifiques, qui peuvent ensuite être étoffées et développées sans être façonnées par les agendas fixés par les débats philosophiques occidentaux »[4]. Shun a attiré l'attention sur les conséquences de la pratique moderne consistant à utiliser par défaut des concepts et des cadres occidentaux pour faire du travail comparatif entre les philosophies chinoise et occidentale, faisant remarquer au passage que, « bien que nous observons un recours fréquent à des cadres philosophiques occidentaux pour l'étude de la pensée chinoise, le phénomène inverse est rare, à savoir le recours à des cadres philosophiques chinois pour étudier la pensée occidentale ». Il poursuit : « [...] ainsi se demande-t-on si Mozi est un utilitariste, mais pas si John Stuart Mill est un moïste ou s'il se prononce en faveur du *jian'ai* [la notion moïste d'amour universel]. Nous trouvons des débats sur la question de savoir si la pensée traditionnelle chinoise a une conception des droits mais pas si les traditions occidentales ont une conception du *li* [la raison des choses]. Et, plus récemment, nous assistons à des débats sur la question de savoir si l'éthique confucéenne est une forme d'éthique de la vertu, mais pas sur la question de savoir si l'éthique aristotélicienne est une forme de *lixue* [étude de la raison des choses][5]. » Le soutien à ce genre de préoccupations a été, à son tour, renforcé par un nationalisme culturel chinois robuste centré sur le confucianisme : ce mouvement nationaliste se fonde sur la conviction idéologique que le confucianisme est une formation culturelle inhérente à la conscience identitaire de la nation chinoise (*Zhonghua*).

Des points de vue similaires ont également été exprimés dans le contexte du *guoxue re*, « fièvre » ou engouement pour les études nationales, qui a également culminé à la fin de la première décennie du nouveau millénaire[6]. Bien que les définitions du *guoxue* varient, souvent considérablement, la plupart des chercheurs chinois préfèrent une définition large, faisant de celui-ci « un terme collectif général concernant la culture chinoise traditionnelle », « l'étude chinoise traditionnelle » ou « la recherche sur la culture chinoise ». Chen Lai est l'une des figures majeures œuvrant pour asseoir la légitimité de la philosophie chinoise et de la renaissance du *guoxue*. Chen est actuellement professeur de philosophie à l'Université Tsinghua et doyen du *Guoxue yuan* de l'Université Tsinghua, qui est traduit en anglais par Academy of Chinese Learning. Dans un article influent publié dans le *Guangming ribao* en 2010, il écrit :

> Les historiens ont souligné, il y a bien longtemps, que la Chine possède plusieurs milliers d'années d'archives historiques sans discontinuité, ce qui est unique au monde. Les principes qui sous-tendent toutes les sciences sociales doivent être soumis au test de l'expérience historique de la Chine avant que leur véracité puisse être établie. L'engouement pour les études nationales aide les gens à évaluer de manière critique le point de vue à partir duquel la culture occidentale en vient à prendre le particulier pour l'universel ; à analyser de manière critique l'importation ou la transplantation des systèmes d'enseignement occidentaux ; et, en tenant dûment compte de l'expérience de la Chine et de sa sagesse, à établir la singularité de la culture chinoise et à promouvoir l'égalité dans le dialogue entre les nombreuses cultures du monde[7].

D'autres acteurs du débat de l'époque se sont inquiétés des effets des systèmes occidentaux d'enseignement en Chine. Par exemple, certains craignaient que, parce que les études classiques — une partie inaliénable de l'enseignement national — ont été réduites à la philosophie, à la philologie, à l'histoire ou à l'anthropologie, cela ait entraîné une confusion méthodologique et entravé la compréhension véritable[8]. D'autres déploraient que « le système occidental des disciplines académiques ait conduit à l'éclatement et à la fragmentation de l'enseignement traditionnel en Chine. Pour cette raison, le *guoxue* ne peut pas exister et se développer comme un tout organique. Par conséquent, il est difficile de garantir que l'enseignement et la culture tradition-nels de la Chine puissent exercer une forte influence parmi les cultures nationales du monde »[9]. D'autres encore se sont plaints de la dislocation des savoirs traditionnels associés aux quatre classes de textes, *Sibu* — les classiques, les histoires, les maîtres et les compilations —, et du fait que les connaissances contenues dans chacun d'eux soient devenues de simples « matériaux » pour les disciplines venant d'Occident[10].

Depuis lors, les plaintes au sujet de l'impérialisme culturel occidental n'ont pas été l'apanage des seuls universitaires ; les dirigeants chinois se sont égale-ment inquiétés du caractère particulier des valeurs prétendument universelles. Forte de sa puissance économique, politique et militaire croissante, la Chine souhaite que la communauté globale des nations la reconnaisse et engage avec elle le dialogue que cette reconnaissance appelle. Cette aspiration est contrariée par le fait que les dirigeants politiques et les intellectuels chinois bataillent toujours avec la question de savoir dans quelle mesure les « valeurs chinoises » s'accordent aux « valeurs universelles » et les institutions globales, et s'il existe une seule modernité à l'échelle du globe — à la définition de laquelle la Chine peut contribuer — ou s'il existe de multiples modernités et de multiples valeurs univer-selles — peut-être concurrentes.

À la suite de l'accession à la direction de la Répu-blique populaire de Chine du président Xi Jinping à la mi-novembre 2012, l'hostilité de l'État-Parti aux valeurs universelles s'est considérablement accrue. Ce changement a été particulièrement manifeste lorsque Liu Qibao est devenu le chef du Départe-ment de la publicité, qui supervise la propagande.

Début 2013, un avis a été envoyé aux universités indiquant les « sept sujets de discussion interdits » (*qi bu jiang*). Les valeurs universelles sont en tête de liste des sujets interdits. Il subsiste une réticence importante à discuter ouvertement de ce sujet.

Le président Xi Jinping a prononcé son discours le plus important sur les valeurs universelles à l'École centrale du Parti fin 2015. À cette occasion, il a reproché aux puissances étrangères d'utiliser les « valeurs universelles » occidentales pour subvertir l'idéologie socialiste de la Chine :

> À l'intérieur et à l'extérieur de la nation, diverses puissances antagonistes tentent toujours de saper les valeurs de notre Parti. Le dommage le plus grand, ils le commettent en complotant pour nous inciter à renoncer à notre foi dans le marxisme et à rejeter notre croyance dans le socialisme et le communisme. Et même certains de nos camarades au sein du Parti, qui n'ont pas perçu clairement l'ordre du jour dissimulé, pensent que, dans la mesure où les « valeurs universelles » occidentales ont perduré pendant plusieurs siècles, nous pourrions éventuellement nous identifier à elles : Qu'y a-t-il de mal à emprunter un discours politique occidental ? Que pourrions-nous craindre ? [...] À leur insu, ces gens deviennent ainsi une troupe de pom-pom girls au service de l'idéologie capitaliste[11].

Xi Jinping a ensuite abordé la question du renforcement du travail du Parti dans le domaine de l'enseignement théorique et a souligné la nécessité pour les éducateurs du Parti de donner des conseils clairs aux étudiants de l'École centrale du Parti quant à la façon de comprendre des questions telles que :

— le caractère scientifique du « socialisme aux caractéristiques chinoises » ;
— le renforcement et le perfectionnement de la direction du Parti ;
— le contenu scientifique des valeurs de liberté, de démocratie et d'égalité ;
— ce qu'en Occident on appelle les valeurs universelles.

Il peut certes sembler incongru que des valeurs telles que la liberté, la démocratie et l'égalité soient, comme le propose Xi Jinping, distinguées de « ce que l'on appelle en Occident des valeurs universelles ». Il ne faut toutefois pas oublier que les autorités idéologiques du Parti avaient proclamé, dès le début de l'année 2012, un ensemble de « valeurs socialistes fondamentales » (*shehuizhuyi hexin jiazhi*) :

Valeurs nationales

— Prospérité et puissance (*fuqiang*)
— Démocratie (*minzhu*)
— Civilité (*wenming*)
— Harmonie (*hexie*)

Valeurs sociales

— Liberté (*ziyou*)
— Égalité (*pingdeng*)
— Justice (*gongzheng*)
— État de droit (*fazhi*)

Valeurs individuelles

— Patriotisme (*aiguo*)
— Dévouement (*jingye*)
— Intégrité (*chengxin*)
— Amitié (*youshan*)

Collectivement, les douze valeurs assemblent des éléments conceptuels passés et présents, locaux et mondiaux. Curieusement, cependant, il n'y a aucune indication sur les fondements de cet ensemble hétéroclite de valeurs. Ce qui ressort clairement des commentaires de Xi Jinping, cependant, c'est que la liberté, la démocratie et l'égalité ne doivent pas être identifiées à leurs homonymes occidentaux.

Malgré les critiques explicites des valeurs universelles et la défense des valeurs socialistes fondamentales, certains éminents universitaires chinois ont non seulement réussi à naviguer dans ces eaux politiques dangereuses, mais ont aussi accumulé un capital politique important dans ce processus. Chen Lai en est peut-être l'exemple le plus frappant. Comme nous l'avons déjà mentionné, M. Chen est professeur de philosophie à l'Université Tsinghua et doyen du *Guoxue yuan* de l'Université Tsinghua. Il est généralement considéré comme le plus grand spécialiste de la philosophie confucéenne en Chine. En 2018, il a été nommé membre de la Conférence consultative politique du peuple chinois, un organe consultatif législatif national de la République populaire de Chine. Cette nomination représente, de la part du Parti, un fort soutien à Chen Lai et à son approche de la question des valeurs universelles et particulières.

Dans un article récent et perspicace, Hoyt Cleveland Tillman, un spécialiste de l'histoire intellectuelle, écrit :

> Dans le contexte politique actuel, où les valeurs particularistes chinoises sont louées et où les valeurs universelles sont des plus suspectes, il est remarquable que Chen Lai ait présenté une

synthèse du confucianisme et du marxisme qui s'inscrive dans l'horizon de leur universalité. Par exemple, sa représentation de la liberté, de l'égalité et de la justice en tant qu'objectifs ou valeurs universellement désirés est fondée sur son propre récit des valeurs morales confucéennes ; par conséquent, il est en mesure de défendre la mise en relation de ces trois valeurs au service des fins politiques du socialisme chinois et du bien commun de la société, plutôt que par un discours occidental libéral sur les droits[12].

Outre l'approbation du livre de Chen Lai de 2014, *Renxue benti lun* (*Ontologie fondée sur le principe d'humanité*), les autorités auraient loué la manière dont Chen Lai a abordé la discussion des valeurs universelles. Selon Tillman :

> L'adhésion des médias contrôlés par le Parti à ses livres et articles récents renforce l'impression que, malgré sa susceptibilité dès qu'il est question des valeurs universelles et des politiques qu'il déploie à leur encontre, le Parti communiste chinois compte encore des membres qui ne sont pas totalement opposés à la signification universelle des valeurs, mais à la condition de redéfinir ces valeurs pour non seulement les harmoniser avec la tradition chinoise (comme l'a fait Chen), mais aussi être compatibles avec les conditions jugées nécessaires au maintien du contrôle politique[13].

Chen Lai, rappelons-le, est un expert de la philosophie néoconfucéenne des périodes Song (960-1279) et Ming (1368-1644). L'« ontologie fondée sur l'humanité » qu'il revendique est une tentative sophistiquée de développer une nouvelle ontologie, s'inspirant d'un éventail de penseurs, dont le grand philosophe néoconfucéen Zhu Xi (1130-1200). L'une des appropriations les plus créatives de la pensée de Zhu Xi par Chen concerne le récit par Zhu Xi de l'unité des vertus, dans laquelle l'une des vertus cardinales, celle de l'humanité, est fondamentale pour l'ensemble des autres vertus. Plus précisément, ces vertus cardinales sont les quatre que le philosophe confucéen classique Mencius (IVᵉ siècle avant notre ère) a regroupées pour la première fois en un seul ensemble : l'humanité (*ren*) ; l'accomplissement de ce qui est juste et de son devoir (*yi*) ; le respect du décorum (*li*) ; la sagesse (*zhi*). Ce qui est notable dans le récit que livre Zhu Xi de l'unité de ces vertus, c'est que l'humanité y est présentée comme soutenant et donnant naissance aux trois autres vertus.

L'appropriation créative de Chen Lai a été d'adapter la stratégie de Zhu Xi et de faire de l'humanité non seulement le fondement des autres vertus confucéennes, mais aussi des valeurs universelles de liberté, d'égalité et de justice.

Chen cherche en outre à convaincre le lecteur que ces quatre « valeurs universelles » sont un héritage de la tradition confucéenne chinoise et ne sont donc pas simplement une importation de l'Occident. Comme le fait remarquer Tillman, la synthèse des valeurs qui en résulte est présentée comme ayant des avantages par rapport aux programmes occidentaux de valeurs universelles. D'une part, Chen Lai veut insister sur le fait que le concept chinois d'humanité peut se hisser au niveau de la globalité, car le concept chinois d'humanité est le fondement essentiel de toutes les valeurs. D'autre part, il cherche à rejeter les affirmations selon lesquelles la valeur universaliste occidentale de la démocratie devrait s'appliquer à la Chine[14].

Dans un article de 2015 paru dans le *Renmin ribao* (*Le Quotidien du Peuple*), Chen Lai a écrit :

> Pour examiner les caractéristiques particulières des valeurs de la civilisation « chinoise » (*Zhonghua wenming*), nous ne pouvons pas nous limiter aux concepts moraux appartenant à la culture chinoise mais nous devons prendre la culture occidentale comme point de comparaison — en particulier les valeurs de la culture occidentale moderne — pour discerner les caractéristiques particulières des valeurs de la civilisation chinoise. Comparées aux valeurs occidentales modernes, les valeurs de la civilisation chinoise présentent quatre caractéristiques particulières :
>
> — la responsabilité passe avant la liberté ;
> — le devoir passe avant les droits ;
> — le groupe social passe avant l'individu ;
> — l'harmonie l'emporte sur le conflit.
>
> Dans la culture occidentale et les valeurs occidentales, on observe une attitude de conflit qui consiste pour chacun à toujours utiliser son propre pouvoir et à adopter une position autocentrée pour dépasser, contrôler et dominer les autres. C'est la raison pour laquelle les guerres de religion tout au long de l'histoire occidentale sont extrêmement brutales, alors que la Chine n'a jamais connu de telles guerres de religion. On peut en effet dire que les origines culturelles des deux guerres mondiales du XXe siècle ne se trouvent pas à l'Est. De manière générale, on peut dire que la culture et les valeurs chinoises, contrairement à celles qui prévalent en Occident, privilégient l'harmonie sur les conflits[15].

Au lieu de démontrer la façon dont ces valeurs de liberté, d'égalité et de justice sont actualisées ou manifestes dans les politiques et les institutions de la RPC, Chen Lai utilise le modèle singapourien des « valeurs asiatiques » pour étayer implicitement son argument établissant que le système de valeurs chinois peut inclure de telles valeurs modernes. Il insiste en outre sur le fait que le cœur des valeurs asiatiques est confucianiste. En 2015, Chen Lai a publié le volume *Zhonghua wenming de hexin jiazhi* (*Les valeurs fondamentales de la civilisation chinoise*). Dans une annexe à ce volume, Chen écrit :

> Existe-t-il de nouvelles valeurs universelles issues du confucianisme lui-même, des valeurs qui diffèrent des valeurs démocratiques libérales ? Je pense qu'il y en a. Dans le monde d'aujourd'hui, les plus influentes sont sans aucun doute ce que Singapour a appelé les valeurs asiatiques. Les valeurs asiatiques comprennent cinq valeurs principales :
>
> — d'abord, l'état social est plus important que l'individu ;
> — deuxièmement, les racines de l'État sont dans la famille ;
> — troisièmement, l'État doit respecter l'individu ;
> — quatrièmement, l'harmonie est préférable au conflit pour maintenir l'ordre social ;
> — cinquièmement, il doit y avoir coexistence pacifique et complémentarité entre les religions.
>
> Je crois que si je me penchais sur ce thème des « nouvelles valeurs universelles », je penserais naturellement à l'exemple de Singapour. Ces cinq principes comprennent non seulement les valeurs traditionnelles de l'Asie de l'Est, mais aussi les nouvelles valeurs qui ont été absorbées par la civilisation occidentale au cours du siècle dernier,

comme celle qui stipule que l'État doit respecter l'individu. De fait, l'ensemble des valeurs asiatiques de Singapour est un ensemble systématique de valeurs qui ne donne pas la priorité à l'individualisme. Telle est la version singapourienne des valeurs asiatiques modernes, et je pense que c'est aussi la version singapourienne des valeurs de la civilisation confucéenne moderne, dont le noyau n'est pas la priorité du droit de l'individu à la liberté, mais le bien de la société et de la communauté[16].

Je note au passage que s'agissant des valeurs asiatiques, Chen Lai a exprimé le même type de position dès 1998[17].

Au cours de la dernière décennie, un groupe de jeunes universitaires basés dans diverses universités chinoises a également plaidé en faveur de la priorité de la nation sur l'individu. Ce groupe est également connu de manière informelle sous le nom de « clique Kang » (*Kang dang*). Plusieurs personnalités associées à cette clique ont également participé à un atelier qui s'est tenu à l'Université normale de Chine de l'Est à Shanghai en 2011. La transcription des discussions de l'atelier a été publiée deux ans plus tard sous le titre *He wei pushi ? Shei zhi jiazhi ? Dangdai Rujia pushi jiazhi* (*Quel universel ? Les valeurs de qui ? Les confucéens contemporains discutent des valeurs universelles*)[18].

Le nom de « clique Kang » vient de l'appel de certains de ses « membres » les plus en vue comme Chen Ming et Gan Chunsong à un « retour à Kang Youwei ». Kang Youwei (1858-1927) était un intellectuel majeur et un réformateur actif dans la transition entre l'empire Qing et l'instauration de la Chine républicaine. Pour de nombreux revivalistes confucéens d'aujourd'hui, en particulier ceux qui se définissent consciemment comme « nouveaux confucéens du continent » (*Dalu xin Rujia*), Kang avait proposé un modèle supérieur pour la construction de la nation et de l'État, à un moment critique de l'histoire de la Chine, lorsque, d'empire, elle est devenue État-nation.

Chen Ming, par exemple, écrit que, dans le projet de Kang Youwei, « l'intégrité de la nation et le maintien des moyens de subsistance du peuple ont, historiquement, primé sur les droits individuels, la démocratie constitutionnelle, la liberté de croyance et autres valeurs prioritaires du projet des Lumières ». Ici, le projet des Lumières fait référence à la tradition intellectuelle libérale de la Chine moderne. Chen déplore que la vision de Kang ait été détournée en fonction du programme fixé par les intellectuels libéraux. Il poursuit : « Le projet des Lumières et son récit utopique n'auraient dû être choisis que s'ils avaient pu constituer un programme de salut ; nous ne devrions pas et ne pouvons pas accepter que la théorie prenne des libertés avec les faits, ou que les moyens deviennent des fins, or c'est malheureusement là que se situent nos plus grands problèmes aujourd'hui »[19]. En d'autres termes, les visions utopiques des libéraux chinois continuent de faire obstacle à la réalisation du plan de Kang. Pour les revivalistes confucéens tels que Chen Ming, faire du confucianisme la religion d'État est un élément clé du projet de Kang, et c'est un objectif que Chen Ming et ses collègues continuent de défendre aujourd'hui. Kang Youwei revêt également une importance au regard de la notion de *tianxia* ou de « tout ce qui existe sous un même ciel ». Kang était associé à une lignée d'érudition confucianiste connue sous le nom de « confucianisme des textes modernes ».

Ce dernier trouve ses origines dans la dynastie Han (206 av. J.-C.-220 apr. J.-C.), mais il a été repris et réinterprété de façon créative au XIXᵉ siècle. L'une de ses principales caractéristiques est qu'il met l'accent sur une vision cyclique de l'histoire, caractérisée par une périodisation en trois étapes. Kang Youwei a transformé ce modèle cyclique en un modèle téléologique de progrès en trois étapes, qui culmine dans la vision utopique d'un « âge de la paix universelle » (*taiping shi*) ou de « grande unité » (*datong*).

Tout comme Chen Lai, Kang attachait une importance particulière à l'idéal moral du *ren*. Pour Kang, le *ren* représente une vision métaphysique du monde ; « un idéal moral ou un modèle de valeurs intégré dans la structure de la réalité »[20]. De plus, la compréhension par Kang de l'idéal moral du *ren* était téléologique. Il projetait la pleine réalisation du *ren* à un moment lointain mais déterminé dans le futur : « l'âge de la paix universelle » ou « la grande unité ». Sa vision de cette « grande unité » se résumait à une « société universelle inclusive, où ne figurait plus aucun État territorial »[21].

En tant que communauté utopique, elle n'est pas sans rappeler l'ordre politique utopique connu sous le nom de *tianxia* ou système du « tout sous un même ciel », proposé par Zhao Tingyang, le théoricien des relations internationales qui vit à Pékin. L'historien Wang Gungwu décrit le *tianxia* comme « une notion abstraite qui incarne l'idée d'une autorité morale supérieure guidant le comportement dans un monde civilisé [...]. [Il] décrit un royaume éclairé que les penseurs confucéens et les mandarins ont élevé au rang de valeurs universelles, servant à déterminer qui était civilisé et qui ne l'était pas »[22]. Dans sa propre vision du *tianxia*, Zhao Tingyang décrit la place de l'individu comme suit :

Tout-sous-un-même-ciel considère le monde dans sa totalité comme un système politique unique beaucoup plus vaste et plus élevé qu'un seul pays ou nation / État [...]. On reproche souvent au système chinois associant familles, États et Sous-un-même-Ciel — qui diffère fondamentalement du système occidental des individus, des nations et des relations internationales — de négliger l'individu aussi bien que les droits individuels, mais c'est un malentendu... Il n'y a pas de déni chinois de la valeur de l'individu, mais plutôt un déni de l'individu en tant que fondation ou point de départ politique, parce que le politique n'a de sens que lorsqu'il traite de « relations » plutôt que d'« individus », et le politique est destiné à parler de coexistence plutôt que d'une simple existence[23].

L'universitaire de Shanghai Xu Jilin est un autre intellectuel chinois de premier plan qui s'est également employé à promouvoir le concept de *tianxia* en tant qu'institution politique inclusive qui transcende les États-nations et le nationalisme. À l'opposé de la « clique Kang », Xu s'oppose fortement au nationalisme. Pour lui, le nationalisme peut déboucher sur d'horribles violences à grande échelle, à l'image des deux guerres mondiales. Il lui oppose ce qu'il appelle le « nouveau *tianxia* ». Le *tianxia* dans la Chine traditionnelle se présente pour lui comme un « imaginaire mondial dont les plaines centrales de la Chine occupent le centre ». Cela le conduit à affirmer que les valeurs de cette tradition civilisationnelle sont universelles et humanistes plutôt que particulières et propres à une seule civilisation ou culture :

Derrière l'empire chinois traditionnel se cachait une conscience du *tianxia* pour toute l'humanité, un ensemble de valeurs universelles qui transcendaient les intérêts particuliers d'une dynastie donnée. Leur source était la voie morale du ciel. Ces valeurs servaient de normes pour déterminer le bien et le mal partout sous le Ciel, elles prescrivaient la conduite des dirigeants et déterminaient la légitimité du règne d'une dynastie donnée[24].

Il ajoute ensuite à propos de la Chine post-*tianxia*, c'est-à-dire la Chine des cent dernières années : « Un empire sans conscience du *tianxia* signifie que les valeurs universelles ont déserté l'âme du corps impérial et que la civilisation n'est plus source de confort pour les gens. À sa place, ne règnent que l'intérêt propre à l'État-nation et ses petits calculs. »[25]

Pourtant, si le *tianxia* traditionnel était si cosmopolite et universel, comment Xu explique-t-il la distinction séculaire entre barbares (*yi*) et Chinois (*Xia*), distinction qui a toujours caractérisé la notion de *tianxia* ? Tout en reconnaissant que les gens de la Chine prémoderne ne parlaient pas seulement du *tianxia*, mais aussi de la différence entre barbares et Chinois, Xu insiste :

Dans la Chine ancienne, [les notions de] « Chinois et de barbare » différaient totalement des dichotomies de « Chine et Occident » et de « nous et eux » qu'évoquent encore les nationalistes extrémistes d'aujourd'hui… La distinction entre barbare et Chinois était uniquement déterminée par la question de savoir si une civilisation connaissait ou non les valeurs du *tianxia*. Alors que le *tianxia* était absolu, les [catégories de] barbares et Chinois étaient relatives. Alors que le sang et la race étaient innés et immuables, la civilisation pouvait être étudiée et imitée.

Il affirme en outre que dans la Chine traditionnelle, « le *tianxia* n'appartenait pas à une race ou à
un pays en particulier »[26].

Malgré la réputation de Xu Jilin en tant qu'intellectuel libéral fermement opposé au nationalisme,
son traitement de la Chine en tant que puissance
civilisationnelle invite en partie à questionner sa
vision d'un prétendu « nouveau *tianxia* » :

> Si l'objectif de la Chine n'est pas de s'arrêter à
> la construction de l'État-nation, mais plutôt de
> se rétablir en tant que puissance civilisationnelle
> exerçant une grande influence sur le cours du
> monde, alors chacune de ses paroles et chacun
> de ses actes doivent prendre la civilisation univer-
> selle pour point de départ, et dans le dialogue des
> nations elle doit faire valoir sa propre compréhen-
> sion de cette dernière. En tant que grande puis-
> sance exerçant son influence à l'échelle du globe,
> la Chine ne doit pas seulement réaliser le rêve de
> renouveler la nation et l'État, mais également la
> réorientation de son esprit national vers le monde.
> Ce dont la Chine a besoin pour se reconstruire,
> ce n'est pas d'une culture particulière adaptée à
> un pays et à un peuple, mais plutôt d'une civi-
> lisation qui a une valeur universelle pour toute
> l'humanité. Les valeurs qui sont « bonnes » pour
> la Chine, en particulier les valeurs fondamentales
> qui concernent notre nature humaine commune,
> devraient de la même manière être « bonnes » pour
> toute l'humanité.[27]

Le message est ici résolument double. D'une part,
Xu appelle à la reconstruction des valeurs qui ont une
signification universelle pour toute l'humanité et pas
seulement pour une culture ou une société. D'autre
part, cette aspiration semble fondamentalement

compromise par son autre affirmation selon laquelle, en raison de la « compréhension unique de la civilisation universelle » dont peut se prévaloir la Chine, qui s'appuie sur la tradition prémoderne du *tianxia*, la Chine devrait chercher à se rétablir comme une « puissance civilisationnelle exerçant une grande influence sur le cours du monde » et reconstruire « une civilisation ayant une valeur universelle pour toute l'humanité ».

Xu fonde son affirmation selon laquelle la Chine est bien préparée à « se rétablir en tant que puissance civilisationnelle » en invoquant le célèbre aphorisme du politologue américain Lucian Pye selon lequel la Chine n'est pas un simple État-nation dans la famille des nations : « La Chine est une civilisation qui se fait passer pour un État-nation » (« China is a civilization pretending to be a nation-state. »). Xu accentue ce sens du destin historique en affirmant que « la Chine est une puissance mondiale. En tant que nation du monde qui porte l'"esprit du monde" (*Weltgeist*) de Hegel, il est tout à fait approprié qu'elle prenne la responsabilité du monde et de cet esprit dont elle a hérité. Cet "esprit du monde" est le nouveau *tianxia* qui émergera sous la forme de valeurs universelles »[28].

Quant à son affirmation selon laquelle « les valeurs qui sont "bonnes" pour la Chine, en particulier les valeurs fondamentales qui concernent notre nature humaine commune, devraient de la même manière être "bonnes" pour toute l'humanité », en quoi se distingue-t-elle des propos véhiculés par Chen Lai quand il déclare que l'humanité est le fondement non seulement des valeurs confucianistes mais aussi des valeurs universelles de liberté, d'égalité et de justice ? Après tout, d'un point de vue confucéen, l'humanité est une qualité innée de notre nature humaine, et doit donc être bonne pour toute l'humanité.

En effet, malgré l'appel aux valeurs universelles, dans l'idée du nouveau *tianxia* défendue par Xu Jilin, c'est au confucianisme que semble revenir l'autorité permettant de déterminer quelles sont les valeurs « fondamentales ». Xu Jilin explique que la grandeur du confucianisme vient, historiquement, de sa capacité à transcender les intérêts de l'individu et de la dynastie. Aujourd'hui, étant au-dessus de l'État, le confucianisme « comprend les valeurs universelles du *tianxia* ». En insistant sur le fait que « les valeurs qui sont "bonnes" pour la Chine [...] devraient de la même manière être "bonnes" pour toute l'humanité », Xu plaide pour l'élargissement de l'éventail des valeurs universelles, mais sur un mode qui privilégie les valeurs confucéennes.

Les partisans du *tianxia* en Chine ne sont pas sans détracteurs. L'historien Ge Zhaoguang de l'Université Fudan de Shanghai est l'un des plus importants :

> « Ces dernières années, certains chercheurs chinois soutiennent qu'au moment où la Chine commence son "ascension", au sortir d'une période longue de plusieurs siècles sous la domination mondiale de l'Occident, un "ordre du *tianxia*" ou "*tianxia*-isme", ayant ses racines dans la Chine traditionnelle, devrait être considéré comme une ressource nouvelle pour remplacer l'ordre mondial en place depuis le début de la période moderne. »[29]

Pour Ge, ces savants « affirment que, sur le plan philosophique, le monde confucéen est un monde sans frontières, sans les distinctions de l'intérieur et de l'extérieur, du nous et du eux. C'est un monde dans lequel tous les êtres humains sont traités sur un pied d'égalité. Il en résulte que nous devrions mobiliser cet ordre du *tianxia* pour remplacer l'ordre mondial actuel ». Ge met toutefois en garde : si ce type de pensée n'est pas dépouillé de son fond nationaliste (qui fait de la Chine le « centre » du *tianxia*) et de son attitude arrogante d'estime de soi, « il peut aisément devenir une nouvelle forme de chauvinisme revendiquant pour lui-même une pertinence universelle à l'abri derrière des formules telles que "l'égalité de la multitude des États" et "entre les Quatre Mers, tous les hommes sont frères" »[30].

Ge critique également certains des revivalistes confucéens les plus radicaux de la Chine contemporaine, connus sous le nom de confucianistes politiques ou « nouveaux confucéens du continent », et inclut des membres de la « clique Kang », collaborateurs de la publication déjà présentée *He wei pushi ? Shei de jiazhi ? Dangdai Rujia pushi jiazhi*, et contributeurs à un large éventail d'écrits plus récents, y compris le volume de 2016, *Zhongguo bixu zai Ruhua : Dalu xin Rujia « xin zhuzhang »* (*La Chine doit se re-confucianiser : nouvelles propositions des nouveaux confucéens du continent*). Le fait qu'un chercheur du rang de Ge Zhaoguang doive consacrer un essai de 33 000 caractères chinois[31] à la critique de leurs opinions témoigne de l'influence croissante de ce groupe d'idéologues conservateurs et nationalistes à outrance. Dans son essai, il souligne que, pour les nouveaux confucéens du continent, le fait de reconnaître des valeurs universelles revient à succomber à l'« occidentalisation » et à faire de soi un barbare (*ziwo yidihua*). Il souligne que l'idée de « barbarisation » est une accusation extrêmement forte parce qu'elle fait de la distinction entre Chinois et barbare, non pas une différence de valeurs, mais un choc entre civilisés et non-civilisés, quand elle ne place pas les races et cultures dans un rapport d'opposition absolue. Je rappelle que la distinction entre Chinois (*hua*) et barbare (*yi*) est très importante dans le discours traditionnel du *tianxia*.

L'appropriation créative par Chen Lai de la philosophie de Zhu Xi qui le conduit à faire de l'humanité le fondement non seulement des vertus confucéennes, mais aussi des valeurs universelles de liberté, d'égalité et de justice, est sans doute un exercice d'hybridation, bien qu'il soit aussi très réducteur et procède d'un calcul politique. Nous devrons attendre de voir quel cocktail idéologique concocté à partir de valeurs confucéennes et de valeurs socialistes fondamentales sera à même de fournir la bonne formule pour un futur ordre mondial du *tianxia*.

Dans l'hypothèse où le concept du *tianxia* prendrait corps, Ge Zhaoguang évoque le scénario suivant : « Lorsque les versions imaginées du système tributaire seront considérées comme réelles et que les souvenirs de l'Empire céleste seront remis au jour, la culture et le sentiment national chinois se transformeront peut-être en un nationalisme (ou un étatisme) qui s'oppose tant à la civilisation globale qu'à la coopération régionale. Une telle évolution conduirait vraiment à un "choc des civilisations". »[32] À moins que l'avenir ne soit déjà là ? Dans un article publié dans *Foreign Affairs*, le sociologue Salvatore Babones décrit ce qu'il appelle le *tianxia* américain. Permettez-moi de conclure par l'évocation du meilleur des mondes dystopiques qu'il propose :

Aujourd'hui, les États-Unis sont au centre d'un *tianxia* global. Ce « *tianxia* américain » est bien plus qu'un État ou un pays, voire un empire. Il pénètre tous les domaines de la vie. Dans le monde connecté d'aujourd'hui, les entreprises chinoises, les universités russes et même les révolutions iraniennes sont menées selon une perspective américaine. L'État islamique (ISIS) recommande à ses combattants d'utiliser des appareils Android alors que la famille Kim au pouvoir en Corée du Nord préfère Apple. Beaucoup de gens dans le monde s'opposent aux États-Unis, à leurs politiques et à leur président, mais cela ne les empêche pas de vouloir envoyer leurs enfants dans des universités américaines, investir leur argent dans des entreprises américaines et exprimer leur opinion sur les réseaux sociaux américains.

Nous n'avons pas affaire à une sorte de consumérisme déchaîné. Au centre de l'ordre mondial, les États-Unis ont, au cours du dernier quart de siècle, réorienté la façon dont le monde, et en particulier l'élite mondiale, travaille, joue et pense. Les États-Unis ont instauré une hiérarchie internationale où l'accès à un statut exige de réussir au sein de réseaux centrés sur les États-Unis et de jouer selon les règles américaines. Et cela rend l'Amérique du XXIᵉ siècle plus puissante que n'importe quel empire, royaume ou Commonwealth dans l'histoire. Les États-Unis, c'est-à-dire le pays lui-même, disposent de nombreux pouvoirs, hard et soft. Mais les États-Unis ont des limites. Ce qui n'est pas le cas du *tianxia* américain[33].

Traduit de l'anglais par Patrick Savidan

Bibliographie

BABONES, Salvatore, « American Tianxia. When Chinese Philosophy Meets American Power », *Foreign Affairs*, 22 juin

2017. https://www.foreignaffairs.com/articles/2017-06-22/american-tianxia.

CHANG, Hao, *Chinese Intellectuals in Crisis. Search for Order and Order* (1890-1911), Berkeley, Los Angeles, University of California Press, 1987.

CHANG, Maukuei, « The Movement to Indigenize the Social Sciences in Taiwan. Origin and Predicaments », *Cultural, Ethnic, and Political Nationalism in Contemporary Taiwan. Bentuhua*, John Makeham, A-chin Hsiau (dir.), New York, Palgrave, 2005, p. 221-260.

CHEN, Lai 陳來, « Chongfen renshi Zhonghua dute jiazhiguan : cong Zhong — Xi bijiao kan充分認識中華獨特價值觀——從中西比較看 », *Renmin ribao*, 7, avril 2015.

CHEN, Lai, « Ruhe kandai guoxue re 如何看待國學熱 », *Guangming ribao*, 2 août 2010 ; http://culture.china.com.cn/guoxue/2010-08/02/content_20619540.htm.

CHEN, Lai, « Shei zhi zeren ? He zhong lunli ? Cong Rujia lunli kan shijie lunli xuanyan 誰之責任? 何種倫理? ——從儒家倫理看世界倫理宣言 », *Dushu*, 10, 1998, p. 8-12.

CHEN, Lai, *Renxue benti lun* 仁學本体論 (Ontologie fondée sur le principe d'humanité), Beijing, Sanlian shudian, 2014.

CHEN, Lai, *Zhonghua wenming de hexin jiazhi* 中華文明的核心價, Beijing, Sanlian shudian, 2015.

CHEN, Ming 陳明, « Qidai yu yilü : cong Qinghua Guoxue yuan kan Renda Guoxue Yuan 期待與疑慮: 從清華國學院看人大國學院 », in Chen Ming, *Wenhua Ruxue. Sibian yu lunbian* 文化儒學: 思辨與論辯, Chengdu, Sichuan renmin chubanshe, 2009.

GAN, Yang 甘陽 *et al.*, « Kang Youwei yu zhiduhua Ruxue 康有為與制度化儒學 », *Kaifang shidai*, 5, 2014, p. 12-41.

GE, Zhaoguang 葛兆光, *He wei Zhongguo ? Jiangyu, minzu, wenhua yu lishi* 何為「中國」? 疆域、民族、文化與歷史, Hong Kong, Oxford University Press, 2014.

GE, Zhaoguang, *Yi xiang tian kai : jin nian lai dalu xin ruxue de zhengzhi suqiu* 異想天開—近年來大陸新儒學的政治訴求, 2017 ; http://www.aisixiang.com/data/104951.html.

JIANG, Qing 蔣慶 *et al.*, *Zhongguo bixu zai Ruhua : Dalu xin Rujia « xin zhuzhang »* 中國必須再儒化: "大陸新儒家

"新主張" (La Chine doit se re-confucianiser : nouvelles propositions des nouveaux confucéens du continent), 新加坡世界科技出版公司, 2016.

JIAO, Guocheng 焦國成, « Zengshe guoxue wei yiji xueke hen you biyao增設國學為一級學科很有必要 », *Guangming ribao*, September 13, 2010, p. 12.

MAKEHAM, John, « Le Renouveau du *Guoxue*. Antécédents historiques et Aspirations contemporaines », n° 1, 2011, p. 14-21.

QIAO, Jian 喬健 *et al.* (dir.), *21 shiji de Zhongguo shehuixue yu renleixue* 二十一世紀的中國社會學與人類學, Kaohsiung, Liwen chubanshe, 2001.

SHUN, Kwong-loi, « Studying Confucian and Comparative Ethics. Methodological Reflections », *Journal of Chinese Philosophy*, vol. 36, n° 3 (été 2009), p. 455-478.

TILLMAN, Hoyt Cleveland, « China's Particular Values and the Issue of Universal Significance. Contemporary Confucians Amidst the Politics of Universal Values », *Philosophy East and West*, vol. 68, n° 4, octobre 2018, p. 1265-1291.

WANG, Gungwu, *Renewal. The Chinese State and The New Global History*, Hong Kong, The Chinese University of Hong Kong Press, 2013.

XI, Jinping 習近平, Xi Jinping zai Quanguo Dangxiao gong-zuo huiyi shang de jianghua 習近平在全國党校工作會議上的講話, Qiu shi (30 avril 2016) ; http://www.qstheory.cn/dukan/qs/2016-04/30/c_1118772415.htm.

XU, Jilin 許紀霖, « Xin tianxiazhuyi : chongjian Zhongguo de neiwai zhixu » 新天下主義：重建中國的内外秩序, initialement publié in Zhishi fenzi luncong 知識分子論叢 13, Shanghai, Shanghai renmin chubanshe, 2015 ; http://www.aisixiang.com/data/91702.html.

XU, Jieshun 徐杰舜 (éd.), *Bentuhua. Renleixue de da qushi* 本土化：人類學的大趨勢, Guangxi, Minzu chubanshe, 2001.

ZENG, Yi曾亦 et GUO Xiaodong郭曉東 (éd.), *He wei pushi ? Shei de jiazhi ? Dangdai Rujia pushi jiazhi* 何謂普世？誰之价值？當代儒家論普世價值, Shanghai, Huadong shifan daxue, 2013 ; édition revisée, 2014.

ZHAO, Tingyang, « Rethinking Empire from a Chinese

Concept 'All-under-Heaven'(*Tian-xia*, 天下) », *Social Identities*, vol. 12, n° 1, janvier 2006, p. 29-41.

ZHU, Hanmin 朱漢民, cité dans « Ba wei zhuanjia : guoxue shi yimen xueke 八位專家：國學是一門學科 », *Guangming ribao*, 12 octobre 2009.

L'EMPIRE-MONDE FANTASMÉ

GE ZHAOGUANG
Université Fudan, Shanghai

Présentation des éditeurs :

Né à Shanghai en 1950, Ge Zhaoguang a accompli une brillante carrière universitaire d'abord à Pékin puis à Shanghai où il est actuellement professeur émérite à l'Université Fudan. Éminent spécialiste de l'histoire intellectuelle, culturelle et religieuse de la Chine et de l'Asie orientale, Ge Zhaoguang possède toute la largeur de vue et l'érudition nécessaires pour pourfendre les idéologues zélateurs d'un retour de la Chine à sa prétendue grandeur impériale et à la notion de *tianxia* (littéralement : tout « sous le ciel »), autrement dit de la « Chine-monde », lesquels prospèrent et prolifèrent aujourd'hui d'autant plus allègrement qu'il s'agit pour eux de promouvoir l'image d'une Chine devenue toute-puissante.

Or, Ge Zhaoguang est l'un des rares intellectuels contemporains à déclarer ouvertement qu'il n'est pas dupe sur le fait que toute cette excitation autour du *tianxia* n'a pas tant à voir avec le passé de la Chine dont il est censé refléter la continuité, qu'avec son présent et surtout son avenir : la « redécouverte » de cette notion antique est indissociable de l'ascension irrésistible de la Chine appelée à devenir la grande puissance du

XXIᵉ siècle, après que le XIXᵉ siècle a été celui de
la Grande-Bretagne et le XXᵉ celui des États-Unis.
L'heure de la Chine a donc sonné de proposer
— ou plutôt — imposer au monde son modèle de
« socialisme aux caractéristiques chinoises » qui
va *faire pièce* à la fois au néolibéralisme américain
et au communisme soviétique pour aller vers un
monde d'« harmonie » et de prospérité mondialement partagée.

En tant qu'historien, Ge Zhaoguang examine en
profondeur les sources textuelles dont ces idéologues, autoproclamés philosophes, se contentent
de citer les quelques formules qui leur semblent
utiles pour étayer leurs thèses império-mondialistes
et, de fait, foncièrement nationalistes. Sa lecture
aussi attentive qu'exhaustive aboutit à des conclu-
sions diamétralement opposées : les mentions du
tianxia dans les textes anciens sont systématiquement accompagnées de distinctions exclusives entre
« Chinois » et « barbares », entre « intérieur » et
« extérieur », entre « supérieurs » et « inférieurs ».
Ge Zhaoguang s'attache à démontrer point par
point que le prétendu « système *tianxia* », censé
représenter l'alternative salvatrice à la compétition de tous contre tous propre à la vision occidentale darwinienne, n'a jamais existé et que la
réalité historique était très éloignée du poncif
« le monde sous le ciel est une grande famille »,
comme en témoignent encore aujourd'hui les voisins immédiats de la Chine qui préféreraient de
beaucoup se voir épargner son asphyxiante centra-
lité civilisatrice...

L'HORIZON POLITIQUE, INTELLECTUEL
ET ACADÉMIQUE D'UNE UTOPIE FANTASMÉE

> « On qualifie d'utopique une idée lorsqu'elle
> est formellement incompatible avec la disposi-
> tion du réel qui l'englobe » (Karl Mannheim,
> *Ideologie und Utopie*)

Depuis une dizaine d'années resurgit en Chine
continentale — à la faveur de sa croissance spectaculaire — une certaine image utopique du monde à
venir, empruntée à des théories occidentales récentes
et revêtue d'habits traditionnels chinois. Elle a pour
nom *tianxia* [littéralement : sous le ciel] : « Empire-
Monde » ou « Monde-Empire »[1]. En qualifiant ainsi ce
tianxia d'imaginaire, il pourrait sembler que je néglige
l'influence bien réelle que ses promoteurs lui donnent
d'ores et déjà d'exercer au plan politique et institutionnel. Toutefois, tant que cette notion ne sera pas
devenue la règle de nos relations internationales et le
fondement de notre politique extérieure, il me semble
encore légitime de la considérer comme un fantasme
de chercheurs. C'est d'ailleurs sous cet angle que notre
étude l'envisagera. Certes, toutes motivations subjec-
tives mises à part, cet imaginaire (et jusque dans ses
plus récentes déclinaisons philosophiques, politiques
ou idéologiques en « système *tianxia* », en « organisation *tianxia* » ou en « doctrine *tianxia* ») peut se réclamer à la fois d'une critique occidentale récente (et
bienvenue) à l'égard de « l'impérialisme moderne »,
du patronage traditionnel de l'école Gongyang et de
sa « théorie des trois époques ». À première vue donc,
tout semblerait aussi raisonnable que fondé historiquement. Et puisque cet imaginaire ne demande qu'à

se concrétiser en une politique gouvernementale et en un ordre effectif, et comme le contexte actuel est à une remise en cause toujours plus véhémente et bruyante du monopole américain sur l'ordre international, la perspective d'un « Monde-Empire » apparaît à certains comme la seule véritablement en mesure de garantir plus d'équité, de justice et de paix à notre avenir commun. Est-ce bien vrai cependant ? Il est certain que ce type d'imaginaire, indépendamment de sa validité intrinsèque, et en cela précisément qu'il répond à des espérances viscérales, est de ceux qui, tôt ou tard, « concrétisent leurs rêves ». D'ailleurs, dans le sillage de « l'essor chinois », certains de nos collègues s'empressent de théoriser — non sans quelque précipitation — « le moment chinois de l'histoire du monde »[2]. L'idée sous-jacente est des plus simples : si le XIXe siècle fut bien celui de l'Angleterre, le XXe celui des États-Unis, alors, tout naturellement, le XXIe ne peut être que celui de la Chine. Et c'est à elle, dans cette hypothèse, que devraient revenir les rênes de l'ordre mondial, un ordre que ses théoriciens entrevoient ni plus ni moins comme la refondation du *tianxia* de la Chine ancienne. D'aucuns découvrent d'ailleurs, enthousiastes, que ce *tianxia* — dans son acception antique déjà (outre son sens géographique premier de « monde ») — désignait aussi, sur le plan spirituel, « l'aspiration du peuple », ainsi que l'idéal sociopolitique d'une « réunion du monde en une seule famille » (« quatre mers, un seul foyer », d'après la sentence classique). N'allons pas croire cependant que les penseurs actuels du *tianxia* se contenteraient volontiers qu'il demeurât au stade utopique. En effet, comme le notait Karl Mannheim, « lorsque [l'utopie] entre en action, elle tend à détruire tout ou partie de l'ordre préétabli »[3]. Or, la volonté à l'œuvre, en l'occurrence, est celle non seulement de renverser l'ordre international actuel, mais encore de concrétiser l'utopie en une « institution mondiale » et un « gouvernement planétaire ».

I. L'Empire-Monde historique : « dedans » et « dehors », « civilisés » et « barbares », « supérieurs » et « inférieurs »

L'historien, en tant qu'il fait profession de justifier ses dires, incline assez peu d'ordinaire à la prophétie. Il sait en effet combien l'avenir ressemble à ces « vents et nuages que le Ciel même ne connaît pas » et que, si les époques révolues nous ont d'ores et déjà légué les monuments de leur passage (rendant ainsi possible d'en discourir preuves à l'appui), l'avenir, quant à lui, n'est qu'une parole en l'air encore soumise à d'infinies variables. Il est assez fascinant, d'ailleurs, que tous les « futurologues » semblent finalement trouver tant de bonheur au pillage du passé, un pillage dont l'enjeu invariant n'est autre que d'assurer à leur avenir « hors-sol » la caution morale de l'Histoire attestée, et de fonder sur l'idéal révolu un futur fantasmé.

Initialement, je ne prévoyais pas d'exposer dans ce chapitre l'histoire de la notion de *tianxia*, jugeant que ce thème avait atteint déjà une certaine maturité au sein des recherches historiques, et qu'il serait superflu d'en faire ici la répétition. Mais face au fantasme grandissant de beaucoup d'intellectuels à son égard, et devant leur tentative d'en retracer en Chine — à grand renfort de citations classiques — les contours factuels précis (en négligeant de se référer aux études historiques sur la question), je me vois dans l'obligation de parler d'histoire encore, dans l'espoir de mieux cerner à quel genre d'« histoire anhistorique » cette prétendue nouvelle théorie de l'Empire-Monde se rattache finalement.

Commençons par la plus fantaisiste des théories à ce sujet : la Chine ancienne comme archétype d'un tel Empire-Monde. En effet, supposément, le *tianxia* d'alors aurait accompli la fédération d'une multitude de nations au sein d'un unique et vaste monde, autant que la constitution d'un univers au sein duquel les dichotomies entre « dedans » et « dehors », « toi » et « moi » n'avaient plus cours, au profit d'un traitement égal de tous. Dès lors, peut-on lire, « si nous voulons qu'une unité véritable et pérenne s'établisse au plan politique et culturel, cette unité ne peut que se fonder sur le terrain confucéen de la doctrine du *tianxia*, par la mise en œuvre politique de la "voie royale" (*wang dao*) et la réalisation du projet Empire-Monde »[4]. Or, quelles sont, si elles existent, les preuves de ces allégations ? Voilà bien le genre de questions dont ne se soucient guère nos théoriciens actuels, satisfaits le plus souvent de piocher ici ou là (et à leur guise) parmi les textes classiques les quelques ingrédients dont ils composent leur propre plat. En surface, tout cela semble on ne peut plus solide ; mais la tâche de l'historien est celle précisément de retourner, toujours et encore, à cette « montagne des textes » et de rendre la parole aux sources. Or, comme nous l'avons mentionné auparavant, cette notion de *tianxia* fait depuis longtemps l'objet d'études historiques, et la littérature secondaire à son sujet est déjà suffisamment abondante. Hélas, trop pressés sans doute d'exposer leurs vues novatrices, nos théoriciens actuels semblent, tout au moins, ne pas les avoir lues, à supposer qu'ils en aient jamais eu l'intention. Alors, plutôt que de pousser l'érudition jusqu'à la pédanterie (en détaillant la longue liste des ouvrages de référence), je n'en

mentionnerai ici que les plus incontournables.
D'abord, avant la Seconde Guerre mondiale, cette
étude de Takuji Ogawa sur la notion de *tianxia* en
Chine ancienne : « La connaissance géographique
— et ses frontières — avant les Royaumes Combattants », intégrée à son volume *Recherches en géographie historique chinoise*. Après la guerre, celle de
Takeo Abe : *Le concept de* tianxia *en Chine ancienne*,
longue dissertation savante, publiée en 1956 dans la
collection « Conférences en culture orientale » de
l'Institut Harvard-Yanjing. Autre ouvrage de référence, celui du chercheur taïwanais Xing Yitian :
*Une seule famille sous le ciel. L'Empire-Monde vu de
Chine*, publié en 1982 et inclus la même année dans
la collection « Discussions nouvelles sur la civilisation chinoise » (éditée par la Taipei United Publishing Company). Enfin, de Chine continentale, cet
article de Luo Zhitian : « Le système des cinq degrés
tributaires d'avant les Qin, et la vision d'un Empire-
Monde en Chine ancienne », étude intégrée au
volume *Le nationalisme et la pensée chinoise récente*,
publié en 1998 à Taipei par les Éditions de la Bibliothèque Dongda[5]. La perspective des historiens précédemment cités sur la notion de *tianxia* se situe
unanimement, et sans ambiguïté, aux antipodes de
celle de ses théoriciens actuels ; tous s'accordent en
effet à souligner un même point décisif : aux yeux des
Chinois de l'Antiquité, la notion d'Empire-Monde
impliquait presque toujours les dichotomies fondamentales entre « moi » et « toi », « intérieur » et « extérieur », « civilisés » et « barbares », c'est-à-dire, la
distinction entre le « Royaume du milieu » (*zhong guo*)
et ses « quatre bords » (*si fang*). À titre d'illustration,
et dans le seul domaine des études sur la dynastie des
Shang, l'ensemble des chercheurs ayant analysé
méthodiquement les inscriptions oraculaires ainsi

que les édifices de la période (ses sépultures cruci-
formes [*ya*, 亞], entre autres monuments, comme
Chen Mengjia, Hu Houxuan ou Zhang Guangzhi)
soutient qu'aux yeux des Chinois antiques la notion
de périphérie (les quatre ou les cinq « bordures »)
découlait fondamentalement de l'identification préalable du centre de l'espace avec soi-même. D'où ces
occurrences fréquentes d'expressions telles que les
« quatre barrages », les « quatre vents », ou les
« quatre bords ». Bien entendu, c'est aux rois des
Shang que revenait tout naturellement l'instance du
« moi », tandis que les royaumes de Jiang, Meng,
Zhou, Yu et Gui (entre autres territoires frontaliers)
incarnaient typiquement « l'autre » ou « le reste » :
« ces pays frontaliers et leurs régions environnantes
— le nord de la province de Yu, le sud de Ji, l'est de
Lu, le nord de Wan et nord-ouest du Jiangsu —
étaient tous partie intégrante de cet "Empire-Monde"
sur lequel s'exerçait le prestige des rois Shang »[6]. À
l'évidence donc, la notion primitive de *tianxia* pré-
supposait *a minima* les éléments suivants : les
notions géographiques de centre et de périphérie, le
partage ethnique entre « moi » (centre) et « l'autre »
(périphérie), la division culturelle entre « civilisés »
et « barbares », ainsi que la distinction politique et
statutaire entre « supérieurs » (détenteurs du pouvoir) et « inférieurs » (sujets du pouvoir). « Rien sous
le Ciel qui ne soit terre du Roi ; nul entre ses rivages
qui ne soit son sujet. » Les ritualistes de l'Antiquité
n'invoquaient généralement la notion de *tianxia* que
pour marteler ce point : « sous le Ciel [*tianxia*], tous,
entre les quatre mers, n'honorent qu'un seul
homme »[7]. Quant à l'idée — chère à nos théoriciens
actuels — d'une « indistinction des ordres de grandeur et de distance au sein de l'Empire-Monde », elle
n'arriva que bien plus tardivement (de l'école

Gongyang des Han, notamment), et toujours sous le sceau de l'idéal. Or nul besoin de scruter longuement les sources classiques pour s'apercevoir qu'au-delà du « royaume central » [la Chine] et du contrôle effectif de ses rois successifs (et ce, dès les trois proto-dynasties) se dressaient déjà les inaccessibles « quatre confins », si bien que, dans la plupart des cas, la notion de *tianxia* y désignait conjointement le « Royaume du milieu » et ses « quatre bords ». Or, comme nul ne l'ignore, ce « Royaume du milieu » se limitait à l'origine (à peu de chose près) aux bassins du fleuve Jaune et de la Luo, et ce n'est qu'au gré de l'expansion territoriale de ces tribus hors des plaines centrales que cette même région acquit pour eux (au regard de leur territoire élargi) le statut d'un épicentre culturel et tribal. Aussi, dans le langage des sources anciennes, quoique *tianxia* puisse parfois ne désigner que le « Royaume du milieu »[8], toutefois, à mesure que s'élargit cet épicentre relatif, en même temps que sa perception du monde extérieur (repoussant toujours plus loin ses « quatre ailleurs » et faisant des antipodes d'hier la Chine d'aujourd'hui), l'expression *tianxia* désignera tantôt la Chine seule, tantôt la Chine et tout le reste.[9] En illustration du premier cas, ces mots de Fan Hui dans les *Stratagèmes des Royaumes Combattants* (*Stratagèmes de Qin*, § 3) : « Sire, aujourd'hui Han et Wei, territoires du Royaume du Milieu (*zhongguo*), sont les pivots stratégiques du *tianxia* ; dès lors, si vous désirez atteindre à l'hégémonie parfaite, il convient d'abord de vous rapprocher du Royaume du milieu, et d'en faire le pivot du *tianxia* ; ainsi, les peuples de Qi et de Zhao se soumettront à votre prestige »[10] : il paraît clair, en l'occurrence, que *tianxia* n'y désigne pas autre chose que le « Royaume du milieu », celui-là même dont les « quatre ailleurs » ou « quatre

barbares » [*si yi*] (c'est-à-dire toutes les ethnies et
cultures frontalières) sont l'antithèse ; comme le
manifestent également ces mots d'un décret du
second empereur Qin, tels que restitués par Sima
Qian dans le *Shiji* (*Mémoires du Grand Historien*) :
« Depuis qu'est établi notre *tianxia*, les barbares des
quatre coins sèment le trouble à ses portes. »[11] À titre
d'exemple du second cas, ce passage (fréquemment
invoqué) du *Traité des rites* (chap. « Li yun ») : « Tout
sous le Ciel [*tiànxia*] comme une seule famille, et la
Chine [*zhongguo*] comme un seul homme »[12], où
zhongguo n'est ici manifestement qu'un sous-
ensemble d'un plus vaste *tianxia*. Ou encore, dans le
chapitre « Désignations et titres » du manuel ency-
clopédique *Baihu tong* [compilé sous les Han de l'est
par Ban Gu] : « Le Fils du Ciel est de tous [les êtres]
le plus vénérable, car c'est à lui que tous les titres
"sous le Ciel" reviennent, à lui que se rallient les
nations en myriades », où *tianxia* ne semble plus se
limiter à la Chine puisqu'il englobe la « multitude
des nations » [*wan guo*], et les « quatre ailleurs » [*si
yi*] *a fortiori*[13]. Après la chute des Han, au cours des
dynasties Sui et Tang particulièrement, cette acception inclusive du *tianxia* — le « Royaume du Milieu »
et ses « quatre confins » — devint de plus en plus
prévalente[14]. Cependant, dès la haute Antiquité (dans
les *Rites des Zhou*, les *Discours des royaumes* ou le
« Tribut de Yu »), à travers l'énumération des cinq
ou neuf degrés de vassalité [*wufu, jiufu*], les dichotomies entre « dedans » et « dehors », « splendeur »
et « barbarie », « nobles » et « vils », étaient déjà clairement à l'œuvre. Plus tard, au chapitre « Institutions royales » du *Traité des rites* (rédigé dans les
premières années de la dynastie Han et formulant
les usages et l'étiquette de rigueur au sein de ce
tianxia réunifié) on pourra lire : « le Royaume

central, les barbares [frontaliers] et les peuples des cinq directions possèdent chacun leur nature spécifique et inaltérable »[15]. Ainsi, à partir de cette époque, et en dépit des métamorphoses multiples que connaîtront son imaginaire et sa doctrine, le *tianxia* maintiendra toujours cette même ossature conceptuelle, ou ces trois mêmes dichotomies structurantes : [1] Un « dedans » et un « dehors » [*nei / wai*]. La terre est semblable au plateau d'un jeu de go, ou au sinogramme *hui* 回, avec sa claire délimitation d'un carré intérieur et d'un carré extérieur. « Dedans », et au cœur, ce sont les « Neuf Régions » (Ji, Yan, Qing, Xu, Yang, Jing, Yu, Liang, Yong), et le fondement territorial de la Chine future. « Dehors » ce sont les « quatre coins » [*si yi*], ou dans les termes des *Rites des Zhou* (*Zhouli*, chap. « Da xing ren ») : « Au-dehors des neuf régions ce sont les principautés vassales [*fan guo*] qui à chaque génération viennent porter en tributs leurs trésors » ; c'est-à-dire « les Yi de l'est, les Di du nord, les Rong de l'ouest et les Man du sud », qui étaient tenus, en tant que tributaires, de venir une fois par génération présenter leurs plus belles offrandes à la Cour[16]. [2] Des « Chinois » et des « barbares » [*hua/yi*]. Au centre de « tout sous le Ciel » [*tianxia*], il y a Cathay ou *Huaxia*, un noyau civilisateur dont le raffinement et les lumières surpassent de très loin ceux des « quatre coins » [*si yi*], les « barbares » [*man yi*]. Leur degré de « civilisation » [*wenming*, litt. « clarté raffinée »] sera fonction de leur proximité relative avec le centre : plus on s'en éloigne géographiquement, plus les terres sont incultes et les peuples barbares[17]. [3] Des « supérieurs » et des « inférieurs » [*zun/bei*]. Les peuples des « quatre coins », en tant que moins civilisés, se doivent d'obéir au « Royaume du Milieu » (la Chine) et ne sauraient prétendre à de hauts titres, ni jouir

des mêmes rites et ornements ; en outre, la légitimité
politique de leurs chefs respectifs dépend de leur
« adoubement » par le souverain du « centre » auquel
ils doivent présenter leurs tributs réguliers en se
désignant eux-mêmes comme ses « serviteurs »,
comme l'explique un ministre des Zhou dans *Discours des Royaumes* : « Ceux du domaine royal le
vénèrent, ceux des domaines féodaux alentours sacri-
fient pour lui aux esprits, ceux du domaine des hôtes
lui portent des libations, ceux des régions lointaines
lui offrent des tributs, et ceux des confins se soumettent » ; or, si l'on manque à ces devoirs, « alors,
il y a des châtiments pour qui ne vénère, des inva-
sions pour qui ne sacrifie, des punitions pour qui
n'offre, des blâmes pour qui ne paie son dû et des
exhortations pour qui ne se soumet ; des lois pour
châtier, des troupes pour envahir, des armes pour
punir, des semonces pour blâmer et des paroles pour
exhorter »[18]. Rien n'interdit, bien sûr — c'est d'ailleurs une tradition philosophique établie[19] — de
n'envisager dans la lecture des textes anciens que des
groupes de mots, isolément, en vue de produire une
« herméneutique créatrice » ou de tracer des « filiations abstraites ». Du point de vue de l'historien,
toutefois, la prise en compte du contexte historique
et linguistique précis des formules anciennes est tout
simplement nécessaire à leur compréhension. En
outre, loin du concept universel et invariant, une
notion donnée de la pensée chinoise ancienne ne
reçoit ses déterminations et sa signification concrètes
que relativement à l'ensemble de ses notions environnantes. Ainsi, l'idéal politique de « l'unité parfaite » (*da yi tong*) ne pourra se comprendre qu'en
lien avec la notion de « discernement du civilisé et
du barbare » (*huayi zhi bian*) et avec l'ordre hiérarchique qu'elle institue, manifestant que l'unité en

question n'a rien d'une « uniformité sans distinctions » mais implique au contraire une claire délimitation entre un « dedans » et un « dehors », un « proche » et un « lointain ». De même, la devise pédagogique d'un « enseignement sans discrimination aucune » est indissociable d'expressions telles que « gentilshommes ou rustres » et « labeur de l'esprit ou labeur du corps », entre autres formulations dichotomiques de la répartition sociale des tâches en Chine ancienne et de sa hiérarchie des statuts, lesquelles forment précisément le socle de cet idéal éducatif. De la même façon, « chez les Yi et les Di, à la manière des Yi et des Di ; en Chine, à la façon des Chinois » (entre autres formulations nationales d'un certain cosmopolitisme) devrait être lue en étroite relation avec l'idéal universaliste de « s'attirer les bonnes grâces des plus lointains ». En effet, sous les apparences d'une devise égalitaire, cette idée ne fait en réalité que souligner la puissance de « persuasion » de la civilisation chinoise à l'égard de ses inférieurs barbares. De même, cette lointaine aspiration à une « grande concorde entre toutes les nations » (*wan bang da tong*) ne peut se comprendre qu'à la lumière de « tout sous le Ciel (*tianxia*) s'abandonne [au roi] de bon cœur » et de l'ambition mondiale que cette formule exprime. Car, à moins de posséder l'abnégation héroïque d'un Duc de Zhou et le pouvoir effectif d'un « champion acclamé de tous », on ne saurait être davantage qu'une nation parmi d'autres ; en aucun cas rallier « tout sous le Ciel » à notre héros. Aussi, ne considérer que le mot de *tianxia* pour soutenir, sur cette base seule, qu'il incarnerait une vision « égalitariste » et « harmonieuse » du monde, c'est non seulement, j'en ai peur, succomber à un fantasme historique « an-historique » (par idéalisme romantique, peut-être) mais encore prêter le flanc au

ridicule de ceux qui « tirent sur leurs cheveux pour
tenter de s'envoler » ou « défient la gravité à bord
d'avions conceptuels ». Ce *tianxia* de la coexistence
pacifique, tolérante et harmonieuse (aux « grandeurs
et distances indistinctes ») serait-il donc introu-
vable ?[20] Outre le passage du *Traité des rites* précédemment cité, il y aurait encore, peut-être, cet extrait
du *Mozi*, chap. « Fa yi » (« Lois et rites ») : « Sous le
Ciel [*tianxia*], aujourd'hui, il n'est plus de grands ni
de petits royaumes : tout est domaine céleste » ; ou
encore ces mots du *Xunzi*, chap. « Ru xiao » (« Utilité
des ritualistes ») : « Tous, entre les quatre mers,
comme une seule famille ». Les théoriciens actuels
de l'Empire-Monde voudraient y lire un reflet pur et
simple de la pensée chinoise ancienne, or il me
semble qu'il s'agit davantage ici d'idéal que de pensée
proprement dite ; comme Qian Mu le soulignait déjà
dans son *Introduction à l'histoire de la culture
chinoise* : « Ce que l'on entendait alors par "régir
tout sous le Ciel" [*wang tianxia*] n'était en pratique
pas si lointain de l'idéal actuel d'un "gouvernement
mondial" : subordonner tous les peuples et les
cultures de la terre à une juridiction unique » ; et,
citant à l'appui l'*Invariable Milieu* [*Zhongyong*] :
« [aujourd'hui, sous le Ciel (*tianxia*)], tous les chars
ont la même envergure, les écrits la même graphie,
les conduites la même règle et, en tous lieux qu'at-
teignent les bateaux et les pas de l'homme, sur tout
lieu que couvre le Ciel et supporte la Terre, là où
brillent tour à tour la Lune et le Soleil, descendent
le givre ou la rosée, il n'est aucun être de sang et de
souffle qui ne l'adore comme père ». Qian Mu expli-
citait ainsi cet idéal : « la fusion de l'humanité en
un groupe culturel unique »[21]. Ce refrain, d'ailleurs,
a peu changé depuis. Pour le dire sans détour,
quand bien même cet Empire-Monde idéal aurait

représenté l'aspiration directrice des lettrés anciens, il reste qu'il n'existe rigoureusement aucun indice historique de sa mise en œuvre politique et concrète[22]. Le *Xunzi* (chap. « Zhenglun ») semble abonder lorsqu'il détaille en ces termes l'immuable distinction entre « tous les *Xia* » [*zhuxia*, c'est-à-dire les royaumes chinois] et les barbares Yi et Di : « dans toutes les principautés de la Chine, on marquait sa soumission de façon identique et l'on adoptait des règles de comportements identiques. Mais si les barbares Man, Yi, Rong et Di marquaient leur soumission de façon identique, ils n'observaient pas les règlements de façon identique. Ceux qui avaient reçu un fief à l'intérieur étaient soumis au service de la zone royale. Ceux qui avaient reçu un fief à l'extérieur étaient soumis au service de la zone seigneuriale. Ceux qui étaient en limite de garde étaient soumis au service de la zone dite des hôtes. Ceux qui dépendaient des domaines des Man et des Yi étaient soumis au service de la zone frontalière. Ceux qui dépendaient des domaines des Rong et des Di étaient soumis au service de la zone des confins. Dans la zone royale, on offrait des sacrifices. Dans la zone seigneuriale, on présentait des offrandes. Dans la zone des hôtes, on offrait des banquets sacrificiels. Dans la zone frontalière, on envoyait un tribut. Dans la zone des confins, on présentait l'offrande de fin de règne. Le sacrifice était quotidien, l'offrande mensuelle, le banquet saisonnier, le tribut annuel. C'est cela qu'on entendait par "noter les configurations topographiques pour définir, à partir de cela, les instruments, les ustensiles et, selon l'éloignement ou la proximité, graduer les tributs et les offrandes". Telles étaient les instructions de ces rois ».

Mais que faire si d'aucuns refusaient de se soumettre ou d'adresser leur tribut ? C'est bien sûr à la force armée que reviendrait la solution. Un passage du *Classique apocryphe des Documents* (*Wei guwen Shangshu*, chap. « Wu cheng ») est tout à fait éloquent à cet égard : « Assujettis les barbares, Paix suprême sous le Ciel. »[23] Ici, à l'évidence, l'autorité nécessaire à la pacification de « tout sous le Ciel » découle étroitement de la suprématie militaire de la « grande nation », et de son emploi effectif. Aussi, bien plus tard, sous les Tang, le poète Du Fu pourrat-il dire de Li Shimin, empereur Taizong (dans « Repassant par le mausolée impérial ») : « Sous la crasse et le vent, par de grands cimeterres, il soumit le barbare à la terre sacrée. » Dès la haute Antiquité, d'après la légende, l'empereur Yu des Xia aurait un jour réuni « tout sous le Ciel » en une vaste assemblée, et bien qu'il soit dit par ailleurs que toutes créatures dansaient à sa cadence, et que s'accordait sans heurts le concert des nations, il reste qu'il a suffi au chef tribal Fangfeng d'arriver en retard pour être mis à mort. Inutile de préciser que les barbares frontaliers n'étaient guère mieux lotis, comme en témoignent plusieurs extraits du *Zuozhuan* [commentaire aux *Annales des Printemps et Automnes* traditionnellement attribué à Zuo Qiuming] : « Le marquis de Jin déclara : "Les barbares Rong et Di n'ont pas de cœur et sont avides, le mieux serait de les anéantir." [...] Quant aux Rong, ce sont des bêtes sauvages, et les gagner à notre cause ternirait notre éclat ; or, cela, je ne puis le souffrir ! » (4ᵉ année du règne du duc Xiang) ; « Les Di ignorent la honte et la pudeur et tous ceux qui les suivent doivent être soumis » (8ᵉ année du duc Xi) ; « Sire, les barbares des quatre directions ne s'inclinent pas à vos décrets, et leur dépravation ruine nos grands principes. Ordonnez qu'on les anéantisse, et vous récolterez le butin du vainqueur » (2ᵉ année du duc Cheng). Ainsi, durant toute la période des Royaumes Combattants et des Printemps et Automnes, la situation fut souvent celle-ci : tantôt « barbares pêle-mêle », tantôt « le roi commande leur destruction, et que nul n'en réchappe ». Quand donc, sous l'œil de l'histoire, cet « Empire-Monde » régna-t-il par le seul rayonnement de sa vertu ? Quand donc accomplit-il — tous azimuts — cette « grande unité » [*da tong*], ce concert des nations et ce rassemblement des peuples ? Même parmi ses thuriféraires actuels, on est bien forcé de reconnaître « un certain fossé entre l'idéal [du *tianxia*] et la réalité factuelle d'une Chine ancienne qui, à bien des égards, ne fut pas autre chose qu'un empire ordinaire [*di guo*] ». Toutefois, assez étrangement, l'auteur de ces lignes maintient à tout prix l'utopie intacte, à grand renfort d'imaginaire, en déclarant que cet empire antique « s'efforça toujours, sur le plan culturel, d'accorder à cette règle son action », c'est-à-dire à la règle du « tout commun sous le Ciel », et de la réunion du monde sans discordance aucune en un seul ensemble politique, jusqu'à soutenir que la considération de la pérennité l'emportait sur celle de l'expansion territoriale, au point que les pays tributaires se soumettaient de leur plein gré[24]. Était-ce bien le cas cependant ? À en croire nos hérauts actuels, les dynasties Han et Tang, à leurs apogées respectifs, représentèrent « le dénouement de l'âge des Royaumes Combattants par l'institution doctrinale et culturelle de l'Empire-Monde » et « l'achèvement du Moyen Âge chaotique par la fondation de l'Empire "sous le Ciel" [*tianxia diguo*] ». Or, le règne de l'empereur Wu [« le martial »] des Han de l'ouest, époque de prospérité pour la Chine, ne fut pas des plus pacifiques : en plus des multiples expéditions punitives contre les barbares Xiòngnu du nord, il y eut encore l'invasion du royaume de Nanyue [actuel Nord-Vietnam], la conquête du territoire des Qiang de l'ouest, la pacification des barbares du sud-ouest, diverses expéditions vers l'Asie centrale, et l'anéantissement du royaume autonome de Corée (Gojoseon). Le vaste Empire-Monde des Han ne s'édifia pas sans, d'une part, le recours aux stratagèmes — « On extirpa les chiens galeux de l'est, et le Gojoseon devint l'une de nos commanderies ; et à l'ouest, on institua la commanderie de Jiuquan pour barrer aux étrangers [*hu*] tout accès au territoire des Qiang [actuel Tibet] » — et, d'autre part, l'usage de la force brute : « On décapita trente mille deux cents prisonniers de guerre (Xiongnu), on réduisit au servage leurs cinq princes et leurs mères » ; « Julan et le seigneur Qiong reçurent leur châtiment, et le chef Ze fut mis à mort » ; « Les gens de Yue [Nord-Vietnam] furent écrasés et l'on réduisit en cendres leurs villes et leurs murailles. »[25] De même, sous le règne florissant de l'empereur Taizong des Tang, il y eut d'abord l'écrasement des Tujue [tribu turcophone qui dominait alors l'Asie centrale], le fractionnement du territoire des Tanguts [actuel Sichuan] en seize provinces et quarante-sept préfectures, puis la conquête des Tuyuhun [tribu nomade proto-mongole], l'expédition punitive contre le Gogurye [Corée], ainsi que l'invasion des lointains Yanqi et Qiuci [anciens royaumes turcophones de l'actuelle province autonome ouïghoure du Xinjiang]. En effet, voici quelle était, d'après le témoignage d'un de nos auteurs antiques, la loi fondamentale régissant les rapports de la Chine au monde extérieur : « Notre déclin est leur essor, et notre essor est leur déclin. Prospères, ils envahissent nos campagnes ; affaiblis, ils se soumettent à notre prestige » ; mais chaque fois que ces tribus auront « des troupes et des cavaliers assez puissants pour empiéter sur la Chine », c'est toujours en ces termes qu'on les décrira : « Visages humains et cœurs de bêtes sauvages ; ils ne sont pas des nôtres. Forts, ils se rebellent et nous pillent ; faibles, ils rampent serviles devant nous, n'ayant pas davantage d'égards pour la bonté que pour la gratitude. Telle est leur nature immuable. » L'empereur Taizong des Tang n'aurait jamais gagné le titre de « Grand Khan céleste » s'il n'avait d'abord anéanti toute résistance armée « sous le Ciel », celle des Tujue, Xueyantuo, Ouïghours et Gaojuli, notamment. Car la guerre — mais faut-il le redire — c'est toujours « ces soldats enrôlés pour la mort dont les os s'entremêlent partout sur la plaine et invitent à pleurer »[26]. Aussi, soutenir, comme le font certains, que la diplomatie ritualiste en vigueur sous le *tianxia* « met l'accent sur la bienveillance mutuelle des cœurs et le dialogue respectueux des esprits » relève une fois de plus, je le crains, du fantasme et du rêve. L'empereur Xuan des Han, lui-même, comprenait bien que, prise à l'état pur, la voie confucéenne d'un gouvernement par le seul rayonnement de la vertu n'était guère praticable, à moins d'y incorporer suffisamment d'éléments autoritaires et despotiques[27]. Entre les réalisations concrètes de cet ordre politique et le fantasme de certains intellectuels à son égard depuis leurs cabinets d'étude il semble que le fossé soit donc, à vrai dire, insurmontable. Sans doute pourra-t-on glaner ici ou là, parmi les textes classiques, quelque trace d'une telle idée de persuasion du monde par les seuls instruments de la civilisation, de la pédagogie et de l'art oratoire, mais l'histoire concrète fut bien plus souvent à l'image de ce cheval de pierre gardant l'entrée du tombeau de Huo Qubing (140-117 av. J.-C.) et piétinant les barbares Xiongnu. En effet, pour que de grands héros surgissent et qu'un « grand royaume » se dresse, l'essentiel se joue toujours par le feu et dans le sang. Et si, comme beaucoup d'autres, sans doute, je désire que la vertu, la bonté et la raison soient les fondements effectifs de l'ordre international, force est d'admettre cependant, à la lumière de l'histoire et du présent, que cet ordre est affaire de puissance brute et d'intérêts particuliers, inéluctablement. Ainsi, même après les Song (960-1279), tandis que les pays voisins se prêtaient main-forte contre la Chine, réduisant son territoire d'un « lit d'empereur » à un « lit de camp », on rêvait encore d'empire universel (« La lune au fond des mers, tous les pics sont obscurs / Arrivée dans le Ciel, toute contrée scintille ») et de voir revenir « la myriade des peuples à l'audience du Très-Haut » ; et ce, quand bien même au plan de la politique concrète, à force de défaites, on en fut réduit à la seule défense territoriale d'une ethnie particulière, les Han. Certes, bien avant que la Chine « ouvrît grands ses yeux au monde », dès l'Antiquité (au moins depuis l'expédition de Zhang Qian (164-113 av. J.-C.) vers l'Asie centrale, sous les Han de l'ouest), sa connaissance factuelle du monde extérieur n'était pas négligeable, et sa situation politique concrète était déjà celle d'une nation luttant pour la suprématie parmi d'autres nations comparables. Pourtant, à travers les âges, la Chine maintiendra toujours cette inébranlable foi dans l'Empire-Monde (*tianxia*) que décrivent les « Institutions royales » du *Traité des rites*, et son aspiration à réaliser son « royaume idéal »[28]. Aussi, dès que l'occasion se présenta, c'est au vaste empire des Han ou des Tang que l'on voulut revenir. Il se pourrait, d'ailleurs, que les promoteurs actuels du *tianxia* soient encore dans le sillage de ce fantasme nostalgique. Considérons maintenant les époques plus tardives. À la fondation de la dynastie des Ming (1368), qui marqua le retour au pouvoir suprême de l'ethnie Han après la dynastie mongole des Yuan (1279-1368), le territoire de l'empire se réduisait à peu près aux « quinze provinces », et le nord demeurait encore sous domination mongole. Si bien que, dans les premiers temps de la dynastie, sous le règne de son fondateur Hongwu (1368-1399) et jusqu'à l'ère Yongle (1403-1424), on fit une liste des pays exclus du plan de conquête et, heureux d'ignorer ses voisins, on ne cherchait qu'à s'éviter les troubles. Mais dès que son emprise et sa puissance furent affermies, c'est au modèle *tianxia* et au système tributaire d'antan que les empereurs voulurent revenir ; puisque après tout, « il n'est de place "sous le ciel" que pour un seul soleil ». Mais la Chine des Ming n'était plus celle des Han ou des Tang, et ses prétentions antiques rencontrèrent de nouvelles résistances. Comme l'exprime sans détour le prince nippon Kaneyoshi (1329-1383) dans une lettre adressée à l'empereur Ming d'alors : « bien que votre empire soit immense et puissant, il semble que cela ne vous suffise pas, puisque vous parlez si fréquemment de nous anéantir », mais « lorsque viendront vos troupes, nos soldats sauront nous défendre, comme les levées de terre servent de digues face aux inondations ; et ce n'est pas à genoux que nous les accueillerons ! ». Le royaume de Corée, ancien État tributaire, n'était pas plus disposé aux courbettes, et fit savoir à l'empereur, en substance, qu'étant donné ses manœuvres infantiles d'intimidation et l'abus de sa force armée, il lui était difficile de s'incliner devant sa vertu, et *a fortiori* de lui porter ses tributs en feignant d'être aux anges[29]. Le royaume d'Annam [nord du Vietnam actuel et ancien protectorat chinois sous les Tang] avait certes adressé à l'empereur Hongwu l'hommage requis d'un

vassal à son suzerain, mais comme pour mieux prévenir toute intrusion dans ses affaires, et malgré les
menaces répétées — « notre armée de cent mille
hommes, vous assaillant par la terre et les eaux,
saura vous rappeler à votre place et vous châtier adéquatement, de sorte qu'aucun barbare n'ignore notre
intention » —, Annam ne l'honora jamais que des
lèvres. D'ailleurs, sous l'ère Yongle (1403-1425),
lorsque l'empereur lança une expédition punitive au
sud, dans l'intention claire d'annexer le royaume, la
résistance fut particulièrement féroce contre un
empire qui à ses yeux ne faisait une fois de plus
« qu'emprunter les habits de la vertu pour mieux
martyriser le peuple, pareil à de vulgaires brigands ».
En outre, dans la perspective d'Annam, « quand
l'univers fut établi, le sud et le nord reçurent chacun
leur domaine ; c'est pourquoi le nord, aussi puissant
soit-il, ne saurait empiéter sur le sud ». L'empereur
Yongle (1360-1424), de son côté, soutenait que
« depuis le centre de son palais, l'Empereur dirige
les nations en myriades, tout comme le Ciel immense
recouvre la Terre en tous lieux, assure la paix à tous
ceux qui s'abandonnent à Lui, et réalise l'aspiration
de chaque être »[30] ; ou, pour le dire en d'autres
termes, il « voulait que toutes les nations même les
plus lointaines fussent ses sujets »[31]. Dans le cas du
Japon, du fait de son isolement, les empereurs ne
pouvaient exiger de lui davantage que les honneurs
d'un « vassal des confins », c'est-à-dire pas grand-
chose. Quant à la Corée, elle demeurait plutôt soumise et ne représentait pas une menace majeure.
Mais si l'occasion se présentait de rappeler à l'ordre
un lointain vassal, la méthode employée s'accordait
rarement au généreux principe de « persuasion des
lointains par le rayonnement de la vertu » mais sui-
vait plutôt la logique de la force. Ainsi, la fameuse

« odyssée de Zheng He vers les mers du sud » avait
pour objet, bien plus que l'exotisme, de « faire briller
nos cuirasses sur des terres étrangères et de manifester à tous la puissance de la Chine ». En effet,
comme le rapporte l'*Histoire des Ming*, il s'agissait
de « proclamer les décrets de l'empereur, désigner
les chefs, et soumettre par les armes ceux qui s'y
refusent »[32] ou comme le rapporta Zheng He lui-
même : « les princes irrespectueux furent capturés
vivants, et les plus criminels parmi les barbares
furent anéantis »[33]. C'est à la lumière de ce genre de
sources que la logique véritable du *tianxia* de Yongle
se laisse entrevoir : d'abord, il y eut les blâmes adres-
sés, puis la « pacification » de l'Annam (dans l'espoir
de l'annexer à l'empire et, par son exemple, faire
trembler tout le sud[34]), puis l'expédition vers le sud
où, entre autres manœuvres violentes, il y eut l'exécution du chef de Jiugang et la capture des rois de
Sumatra et de Ceylan[35]. Tout cela n'ira pas sans évoquer, peut-être, la loi de la jungle ou la politique du
plus fort ; et rien de très attrayant à cela, bien sûr.
Mais je crains qu'on ne fasse que se payer de mots
en considérant, *a contrario*, que le *tianxia* de l'Antiquité aurait eu « pour idéal ou utopie directrice le
rassemblement du monde sous un seul toit […],
motif pour lequel la pensée chinoise ne pourra
jamais donner naissance au genre d'idéologies per-
verties que l'Occident génère, pas plus qu'à ses déli-
mitations claires et nettes des frontières, comme à
son nationalisme catégorique », si bien que cet
Empire-Monde, transcendant le modèle d'État-
nation, pourrait être considéré comme « héraut et
précurseur du système planétaire idéal »[36]. On
s'abuse davantage encore lorsque, s'aventurant sur
le terrain de l'histoire chinoise antique, on affirme
que le système tributo-feudataire représentait une

gestion « ritualiste » des rapports transnationaux faisant primer « l'identité culturelle » sur « l'identité politique ». L'histoire, à bien la regarder, n'eut rien de si tendre et doux. Il est vrai que cette même « loi de la jungle » régit encore les rapports actuels entre nations (dont la hiérarchie est affaire de puissance brute [*power* en anglais dans le texte]), mais quand donc le « système tributaire » ou le « système *tianxia* » de Chine fut-il autre chose qu'un fort imposant ses règles à un plus faible, et l'écrasant en cas de résistance ? D'aucuns soutiennent de nos jours que le *tianxia* serait le nom d'un monde sans frontières, sans « dedans » ni « dehors », sans « moi » ni « toi », un monde de l'égalité parfaite. Et si je n'ose dire qu'ils divaguent, ni ne doute de leurs bonnes intentions, une chose est certaine cependant : il ne s'agit déjà plus d'histoire.

II. Décollage immédiat pour le pays des rêves : l'horizon politique d'un tianxia fantasmé

Bien que le débat relatif à l'Empire-Monde ait vu le jour dès la fin du siècle dernier, vers le milieu des années 1990[37], c'est par un ouvrage plus récent, paru en 2005, que nous débuterons : *Le système tianxia : introduction philosophique à une organisation mondiale*[38] ; en raison de l'ampleur de son approche, d'une part, mais plus encore pour ce qu'il révèle de la structure intellectuelle et de l'arrière-fond politique du débat, et ce, sur trois points particulièrement :

(1) Dès les pages introductives, l'invitation de l'auteur à « repenser la Chine » du fait des « succès de son économie » qui « ont fait de la Chine un objet d'étude mondial », manifestant combien l'émergence

du *tianxia* comme point focal des discussions récentes se rattache au « grand décollage » de l'économie chinoise à partir de 1995 et au début de notre siècle plus particulièrement, au point de constituer la toile de fond constante des fantasmes à son sujet.

(2) La mise en exergue, en préambule de son étude proprement dite, de deux citations, l'une d'Edward W. Said, l'autre de Michael Hardt et Antonio Negri, au sujet de « l'impérialisme culturel » et l'empire en général, suggérant une étroite connexion entre la réinterprétation récente du *tianxia* en Chine et les discussions de critiques occidentaux au sujet de l'empire.

(3) Enfin, l'insistance particulière de l'auteur, au cours de son étude proprement dite, sur « l'absence de dehors [*wu wai*] » caractérisant, d'après lui, l'Empire-Monde (*tianxia*), jusqu'à soutenir — invoquant à l'appui divers exposés théoriques depuis les Qin jusqu'aux Ming et Qing — que, sous cet ordre, c'est la culture ou la civilisation qui se trouvent au fondement, « sans dissensions ni discordances », « sans rapports d'antagonisme », contrecarrant ainsi l'inclination ordinaire des empires à une militarisation exponentielle, et suscitant l'idée nouvelle d'une organisation mondiale ; que sous l'Empire-Monde, c'est la pérennité qui importait et non plus la « possession territoriale » ; qu'elle était une entité universelle transcendant le caractère local des nations ; et qu'enfin le « rituel » y était l'expression de la soumission volontaire des nations au système tributaire, autant que la règle directrice du Souverain et de sa Cour[39]. Comme on peut l'apercevoir ici, les « nouveaux exposés » du *tianxia* sont en général dans la droite ligne des réinterprétations modernes du confucianisme traditionnel (et des théories de l'école Gongyang des Qing en particulier), et de cette

approche consistant à expliciter les notions antiques
en les actualisant et les raccordant à la géopolitique
contemporaine. C'est pourquoi nous leur consacre-
rons, plus bas, tout un chapitre. Considérons d'abord
ce « grand essor chinois », en tant qu'il porte et sous-
tend la vogue de l'Empire-Monde. Au départ, peut-
être, « império-mondialisme » [*tianxia zhuyi*, litt.
« *tianxia*-isme »] n'était qu'un antonyme de « nationalisme », ou un synonyme de « cosmopolitisme »,
comme certains l'ont soutenu[40] ; toutefois, non sans
bizarrerie d'ailleurs, le terme se transforma bientôt
en concept critique de l'ordre international (actuel)
et alternative première au « cosmopolitisme ». C'est
dans un ouvrage de 1996 (discutant de l'opportunité
d'une transition de la Chine du nationalisme à
l'império-mondialisme) que l'on trouve une des premières explicitations de ce concept ; mais il ne s'agissait encore, essentiellement, comme le souligne
éloquemment l'auteur, que « de lancer aux grandes
puissances occidentales un défi quant à la justice et
la légitimité morale de l'ordre international auquel
elles président ». Or, en dépit des griefs exprimés à
l'égard du nationalisme, il considère tout de même
— ce qui n'est pas sans intérêt — que sa version
chinoise relève encore d'un « nationalisme
inabouti »[41], en cela que « l'adoption récente du
nationalisme par la Chine ne fut pas autre chose
qu'un compromis moral »[42], non sans ressemblance
de facto avec la « modernisation auto-castratrice » de
la Turquie. Aussi conviendrait-il, à ses yeux, que
la Chine renonce à ce nationalisme de compromis et
de recul au profit de la perspective englobante
et proactive de l'império-mondialisme[43]. Comment
donc cette « doctrine *tianxia* » devint-elle au sein des
cercles universitaires chinois — et au tournant du
nouveau millénaire — ce « nationalisme en habits

cosmopolites » et cet espoir de concrétiser l'imaginaire en ordre politique mondial ? Pour le dire simplement, c'est le « grand essor chinois » avec l'enthousiasme qu'il suscita qui en fut l'initiateur. Wang Xiaodong, dans *Le nationalisme chinois et l'avenir de la Chine*, signale un phénomène intéressant, susceptible à ses yeux d'expliquer en partie la transition vers un « nationalisme sain » au début des années 1990, une fois surmonté le « nationalisme rétrograde » et auto-dévalorisant des années 1980 : beaucoup d'intellectuels étiquetés comme « nationalistes » de nos jours résidèrent en Occident pour leurs études, et il semblerait que leur expérience internationale contrastée n'ait pas été pour rien dans la construction de leur nationalisme. À l'instar de Zhang Kuan dont la critique virulente de l'Occident sera perçue par les « libéraux » comme la rancœur d'un homme à l'égard d'un Ouest où il ne se sentit pas à son aise. Et c'est un an après son séjour aux États-Unis que Sheng Hong rédigea son article « Qu'est-ce qu'une civilisation ? », où il affirme clairement la supériorité de la civilisation chinoise sur celle de l'Occident, ce qui ne manqua pas de soulever de vifs débats. Quant à Zhang Chengzhi, peu après un tour de plusieurs pays, il publia, entre autres articles ou essais, « L'Esprit n'habite pas ailleurs », dont l'écho fut d'autant plus retentissant que Zhang est connu, et qu'il cultive le beau style. On aboutit ainsi à l'idée selon laquelle, puisque « le destin de la Chine ne peut être confié à nul autre qu'elle-même » et que « les États-Unis s'apprêtent à nous piétiner », alors la Chine ne peut en aucun cas se satisfaire de son statut de « pays en voie de développement », compte tenu particulièrement de son formidable essor. À partir de « la Chine peut dire non », « la Chine peut encore dire non » ou « pourquoi la Chine

dit-elle non ? » du milieu des années 1990, jusqu'à
« la Chine se relève » en 2010[44], en passant par « la
Chine est mécontente » de l'an 2000, c'est un même
mélange d'histoire nostalgique et d'exaltations
actuelles qui semble avoir porté ces intellectuels
(particulièrement versés dans l'imaginaire du *tianxia*)
à soutenir que, compte tenu de sa croissance économique persistante et de l'accroissement considérable
de sa puissance effective, il s'agirait pour la Chine,
non seulement de « commercer sabre au poing »,
mais encore de « bannir les brutes et pacifier les
bons » à l'échelle du monde, autant que de s'assurer
« un plus ample contrôle des matières premières et
des ressources », car c'est ainsi seulement que « la
Grande Nation peut obtenir tout le bénéfice de son
essor »[45]. La Chine en effet, depuis deux siècles,
« passe inexorablement de la faiblesse à la force, et
par l'accroissement constant de sa puissance productive et militaire, c'est non seulement sa position
mondiale qui s'élève de jour en jour, mais encore
l'ordre international qui s'en trouve restructuré, marquant aussi en profondeur le cœur, les idées, la
vision et les conduites de nos compatriotes éclairés »[46]. Aussi, depuis ces intellectuels férus de résistance à la suprématie américaine jusqu'à ceux qui
aspirent à ressusciter une doctrine confucéenne
longtemps refoulée, et en ces temps où l'appel à une
gouvernance mondiale se fait toujours plus bruyant,
on trouve, sans concertation, et presque fortuite-
ment, un point d'accord fondamental quant au rôle
de la Chine : « Il convient que notre pays, dont la
puissance grandit de jour en jour, retrouve sa droite
filiation doctrinale et promeuve de nouveau cette
aspiration confucéenne à ce que "tous, sous le Ciel,
soient une seule famille", car au sein d'un monde de
conflits imprévisibles et d'intérêts interdépendants,

ce système doctrinal est le plus en mesure de garantir la justice et la paix. »[47] D'ailleurs, claironnent-ils, « la Chine ne peut se dérober à cette charge que l'histoire universelle lui assigne, c'est à cette fin qu'elle a reçu le "Mandat Céleste" [*tian ming*] » ; et puisque de nouvelles problématiques se font jour à notre époque, ils poursuivent avec les questions suivantes : « A-t-on affaire à un seul ou à deux mondes ? La Chine et les États-Unis pourront-ils le gouverner ensemble ? Et, la Chine continuant son ascension, qu'arrivera-t-il lorsqu'elle les dépassera ? »[48] Il est assez curieux qu'une aussi vieille expression que celle de « Mandat Céleste », sur laquelle reposait la sacralité du pouvoir impérial durant l'Antiquité (avec sa légitimation), se soit retrouvée si soudainement, et si couramment encore, sur les lèvres de tant d'intellectuels chinois, et pas seulement de néoconfucéens, promoteurs déclarés de l'Empire-Monde. Wang Xiaodong, proclamé par certains « porte-étendard du nationalisme chinois », fit d'abord paraître en 2008 un ouvrage intitulé *Au Grand Pays le Mandat du Ciel*, dont l'idée centrale est clairement exprimée dès le sous-titre, « Pour faire de nous une nation héroïque et les guides du monde »[49] ; puis, récemment, un sociologue, dans la revue *Hongqi wenzhai* (*Belles-Lettres choisies sous le drapeau rouge*), déclara que le « Mandat Céleste » du Parti communiste chinois comprenait « de faire renaître de ses cendres la Grande Nation d'Asie dont témoignent ensemble notre terre, notre peuple et son histoire [...], de réveiller la conscience de nos cent ans d'humiliations, et l'impérieux besoin de rattraper l'écart. [...] La mission d'apporter au peuple chinois sa grande renaissance »[50]. Ou comme le formule limpidement un autre chercheur quant à la réorganisation de l'ordre international après que la Chine aura supplanté les États-Unis, il s'agira, sur le plan intérieur, de confier au confucianisme la garde et l'intégrité des valeurs chinoises et, au-dehors, d'aménager « tout sous le Ciel » suivant l'ordre mondial chinois. À ses yeux, c'est maintenant et de la sorte que doit se jouer le « moment chinois de l'histoire du monde [...], moment dont la "fenêtre de tir" ne saurait perdurer plus d'une génération ou d'un demi-siècle »[51]. Enfin, ce même chercheur, au début de l'année 2015, où la présente étude fut rédigée, publia cet article : « Le mandat céleste chinois », expliquant que « notre peuple seul peut contrecarrer la fin de l'Histoire et la tragédie d'une disparition universelle de la civilisation » puisque « nul autre, peut-être, n'est en mesure d'offrir à la planète un authentique Empire-Monde civilisé »[52]. Avec non moins de grandiloquence, mais plus de trémolos peut-être, un ancien libéral converti sur le tard à l'étatisme, soutiendra pour sa part que la Chine ne connut de l'Occident au cours des cent dernières années que le pillage, l'oppression et les manœuvres dans l'ombre. Or, maintenant que les puissances occidentales traversent la crise et que la Chine, de son côté, regagne sa puissance, c'est à elle qu'il reviendra de sauver l'Occident : « Dans les temps à venir, c'est par le peuple chinois qu'adviendra l'unification politique de l'humanité entière et l'institution d'un gouvernement mondial. »[53] Pour le dire sans détour, qu'un intellectuel nouvellement rallié à l'étatisme comme lui puisse tenir ce genre de propos ne m'a guère surpris, mais je trouve plus surprenant qu'un chercheur qui, il y a peu, ne mâchait pas ses critiques à l'égard de l'inclination étatiste jugée excessive d'un de ses confrères, se retrouve à défendre aujourd'hui une « nouvelle doctrine de l'Empire-Monde ». Certes, concède-t-il modestement, « la Chine est désormais au cœur de l'économie mondiale, mais n'occupe pas encore le cœur des affaires internationales [...] et, sur le plan culturel, n'est pas encore préparée à tenir le rôle d'empire universel ». Or, pourquoi, d'après lui, la Chine en serait-elle intrinsèquement capable ? Car elle serait, comme Lucian Pye le soutient, « une civilisation qui se fait passer pour un État-nation », ayant comme « oublié l'essence de sa civilisation ». En effet, « une civilisation-État se soucie de "tout sous le Ciel" [*tianxia*], tandis qu'un État-nation ne se soucie que de sa souveraineté ; le premier a l'universel pour principe directeur, tandis que le second suit son avantage particulier »[54]. L'horizon politique de l'império-mondialisme (*tianxia zhuyi*) est des plus clairs. C'est celui de l'essor économique spectaculaire de la Chine et des horizons plus larges que cette croissance a permis ; on l'aperçoit dans le passage du « réveil chinois » aux « nouvelles routes de la soie », comme dans l'abandon progressif de la stratégie de « retraite provisoire » et de non-ingérence au profit de « grande nation mondiale » aspirant à réaliser le « rêve chinois ». Ajoutées à cela les positions très militaristes de certains de ces intellectuels, les stratégies « d'outre-passement »[55] et d'hégémonie qu'ils promeuvent, comme leurs interventions régulières dans les médias à la louange de la puissante armée chinoise et de l'opportunité d'en faire usage ; on comprend effectivement de quel horizon politique il retourne. Car le monde de la pensée est riche en paradoxes tragiques : lorsque, par exemple, on proclame d'abord l'exception chinoise comme la source de son « grand essor » récent, pour vouloir ensuite « redéfinir et transformer l'histoire du monde » sur le fondement de cette exception, faire advenir « l'heure chinoise » du monde ou « ce nouvel âge axial de l'histoire universelle »[56].

III. « Empire » ou « civilisation-État » : comment certains critiques récents font écho à l'imaginaire traditionnel du tianxia

Considérons à présent les liens que ces nouvelles interprétations entretiennent avec certaines études internationales sur l'impérialisme, et la thèse d'une « civilisation-État » comme spécifiquement chinoise.

Zhao Tingyang met en exergue de son *Système Tianxia* deux citations, comme nous l'avons mentionné déjà, l'une empruntée à *Culture et impérialisme* d'Edward W. Said, l'autre à Michael Hardt et Antonio Negri. Rien d'étonnant à cela puisque les travaux de Said sur « l'orientalisme » et la notion d'impérialisme culturel, ainsi que ceux de Hardt et Negri sur l'empire (*Empire*, Cambridge (Mass.), Harvard University Press, 2000), connurent en Chine durant les dernières décennies un large écho[57]. Ces chercheurs sont tous au demeurant des plus estimables. Hélas, il arrive parfois que certaines théories nouvelles, une fois transplantées ailleurs, et *quiproquo* aidant, tournent à l'image de ces « mandarines douces qui, passées la Huai, virent à l'aigreur », et que des critiques occidentales initialement adressées aux tendances dominantes de la pensée de l'Ouest réveillent ailleurs de vieilles inimitiés communes, des sentiments identitaires et, par suite, des nationalismes radicaux — avec leur opposition résolue à l'ordre existant comme aux valeurs universelles. Ainsi, en Chine, au tournant du millénaire, cette théorie critique de l'Occident — et de la suprématie américaine en particulier — se trouva peu à peu dépouillée de son contexte originel, servant à la fois de catalyseur aux aspirations nationalistes ou étatistes latentes parmi l'intelligentsia, et d'amplificateur aux tendances aujourd'hui prédominantes de la pensée chinoise. D'où, précisément, l'ampleur de leur succès. Ce qui représentait au départ et foncièrement une thèse novatrice, animée d'empathie et d'esprit de justice, et sous le signe d'une auto-critique occidentale, exacerba en l'occurrence les griefs accumulés à l'égard de l'impérialisme et de sa domination culturelle jusque dans l'ordre du discours. Le concept et le mot d'empire (*di guo*) s'y retrouvèrent donc au cœur de débats enflammés, débats que nourrirent d'abord l'importation, dès les années 1980, du vocabulaire de la philosophie critique occidentale récente — postmodernité, postcolonialisme ou poststructuralisme — puis, plus récemment, la traduction de bon nombre d'études concernant à la fois l'impérialisme culturel et la notion d'empire en général : en 1999, de John Tomlinson, *L'impérialisme culturel* ; *Culture et impérialisme* de E. W. Said en 2003 ; *Empire* en 2008, de Michael Hardt et Antonio Negri, et *Empire* encore, en 2012, de Niall Ferguson (*Empire. The Rise and Demise of the British World Order*).

Toutefois, la perspective de ces auteurs n'a rien d'unanime au sujet de l'empire. Pour certains, il s'agit avant tout de critiquer le capitalisme mondialisé, la diffusion écrasante de la culture occidentale et la menace qu'ils présentent pour l'identité culturelle des pays du tiers-monde ; d'autres expliquent comment l'expansion culturelle de la mondialisation et de la modernité a conduit notre planète à une uniformité mettant en péril le principe de pluralité des cultures ; mais pour d'autres, la critique porte sur l'impérialisme passé ainsi que la façon dont il façonna l'ordre international moderne, et la manière dont sa disparition compromit ce même ordre international ; enfin, d'autres encore dénoncent la manière dont, après la disparition des empires fondés sur la colonisation et le pillage, la finance internationale et le capitalisme mondialisé parvinrent à rétablir subrepticement un nouvel impérialisme et une nouvelle forme de contrôle et d'oppression. Ces diverses approches théoriques s'accordent néanmoins sur un point essentiel : « l'Empire », dans ses formes tant anciennes que plus récentes, outrepasse et transcende les « États », « se caractérisant toujours au plan notionnel par son absence de frontières, et par un cadre consistant à n'en posséder aucun »[58]. Or cette théorie critique, ou critique théorique de l'empire, sur la toile de fond chinoise d'un *tianxia* longtemps disparu mais récemment exhumé (et en raison des critiques que ces études formulent à l'égard de certains aspects de la modernité, de la mondialisation et l'ordre international actuel), a exacerbé ici l'aspiration à laver « nos cent ans d'humiliations », le conservatisme intellectuel, et l'ambition grandiose de rebâtir un « Empire-Monde ». Comme les auteurs d'*Empire* l'expriment clairement dès l'introduction : « un empire apparaît devant nos yeux », en effet, précisent-ils, « tandis que s'étend le marché mondial, avec ses acteurs et ses débouchés, sur fond d'un ordre [politique] lui-même en voie de globalisation, une régulation nouvelle — dans sa structure et sa logique — se fait jour ; ou, pour le dire plus simplement, une nouvelle forme de souveraineté. L'empire est cette entité régulatrice capable d'exercer un contrôle efficace sur les échanges planétaires, et d'incarner l'autorité suprême dans le gouvernement du monde »[59]. Mais où se trouverait le cœur de cet empire ? « Ce fut d'abord l'Angleterre au XIXe siècle, puis les États-Unis au XXe. » Quant au XXIe siècle, ils ne se prononcent pas. Ainsi, après le règne de l'Amérique, ne serait-ce pas l'heure du

« grand essor chinois » ? Parmi toutes les théories
du *tianxia* que j'ai pu lire, il est intéressant de noter
que la plupart des auteurs associent fréquemment
le *tianxia* à l'empire (Zhao Tingyang notamment) et
font avec enthousiasme du premier le projet de subs-
titution du second, suggérant qu'après un XXᵉ siècle
sous domination américaine, c'est l'Empire-Monde
chinois qui doit lui succéder au XXIᵉ siècle ; tout en
admettant que l'un comme l'autre sont « une vision
du pouvoir caractérisée par son aptitude à instituer
un nouvel ordre et à gagner l'approbation générale,
et que l'un et l'autre impliquent une civilisation
déterminée, ainsi que son expansion universelle,
sans frontières, en vue d'une radicale unité ». Heureusement, à les croire, il y eut et il y aura sous
l'Empire-Monde [*tianxia*] bien plus de bonté, de justice et de tolérance que l'empire [à l'occidentale] ne
sut en faire la démonstration. Laissons de côté, pour
l'heure, l'analyse des raisons supposées d'une telle
supériorité du modèle *tianxia* au profit d'une autre
thèse récente ayant participé à son élaboration, celle
de la Chine ancienne comme « civilisation-État ».
Comme je l'ai souligné à plusieurs reprises dans un
ouvrage antérieur (*Habiter ce Pays du Milieu*), je ne
conteste aucunement que l'ancien État chinois ait
différé dans sa forme de ceux de l'Europe et de l'Asie
d'alors, et comme j'ai pu l'évoquer dans *Qu'est-ce
que la Chine ?*, le cas de la Chine moderne est en
effet assez particulier et complexe, en raison de
la rapidité de sa transition de l'empire des Qing à la
République et à la forme moderne d'État-nation,
et dans la mesure où le passage de « tout sous le
Ciel à une nation parmi tant d'autres » (et l'inclusion des « barbares des quatre coins dans la sinité »)
se produisit déjà sous les Qing. Donc, si je trouve
tout à fait honorable que l'on veuille s'affranchir

de notions telles que « Empire » ou « État-nation »,
entre autres importations occidentales récentes[60],
je n'admets pas en revanche que l'on en déduise,
comme le font certains, que la Chine, depuis les
temps antiques, n'aurait été « ni un empire ni une
nation », et je réfute *a fortiori* la thèse — dénuée de
tout sens historique — d'une Chine comme éternelle
« civilisation-État ». Il semble que cette expression
soit apparue d'abord sous la plume de Lucian Pye
(1921-2008), évoquant au sujet de la Chine « une
civilisation qui se fait passer pour un État-nation »,
thèse qu'un certain nombre d'universitaires chinois
— Gan Yang en particulier — accueillirent très favo-
rablement et promurent à leur tour, cherchant de
la sorte à entretenir au plan national « le débat sur
l'exception chinoise »[61]. L'ennui est que Lucian Pye,
à propos de cette « civilisation-État » chinoise, ne
propose aucune analyse historique rigoureuse, ni ne
démontre ses caractéristiques distinctives, et clari-
fie moins encore les modalités d'implication d'une
telle « civilisation-État » dans l'ordre international
actuel. Or, au cours des dernières années, les promoteurs zélés du « modèle chinois » ou de « l'exception
chinoise » dans l'université (sur les encouragements
de certains auteurs occidentaux non-historiens — *De
la Chine* de l'Américain Henry A. Kissinger et *Quand
la Chine gouvernera le monde* du Britannique Martin
Jacques, notamment) ne se privèrent pas de recourir
à ce genre de notions et demi-vérités singularisant
le cas chinois, pour mieux présenter, d'une part, le
système tributaire antique sous le jour flatteur de
la civilisation, et affranchir la Chine, d'autre part,
des restrictions de l'ordre international actuel[62] ; ce
qui ne manqua pas de raviver, auprès de beaucoup
de chercheurs, le débat sur l'essence de la « Chine
traditionnelle ». Certes, au sens large, comme chacun

sait, les nations actuelles se distinguent des empires de jadis par un certain nombre de traits notables :

1. Une entité territoriale clairement circonscrite (dans l'État-nation, l'espace politique, économique et culturel coïncide avec les frontières nationales, tandis que les royaumes antiques ou médiévaux, bien que disposant d'un certain nombre d'institutions et de pouvoirs régaliens centraux, ne présentaient pas cette claire délimitation de leur domaine de souveraineté) ;

2. Une conscience souveraine (dans l'État-nation, en principe, le champ de l'exercice politique n'est autre que le domaine de sa souveraineté, et cette notion, avec celle d'autodétermination des peuples, motive et fonde sa résistance à toute ingérence extérieure) ;

3. L'identification du principe national à une certaine unité territoriale, au fondement du concept d'État-nation et de la conscience collective de l'ensemble de ses citoyens (unité dont la fixation s'opère non seulement par les voies de la constitution, du Code civil et des lois relatives à la naturalisation, mais aussi par des constructions mentales patriotiques, culturelles, historiques, mythiques, etc.) ;

4. Des organisations et des institutions régulant l'espace politique, économique et culturel (et non seulement un empereur ou un roi) ;

5. Des relations internationales à l'initiative de chaque État (manifestations de son principe de souveraineté et de son caractère d'entité territoriale circonscrite)[63]. Dès lors, comment caractériser cette « civilisation-État » ? Puisque ses frontières sont floues, comme celles de sa souveraineté, peut-être la conscience collective de ses citoyens ne repose-t-elle que sur le partage d'une même tradition culturelle et non sur l'adhésion aux institutions étatiques

communes ; peut-être n'est-elle alors qu'un État coercitif, aux prérogatives plus proches de celles des empereurs antiques que des gouvernements actuels, et pour qui les États alentour sont moins des interlocuteurs égaux que les éléments d'un même réseau culturel. Mais la Chine est-elle vraiment ce genre de pays là ? Si oui, en quoi différerait-elle d'un empire ? Et ne tomberait-elle pas inévitablement sous le coup de cet « impérialisme culturel » ou de ce « nouvel impérialisme » (que pointaient certains critiques récents), s'il est vrai qu'elle transcende les nations et s'étend au monde par des voies culturelles ? À l'évidence, toute cette idée n'est pas des plus claires. Elle n'en est pas moins communément soutenue de nos jours. Et sa popularité doit beaucoup aux résonances favorables qu'elle a paru apporter aux thèses d'un grand nombre de nos universitaires actuels[64] : l'Empire-Monde [*tianxia*] n'aurait d'autre idéologie que sa culture, et l'institution de son système régional d'États tributaires ne tiendrait qu'à l'attrait civilisateur de ses rites et jamais à la persuasion de ses armes[65]. Mais est-ce vraiment le cas ? Si l'on en croit Hardt et Negri, l'empire est « une conception du pouvoir définie par son aptitude à établir un nouvel ordre et obtenir l'assentiment, porteuse d'une civilisation particulière aux ambitions mondiales, impliquant la notion d'un espace unifié, sans limites ni frontières »[66]. Dans ce cas, qu'est-ce que l'Empire-Monde [*tianxia*] ? L'ordre et l'espace qu'ils instituent ne sont-ils pas les mêmes ? Ne décrètent-ils pas tous deux leur organisation du monde ? Et si, sous le *tianxia* ou l'empire, c'est à lui seul en fin de compte que revient la distinction entre « civilisation » et « barbarie », et qu'il revient à tous, en revanche, de suivre ses règles et sa culture, ne devrait-on pas tout simplement revenir à notre ancien partage du

monde entre « Chinois » [*hua*] et « barbares » [*yi*] ?
Il est intéressant de noter que le Français Régis
Debray, lors d'un débat avec Zhao Tingyang sur son
« système *tianxia* », relevait déjà son « unification
excessive, uniforme et floue », avant de soulever
ces quelques interrogations affûtées : qui choisira
notre « grand chef de famille » ? Comment sera-t-il
désigné ? À qui devra-t-il des comptes ? Comment
promulguera-t-il ses lois ? S'adressera-t-il au peuple
en lettres latines ou en caractères chinois ? "Zhao
Tingyang répondit avec candeur que son intention
ne fut jamais que d'expliciter philosophiquement les
axiomes politiques et les valeurs communes du "système *tianxia*", et qu'il lui était donc difficile d'anticiper quelles formes concrètes ce pouvoir assumerait,
ajoutant qu'il n'était parvenu à ce jour à trouver au
problème du "grand chef de famille" aucune solution intellectuellement satisfaisante. »[67] Qui sera-t-il,
en effet, ce « grand chef de famille » ? Qui fixera
les règles « sous le Ciel » ? À qui revient d'instituer
l'ordre du monde ? Et qui arbitrera sa légitimité ?
Une preuve de la supériorité du modèle *tianxia* sur
celui de l'empire serait précisément de résoudre ces
interrogations ; autrement, il n'est pas meilleur que
l'autre, ou lui ressemblera bientôt. Citons à ce sujet
les questions que soulève un universitaire coréen
Baik Youngseo dans son ouvrage *La place de l'empire chinois dans la conscience d'Extrême-Orient* : la
Chine d'aujourd'hui est-elle encore un empire ? Est-
elle la continuation de son empire ancien, et plus
particulièrement de celui des Qing ? Il ajoute, avec
une modestie toute diplomatique, qu'un tel empire,
compte tenu de l'ampleur de son domaine politique,
aurait bien des raisons d'être tolérant, et poursuit
en disant, non sans quelque inquiétude perceptible,
que la Chine actuelle, à supposer qu'elle soit encore

un empire, se devrait non seulement de bénéficier à elle-même mais encore d'incarner pour le monde un « empire bienfaisant ». Je crains hélas qu'il ne s'agisse encore que d'un vœu pieux, puisque avant d'être magnanime ou tolérant, l'empire exige et suppose de s'étendre[68]. Et cette expansion, où mène-t-elle ? L'inquiétude de ce chercheur n'est pas sans évoquer celle que l'écrivain et journaliste britannique Martin Jacques formulait en ces termes : « La Chine est chaque jour davantage en mesure de rétablir son ancien système tributaire ; et ce ne serait pas le problème des États-nations et de toute l'Asie orientale ? » Que l'on désigne donc ce modèle — transcendant peuples et nations — comme « Empire-Monde » [*tianxia*] ou simplement « empire » [*diguo*], quelle différence cela fait-il en fin de compte[69] ?

IV. Genèse d'une lecture biaisée : le commentaire Gongyang et son interprétation, de Dong Zhongshu (env. 179-104 av. J.-C.) et He Xiu (129-182 apr. J.-C.) à Zhuang Cunyu (1719-1788) et Liu Fenglu (1776-1829)

Note des éditeurs : Cette partie ainsi que la suivante ont été dans une large mesure supprimées, afin d'épargner au lecteur non-sinologue les très longs et très savants développements dans lesquels se lance Ge Zhaoguang pour montrer par le menu les origines philologiques et exégétiques de ce qu'il appelle « une lecture biaisée » d'une tradition textuelle qui remonte à l'époque Han (avec Dong Zhongshu et He Xiu) il y a plus de deux mille ans et qui a resurgi à partir du XVIIIᵉ siècle dans la Chine prémoderne (avec Zhuang Cunyu et Liu Fenglu), pour être reprise à la fin du

*XIXᵉ siècle par le réformateur Kang Youwei et se trouver
de nos jours exploitée par certains « néoconfucéens »
contemporains qui sont la véritable cible des critiques
de Ge Zhaoguang*[70]. *Nous n'en avons conservé que
quelques paragraphes clés qui permettent de saisir ce
à quoi l'auteur veut en venir.*

Intéressons-nous à présent au point crucial du
problème : comment les références au *tianxia* dans
les sources confucéennes classiques, initialement en
forme d'idéal, devinrent peu à peu, sous l'œil et la
plume de leurs interprètes, l'império-mondialisme
actuel. Les premières occurrences du terme sont très
anciennes. Les divers courants philosophiques pré-
impériaux (taoïsme, confucianisme, moïsme, etc.)
en font tous usage, comme une simple recherche
lexicale permet de s'en aviser. Mais plutôt que d'égre-
ner un chapelet de citations picorées çà et là (ce qui,
à l'ère digitale, n'est pas des plus difficile à faire),
c'est sous l'angle de l'histoire (et de l'histoire de la
pensée en particulier) que je me propose d'interroger quelles tendances intellectuelles foncières firent
le lit de l'Empire-Monde fantasmé d'aujourd'hui ;
en considérant notamment la genèse et le développement de l'école Gongyang. Le *Commentaire de
Gongyang aux Annales des Printemps et Automnes
(Chunqiu Gongyang zhuan)* est sans doute, de tous
les ouvrages antiques, le plus couramment invoqué
par nos théoriciens actuels.

Il est relaté, laconiquement, dans les *Annales*, que
la deuxième année du règne du duc Yin « Yishi, son
fils aîné, mourut » ; et le jour de sa mort n'étant
pas indiqué, le *Gongyang* explique que les *Annales*,
compte tenu de l'étendue chronologique qu'elles
couvrent, relatent les événements « en termes distincts, selon qu'il s'agit de choses vues directement,

seulement entendues ou transmises par ouï-dire ». Sous les Han de l'est, He Xiu, le premier, dans ses annotations au *Gongyang*, proposa d'interpréter ce passage comme évoquant trois époques successives : ainsi, parmi les douze règnes successifs que relatent les *Annales des Printemps et Automnes* du royaume de Lu, les trois règnes de Zhao, Ding et Ai sont les choses « vues » personnellement par Confucius et son père ; les quatre règnes de Wen, Xuan, Cheng et Xiang sont les choses « entendues » par son père (ou rapportées à lui), et les cinq règnes de Yin, Huan, Zhuang, Min et Xi, les plus anciens, sont les choses transmises par « ouï-dire » à Confucius, c'est-à-dire des souvenirs de son grand-père et de son arrière-grand-père transmis jusqu'à lui. Ainsi, selon He Xiu, ces « termes distincts » seraient d'abord l'effet de la distance des générations et de la diversité des circonstances, points de vue et mentalités. Jusque-là, rien d'extravagant. He Xiu va cependant plus loin, interprétant cette tripartition comme celle de trois états successifs des institutions politiques et de la moralité : d'abord, on « maintient l'intégrité de son royaume et l'on repousse les autres royaumes chinois », ensuite on « intègre tous les royaumes chinois et l'on maintient les barbares au-dehors », enfin « ne se distinguent plus les petits et les grands, les proches et les lointains ». Ce virage herméneutique, poursuivi et amplifié plus tard par les lettrés partisans des « Classiques en écriture moderne » [*jinwen xue* des Han], demeure de nos jours au cœur de l'exposé de « l'ordre *tianxia* ». [...]

V. *Face au mirage d'une « déferlante occidentale » : un quiproquo persistant de Kang Youwei (1858-1927) jusqu'aux universitaires actuels*

Comme l'ont établi plusieurs travaux, le retour de He Xiu au cœur des discussions sur la Chine ancienne est inséparable du renouveau de l'école Gongyang à Changzhou au milieu du règne des Qing. [...] Le regain d'intérêt pour Zhuang Cunyu et Liu Fenglu, entre autres représentants des études Gongyang sous les Qing, ainsi que la place prépondérante qu'ils occupèrent dans la philosophie moderne en Chine et jusque dans son herméneutique contemporaine s'enracinent — me semble-t-il — dans deux moments historiques principaux : d'abord, il y a de cela plus de cent ans, au crépuscule des Qing, lorsque Kang Youwei tenta — mais un peu tard — de contrer la « déferlante occidentale » par une « réforme à l'antique », sources à l'appui, prolongeant en cela la démarche de l'école Gongyang, et son axiome central : « propos subtils aux vastes significations » (*wei yan da yi*). [...]

Comment donc, à la fin du XXᵉ siècle, les thèses de l'école Gongyang devinrent-elles ces éclaireurs d'avenir, Zhuang Cunyu et Liu Fenglu les sources de la pensée chinoise moderne, et Kang Youwei ce prophète messianique ? Tout cela n'est pas sans lien, sans doute, avec la parution de deux ouvrages, l'un d'un chercheur chinois, l'autre d'un historien américain.

En 1995, dans l'intention explicite de promouvoir le confucianisme politique, Jiang Qing publia *Introduction aux études Gongyang*. Son approche est des plus limpides : faire passer les « propos subtils aux vastes significations » (du *Gongyang*) du domaine de la pensée pure à celui de la politique concrète. En effet, dit-il, « nous croyons fermement que la conscience du peuple dépend des structures institutionnelles, et que les lois et institutions de l'Antiquité sont d'une irremplaçable efficacité s'agissant de résoudre nos diverses problématiques sociétales »[71]. Sous un jour différent, l'historien américain Benjamin A. Elman, à partir d'une analyse des transformations intellectuelles et politiques qui marquèrent le règne des Qing, s'attache à justifier historiquement l'opportunité d'un retour de Zhuang Cunyu et Liu Fenglu au cœur de la scène intellectuelle. Son ouvrage *From Philosophy to Philology. Intellectual and Social Aspects of Change in Late Imperial China*, publié en 1990, connut un large écho en Chine. Il souligne en ces termes l'importance de Zhuang et Liu : « Zhuang Cunyu fut au cœur de la scène politique de l'empire chinois et, par contraste, Gong Zizhen et Wei Yuan, bien que les historiens du XXe siècle leur aient unanimement accordé un statut important, n'étaient de leur vivant que des figures mineures aux marges de la politique. »[72] Ces deux études connurent un large écho au sein du monde universitaire chinois, toutes tendances confondues. [...] Or ces thèses de Kang Youwei (quant à la théorie des Trois Époques et à celle de la Grande Unité, notamment) sont-elles aussi capables de guider nos institutions planétaires futures que les promoteurs actuels de l'impériomondialisme le prétendent ? De l'avis de Wang Hui dans un ouvrage récent, Kang Youwei aurait « opéré à lui tout seul la transition de la Chine de l'empire à l'État souverain », assumant pleinement en cela le rôle d'un « législateur ». En effet, explique Wang, c'est la considération des « luttes incessantes entre nations » à son époque qui lui fit soutenir l'opportunité d'une « refonte du régime impérial en organisation étatique » ; il renouvela en outre la notion même de Chine, affranchie de ses conditions ethniques en faveur d'une communauté de culture, et posant ainsi les fondements d'une théorie étatique à rebours du nationalisme. Ensuite, continue Wang, il fit la synthèse de l'universalisme confucéen et de la philosophie politique de l'Ouest, élaborant la grande utopie directrice d'une « Concorde universelle ». Enfin, intégrant harmonieusement la doctrine étatiste et la doctrine confucéenne à cette utopie, il lui donna des accents de réforme religieuse : « Le fait que les nations modernes ne soient apparues qu'au travers d'une forme de révolution spirituelle, les inclinant fatalement à rejoindre tôt ou tard la perspective de l'universalisme trans-étatique. »[73] Pour le redire plus simplement, Kang Youwei reconnaît pleinement les temps chaotiques que traverse l'empire des Qing, un empire où le principe tribal ancien n'est plus opérant, et auquel il convient de substituer un principe d'identité culturelle, pour parvenir de l'âge initial du chaos à l'âge intermédiaire de la « prospérité » ; avec pour horizon ultime l'âge de la « paix suprême » et de la « concorde universelle », un monde « aux grandeurs et distances indistinctes » qu'une quasi-religion confucéenne guiderait continûment. L'Empire-Monde : une utopie née du fantasme et de l'érudition.

Le néoconfucianisme politique des décennies récentes — avec son « império-mondialisme » ou son « système *tianxia* » — n'est au fond que le dernier avatar d'un imaginaire très ancien : c'était déjà l'âge d'or immémorial dont rêvaient les « Cent Écoles » des Royaumes Combattants, et l'idéal confucianiste érigé face à la dislocation des Han. Il fut aussi l'instigateur, sous les Qing, de la réaction de l'école Gongyang à l'exégèse historico-critique des règnes de Qianlong et Jiaqing, jusqu'à inspirer à Kang Youwei — quelques décennies plus tard, et au cœur d'une époque chaotique — le rêve d'une « concorde universelle ». Ainsi, resurgit de nos jours sur la scène intellectuelle chinoise (au détour d'une réinterprétation des Classiques, dans l'esprit d'une réorganisation de l'ordre mondial au diapason des « grandes nations émergentes », et sous l'impulsion initiale de la critique américano-européenne du nouvel impérialisme) le projet d'un « *Pan*-empire » voué à supplanter l'ordre international actuel. Et bien que je puisse comprendre, par empathie, les sentiments à l'origine de cette thèse, il m'est en revanche impossible, en qualité d'historien, d'acquiescer de quelque manière à ce genre d'exégèse forcée (à coups d'écarts successifs), comme je ne puis que désapprouver la construction spéculative d'un imaginaire toujours plus affranchi de tout contexte historique.

D'aucuns soutiennent néanmoins cette thèse au sein de l'université actuelle, transformant l'antique fantasme d'un *tianxia* en império-mondialisme ordonné à une radicale restructuration du monde. À leurs yeux, ce modèle seul serait en mesure de conduire notre temps du chaos à la stabilité et, ultimement, à la Paix Suprême (théorie des trois époques), puisque s'y profile déjà, d'après eux, une conception du monde dans laquelle « la distinction entre grands et petits pays n'existe plus, pas plus que la distinction entre civilisation et décadence, abolissant par ailleurs la dichotomie institutionnelle entre frontières nationales et frontières tribales » (uniformisation des distances et des écarts de grandeur). Il s'agit donc, au-delà de la Chine actuelle, d'édicter le nouveau cadre légal du monde à venir. Analysées d'un point de vue académique et indépendamment de leurs motivations individuelles, ces considérations ressortent toutes en fin de compte à la construction d'une histoire fictionnelle. Si cette construction n'était qu'un rêve de lettrés, il n'y aurait sans doute pas lieu de s'en inquiéter particulièrement, mais il ne fait aucun doute en l'occurrence que les promoteurs actuels de l'império-mondialisme défendent bien plus qu'un fantasme littéraire : il s'agit de fonder un nouvel ordre politique et de concrétiser le « grand rêve chinois ». Mais si cet ordre est bien la recréation du « *tianxia* antique » (avec ses strictes dichotomies entre « Chinois » et « barbares », « dedans » et « dehors », etc.) et doit se réaliser avec la même violence que le premier, sous le signe à la fois de « la revanche sur nos cent ans d'humiliations » et du « rayonnement planétaire de la culture chinoise », alors n'y aurait-il pas lieu de s'inquiéter tout de même ? La question reste ouverte, mais une chose est sûre, l'império-mondialisme est d'ores et déjà passé du domaine de la spéculation ou du slogan à celui de la pratique concrète, gouvernementale et militaire, et ses promoteurs toujours plus nombreux invitent l'administration à une radicale transition idéologique du « centralisme » et de « l'isolationnisme » d'hier à cette doctrine à la fois parfaitement chinoise et planétaire. C'est qu'à leurs yeux « l'universalisme » chinois diffère radicalement de l'universalisme occidental : ce dernier se caractériserait par son expansionnisme, tandis que l'universalisme de l'Empire-Monde serait radicalement orienté vers la préservation et l'harmonie. Il serait donc « un patrimoine unique » à promouvoir, et ce, en remplacement du système d'État-nation actuellement en vigueur dans le monde.

N'étant pas en mesure de juger de l'éventualité — ni de l'opportunité, d'ailleurs — d'une future conversion de nos institutions gouvernementales à cette « doctrine du Monde-Empire », je n'ai fait ici qu'étudier l'arrière-plan politique, intellectuel et académique sous-tendant ce fantasme. De nos jours, les universitaires promoteurs de ce Monde-Empire ou de son système, animés d'une ferveur peu commune à l'égard de cette antique idée de *tianxia*, proclament tous, en fin de compte, qu'il y va du possible salut de notre monde. Or qu'en est-il vraiment ? Il semble que ni l'histoire, ni les Classiques, ni la réalité elle-même ne soient en mesure d'accréditer leur thèse. Sur le point d'achever ce chapitre, j'ai pris connaissance d'un ouvrage récent intitulé *Retour à la Voie Royale. Confucianisme et ordre mondial*[74]. Si une telle « Voie Royale » est vraiment en mesure d'apporter un ordre meilleur à ce monde très imparfait, alors je n'ai rien à y redire. Quelques interrogations demeurent cependant : pourquoi la Chine serait-elle seule détentrice d'une « Voie Royale » et comment la pensée occidentale moderne se réduirait-elle à une voie despotique[75] ? Mais surtout : à qui revient de décider des institutions mondiales, et qui jugera de sa légitimité ? Tels sont, à mon sens, les sujets fondamentaux dont il nous faudrait débattre.

Traduit du chinois par Philippe Uguen

LES INSTITUTS CONFUCIUS PROGRAMME ACADÉMIQUE MALVEILLANT[1]

MARSHALL SAHLINS
Université de Chicago

L'Institut Confucius est une marque attrayante pour étendre notre culture à l'étranger. Il contribue significativement au renforcement de notre *soft power*. La marque « Confucius » possède un attrait naturel. Derrière le prétexte de l'enseignement de la langue chinoise, tout semble raisonnable et logique.

On peut lire ces propos dans le rapport d'un discours prononcé en novembre 2011, au siège de l'Institut Confucius à Beijing, par Li Changchun, alors membre du Comité permanent du Politburo, l'organe suprême du Parti communiste chinois. Officiellement nommé Bureau du conseil international de la langue chinoise, et conduit par une direction communément appelée le Hanban, l'Institut Confucius est un organisme gouvernemental chinois qui a noué des partenariats avec un nombre croissant d'universités et d'écoles du monde entier, ayant pour mission affichée, « raisonnable et logique », d'enseigner la langue et la culture chinoises et pour mission pratique, dans les faits, de promouvoir l'influence politique effective de la République populaire.

Depuis leur création en 2004, les Instituts Confucius ont connu un grand succès. En 2013, on comptait environ 450 Instituts en activité dans 120 pays, dont une centaine aux États-Unis, et quelque 650 « classes Confucius » offrant un enseignement dans les écoles de la maternelle à la terminale. Parmi les établissements américains concernés figurent les prestigieuses universités privées de Chicago, Stanford et Columbia et les universités d'État tout à fait exemplaires du Michigan, de l'Iowa et de Californie à Los Angeles (UCLA). L'ensemble du district scolaire public de Chicago s'est engagé dans le programme, intégrant 43 classes Confucius dans des écoles primaires et secondaires avec un effectif de près de 12 000 élèves. Ce succès s'explique en grande partie par la forte demande d'enseignement de la langue chinoise dans le monde entier, pour des raisons qui tiennent manifestement au pouvoir économique de la Chine et aux promesses qu'il fait miroiter.

De manière plus discrète, les Instituts Confucius exercent une pression financière sur les universités dans la mesure où l'établissement ou la prolongation des partenariats sont appréciés aussi en fonction du risque encouru de tarir le flux des étudiants chinois qui, grâce aux frais de scolarité dont ils s'acquittent, représentent une source de revenus pour ces universités. Ces étudiants, dont le nombre s'élevait à plus de 235 000 en 2013-2014, constituent le plus grand contingent national d'étudiants étrangers inscrits dans les collèges et universités américains. Toujours sur le plan financier, il ne faut pas ignorer les divers avantages que le Hanban offre à tel ou tel établissement partenaire : visites en Chine pour les étudiants suivant des cours dans un Institut Confucius, financement de la recherche sur la Chine pour des étudiants diplômés et des professeurs (soumis à approbation par le Hanban) ; repas et bons vins pour les présidents des universités et leurs familles en visite en Chine, avec voyages aériens en première classe, hôtels cinq étoiles et tourisme VIP — soit une version actualisée du rituel impérial de réception des hôtes de marque au temps de la dynastie Tang.

On ne négligera pas non plus le gain immédiat pour les universités concernées : le Hanban verse une somme d'au moins 100 000 dollars pour couvrir les coûts de lancement, et prévoit des versements annuels du même ordre sur une période de cinq ans ; il prend en charge les coûts d'enseignement, y compris les billets d'avion et les salaires des enseignants envoyés de Chine. Après une période de formation assurée par le Hanban, les enseignants chinois sont souvent intégrés dans les programmes diplômants de l'université, pour y assurer des cours correspondant à des Unités d'Enseignement. Le Hanban fournit également des manuels, des vidéos et d'autres matériels pédagogiques pour ces cours, qui sont souvent les bienvenus dans les établissements qui n'ont pas de ressources dans ce domaine d'études. Autrement dit, des universités, américaines et autres, sous-traitent l'enseignement à un gouvernement étranger.

Le volet enseignement de l'Institut Confucius local est souvent complété par des programmes universitaires, avec des conférenciers invités pour des exposés grand public ou plus savants consacrés à la Chine. Dans la mesure où les Instituts respectent en général les contraintes politiques corsetant les débats publics sur certains sujets en Chine — pas question de parler de l'indépendance du Tibet, du statut de Taïwan, du massacre du 4 juin 1989 sur la place Tian'anmen, du Falun Gong, des droits humains universels, etc. — les événements académiques proposés sont largement conformes aux « activités culturelles » des Instituts Confucius. Ils s'attachent à présenter de même l'image positive d'une République populaire pacifique, harmonieuse et attrayante. Qu'il s'agisse de cours sur la fabrication de raviolis chinois, de projections de films, de célébrations de festivals chinois ou de danses folkloriques « traditionnelles », les Instituts culturels ont mis sur pied différents « *culturetainments* » (« loisirs culturels » comme les appelait Lionel M. Jensen) pour la communauté dans son ensemble. Conformément à la Constitution et aux Statuts des Instituts Confucius, les programmes annuels des Instituts locaux doivent être soumis à l'approbation de Beijing, et le Hanban se réserve le droit de poursuivre en justice tout Institut qui aurait organisé un événement sans son accord préalable.

Rien de tout cela n'est vrai, s'insurgent en chœur certains directeurs d'Instituts : « Le Hanban ne nous a jamais dicté nos activités. » Aucun projet d'événements porté par un Institut Confucius, aucune proposition de recherche n'a jamais été rejetée par Beijing. Plus révélateur encore, ces dénégations peuvent aller jusqu'à affirmer qu'il est remarquable qu'en dépit du grand nombre d'Instituts existant de par le monde, si peu d'incidents d'ordre académique soient à déplorer. Si l'on admet que c'est le cas s'agissant de scandales rendus publics, encore faudrait-il s'entendre sur l'acception du terme « atteinte » à la liberté pédagogique et en conséquence sur ce qui peut être tenu pour un « incident ».

Passe généralement pour un incident de ce genre l'accusation, souvent citée, de discrimination à l'embauche formulée par une ancienne enseignante de l'Institut Confucius, Mme Sonia Zhao, qui, venue de Chine en 2011, n'a pas conservé son poste au sein de l'Institut accueilli par l'Université McMaster au Canada après avoir révélé en 2012 qu'elle se reconnaissait dans les valeurs et pratiques du Falun Gong[2]. Portée devant le Tribunal des droits de la personne de l'Ontario, l'affaire a fait scandale, à tel point que l'Université McMaster a été conduite à mettre un terme aux activités de l'Institut Confucius qu'elle abritait (nous y reviendrons). Il existe cependant bien d'autres événements du même ordre qui, parce qu'ils sont jugés trop locaux ou apparemment insignifiants, ne sont jamais portés à l'attention du public. En effet, lorsque l'« incident » consiste en une autocensure de la part d'un enseignant du secondaire dans une classe Confucius à Ashtabula sur des sujets politiquement sensibles en Chine, il est peu probable que cette question soit portée à l'attention de quiconque. De même, empêcher le Dalaï-Lama de s'exprimer sur le campus n'est pas la seule manière d'attenter à la liberté académique. S'il est parfaitement possible d'accrocher un portrait du Dalaï-Lama au Center for East Asian Studies de l'Université de Chicago, ce serait en revanche impossible à l'Institut Confucius. Les raisons de la témérité qui me conduit à entrer ainsi dans le débat visant les Instituts Confucius tiennent uniquement aux défis que ces Instituts posent à l'intégrité et à la liberté académiques aux États-Unis et ailleurs. Mon nécessaire intérêt porté à la politique du gouvernement chinois ne traduit aucune animosité envers la République populaire de Chine (RPC) en tant que telle, ou envers le peuple chinois, moins encore une forme d'anticommunisme primaire. À cela s'ajoute la réticence des sinologues engagés dans des projets de recherche en Chine à assumer la critique du projet des Instituts Confucius. D'où la nécessité, malheureusement, pour des gens comme moi d'aborder ces questions, essentiellement intérieures et américaines, d'intégrité académique.

LA VISION CHINOISE OFFICIELLE
DE LA POLITIQUE DE LA CULTURE
ET DES INSTITUTS CONFUCIUS

Veiller à ce que tous les champs de bataille culturels, les productions et les activités culturelles reflètent et soient conformes aux valeurs et aux exigences du socialisme. — Liu Yunshan, ministre de la Propagande, 7 septembre 2010, *Le Quotidien du peuple*[3].

Coordonner les efforts de propagande à l'étranger et à l'intérieur du pays, afin de créer un environnement international favorable pour nous. La propagande à l'étranger doit être « globale, multi-niveaux et de grande ampleur ». Nous devons nous appliquer à fournir des services, contrôler et gérer les journalistes étrangers ; nous devons les guider pour qu'ils traitent la Chine de manière objective et amicale. S'agissant des questions clés engageant notre souveraineté et notre sécurité, telles que le Tibet, le Xinjiang, Taïwan, les droits de l'homme et le Falun Gong, nous devrions nous investir activement dans des efforts de propagande internationale. Notre stratégie est d'anticiper dans la défense et la promotion de notre culture à l'étranger... Peuvent y contribuer l'établissement et le pilotage de centres culturels outre-mer et d'Instituts Confucius. — Liu Yunshan, ministre de la Propagande, janvier 2010, site web du gouvernement[4].

Prenons l'année 2010 par exemple, nous avons envoyé 940 groupes artistiques et culturels à l'étranger, pour un total de 93 700 représentations... Par rapport à 2009, le nombre de représentations à l'étranger a augmenté de 25,4 %. Si nous organisions des activités parrainées par le gouvernement, les étrangers pourraient se méfier

[...]. Bon nombre de nos productions culturelles ont de fortes connotations idéologiques. [...] L'Institut Confucius est semi-officiel. [...] Il sera utile pour étendre l'influence de la Chine à l'étranger. — Xu Shipi, un chercheur proche des autorités, mars 2012, *China.com*[5].

Face à ce processus de confrontation et de mélange d'idées et de cultures qui s'intensifie à travers le monde, quiconque occupera la position la plus haute en matière de développement culturel, acquerra un pouvoir culturel fort et jouera un rôle actif dans l'intense compétition internationale qui se joue actuellement... Les forces hostiles de la communauté internationale accentuent leurs efforts pour occidentaliser et diviser notre pays. Les fronts idéologiques et culturels ont été leurs principaux vecteurs d'infiltration. Nous devons comprendre en profondeur la gravité et la complexité des luttes idéologiques et prendre des mesures énergiques pour y faire face. — Hu Jintao, Secrétaire général du CCP, 1er janvier 2012, *China.com*[6].

Chaque année depuis 2004, Li Changchun a fourni de nombreuses instructions importantes à l'Institut Confucius et s'est rendu dans les Instituts Confucius de 15 pays différents. Sur le plan international, il s'est forgé une image positive en tant que leader chinois. La série d'instructions importantes que Li Changchun a conçues pour l'Institut Confucius constitue des trésors théoriques de l'Institut Confucius. Nous les avons étudiés dans le passé et nous devons continuer à les étudier aujourd'hui et demain. — Xu Lin, Directeur du Hanban, novembre 2011, *Confucius Institute Online*[7].

La diffusion internationale de la culture doit renforcer le pouvoir d'influence de notre nation et améliorer notre image. [...] Le modèle de diffusion cross-média de notre culture a non seulement accru notre influence à l'international, mais aussi élargi nos intérêts stratégiques [...]. Nous devrions discrètement planter les graines de notre idéologie dans des pays étrangers, nous devons faire bon usage de notre culture traditionnelle pour enrober notre idéologie socialiste. — Wang Gengnian, directeur de China Radio International, 2011, *Quotidien du peuple*[8].

La culture est un élément important de la puissance d'influence de notre pays. Elle joue un rôle significatif dans le renforcement du pouvoir d'ensemble de notre nation et contribue donc au développement général de notre Parti et du pays. — Jia Qinglin, membre du Comité permanent du Politburo du PCC et présidente de la Conférence consultative politique nationale, 24 juillet 2007, *163 News*[9].

L'Institut Confucius a ouvert un nouveau canal pour les relations étrangères de la Chine. Il a contribué de manière significative au renforcement de la puissance d'influence de la Chine. — Conférence thématique spéciale de la Conférence consultative politique nationale, 26 août 2011, *China News*[10].

Nous exigeons de vous, résidents chinois, employés d'entreprises chinoises, professeurs des Instituts Confucius et étudiants chinois au Kirghizstan, que quel que soit votre travail à l'étranger vous gardiez à l'esprit l'unification pacifique de la Chine. — Association pour l'unification pacifique de la Chine, Kirghizstan, 25 janvier 2012, site web du Conseil d'État[11].

La composition du Conseil dirigeant le Hanban, telle que spécifiée dans la Constitution et les Statuts des Instituts Confucius, et sa composition actuelle se trouvent sur les sites web du Hanban (http://english.hanban.org/node_7880.htm), mais ce que l'on se garde bien de souligner, que ce soit à Beijing, à Ann Arbor ou à Palo Alto, c'est que ce « Conseil de direction » est composé de hauts responsables du Parti et de l'État[12].

Le Hanban fonctionne dans le cadre du système de propagande et d'éducation du Parti communiste chinois et en fait partie intégrante. Jusqu'à une date récente, le chef de la propagande en charge du système était le vice-Premier ministre Li Changchun — celui qui, dans un discours au siège de l'Institut Confucius, déclarait que « derrière le prétexte de l'enseignement de la langue chinoise, tout semble raisonnable et logique ».

Le Conseil de direction des hauts fonctionnaires est l'organe bureaucratique qui contrôle le Hanban. Sa propre présidente, Mme Liu Yandong, est vice-Première ministre d'État et membre du Politburo. Sous la direction de Mme Liu œuvrent quatre vice-présidents : les ministres de l'Éducation et des Affaires étrangères chinoises, le secrétaire général adjoint du Conseil d'État et le vice-ministre des Finances. À un troisième niveau interviennent les vice-ministres des Affaires étrangères, du Développement national et de la Réforme, de l'Éducation, du Commerce, de la Culture, de l'Information du Conseil d'État et des Affaires étrangères chinoises, entre autres. Le vice-ministre Xu Lin, directeur général (ou plus exactement PDG) du Hanban, occupe une place relativement modeste dans la hiérarchie en tant que treizième et dernier de ces membres du Conseil exécutif. Il existe un quatrième niveau de « membres » ordinaires, y compris une série décorative de directeurs étrangers d'Instituts Confucius universitaires. Le Conseil de direction, Mme Liu Yandong et les hauts fonctionnaires responsables contrôlent l'ordre du jour annuel et reçoivent les rapports du siège du Hanban à Beijing, de même que le siège reçoit et approuve les rapports annuels des Instituts Confucius œuvrant dans les établissements du monde entier. Il s'ensuit qu'en soumettant à Beijing les rapports de leurs Instituts Confucius, Stanford, Columbia, Chicago et autres se placent dans un rapport de dépendance périphérique vis-à-vis d'un réseau bureaucratique qui reçoit directement ses impulsions politiques des hautes sphères du Parti-État chinois.

À vrai dire, ces politiques émanent davantage du Parti que de l'État. En effet, par l'intermédiaire de ses propres membres de haut rang, le Conseil de direction du Hanban est à son tour soumis au système de propagande du Parti communiste chinois. Comme chacun sait, le PCC est « l'État de l'État », bien que l'on ne sache pas exactement ce que cela implique, puisque le Parti tend à dissimuler l'étendue et la manière dont il exerce son influence.

Comme l'ont établi David Shambaugh en 2007 et Stephen J. Hoare-Vance en 2009, l'imbrication des Instituts Confucius dans l'appareil du PCC passe principalement par l'appartenance des membres de rang du conseil de direction du Hanban auxdits « petits groupes de pilotage » du système de propagande et d'éducation. Composés d'environ huit fonctionnaires du Parti (et de l'État donc), ces importants groupes de pilotage ont à leur tête un membre du Comité permanent du Politburo. C'est grâce à leur participation à un groupe de pilotage que ces fonctionnaires inscrivent les politiques du PCC dans le fonctionnement des bureaucraties au sein desquelles ils occupent des postes importants. Les politiques du Parti sont transmises aux Instituts Confucius en grande partie grâce à l'appartenance des fonctionnaires du Conseil de direction du Hanban au Groupe de pilotage de la propagande extérieure ou au groupe de pilotage de la propagande et de la pensée. Selon Shambaugh, la mission du groupe de pilotage de la propagande extérieure est de

> (1) raconter l'histoire de la Chine au monde, de faire connaître les politiques du gouvernement chinois et de promouvoir la culture chinoise à l'étranger ; (2) de contrer ce qui est perçu comme de la propagande étrangère hostile (comme la théorie de la « menace chinoise ») ; (3) de contrer les tendances à l'indépendance de Taïwan ; et (4) de promouvoir la politique étrangère chinoise.
> Tels sont les types de politiques auxquelles les membres de la bureaucratie Hanban s'attachent et dont ils sont responsables[13].

Bien que l'on dise aux établissements accueillant des Instituts que ces derniers sont financés par le ministère de l'Éducation, cette instance n'est qu'une façade de blanchiment pour le groupe de pilotage de la propagande externe du PCC. Shambaugh précise :

> Le conseiller pédagogique de l'ambassade de Chine locale démarche en général les universités étrangères. Il leur propose des fonds « sans conditions » pour créer un Institut Confucius. Le bénéficiaire est informé que le financement provient du ministère de l'Éducation, alors qu'il émane en fait du Département de la propagande externe du CCPPD (Département de la propagande du Parti communiste chinois).

S'agissant de l'organisation et des fonctions des Instituts Confucius, la comparaison trop souvent faite avec des institutions telles que le British Council ou le Goethe Institut est, oserait-on dire, un leurre. Non seulement les Instituts Confucius se distinguent de ces autres entreprises culturelles par leur existence au sein des universités d'accueil et en tant qu'éléments de ces universités, mais ils se distinguent aussi parce qu'ils opèrent en tant qu'éléments d'un gouvernement étranger. D'où les atteintes aux normes académiques dont nous n'allons donner que quelques exemples dans cette version française.

CENSURE ET AUTOCENSURE ACADÉMIQUES

La visite prévue du Dalaï-Lama en 2009 a été annulée par le chancelier par intérim de la North Carolina State University, Jim Woodward, apparemment parce qu'il n'y avait pas assez de temps pour préparer la visite d'un invité si auguste. Le directeur de l'Institut Confucius de l'État de Caroline du Nord, Bailian Li, professeur de gestion forestière, s'en est ensuite mêlé. Comme une sorte d'avertissement pour l'avenir, il a fait savoir au doyen qu'une visite du Dalaï-Lama pourrait perturber « certaines des relations solides que nous sommes en train de développer avec la Chine ». À cet égard, le doyen Warwick Arden a fait remarquer qu'un Institut Confucius offre des « moyens subtils de pression et de conflit »[14].

En avril 2013, les responsables de l'Université de Sydney ont annulé une visite prévue en juin du Dalaï-Lama et ont exigé qu'elle soit déplacée hors du campus et ne témoigne d'aucune affiliation avec l'université. Il a été largement rapporté, y compris par des responsables politiques australiens, que l'université souhaitait éviter de « nuire à ses liens avec la Chine, notamment au niveau du financement de son Institut Confucius »[15]. Face aux protestations, l'administration de l'université a finalement fait marche arrière, et le Dalaï-Lama a pu s'exprimer sur le campus comme prévu.

Entre juillet et octobre 2013, le Hanban a parrainé une série d'ateliers à l'intention des directeurs étrangers des Instituts Confucius dans les Universités de Fudan, Nankai et Xiamen — cela concernait plus de 200 directeurs de 188 Instituts Confucius. Un rapport globalement favorable concernant l'atelier de Fudan publié par le Centre de Diplomatie Publique de l'USC note que les conférences incluaient des sujets inédits, tels que : « Un nouveau regard sur la diplomatie chinoise », « Comment comprendre la Chine contemporaine », et « Histoire de la culture et du territoire chinois ». « Le choix des sujets », relève le rapport,

> est intéressant pour au moins deux raisons : premièrement, ces thèmes contemporains ne sont que rarement débattus dans les Instituts Confucius... [qui] généralement abordent peu les sujets considérés comme « sensibles » par le Hanban et se concentrent davantage sur des sujets — au moins à première vue — plus apolitiques. Globalement il n'y a pas de mal à cela, bien que l'on puisse estimer que cette approche ne permet pas vraiment de montrer — ni d'expliquer — la « Chine véritable » dans le monde. Deuxièmement, le choix des sujets indique que le Hanban veut présenter le point de vue officiel de Beijing à ses directeurs étrangers. Lorsqu'on lui a demandé ce qu'on lui avait dit au cours de la séance sur la culture et le territoire chinois, un directeur étranger m'a répondu que la conférence soulignait bien sûr que Taïwan et le Tibet font partie de la Chine.

Selon Daniel A. Bell, professeur de philosophie politique à l'Université Tsinghua de Pékin, il n'y a rien de malfaisant dans les Instituts Confucius : « Il va de soi que s'ils souhaitaient utiliser l'argent pour organiser un symposium sur l'indépendance du Tibet, ils pourraient avoir des ennuis. »[16]

Pour Falk Hartig de Queensland University of Technology (Brisbane)[17], « le point crucial n'est pas tant ce qui se passe aux Instituts Confucius (l'enseignement est à peine pris en compte dans l'étude) que ce qui ne s'y passe pas ». Les propos suivants sont des déclarations de directeurs de l'Institut Confucius — non nommés par Hartig — sur les limites de ce qui peut être discuté aux événements de l'Institut Confucius :

> L'indépendance est limitée en ce qui concerne les sujets sensibles. Il pourrait être problématique d'aborder de manière trop critique des sujets comme le Tibet ou Taïwan. (Directeur A)
>
> Même s'il est vrai que la Chine est aujourd'hui plus ouverte dans le domaine culturel, le personnel de l'Institut Confucius « ne perd évidemment pas de vue le contexte dans lequel il opère ». (Directeur B)

Selon une autre étude consacrée aux Instituts Confucius de Berlin, de Hambourg et de Hanovre, lors de la troisième conférence de l'Institut Confucius en 2008, et sans qu'il y ait eu « d'affirmation directe », il est apparu « que les sujets tels que le Tibet, le Falun Gong et Taïwan ne sont pas les bienvenus ». M. Hartig a confirmé cette affirmation auprès d'un des directeurs (non nommé) de son étude :

> Les Instituts Confucius ne sont pas faits pour les
> organisations anti-chinoises, comme les groupes
> dissidents ou le Falun Gong. Ce serait étonnant
> d'imaginer le contraire. Nous savons quelle est
> notre position et je pense que nous utilisons l'es-
> pace dont nous disposons. Mais faire apparaître
> ici le Falun Gong, c'est une impossibilité physique.
> (Directeur B)

Hartig s'abstient explicitement de porter un « jugement définitif » sur l'autocensure,

> mais on peut soutenir que les membres du per-
> sonnel des Instituts Confucius ou les membres des
> conseils de l'Institut Confucius — pour la plupart
> des universitaires reconnus — ne risqueraient pas
> leur réputation en faisant activement de la propa-
> gande pour le gouvernement chinois. Mais d'un
> autre côté, il est également évident qu'ils ne pren-
> dront pas le risque de perdre l'argent provenant
> du Hanban en traitant des sujets anti-chinois [*sic*].

Le directeur de l'Institut Confucius de l'Université
de Chicago, Dali Yang, ne s'inquiète pas de la propagande : « Les étudiants qui suivent les cours offerts
par l'Institut ont peu de chances d'être victimes de
propagande », dit-il. « Est-il possible que des étudiants de l'Université de Chicago subissent un lavage
de cerveau ? »[18]

> Commentaire : Cela signifie que la censure est
> permise dans les cours dispensés par les forma-
> teurs des Instituts Confucius parce que les étu-
> diants sont trop brillants pour s'y laisser prendre.
> Cela vaut-il pour les 12 000 élèves de la maternelle

à la terminale dans les 43 classes Confucius des écoles publiques de Chicago ?

Dali Yang rejette également les préoccupations relatives à la censure en déclarant que les conférences sur des sujets politiquement sensibles peuvent être parrainées par le Center for East Asian Studies.

À l'automne 2013, Steven Levine, professeur émérite de politique et d'histoire chinoises à l'Université du Montana, a écrit à plus de 200 directeurs d'Instituts Confucius au nom d'un groupe international d'universitaires chinois et autres, pour inviter leurs Instituts à célébrer le 25e anniversaire des événements de la place Tian'anmen du 4 juin 1989 par une activité publique telle qu'une conférence, une séance d'éducation populaire ou une table ronde « qui aborde les questions historiques et contemporaines pertinentes ». Le courrier poursuit en rappelant que « dans les *Entretiens* (2:24), Confucius lui-même a dit : "Ne pas agir quand la justice l'exige est lâche." Nous faisons appel à votre conscience et à votre sens de la justice pour agir avec courage. » À l'exception d'un message positif, le professeur Levine n'a reçu aucune autre réponse de ses plus de 200 correspondants.[19]

Dans un entretien, Ted Foss déclarait dans un même propos concernant des projets de recherche soumis par l'Institut au Hanban pour financement :

> « il n'y a pas eu d'interférence directe… mais il y a, dans une certaine mesure, autocensure », admettant toutefois que le Hanban a opposé une certaine résistance aux projets de recherche ne traitant pas du développement chinois contemporain.

Lorsque le doyen des étudiants de l'Université de Tel-Aviv a fermé une exposition d'art consacrée à l'oppression du Falun Gong, un juge du tribunal de district a jugé que l'école avait « porté atteinte à la liberté d'expression » par crainte que l'exposition ne compromette le soutien chinois à l'Institut Confucius et aux autres activités de l'université. Cette dernière a été condamnée à régler les frais de justice[20].

Dans une directive émise par le PCC aux comités locaux du Parti en mai 2013, les hauts responsables de la propagande chinoise ont interdit la discussion de sept sujets au motif qu'ils procédaient d'« influences occidentales pernicieuses », exhortant les cadres locaux à appliquer l'interdiction dans les universités et les médias. Ces sept sujets étaient : les valeurs universelles, la liberté d'expression, la société civile, les droits civils, les erreurs historiques du Parti communiste chinois, le capitalisme de connivence et l'indépendance judiciaire. L'interdiction a été immédiatement contestée par un politologue de l'Université normale de Chine de l'Est, faisant valoir sur son site web que ces sujets étaient librement débattus dans les universités. Son article a toutefois été tout aussi rapidement supprimé, et les censeurs se sont empressés de faire des discussions sur les « 7 sujets tabous » un « 8e sujet tabou ». Il va de soi que ces débats n'auront pas droit de cité dans le cadre des programmes des Instituts Confucius, et d'autant plus sûrement que la directive a été émise par ce même appareil de propagande du Parti communiste chinois qui contrôle les Instituts Confucius[21].

Perry Link écrit :

> Si nous excluons non seulement le 4 juin, mais aussi toutes les autres questions « sensibles » — le

Xinjiang, le Tibet, Taïwan, Falun Gong, Occupy Central, le Prix Nobel de la paix (Liu Xiaobo), la spectaculaire richesse privée des familles des dirigeants, l'arrestation cynique des défenseurs des droits et parfois leur mort en prison, et bien d'autres —, il en résulte une image de la Chine non seulement très partielle, mais fondamentalement différente de ce qu'elle est vraiment.[22]

INFLUENCES POLITIQUES
CHINOISES DIRECTES

Dans la version 2013 d'un spectacle de variétés annuel présenté à la Télévision centrale de Chine à l'occasion du Nouvel an chinois, un chanteur d'opéra canadien, Thomas Glenn, s'est joint à une vedette d'opéra chinoise dans un duo tiré d'un ancien « opéra rouge », dont il ne connaissait pas la signification, qui ne lui avait pas été expliquée lorsqu'il l'avait appris en 2011 à l'occasion d'un programme intitulé « I Sing Beijing » soutenu par le Hanban. « J'ai cru comprendre que la CCTV s'est emparée de ma performance grâce à "I Sing Beijing", a déclaré Glenn, et l'Institut Confucius m'a demandé de me produire à l'occasion du Gala [du Nouvel an]. » C'est l'Institut Confucius qui a joué le rôle d'intermédiaire. L'ironie, c'est que le spectacle en question est tiré de l'un des huit opéras modèles promus par Madame Mao pendant la Révolution culturelle qui, entre autres choses, ont été utilisés pour attaquer Confucius lui-même — qui était alors et pendant longtemps calomnié par le régime chinois. On y affirme que « le Parti me donne de la sagesse, me donne du courage » ; la chanson raconte l'infiltration d'un campement de « bandits », autrement dit des soldats nationalistes, par un héros révolutionnaire, menant à la destruction finale des nationalistes et de leur chef. Le livret original aurait été méticuleusement révisé par le président Mao. Une fois informé de la signification de la chanson et de l'opéra, Thomas Glenn a admis que cela le mettait dans une position embarrassante. « Pour être tout à fait honnête, dit-il, je suis largement ignorant du contexte social dans lequel cela entre en jeu. Sachez que j'ai une profonde affection pour le peuple chinois. »

> Commentaire : il s'agit d'un rare aperçu de la manière dont les choses se passent pour les activités « culturelles » des Instituts Confucius (une vidéo de Glenn chantant l'un des airs est disponible sur YouTube).[23]

En mars 2011, l'Association d'études asiatiques — représentant quelque 8 000 chercheurs asiatiques — a refusé le soutien du Hanban, « en raison de l'absence de cloisonnement entre le gouvernement chinois et les instances décidant des financements »[24].

Parmi les « Principes généraux » énoncés dans la Constitution et les Statuts des Instituts Confucius, figure l'exigence obligatoire que les cours de langue dans les Instituts Confucius soient donnés uniquement en mandarin : « Les Instituts Confucius dispensent des cours de langue chinoise en mandarin en utilisant des caractères chinois standards. » Ce que l'on appelle ici de façon trompeuse les « caractères chinois standard » désigne l'écriture simplifiée officiellement promulguée par le gouvernement chinois pour se substituer aux caractères traditionnels, jugés plus difficiles à apprendre mais utilisés depuis des millénaires et employés encore aujourd'hui pour exprimer des positions qui ne sont pas du goût du régime à Taïwan, à Hong Kong, en Malaisie, à Singapour, à Toronto et dans les autres communautés de la diaspora chinoise. Les caractères simplifiés ont permis d'accroître considérablement l'alphabétisation en République populaire. Dans la critique détaillée qu'il effectue de la politique linguistique au sein des Instituts Confucius, Michael Churchman observe cependant qu'elle pourrait provoquer l'émergence de chercheurs semi-alphabètes en chinois, limités dans leur capacité à accéder à l'ensemble de ce qui a été imprimé en RPC. Les locuteurs natifs du chinois, connaissant le contexte et les idiomes pertinents et ayant bénéficié d'une certaine exposition aux caractères traditionnels, peuvent ne pas avoir beaucoup de difficultés à déchiffrer les caractères traditionnels, mais ce n'est pas le cas des étudiants étrangers, en particulier ceux qui apprennent la langue au cours de leurs études universitaires. Incapables de lire les Classiques sauf dans les versions traduites et interprétées dans le contexte de la République populaire, coupés de la littérature dissidente et populaire d'autres communautés chinoises, les étudiants opérant selon les règles du Hanban, écrit Churchman, ne peuvent même pas accéder « au corpus important et croissant sur l'histoire du Parti communiste, les luttes intestines et le factionnalisme, écrit par les continentaux mais publié exclusivement à Hong Kong et Taïwan ». Il conclut : « Le contrôle, par l'intermédiaire des Instituts Confucius, de ce qui peut et ne peut pas être enseigné en chinois passe aussi par le contrôle de ce qui peut et ne peut pas être discuté en Chine. »[25]

Commentant le travail de Churchman, Geremie R. Barmé, rédacteur en chef de *China Heritage Quarterly*, écrit : « Bien sûr, pour ceux qui n'ont été éduqués qu'en caractères simplifiés, et donc "non alphabétisés", le grand corpus de la littérature chinoise, l'histoire et la culture antérieures à 1960 peuvent s'avérer difficiles d'accès, voire illisibles. » À propos de la tension entre les défenseurs des caractères simplifiés en usage sur le continent et ceux des caractères anciens qui, notamment à Taïwan, continuent de les défendre au nom de la véritable tradition chinoise, « il ne s'agit pas simplement de dire que l'on va enseigner le chinois, il faut encore préciser le type de chinois concerné, les manuels scolaires utilisés. C'est politique »[26], dit le professeur Jocelyn Chey, de l'Université de Sydney.

La sinologue et journaliste Isabel Hilton a noté en juin 2014 que les universités britanniques sont maintenant fortement dépendantes des étudiants étrangers, parmi lesquels les étudiants chinois forment une importante cohorte. Ils sont les bienvenus, dit-elle :

> Ce qui n'est pas le bienvenu en revanche, et il en existe de nombreux exemples dans le monde entier, ce sont les tentatives des responsables chinois de peser sur les orientations de la vie intellectuelle dans les institutions d'accueil — que ce soit en décourageant une visite du Dalaï-Lama ou de Rebiya Kadeer ou, comme c'est arrivé, en exerçant un droit de regard sur la liste des invitations à une conférence sur le Sage (Confucius) lui-même — en menaçant de dissuader les futurs étudiants chinois de s'inscrire à l'université. La dépendance est réelle et de tels cas ne relèvent pas des accords souscrits par ces établissements[27].

En Caroline du Nord, un homme dont la femme est taïwanaise raconte l'expérience de sa fille dans une classe Confucius :

Le premier jour de classe, l'enseignant a demandé à tous les élèves d'origine manifestement asiatique de dire d'où venait leur famille. Quand ma fille a dit que sa mère venait de Taïwan, le professeur a dit : « Taïwan fait partie de la Chine. » Quelques mois plus tard, à la faveur d'une pause en classe, ma fille regardait une carte qui montrait Taïwan et toute la mer de Chine méridionale comme appartenant à la Chine (évidemment, étant donné que tout le matériel pédagogique provient de Chine). Le professeur s'est approché, s'est penché et a murmuré à son oreille : « Taïwan fait partie de la Chine. »[28]

Revenons au cas de l'Université McMaster, conduite à mettre un terme à son partenariat avec l'Institut Confucius international en 2012 à la suite d'une plainte déposée contre l'école devant le Tribunal des droits de la personne de l'Ontario pour discrimination à l'embauche. La plainte a été déposée par Sonia Zhao, une ancienne enseignante de l'Institut Confucius de l'Université McMaster, qui a déclaré que l'université « légitimait la discrimination » parce que son contrat l'obligeait à cacher sa foi dans le Falun Gong. Une copie du contrat de Mme Zhao signé en Chine et obtenu par le *Globe and Mail* comprenait une disposition selon laquelle les enseignants « ne sont pas autorisés à adhérer à des organisations illégales comme le Falun Gong » — une interdiction qui aurait pu être trouvée également sur le site web du Hanban, mais qui a été retirée après l'affaire McMaster. En 2012, un an après son arrivée au Canada, Mme Zhao a expliqué qu'elle avait caché son adhésion au Falun Gong aux autorités chinoises. Dans des entretiens la concernant, elle a également révélé la manière dont les autorités chinoises occultent le Falun Gong dans les salles de classe des Instituts Confucius.

> Si mes élèves m'interrogeaient sur le Tibet ou sur d'autres sujets sensibles, j'aurais dû avoir le droit d'exprimer mon opinion — or je n'avais pas le droit de parler librement. Pendant ma formation à Beijing, on nous disait : « Ne parlez pas de ça. Si l'étudiant insiste, efforcez-vous simplement de changer de sujet ou de dire quelque chose de plus conforme aux attentes du Parti communiste chinois. »

Un médiateur est intervenu dans ce dossier. Notez cependant les implications : une université canadienne devait assumer la responsabilité légale de la promulgation du programme politique de la République populaire de Chine.

Alertée par l'affaire Zhao des pratiques d'embauche de l'Institut Confucius — bien que l'interdiction du Falun Gong ait été affichée sur le site web du Hanban pendant un certain temps —, l'Université McMaster a mis fin à son accord avec l'Institut. Pour s'en expliquer, le vice-président adjoint des relations publiques et gouvernementales a déclaré : « Nous avons des objectifs clairs en vue de la construction d'une communauté inclusive, en matière de respect de la diversité, des opinions individuelles et s'agissant de la capacité à en parler. » Dans une mise à jour de son site web en 2013, l'université a indiqué que la pratique en matière d'embauche de l'Institut Confucius « excluait certaines catégories de candidats, ce qui n'est pas conforme aux valeurs d'égalité et d'inclusivité de l'université, ni à la politique anti-discrimination de l'Université McMaster »[29].

Commentaire : L'affaire McMaster ne serait qu'une simple manifestation digne d'intérêt médiatique d'un défaut généralisé affectant les accords types entre le Hanban et les universités américaines ou canadiennes, puisque l'accord précise que les lois et règlements de la Chine et du pays hôte sont en vigueur. Il en résulte une contradiction endémique qui condamne les universités d'accueil à se faire complices de pratiques de discrimination à l'embauche, alors que les croyances et les pratiques jugées illégales en Chine et disqualifiant ainsi des enseignants compétents par ailleurs — telles que l'adhésion au Falun Gong, la défense des droits humains universels ou la réforme démocratique — sont protégées par la loi aux États-Unis et au Canada. Plus généralement, comment envisager l'applicabilité de la loi chinoise en matière d'enseignement supérieur aux universités américaines ou canadiennes, alors que cette loi est explicitement conçue pour servir les intérêts du Parti communiste chinois en promouvant « la civilisation matérielle et spirituelle socialiste » et en soutenant l'orthodoxie idéologique du « marxisme-léninisme, la pensée de Mao Zedong et la théorie de Deng Xiaoping »[30] ?

Les affirmations des responsables de l'Institut Confucius et du Center for East Asian Studies selon lesquelles l'Université de Chicago contrôle entièrement le processus de recrutement des enseignants de l'Institut originaires de Chine se révèlent trompeuses. Selon le professeur de Chicago chargé d'engager les enseignants chinois, le Hanban recommande les candidats — dont l'éligibilité est ainsi limitée par les lois et coutumes chinoises : ce qui exclut donc les membres du Falun Gong, les défenseurs des droits humains, etc. — et aucun enseignant recommandé par le Hanban n'a été rejeté par l'université (*The Nation*, 12 novembre 2013).

> Commentaire : Par cet accord, l'université se rend complice de discrimination à l'embauche.

Les premières versions de l'accord sur lequel tous les Instituts sont fondés stipulent que les signataires acceptent le principe d'une seule Chine (en ce qui concerne le statut de Taïwan). Cette clause a été supprimée par la suite.

> Des documents internes du Hanban, consultés par le corps professoral d'établissements qui étaient en cours de discussion pour l'accueil d'un Institut Confucius, donnent des détails sur la façon dont les représentants de l'Institut Confucius doivent rendre des comptes aux consulats et ambassades de Chine. De tels documents ont également révélé des pratiques de discrimination à l'embauche par le Hanban pour ses enseignants et son personnel[31].

Une vidéo et le chapitre d'un texte d'histoire avancée pour des Classes Confucius traitant de « La guerre menée pour résister à l'agression américaine en Corée » affirment que la Chine est entrée en guerre lorsque les États-Unis ont bombardé des villages chinois de l'autre côté de la frontière. À l'origine, la vidéo figurait dans la section pour enfants du site web du Hanban. Elle a été supprimée en 2012 après que le professeur Christopher Hughes de la London School of Economics eut envoyé un lien à des collègues qui envisageaient d'utiliser du matériel pédagogique de l'Institut Confucius. Après avoir étudié plusieurs de ces vidéos et les événements qu'elles relatent, la professeure June Teufel Dreyer a déclaré : « Ce sont des distorsions scandaleuses de ce qui s'est réellement passé. »

Le seul chapitre du texte d'histoire sur la période de la RPC en Chine ne mentionne ni le Grand Bond en avant ni la Révolution culturelle[32].

La vice-ministre Xu Lin, Directrice générale des Instituts Confucius de Beijing, a choqué les quelques centaines de chercheurs présents au congrès de l'Association européenne d'études chinoises (EACS) à Braga et Coimbra, Portugal, en exigeant que certaines pages du programme du congrès et du volume des résumés des communications soient retirées. Le siège social des Instituts Confucius a co-parrainé le congrès EACS dans le cadre de l'un de ses projets universitaires, le Confucius China Studies Program. Une condition importante est toutefois attachée à ces subventions du Hanban : « Le congrès est régi par les lois et décrets de la Chine et du pays d'accueil, et ne mènera aucune activité jugée contraire à l'ordre social. » Le hic (encore une fois), c'est que certaines libertés d'expression et de croyance protégées par la loi dans les pays européens — sans parler de celles qui sont nécessaires à tout échange scientifique fécond — sont interdites par décret gouvernemental et considérées contraires à l'ordre social en Chine.

« C'était la première fois dans l'histoire de l'EACS que des documents de congrès avaient été censurés », a observé le professeur Roger Greatrex de l'Université de Lund, président de l'Association. Pendant et après le congrès, il a critiqué publiquement l'attitude de Mme Xu, affirmant qu'une telle ingérence dans les travaux d'une organisation académique démocratiquement organisée était « totalement inacceptable ». Qu'il s'agisse d'une première pour l'EACS ne signifie pas que ce soit le cas pour les Instituts Confucius.

Rarement toutefois ont-ils révélé aussi ouvertement leur dimension politique que lors de l'embardée de la vice-ministre Xu à Braga.

En examinant les documents du congrès à son arrivée, Mme Xu a brusquement observé que le contenu de certains résumés était contraire à la réglementation chinoise. Elle s'est également opposée à certaines parties du programme du congrès, en particulier à la représentation avantageuse que le co-sponsor, la Fondation Chiang Ching-kuo (CCKF) de Taïwan, avait donné de lui-même — par comparaison aux présentations plus discrètes des Instituts Confucius. Sans solliciter d'autorisation, Mme Xu a immédiatement ordonné à son entourage de retirer tous les programmes du congrès et les résumés en menaçant de ne les rendre que lorsque ses demandes de suppression des pages incriminées auraient été satisfaites. Les documents ont été enfermés dans l'appartement d'un des professeurs chinois de l'Institut Confucius de l'Université du Minho à Braga.

Toute la journée du lendemain, alors que des négociations complexes se déroulaient entre les autorités de l'Institut Confucius et de l'EACS, quelque 300 membres de l'Association qui s'étaient inscrits à la réunion n'ont pu obtenir ces documents, ni aucune raison valable pour justifier leur absence. Lorsque ceux-ci ont réapparu le lendemain, une page avait été supprimée des résumés et trois du programme. À ce moment-là, le ressentiment à l'égard du Hanban était palpable parmi les participants au congrès. La consternation était grande aussi du côté des participants venus de Chine, en particulier pour ceux qui s'étaient inscrits tôt et qui avaient dû, à la demande expresse d'un fonctionnaire de l'Institut Confucius, rendre leurs exemplaires au motif que ceux-ci contenaient des « erreurs d'impression ».

On ne sait pas exactement quels résumés la vice-ministre Xu a jugés contraires aux lois et décrets chinois, mais on lui a apparemment offert la possibilité de modifier un volume de 300 pages de documents universitaires ou de ne pas y associer le Hanban. Choisissant cette dernière option, elle a retiré la page du volume indiquant le parrainage du Confucius Chinese Studies Program, annulé la participation du Hanban au congrès et exigé le remboursement de sa contribution de 28 000 euros. Cette pénalité a été imputée à la professeure Sun Lam, directrice de l'Institut Confucius de Minho, qui avait négocié la subvention et qui s'est vu infliger une amende pour ses erreurs — tandis que la vice-ministre Xu couvrait les siennes.

Ce qui, du point de vue de la République populaire, posait problème dans les pages incriminées du programme, c'était la représentation indépendante et avantageuse de Taïwan. Outre l'autodescription du co-sponsor, la Fondation Chiang Ching-kuo, il était fait mention de dons de livres et de l'exposition de livres organisée par la Bibliothèque centrale nationale de Taïwan. Bien que le programme ait été approuvé en amont par le Hanban, le fait que celui-ci mentionne avantageusement la contribution de Taïwan était pour Mme Xu une attaque symbolique puissante contre le rejet de l'indépendance de Taïwan par la RPC — une plainte dont la presse officielle chinoise s'est assez vite fait l'écho.

Sous le titre « There's No Shame in Hanban Tearing Up Overseas Conference Program », le *Global Times*, un tabloïd officiel dérivé du *Quotidien du peuple*, a salué les actes de censure de Mme Xu en faisant d'eux une expression de patriotisme ; et avec le même souci de respecter les règlements officiels chinois, le journal a rappelé qu'il est attendu des

universitaires étrangers travaillant sous la férule
du Hanban qu'ils s'autocensurent. L'article prévient
que l'Association européenne d'études chinoises
« ne devrait pas se méprendre sur la gravité du problème que représente Taïwan pour la Chine ». Cela
ne souffre aucune équivoque : « D'emblée, il n'aurait
tout simplement pas dû être question de la Fondation CCK dans le programme. »

> Commentaire : On pose ici comme principe que
> les chercheurs étrangers financés par le Hanban ou
> associés à lui ne devraient pas se méprendre sur
> les enjeux politiques de leur travail scientifique,
> et devraient donc s'abstenir de prendre des posi-
> tions contestables aux yeux des autorités chinoises.
> C'est trop souvent ce qui se passe dans les Instituts
> Confucius.

L'opinion publique en Chine, telle qu'elle s'exprime
sur le site Internet Weibo Sina, soutient Mme Xu et
présente la critique des Instituts Confucius comme
une vaste blague, digne de la naïveté ou de la cupi-
dité des étrangers qui s'en font l'écho. Avec consternation et colère, une participante de la République
populaire de Chine à la conférence EACS a longuement raconté son expérience sur Internet, se plai-
gnant, comme beaucoup de ses compatriotes, de
l'importante dépense d'argent pour l'éducation des
étrangers alors que tant d'enfants des populations
rurales pauvres ne reçoivent pas l'éducation. « Pour
découvrir la vérité sur ce qui s'est passé », dit-elle,

> je suis restée sans voix, stupéfaite. Comment le
> gouvernement pouvait-il faire son travail de cette
> façon [...] dépenser d'importantes sommes d'argent
> des contribuables, recueillies par des gens qui éco-

nomisent sur leurs vêtements et leurs repas, pour bâtir l'image du pays [...] et aboutir à un résultat négatif, exportant à l'étranger leurs façons de faire, leur manière d'intimider les gens en Chine[33]...

Commentaire : Les contradictions entre les « façons de faire » du gouvernement chinois et les lois et coutumes des pays d'accueil des Instituts Confucius risquent de devenir encore plus insolubles avec l'avènement de la « nouvelle sinologie » promue par le Hanban sous la forme du Confucius China Study Program (CCSP). Développé ces dernières années dans le but d'étendre l'influence du Hanban sur « l'enseignement et la recherche de base » dans les universités d'accueil, le CCSP parraine divers projets sur la Chine portés par des étudiants étrangers au niveau du doctorat, par des membres du corps professoral et par des personnes titulaires d'une licence, allant de la recherche doctorale avec diplômes universitaires chinois et étrangers communs, aux congrès internationaux et à la formation linguistique avancée. Pour pouvoir bénéficier de ce soutien cependant, il faut être inscrit dans un établissement accueillant un Institut Confucius. Le Hanban acquerra ainsi un contrôle direct sur les recherches, les conférenciers et les sujets acceptables, etc. — la condition étant toujours que le travail soit conforme aux lois et règlements de la Chine et qu'il ne soit pas jugé contraire à l'ordre social[34].

Traduit de l'anglais par Patrick Savidan

DEUXIÈME PARTIE

RÉCIT NATIONAL
ET RÉÉCRITURES
DE L'HISTOIRE

DE L'ÉCART AU DIVORCE :
HISTOIRE OFFICIELLE
ET HISTOIRES PARALLÈLES
DE LA CHINE MODERNE

DAMIEN MORIER-GENOUD
Université Grenoble Alpes

S'il est aujourd'hui un pays où le passé ne cesse d'être remis à l'honneur, c'est la Chine. Il suffit de franchir le seuil d'une librairie sur le continent chinois pour s'en apercevoir. L'ampleur des rayons dévolus aux études historiques, la masse des ouvrages qui s'y pressent et se présentent au lecteur soucieux de s'instruire en la matière a de quoi désarçonner. La situation est d'autant plus surprenante que, il y a à peine quatre décennies, au sortir de la Révolution culturelle, les librairies chinoises n'offraient pas grand-chose à feuilleter. Dans le domaine de l'histoire, il fallait compter sur une poignée de précis et de synthèses de stricte obédience marxiste, avalisés par le Parti, et à usage du bon révolutionnaire. Désormais, le lecteur n'a que l'embarras du choix. En ce qui concerne l'histoire dite « nationale » (*guoshi*), c'est-à-dire l'histoire de Chine à proprement parler, la littérature historienne abonde ; elle s'étire à la mesure de l'héritage plurimillénaire qu'elle embrasse.

Est-ce à dire pour autant que chacun est libre de nos jours en Chine de discourir sur l'histoire du pays comme il l'entend ? À en juger par la récurrence avec laquelle des journalistes, des historiens et professeurs chinois soucieux de faire la lumière sur le passé ont eu maille à partir avec les autorités au cours des vingt dernières années, rien n'est moins sûr. Outre l'« affaire *Bingdian* », dont il sera question plus bas, on peut retenir ici, à titre d'exemple, le cas du journaliste et historien Yang Jisheng, auteur d'une enquête sur le nombre de morts dues à la politique du Grand Bond en avant et à ses trois années subséquentes d'effroyable famine en Chine (1958-1961). Après la parution en 2016 à Hong Kong de son dernier ouvrage sur l'histoire de la Révolution culturelle, *Le Monde sens dessus dessous*, les autorités chinoises ont interdit la diffusion du livre sur le continent et ont empêché Yang Jisheng de se rendre aux États-Unis pour recevoir le prix Louis M. Lyons décerné par l'Université de Harvard. D'ailleurs, le silence et les zones d'ombre que l'histoire chinoise officielle observe et cultive délibérément sur certains événements de la période récente, tous pourtant fort bien documentés à l'étranger, laissent à penser que s'il est aussi aujourd'hui un pays où règne la censure vis-à-vis de la mémoire du passé, c'est bien la Chine.

La prudence est donc de mise pour ceux et celles qui voudraient s'affranchir du récit de l'histoire nationale que les autorités chinoises cherchent à promouvoir. Mais prudence ne saurait être synonyme de résignation. Dès le tournant des années 1980, des voix s'élevaient dans la société chinoise, comme pour tenter de combler le vide qu'avaient laissé derrière eux les trois grands séismes de la période maoïste : mouvement « anti-droitier » et répression des intellectuels (1957), Grand Bond en avant et instauration des communes populaires (1958-1961), Révolution culturelle et envoi des « jeunes instruits » à la campagne (1966-1976). Les langues se déliaient. Une soif se faisait ressentir de pouvoir raconter les violences de masses, les vies brisées, les injustices et les tragédies qu'avait eu à endurer un peuple tout entier sous le régime instauré par Mao en 1949. Par le truchement de la fiction, des écrivains comme Liu Xinwu et Lu Xinhua, tous deux parents de ce courant qui bientôt prendrait le nom de « littérature des cicatrices » (*shanghen wenxue*), s'employaient à faire valoir la possibilité d'une subjectivité en souffrance, une subjectivité hier annihilée par le collectivisme et la mobilisation sociale à leur paroxysme au cœur de l'utopie maoïste. La « fièvre culturelle » (*wenhua re*) qui agitait alors les milieux intellectuels[1] donnait lieu, du côté des historiens, à d'importants débats sur l'histoire de la culture chinoise, que trente années de dogmatisme avaient bannie de la recherche scientifique[2]. Il s'agissait de pouvoir désormais réfléchir sur le passé de la Chine en dehors de l'eschatologie de l'histoire en cinq stades héritée de l'ère stalinienne (préhistoire, féodalisme, capitalisme devenu impérialisme, socialisme, communisme). Aussi l'histoire culturelle autorisait-elle à repenser des tendances longues de l'évolution historique, en relativisant le rôle, naguère indétrônable, de la lutte des classes, et en faisant place à l'étude des mentalités et des comportements. L'histoire de la Chine moderne faisait l'objet d'un réexamen à l'aune des thèses de la modernisation jadis mises en avant par les intellectuels libéraux de l'ère républicaine (1912-1949). Pour les historiens proches du mouvement des « Nouvelles Lumières » (*xin qimeng*), tel Li Shiyue (1928-1996), l'enjeu était désormais de trouver dans le passé des précédents historiques susceptibles d'accréditer la nouvelle ère « de réforme et d'ouverture » (*gaige kaifang*) instaurée par Deng Xiaoping lors de sa victoire politique de 1978. L'on ne peut qu'être frappé, rétrospectivement, par l'audace, l'enthousiasme et même la liberté de ton qui caractérisent le débat intellectuel de la Chine des années 1980 quand on voit le musellement que subit aujourd'hui la société chinoise, et qui vise tour à tour écrivains, artistes, enseignants, journalistes, juristes… Même au lendemain de la répression sanglante de 1989, celle qui fit taire le mouvement démocratique de la place Tian'anmen, les milieux intellectuels engagés dans la défense de l'autonomie académique et de la professionnalisation des sciences continuaient de prendre leurs distances avec une orthodoxie communiste jugée moribonde. Dans les universités, les usages politiques du passé tendaient à s'effacer au profit d'une recherche plus empirique et moins encline à se fondre dans le moule rigide d'une analyse marxiste dont on s'autorisait enfin à dire qu'elle était parfois inadaptée ou peu à même de rendre compte des réalités chinoises. Des historiens comme Xiong Yuezhi ou Mao Haijian, dont il sera question plus loin, proposaient des relectures de la période moderne qui tranchaient singulièrement avec l'histoire officielle jusqu'alors imposée par le Parti.

Ces apports et ces interprétations nouvelles semblent aujourd'hui reniés par la résurgence d'un discours idéologique de l'histoire de la Chine moderne par lequel le pouvoir cherche à réaffirmer sa légitimité et à maintenir coûte que coûte son monopole politique dans la conduite des affaires du pays. Aussi n'est-ce plus un écart, mais un divorce que l'on observe souvent entre ce que les dirigeants choisissent de raconter de leur histoire et ce que la société, à commencer par ses historiens, cherche à en dire.

L'HISTOIRE OFFICIELLE DANS LA CHINE CONTEMPORAINE : LÉGITIMATION DU POUVOIR, MOBILISATION SOCIALE ET FERVEUR COLLECTIVE

Qu'une lecture particulière de l'histoire puisse être invoquée par le pouvoir pour servir ses intérêts, légitimer sa raison d'être et justifier le sens qu'il donne à son action dans le présent n'est pas un phénomène nouveau en Chine, loin de là. Sous l'ère impériale, la compilation des histoires dites « officielles » (*zhengshi*) n'avait pas d'autre visée que d'accréditer le bien-fondé du régime en place, tout en épinglant les travers de ses prédécesseurs, du moins les fautes et les errements qui avaient précipité leur perte[3]. Ainsi, dans la Chine impériale, ce que l'on qualifierait aujourd'hui d'histoire du temps présent n'avait pas droit de cité. Les faits et gestes de l'empereur étaient certes consignés au jour le jour au Palais impérial, mais il était strictement proscrit pour les historiens de relater officiellement l'histoire de leur époque. Le pouvoir le leur interdisait, car il en allait de la raison d'être de son actualité. Compiler l'histoire officielle de tel ou tel règne relevait d'une entreprise à laquelle on pouvait s'atteler, mais à condition que ce fût *a posteriori*, c'est-à-dire une fois seulement que le trône avait été arraché par quelque nouveau monarque et qu'une ère nouvelle, décrétée légitime, avait supplanté l'ancienne, jugée corrompue.

Le Parti communiste chinois a hérité de cette tradition plurimillénaire, même si, bien sûr, avec la disparition des institutions impériales, la formation d'un État-nation moderne et l'avènement d'une toute première expérience républicaine en Chine au début du XXᵉ siècle, l'écriture et les discours de l'histoire, de même que les outils de sa transmission, ont emprunté des formes nouvelles et se sont enrichis d'apports théoriques et scientifiques multiples — notamment venus d'Occident et du Japon.

Dans la Chine d'aujourd'hui, ce qu'on peut qualifier d'histoire officielle, c'est, d'abord, un ensemble de discours cohérents et unanimes, formulés oralement ou par écrit, ou qui peuvent être donnés à recevoir visuellement, comme à travers des images ou des monuments. Ces discours sont produits par les détenteurs du pouvoir, c'est-à-dire les dirigeants et représentants de l'État-Parti, mais aussi par les individus, les groupes d'intérêts, les médias ou encore les instances qui appuient et relaient leur parole. Mobilisant et invoquant une vision et un récit particuliers d'une histoire proprement nationale, ils donnent sens aux réalisations passées dont le pouvoir chinois se veut à la fois dépositaire et légataire, de même qu'ils cautionnent les choix politiques que celui-ci engage dans le présent, et pour l'avenir. Allocutions, commémorations, célébrations, textes programmatiques, chartes fondatrices, programmes d'enseignement, manuels scolaires, télévision centrale, Internet, organes publics de presse et d'édition, tels sont les véhicules et les médias privilégiés de diffusion de ces discours qui, ensemble, participent et procèdent de l'histoire officielle. Notons que, en Chine, une telle histoire se passe volontiers d'historiens professionnels, en ce qu'elle est souvent plutôt le fait d'idéologues, de théoriciens du Parti, ou des dirigeants et représentants de l'État-Parti eux-mêmes.

La mainmise du Parti communiste chinois sur l'écriture de son histoire, une histoire qui coïncide, on l'aura compris, avec celle de la nation tout entière, remonte à l'année 1945, au lendemain des campagnes successives de mobilisation et de « rectification » (*zhengfeng*) de Yan'an, bastion de l'avant-garde maoïste d'alors. C'est à ce moment que s'affirme une volonté de contrôle et d'imposition d'un récit national par les dirigeants communistes. Est ainsi adoptée le 20 avril, à la veille du VIIᵉ Congrès du PCC, une « Résolution sur plusieurs questions d'histoire »[4]. Le texte avance, en même temps qu'il scelle pour les années à venir, une lecture de l'histoire de la Chine depuis les guerres de l'Opium (1839-1860) jusqu'à la naissance du mouvement communiste (1921), lecture à laquelle nul ne devra désormais déroger. Une fois encore, c'est dans l'écriture, mais aussi dans une vision de l'histoire que les prétendants au pouvoir en Chine, à commencer par un certain Mao Zedong, cherchent une sanction politique et morale. Il leur faut puiser dans une trajectoire historique propre l'approbation qui rendra exécutoire et légitime leur engagement dans le présent. Dans le texte de cette Résolution, l'histoire de la Chine moderne se voit réduite à celle d'un siècle d'une lutte édifiante contre le « féodalisme » (*fengjian zhidu*) et l'« impérialisme » (*diguozhuyi*). Les soulèvements populaires, nous dit-elle, en auraient été l'inexorable moteur. Dès lors, le procès de l'histoire se trouve entièrement tourné vers la victoire — à l'époque imminente — de la révolution, annoncée comme seule voie possible d'émancipation sociale et de salut national. Magnifiant l'œuvre personnelle de Mao Zedong, qui est alors en passe d'emporter le leadership au sein du Parti, ce nouveau récit national s'inscrit dans le projet maoïste d'une mobilisation activiste telle que l'a très bien décrite Yves Chevrier[5]. L'histoire de la Chine moderne devient performative et autoréalisatrice : en s'institutionnalisant, elle est maintenant cette instance narrative qui contrôle et contraint (les intellectuels) en même temps qu'elle soulève et convainc (les masses laborieuses).

Sous l'angle historiographique, la nouveauté du discours de l'époque tient précisément à l'usage désormais intégré qu'il fait de cette catégorie qui, quelques années plus tôt, s'est imposée sous le vocable d'« histoire moderne » (*jindaishi*). La refonte des études historiques subséquente à la naissance d'un État-nation moderne supposait théoriquement de rompre avec le cycle ancien des histoires dynastiques. Dans le nouvel ordre mondial qui s'était imposé à elle au XIXᵉ siècle, après l'irruption des canonnières européennes dans le pays, la Chine ne pouvait plus se concevoir comme ce vieil empire universel consubstantiel à la totalité d'un ordre cosmologique et civilisationnel. Elle devait désormais s'intégrer, c'est-à-dire se comprendre, comme nation parmi les autres. Ainsi, l'entrée du pays dans le « concert des nations » marquerait le début de son histoire moderne. Sous la jeune République, au moment où la Chine se trouvait piétinée par les puissances occidentales et le Japon, et alors qu'elle ne se posait rien de moins que la question de sa propre survie, une nouvelle génération d'intellectuels s'était donné pour tâche d'éveiller les consciences, d'instruire le plus grand nombre jusqu'alors maintenu dans l'ignorance. Une réévaluation du cours de l'histoire moderne était devenue urgente et nécessaire, non seulement pour trouver dans le passé le plus proche — c'est-à-dire celui qui avait vu l'immixtion dans les affaires du pays de ces « barbares » d'un genre nouveau — des remèdes immédiats aux maux du présent, mais aussi pour insuffler chez les nouveaux citoyens une sensibilité nationale qui permettrait enfin à la Chine de tenir tête à l'Occident et au Japon. Puissant vecteur de mobilisation sociale en ce qu'elle serait relatée dans la langue parlée (*baihua*), l'histoire de la Chine moderne allait s'imposer comme le récit par excellence susceptible d'attiser la ferveur collective autour de cette entreprise de sauvetage.

C'est dans ce contexte que s'élaborent, une quinzaine d'années après la fondation du Parti communiste chinois (1921), et au lendemain du déclenchement de la guerre sino-japonaise (1937-1945), l'historiographie maoïste de la période moderne et le paradigme de la révolution qui l'informe. En 1939, Mao enjoint ainsi au philologue Fan Wenlan, l'un de ses compagnons d'armes, à qui il vient de confier la direction du bureau des études historiques de l'Institut de Yan'an du marxisme et du léninisme, de s'atteler à la rédaction d'un manuel d'histoire à l'adresse du Parti et des générations futures. Fan Wenlan s'exécute. Entre 1940 et 1941, il rédige un *Précis d'histoire générale de la Chine* en deux volumes, avant de travailler, à partir du printemps 1943, à la mise en forme d'un troisième volet qui, trois ans plus tard, paraît sous le titre d'*Histoire de la Chine moderne*[6]. Comme je l'ai montré dans un travail antérieur[7], Fan Wenlan cherche à faire coïncider l'histoire de la Chine moderne avec l'agenda révolutionnaire de Mao, dans le contexte du conflit larvé qui oppose le Parti communiste à son frère ennemi, le Guomindang (ou Kuomintang, Parti nationaliste chinois). Il prend ainsi le contre-pied des thèses de la modernisation (*jindaihua*) mises en avant par Jiang Tingfu, un historien libéral proche du Guomindang, à qui l'on doit également une *Histoire de la Chine moderne*, parue quelques années plus tôt (Jiang, 1939). L'histoire de la Chine moderne est ainsi vue par Fan Wenlan comme le lieu d'un combat séculaire entre des forces révolutionnaires et des forces réactionnaires qui trouvent leur incarnation respective dans le présent du moment, à travers l'action du Parti communiste et celle du Parti nationaliste.

La Résolution de 1945 officialise cette lecture de la Chine moderne dont Fan Wenlan, en accord avec la ligne maoïste, se fait à la fois l'artisan et le promoteur. Après la défaite du Guomindang et la fondation de la République populaire, le 1er octobre 1949, idéologues, cadres, historiens et professeurs de la Nouvelle Chine seront sommés d'y souscrire. Aussi est-ce ce récit de la révolution qui, pendant les trois décennies du régime maoïste, irriguera toute l'histoire chinoise officielle de la période moderne. Les programmes d'enseignement, mais aussi l'« histoire du Parti » (*dangshi*), alors introduite à l'université comme discipline à part entière[8], devront s'y conformer, faute de quoi leurs auteurs se verront taxer d'arrière-pensées bourgeoises et contre-révolutionnaires, véritable crime de lèse-majesté dans le contexte de l'époque.

Après la mort du président Mao en 1976 et la chute de la Bande des Quatre qui marquent officiellement la fin de la Révolution culturelle, une révision de la période moderne s'impose en Chine. L'histoire s'invite à nouveau à la table des dirigeants du Politburo. Le temps ayant fait son œuvre, il s'agit à présent de prendre du recul sur le parcours accompli depuis la fondation du régime, en commençant par élargir et arrêter la chronologie officielle de la Chine moderne à la « libération » (*jiefang*) de 1949. Ce tournant historique consacre désormais *a posteriori* la victoire de la révolution communiste et ouvre simultanément l'« histoire contemporaine » (*xiandaishi*), qui de fait coïncide avec l'avènement de la République populaire. À la Résolution de 1945 en succède une autre,

celle de juin 1981, adoptée lors du 6ᵉ plénum du
XIᵉ Comité central, cette fois intitulée « Résolution
sur plusieurs questions relatives à l'histoire du Parti
depuis la fondation du régime »[9]. La nouvelle équipe
dirigeante, réunie autour de Deng Xiaoping, doit à
l'époque se livrer à un véritable travail d'équilibriste.
Il s'agit pour elle d'entériner la passation du pouvoir
et de tirer un trait sur les excès de la période maoïste.
Mais si l'on peut alors se défaire du maoïsme au nom
du pragmatisme, il est en revanche exclu de révo-
quer la figure tutélaire du patriarche Mao. Renier
sa contribution historique reviendrait à saper l'autorité du Parti — et ne serait-ce pas manquer au
devoir de piété filiale que de rejeter l'homme dont
le régime est l'enfant héritier ? L'exercice consiste
donc, dans le texte de cette nouvelle Résolution, à
saluer l'œuvre du Grand Timonier, malgré les « 30 %
d'erreurs » qu'on daigne finalement lui reconnaître,
tout en réaffirmant l'indétrônable légitimité du Parti
dans la conduite des affaires du pays — un pays
désormais poussé à s'ouvrir aux capitaux étrangers
et à emprunter la voie de l'économie de marché.

La Résolution de 1981, qui s'inscrit dans la continuité de celle de 1945 dont elle réaffirme la validité, constitue encore aujourd'hui en Chine le moule
inaltérable dans lequel les cercles officiels, comme
les programmes d'enseignement et les manuels scolaires, sont tenus de fondre toute appréciation historique à l'endroit du Parti, de ses personnages et de
la nation. Prises ensemble, l'une et l'autre informent
et conditionnent de façon exclusive — puisqu'il n'y
a, officiellement, pas d'autre alternative — le discours des dirigeants chinois sur l'histoire de la Chine
moderne. Aussi sont-elles le ferment d'une vulgate
et d'un canon idéologique de l'histoire que martèle
inlassablement le pouvoir. Celui-ci le fait d'ailleurs

souvent à grand renfort de spots, de reportages, de documentaires ou de feuilletons, qu'il produit et diffuse à la Télévision centrale, à l'adresse non seulement des citoyens de la République populaire, mais aussi de toutes les communautés et diasporas qui, partout dans le monde, adhèrent à cette idée que la Chine est — au sens étymologique du terme — leur religion. L'histoire de la Chine moderne est toujours instrumentalisée dans le sens d'une glorification de la révolution par laquelle, dès ses premières heures, le Parti entreprit de délivrer le pays du double joug du féodalisme et de l'impérialisme. La nouveauté aujourd'hui vient toutefois de ce que cette séquence, présentée comme le « siècle » ou les « cent ans d'humiliations » (*bainian guochi*), est désormais invoquée par le pouvoir pour magnifier en contrepoint la « renaissance » (*fuxing*) de la Chine au XXIe siècle, c'est-à-dire l'éclatante réussite économique et le rôle désormais incontournable du pays sur la scène mondiale.

LE « SIÈCLE DES HUMILIATIONS » : XÉNOPHOBIE, ALTÉRATION CULTURELLE ET... REVANCHE DU PRÉSENT

« Que d'humiliations ! Que de honte ! En ce temps-là, la Chine était un mouton gras promis au sacrifice ! » Ces propos, c'est le président chinois Xi Jinping en personne qui les tenait à l'occasion de sa visite, le 31 octobre 2017, du Mémorial révolutionnaire du lac du Sud de Jiaxing, un musée entièrement bâti à la gloire du PCC et à la mémoire de la « libération » de 1949. Les litanies proférées par Xi Jinping lors de sa visite du musée sont très révélatrices de

cette vision manichéenne et xénophobe que les dirigeants chinois entretiennent de l'histoire moderne,
une vision bien connue des sinologues ayant directement accès dans le texte à la littérature officielle
éditée en République populaire. Cette lecture des événements consiste à tenir les étrangers, à commencer
par les Européens — et, dans une moindre mesure,
les Américains —, mais aussi les Russes, les Japonais, et enfin les Mandchous eux-mêmes, pour seuls
responsables des désastres politiques, économiques
et militaires qui, à compter de la seconde moitié du
XIXᵉ siècle, valurent à la Chine de se voir amputer de
toutes parts, de manquer le train de la modernisation
et de se retrouver réduite à l'état d'un pays « semi-
colonial et semi-féodal » (*ban zhimin ban fengjian*).
Autrement dit, le mal viendrait du dehors. Il serait
imputable à la présence étrangère sur le sol chinois,
du moins aux humiliations et autres mortifications
que ces « diables d'étrangers » (*yang guizi*), épaulés
par les tyrans féodaux et bureaucrates corrompus
ralliés à leur cause, auraient jadis infligées au pays.
De tels affronts, bien sûr, seraient de fait lavés par
la grandeur aujourd'hui retrouvée de la Chine sur la
scène mondiale, fruit des efforts conjugués du peuple
chinois et de ses bienveillants dirigeants.

Comme le remarque Emmanuel Dubois de Prisque,
en présentant la Chine du « siècle des humiliations »
comme un objet passif victime de l'avidité des préda-
teurs étrangers, le Parti communiste chinois cherche
à accréditer cette idée selon laquelle, en vertu de
la nature prétendument pacifique de sa civilisation,
la Chine resterait, pour son plus grand malheur,
« traditionnellement incapable de répondre à la violence qu'on exerce contre elle » (Dubois de Prisque,
p. 99). Ce tableau d'une Chine innocente et passive,
attendant comme un mouton bêlant les flammes du

bûcher sacrificiel, entre pourtant en contradiction avec la réalité historique. Dans un ouvrage publié récemment, note Dubois de Prisque, Howard French montre précisément comment la prétention de la Chine à se confondre avec le monde et la civilisation elle-même ne l'a jamais empêchée dans l'histoire de recourir à la force comme n'importe quelle autre puissance lorsqu'elle jugeait sa suzeraineté remise en cause ou ses intérêts menacés[10]. L'image d'une Chine bouc émissaire a donc ceci d'utile qu'elle permet aux dirigeants chinois de nier, sinon d'expurger, la violence que les Chinois ont pu exercer contre eux-mêmes ou contre autrui dans l'histoire, tout en faisant porter la responsabilité du mal aux seules puissances étrangères. Cette distorsion de la réalité permet aujourd'hui d'unir le peuple derrière une bannière fédératrice, de mobiliser et mettre à contribution chaque citoyen chinois dans le projet de renaissance d'une Chine pour laquelle l'heure a enfin sonné de prendre sa revanche sur les humiliations passées.

On peut ajouter ici que, en dénonçant la présence étrangère qui asservit le pays à l'ère moderne, l'histoire chinoise officielle ne cherche pas seulement à faire pièce à l'impérialisme qui s'est autrefois exercé sur le sol chinois par les armes. Elle rejette aussi cet impérialisme qu'elle tient pour être celui des valeurs qu'un Occident hégémonique, jadis soucieux d'asseoir sa domination dans le monde, aurait voulu ériger en critère d'appréciation universel dans le seul but de satisfaire ses propres desseins. L'idée sous-jacente ici est que, quel que soit le modèle politique pour lequel optent aujourd'hui les dirigeants de la Chine populaire, il se doit d'épouser les conditions particulières propres au contexte chinois. Par conséquent, il ne saurait être dicté par aucune norme ni aucun système de valeurs venu de l'extérieur. Dans cette perspective, l'influence occidentale en Chine est perçue comme la source d'une forme de « pollution spirituelle » (*jingshen wuran*) qui, à compter des guerres de l'Opium, n'aurait fait qu'altérer la pureté de la civilisation chinoise. L'usage de cette expression s'inscrit dans une histoire intellectuelle et politique plus ancienne en Chine. Le terme avait notamment été utilisé en 1983 par le pouvoir chinois pour dénoncer les intellectuels critiques à l'égard du régime, alors suspectés d'être gagnés par un certain « libéralisme bourgeois ». Cette contamination menacerait le corps politique en Chine, lequel risquerait la corruption en raison de cette fréquentation trop étroite que certains de ses membres ont entretenue depuis la période moderne avec les idées et les productions intellectuelles importées de l'étranger. Notons que c'est le discours de l'Occident libéral sur les valeurs universelles, la démocratie et les droits de l'homme qui est essentiellement visé ici. Cela ne concerne aucunement le marxisme-léninisme qui, bien que produit d'importation occidental, s'est imposé comme nouvelle orthodoxie d'État dans la Chine des années 1950, à la faveur d'un processus d'intériorisation et de sinisation exemplifié par la rhétorique du Parti et la « pensée Mao Zedong », un aspect que le nationalisme chinois tend souvent à oublier... Dès lors, la pensée et la culture chinoises traditionnelles resteraient la seule matière première valable à exploiter pour développer la Chine et lui permettre de rayonner mondialement[11].

C'est contre cette vulgate revancharde et xénophobe de l'histoire de la Chine moderne que le professeur Yuan Weishi, spécialiste d'histoire de la pensée chinoise à l'Université Sun Yat-sen de Canton, tirait à boulet rouge, le 11 janvier 2006, dans les colonnes du supplément hebdomadaire du journal *Jeunesse chinoise*. Son texte aux airs de brûlot, intitulé « La question de la modernisation et nos manuels scolaires d'histoire »[12], est à l'origine d'une controverse connue sous le nom de « l'affaire *Bingdian* », en référence au titre du supplément de *Jeunesse chinoise*[13]. Yuan Weishi y proposait notamment une relecture de la révolte des Boxeurs (1898-1901) aux antipodes de l'histoire officielle, relecture qui fut aussitôt vilipendée par le Département de la propagande du Parti[14].

Dans l'histoire chinoise officielle, la révolte des Boxeurs est présentée comme le cri du cœur, noble et juste, des milieux populaires engagés dans une lutte héroïque contre l'impérialisme en Chine au tournant du XXᵉ siècle. L'accent est mis sur la cruauté avec laquelle les Occidentaux, forts de la complicité d'une cour mandchoue décadente et corrompue, matèrent dans le sang ce soulèvement populaire au cours de l'année 1900-1901. En dépit de son issue tragique, la révolte des Boxeurs constitue dans l'historiographie communiste le prélude de la révolution qui, plus tard, sous la direction du PCC, finira par délivrer le pays du « siècle des humiliations ».

Dans son article de 2006, Yuan Weishi fustigeait cette instrumentalisation de l'histoire moderne. D'après lui, en focalisant l'attention sur la répression qui s'était abattue sur les Boxeurs, les manuels scolaires chinois cherchaient à passer sous silence les exactions et les atrocités que ces derniers avaient pourtant perpétrées non seulement contre les civils étrangers présents à l'époque en Chine, mais contre les Chinois eux-mêmes, notamment les Chinois convertis à la religion chrétienne. Pour Yuan Weishi, en relayant le discours officiel de cet épisode de l'histoire moderne, les manuels scolaires ne faisaient que cultiver dans l'esprit des jeunes écoliers chinois un nationalisme pétri de ressentiment envers un ennemi extérieur, les Occidentaux, oubliant ainsi de rappeler que le pire ennemi de la Chine dans l'histoire n'avait souvent été autre que la Chine elle-même.

Accusant le professeur Yuan Weishi d'avoir directement voulu attaquer le système socialiste en niant le siècle de lutte du peuple chinois contre l'agression étrangère, le Département de la propagande du Parti décida, en signe de représailles, de suspendre dès le mois de janvier 2006 la publication de l'hebdomadaire *Bingdian*. Le rédacteur en chef de *Jeunesse chinoise*, Li Datong, qui avait jugé bon de laisser le professeur s'exprimer dans les colonnes de son journal, se vit quant à lui tout bonnement démettre de ses fonctions. Après plusieurs mois de polémique dans les médias, et sous la pression de la blogosphère chinoise, l'hebdomadaire fut finalement autorisé à reprendre sa publication. Dans le numéro de relance du 1er mars 2006, Zhang Haipeng, chercheur à l'Institut d'histoire moderne de l'Académie chinoise des sciences sociales, mettait un terme à la controverse en réaffirmant, conformément au point de vue officiel du Parti, que « la lutte contre le féodalisme et l'impérialisme [demeurait] le thème central de l'histoire de la Chine moderne »[15].

SORTIR DE LA CONFRONTATION CHINE-OCCIDENT : LE DEDANS ENRICHI DU DEHORS

Chauvinisme, exaltation nationaliste, sentiments de supériorité culturelle et de fierté nationale ne sauraient être des inclinations propres au seul régime chinois, du moins au récit de l'histoire qu'il invoque et promeut officiellement. Néanmoins, là où la plupart des grandes puissances de la planète se revendiquent et s'enorgueillissent aujourd'hui d'un héritage national riche et divers, pétri d'apports culturels exogènes multiples, la Chine cultive, à travers son histoire officielle de la période moderne, un récit national qui s'enracine dans la condamnation et le rejet de l'étranger. Or il y aurait pourtant bien une histoire mondiale de la Chine à écrire, une histoire qui serait plus attentive à la diversité des trajectoires historiques à la croisée desquelles le pays se situe, et dont il s'est enrichi jusqu'à nos jours. C'est du moins ce que laisse transparaître la réflexion engagée par des historiens issus du milieu académique, à qui l'on doit, depuis les années 1990, des publications sur la Chine moderne à contre-courant de l'histoire officielle.

Je retiendrai ici le cas des historiens Xiong Yuezhi et Mao Haijian. Le premier est aujourd'hui vice-président de l'Académie des sciences sociales de Shanghai, le second professeur à l'Université normale de Chine de l'Est. Les interprétations qu'ils cautionnent l'un et l'autre de la période moderne reflètent de façon assez emblématique cette volonté plus générale de se départir du paradigme de la révolution qui informe l'histoire officielle, pour tenter de repenser, dans la longue durée, les entreprises de modernisation auxquelles la Chine s'est frottée depuis l'ère moderne, et qu'ils tiennent pour être le moteur de son évolution historique. Pour Xiong Yuezhi et Mao Haijian, l'enjeu est de pouvoir jeter un regard nouveau sur les apports, les logiques d'échanges et d'emprunts à l'œuvre dans cette séquence du XIXe siècle pensée non plus comme le lieu d'une confrontation, mais plutôt comme le moment d'une rencontre, voire d'un dialogue culturel entre la Chine et l'Occident.

C'est dans cet esprit du moins que Xiong Yuezhi

souligne, dans un travail paru en 2002, le bénéfice, tant sur le plan matériel qu'intellectuel, des
influences occidentales qui se sont exercées en Chine
par le biais des anciennes concessions étrangères à
Shanghai. L'historien insiste sur le rôle déterminant
de la culture et de la civilisation occidentales dans
la mise en place d'infrastructures et de transports
publics modernes dans la ville portuaire. Il en va de
même d'après lui pour l'introduction des nouvelles
techniques et institutions de gestion administrative à
l'échelle municipale. Alors qu'elles sont décriées dans
l'histoire officielle pour être le symbole par excellence de la domination occidentale dans la Chine
de la seconde moitié du XIXe siècle, les concessions
étrangères sont dépeintes par Xiong Yuezhi comme
le berceau d'une modernité matérielle et institutionnelle qui a aussi favorisé l'irruption dans le pays des
idées nouvelles venues d'Occident (liberté, démocratie, égalité…).

Dans son ouvrage *La Chute de la dynastie céleste*,
l'historien Mao Haijian s'intéresse quant à lui à
la figure de Qishan (1790-1854), ce fonctionnaire
mandchou dépêché par la cour impériale pour négocier avec les Britanniques durant la première guerre
de l'Opium. Le personnage est connu pour avoir
signé avec les Anglais, le 20 janvier 1841, sans l'approbation de l'empereur, la convention de Chuanbi
— laquelle prévoyait notamment la cession de l'île de
Hong Kong à l'Angleterre. Là où l'histoire officielle
l'accuse d'avoir vendu son pays aux Anglais, Mao
Haijian le décrit comme un personnage lucide et
réaliste, habité par une conscience aiguë des enjeux
politiques de son temps. Pour Mao Haijian, c'est
l'incapacité technologique et militaire de l'empire
à combattre les Britanniques, et non les mesures et
les manœuvres d'un Qishan, qui explique l'inévitable

reddition de la cour des Qing à l'époque. L'attitude conciliante de Qishan à l'égard de l'ennemi britannique et ses efforts déployés en diplomatie étaient justement cela même qui marquait sa prééminence sur la plupart de ses homologues mandchous.

L'idée qui sous-tend la réflexion de Mao Haijian est que, par-delà le rapport de force et le conflit militaire qui s'instaurent entre la cour mandchoue et les puissances occidentales au moment des guerres de l'Opium, la présence étrangère sur le sol chinois a eu au moins ceci de bénéfique qu'elle a tiré la Chine de son sinocentrisme séculaire. Le pays a dû trouver des réponses au niveau politique pour s'adapter à l'étiquette de la diplomatie moderne. Il lui a fallu s'insérer dans un nouvel ordre mondial qui, bien que dicté par l'Occident industriel, postulait la réciprocité des nations entre elles et supposait que la Chine, loin de tout sentiment de supériorité culturelle, se conçût désormais sur un pied d'égalité avec les puissances occidentales. Dans cette perspective, l'œuvre des élites politiques appelées à négocier et à trouver des compromis avec ces dernières n'était pas foncièrement mauvaise. Elle ne ressortit aucunement à une volonté de capitulation ou à un acte de traîtrise, comme voudrait le faire croire l'histoire officielle.

Il est frappant de voir combien le pouvoir chinois d'aujourd'hui, par la vision qu'il entretient du « siècle des humiliations », reste sourd à ces relectures de la période moderne qui, dès le milieu des années 1990, s'illustrent à travers les travaux d'historiens comme Xiong Yuezhi ou Mao Haijian. La coexistence en Chine d'un discours officiel de l'histoire pétri d'accents nationalistes, allergique à tout ce qui vient du dehors, et d'un discours académique plus érudit et nuancé, soulignant quant à lui l'apport des influences extérieures à l'ère moderne, pourrait laisser penser que les historiens chinois jouissent d'une certaine autonomie dans la société dès lors que leur travail reste confiné aux cercles académiques et ne menace pas frontalement les fins politiques du régime. L'« affaire *Bingdian* », évoquée plus haut, montre cependant que, très récemment encore, l'État-Parti n'hésitait pas à discréditer et réduire au silence toute appréciation de l'histoire de la Chine moderne contrevenant à son catéchisme idéologique et à ce qu'il tient, aujourd'hui encore, pour seule vérité historique recevable.

Bibliographie

BOISSEAU DU ROCHER, Sophie, DUBOIS DE PRISQUE, Emmanuel, *La Chine e(s) t le monde. Essai sur la sino-mondialisation*, Paris, Odile Jacob, 2019.

CHAUSSENDE, Damien, *Des trois royaumes aux Jin. Légitimation du pouvoir impérial en Chine au IIIe siècle*, Paris, Les Belles Lettres, 2010.

CHEN, Yan, *L'Éveil de la Chine. Les bouleversements intellectuels après Mao, 1976-2002*, La Tour d'Aigues, Éditions de l'Aube, 2002.

CHEVRIER, Yves, *Mao et la révolution chinoise*, Paris, Casterman ; Florence, Giunti, 1993.

DUBOIS DE PRISQUE, Emmanuel, « "Un mouton gras attendant le sacrifice". Sacrifice, gouvernance et châtiment en Chine ancienne et contemporaine », *Monde chinois*, vol. 2, n° 50, p. 98-104.

FAN, Wenlan 范文澜, *Zhongguo tongshi jianbian* 中国通史简编 (*Précis d'histoire générale de la Chine*), Shanghai, Shanghai shuju, 1989.

FAN, Wenlan 范文澜, *Zhongguo jindaishi* 中国近代史 (*Histoire de la Chine moderne*), « Minguo congshu, IV », vol. 78, Shanghai, Shanghai shudian, 1992.

FRENCH, Howard W., *Everything Under the Heavens. How the Past Helps Shape China's Push for Global Power*, New York, Vintage Books, 2018.

GARDNER, Charles S., *Chinese Traditional Historiography*, Cambridge, Harvard University Press, 1961.

JIANG, Tingfu 蒋廷黻, *Zhongguo jindaishi* 中国近代史 (*Histoire de la Chine moderne*), Jiangsu renmin chubanshe, 1939 ; réédition, 2017.

LI, Huaiyin, *Reinventing Modern China. Imagination and Authenticity in Chinese Historical Writing*, Honolulu, University of Hawai'i Press, 2013.

LI, Shiyue 李时岳, « Cong yangwu, weixin dao zichanjieji geming » 从洋务,维新到资产阶级革命 (« Du mouvement des "affaires à l'occidentale" à la révolution bourgeoise, en passant par les réformes de 1898 »), *Lishi yanjiu*, n° 1, 1980, p. 31-40.

LIU, Zhiji, *Traité de l'historien parfait. Chapitres intérieurs*, trad. Damien Chaussende, Paris, Les Belles Lettres, collection « Bibliothèque chinoise », 2014.

MCGREGOR, Richard, *The Party. The Secret World of China's Communist Rulers*, Londres, Penguin Books, 2012.

MAO, Haijian 茅海建, *Tianchao de bengkui : yapian zhanzheng zai yanjiu* 天朝的崩溃：鸦片战争再研究 (*La chute de la dynastie céleste : un réexamen des guerres de l'Opium*), Beijing, Sanlian shudian, 1995.
Traduction en anglais : *The Qing Empire and the Opium War. The Collapse of the Heavenly Dynasty*, Cambridge, New York, Cambridge University Press, 2016.

Mao Zedong xuanji 毛泽东选集 (*Œuvres choisies de Mao Zedong*), vol. 3, Beijing, Renmin chubanshe, 1953.

MORIER-GENOUD, Damien, « Écrire l'histoire vis-à-vis de la guerre : postures historiennes, conceptions et récits de l'histoire sous la République de Chine (1912-1949) », *Extrême-Orient, Extrême-Occident*, n° 38, 2014.

PANG, Pu 庞朴, *Wenhua de minzuxing yu shidaixing* 文化的民族性与时代性 (*Dimensions nationale et historique de la culture*), Beijing, Zhongguo heping chubanshe, 1988.

THORAVAL, Joël, « La "fièvre culturelle" chinoise : de la stratégie à la théorie », *Critique*, n° 507-508, août-septembre 1989, p. 558-572.

VANDERMEERSCH, Léon, « La conception chinoise de l'histoire », Anne Cheng (dir.), *La pensée en Chine aujourd'hui*, Paris, Gallimard, coll. Folio essais, 2007, p. 47-74.

WEIGELIN-SCHWIEDRZIK, Susanne, « Party Historiography in the People's Republic of China », *The Australian Journal of Chinese Affairs*, n° 17, janvier 1987.

XIONG, Yuezhi 熊月之, « Shanghai zujie yu wenhua ronghe » 上海租界与文化融合 (« Concessions étrangères et assimilation culturelle à Shanghai »), *Xueshu yuekan*, mai 2002, p. 56-62.

YANG, Jisheng, *Stèles. La grande famine en Chine, 1958-1961*, trad. Louis Vincenolles et Sylvie Gentil, Paris, Seuil, coll. Points, 2014.

YANG, Jisheng 杨继绳, *Tiandi fanfu : Zhongguo wenhua da geming shi* 天地翻覆：中国文化大革命史 (*Le monde sens dessus dessous : histoire de la Révolution culturelle en Chine*), Hong Kong, Tiandi tushu youxian gongsi, 2016.

ZHANG, Haipeng 张海鹏, « Fan di fan fengjian shi jindai Zhongguo lishi de zhuti » 反帝反封建是近代中国历史的主题 (« La lutte contre l'impérialisme et le féodalisme demeure le thème central de l'histoire de la Chine moderne »), *Zhongguo qingnian bao*, 1er mars, 2006.

« SORTIR DU SYSTÈME IMPÉRIAL » AVEC QIN HUI

DAVID OWNBY
Université de Montréal

Qin Hui (né en 1953) était, jusqu'à sa retraite, professeur d'histoire à la très prestigieuse Université Tsinghua de Pékin, et a été un exemple, tout au long de sa carrière, de la richesse de la vie intellectuelle en Chine contemporaine. D'emblée, une telle idée risque d'en choquer certains. L'histoire de la guerre froide ainsi que la montée récente des tensions entre la Chine de Xi Jinping et le reste du « monde libre » nous renvoient l'image d'une Chine totalitaire où les intellectuels sont muselés. Cette image, sans être complètement trompeuse, ne résume pas toutefois la réalité sur le terrain. En dehors du conflit entre l'État chinois et les dissidents — qui sont effectivement muselés — une vie intellectuelle riche et diverse existe bien en Chine depuis les années 1980, les acteurs principaux étant les universitaires, les journalistes, et même certains écrivains qui acceptent les règles du jeu telles qu'elles sont imposées par le Parti communiste, sans pour autant abonder dans le sens de la propagande. Le fait qu'ils ne peuvent pas dire *tout* ce qu'ils voudraient dire ne signifie pas qu'ils ne peuvent *rien* dire. Le cas de Qin Hui nous fournit un exemple probant des « frontières du possible » en Chine.

Cette vie intellectuelle est le fruit des réformes ayant marqué l'époque post-maoïste : la libéralisation de l'économie, le retrait relatif (jusqu'à l'arrivée au pouvoir de Xi Jinping en 2013) du Parti communiste en matière d'ingérence dans la vie quotidienne du peuple, l'ouverture de la Chine sur le monde et sur les processus de mondialisation. Dans le contexte des intellectuels chinois, ceci s'est traduit par : un investissement massif de l'État dans les meilleures universités chinoises, la multiplication des échanges académiques avec l'étranger, une transformation notable dans les possibilités de publication grâce au développement considérable d'un marché pour les livres et les revues, l'importance grandissante d'Internet, et une réduction (encore une fois relative) de l'omniprésence de la censure. Sur la base de cette nouvelle « liberté » qui a connu des hauts et des bas à partir du début des années 1980 jusqu'à aujourd'hui, les intellectuels institutionnels se sont taillé un monde plein d'idées et de débats, lequel existe bien sûr dans un état de tension avec l'État, mais qui existe malgré tout[1]. Pour en présenter une brève périodisation, le monde intellectuel des années 1980 était largement « libéral », la Chine étant sortie tout juste de la Révolution culturelle et les intellectuels s'empressant de repenser leur expérience récente et de renouer les liens avec le monde extérieur. La plupart d'entre eux, dont beaucoup au sein du Parti communiste, croyaient que la Chine se dirigerait, et rapidement, vers une démocratisation politique (même si ce ne serait pas nécessairement à l'occidentale). La tragédie du 4 juin 1989 et la chute de l'Union soviétique ont mis fin à ce rêve et ont coupé les libéraux dans leur élan. Au cours des années 1990 se développent alors des courants plus sombres (du point de vue libéral) : la Nouvelle Gauche, qui défend des idées socialistes (parfois même maoïstes) ; les nouveaux confucéens, qui prônent un nationalisme culturel ; et divers courants autoritaires ou néoautoritaires, qui rejoignent parfois la Nouvelle Gauche et les nouveaux confucéens. Quant aux libéraux, ils ne sont pas éclipsés pour autant, et la période entre 1990 et 2005 est marquée par des débats féroces entre tous les groupes, profitant de l'expansion rapide de l'Internet et du monde en ligne pour partager leurs idées et leurs discussions.

Si la période des années 1980 avait été caractérisée par un optimisme général, cette deuxième période fut beaucoup plus pessimiste ; l'effondrement brutal et total du modèle soviétique en Russie et en Europe de l'Est, suivi de l'installation d'un « capitalisme sauvage » et peu fonctionnel, a inspiré chez les intellectuels une véritable peur panique que l'avenir de la Chine suivrait le même trajet. Au cours des années 2000 pourtant, et surtout après 2008, l'idée de la « montée en puissance de la Chine » prend graduellement le dessus sur le pessimisme des années 1990. Le rêve qu'une Chine riche et forte allait pouvoir égaler — ou même un jour supplanter ! — les États-Unis comme superpuissance mondiale a fini par balayer la plupart des préoccupations antérieures, et vers la fin des années 2000, le monde intellectuel chinois est entré dans une nouvelle phase, celle de repenser la Chine sur la base de son succès présent et surtout futur.

Repenser la Chine était un défi heureux, surtout comparé à celui d'éviter le sort de l'Union soviétique. Un défi riche en possibilités, aussi, car la Chine, semblait-il, était en train de réussir à tous les coups alors que les modèles soviétique *et* américain dégringolaient. Pour les esprits rêveurs, ceci laissait croire que le capitalisme et le socialisme classiques étaient

tous les deux soit dépassés, soit défaillants, soit les
deux, et que seule la Chine représentait la voie de
l'avenir, et ce, pour toute l'humanité[2]. Pour certains
intellectuels chinois, une telle perspective était carré-
ment électrisante, car si les logiques du capitalisme
et du socialisme étaient fautives, les interprétations
reçues, à la fois de l'échec de la Chine traditionnelle,
des raisons de la révolution communiste et du succès de la Chine d'après-Mao n'étaient plus valides
non plus, toutes étant basées sur une théorie soit
capitaliste, soit socialiste. Peut-être la réussite de la
Chine contemporaine s'expliquait-elle par la culture
chinoise, et pas par son adoption (et adaptation) du
modèle capitaliste ? Peut-être le défi de réconcilier
« esprit chinois » et « modernité » était-il vain, parce
que la Chine était tout simplement en train de réin-
venter la modernité ? Peut-être la révolution chinoise
était-elle une erreur, du fait que rompre avec le passé
n'était pas nécessaire ?

Quoi qu'il en soit, la période entre 2005 et 2015
a été d'une créativité sans égale dans l'histoire de
la Chine contemporaine. Les intellectuels de toute
coloration politique s'attelèrent à la tâche de revisi-
ter toute idée reçue concernant la Chine, son passé,
son présent, son futur, et à celle, liée à la première,
d'imaginer de nouveaux mythes fondateurs susceptibles d'expliquer la Chine à elle-même, et peut-être
au monde (qui avait tant besoin de la sagesse et du
modèle chinois). Jusqu'à un certain point, cette excitation intellectuelle a pu faire cause commune avec
le projet de Xi Jinping de réaliser le « rêve chinois »,
car le contenu de ce rêve n'a pas été spécifié par Xi
ni par le Parti au départ, et beaucoup d'intellectuels
auraient été plus que contents de suppléer ce qui
manquait. Malgré tout ce qui s'est passé au XXe siècle,
la plupart des intellectuels chinois préfèrent encore

complaire à l'État dans la mesure du possible, et l'État préfère avoir le respect et l'appui des intellectuels. Mais cette « collaboration » n'a pas duré, Xi Jinping ayant rapidement décidé que la diversité de la scène intellectuelle risquait de miner, au bout du compte, la discipline idéologique dont la Chine a besoin pour réaliser son rêve. En conséquence, la vie intellectuelle est beaucoup moins riche et diverse en 2020 qu'elle ne l'a été même en 2015, deux ans après le début du mandat de Xi. Ceci étant, Xi est loin d'avoir gagné la partie. Selon moi, cela reste à voir...

Qin Hui, qui commence sa carrière comme professeur universitaire en 1981, a vécu toute l'histoire que je viens de présenter — ainsi que d'autres que je n'ai pas encore abordées. Né en 1953, Qin avait à peine complété son école primaire au moment de la fermeture des écoles occasionnée par la Révolution culturelle[3]. Il a ensuite intégré un groupe radical de Gardes rouges qui osait se rebeller, une expérience qui lui a donné ses premières leçons en matière d'hypocrisie politique et idéologique ; l'écart entre les slogans politiques, à la fois ceux des Gardes rouges et ceux du gouvernement, et la réalité sociale, lui a sauté aux yeux. Par la suite, il a passé neuf ans dans des villages pauvres de l'ouest du Guangxi, près de la frontière avec le Yunnan, à l'instar de beaucoup d'autres jeunes envoyés par Mao Zedong dans les campagnes pour refaire leur idéologie en vivant aux côtés des paysans. Qin intègre le Parti communiste pendant cette période par conviction personnelle.

En 1978, avec la réouverture des universités, jusqu'alors toujours fermées à cause de la Révolution culturelle, Qin réussit à entrer directement dans un programme de maîtrise, après avoir sauté lycée, collège, et cursus de premier cycle. De toute évidence, il avait profité de son temps « libre » à la campagne

— ainsi que de l'absence de supervision — pour s'autoéduquer, allant jusqu'à apprendre l'anglais tout seul. Il fait ses études à Lanzhou, au nord-ouest de la Chine, pour bénéficier de la direction du professeur Zhao Lisheng, un spécialiste reconnu dans le domaine des études rurales, de l'histoire des révoltes paysannes et du régime foncier, autant de sujets au centre des intérêts de Qin Hui sur lesquels il travaille exclusivement pendant au moins une dizaine d'années avant d'élargir son champ d'études, mais les questions posées et les points de vue défendus au cours de cette décennie continuent à motiver et guider ses recherches encore aujourd'hui.

Pour résumer, Qin décide d'abandonner l'approche traditionnelle à l'étude du monde rural, fondée sur la théorie marxiste, et d'employer une méthodologie empirique, basée sur les faits récoltés dans les sources ou sur le terrain. Ses recherches l'amènent à rejeter la vision marxiste qui voudrait que les conflits ruraux soient surtout le fruit d'une lutte de classes entre paysans et propriétaires, et à proposer sa propre vision selon laquelle les conflits ruraux auraient été le résultat des interventions et abus de l'État autoritaire, qu'il s'agisse de la levée arbitraire des impôts, de l'appropriation de la propriété paysanne, ou bien de la mobilisation excessive de la main-d'œuvre rurale. Ses recherches, menées d'abord avec son directeur et à terme avec sa femme, Jin Yan, une spécialiste reconnue de l'histoire de la Russie et de l'Europe de l'Est, comportent des dimensions à la fois historiques et comparatives et sont d'une sophistication et d'une complexité impressionnantes. Elles ont aussi une dimension actuelle et politique, les communes populaires établies lors du Grand Bond en avant en 1957 ayant été abandonnées au début des années 1980. La question du régime agraire en Chine — ou plus largement celle du traitement de la population rurale — s'est posée de nouveau à partir de l'abandon des communes, et attend toujours une réponse de nos jours.

L'intervention de l'État autoritaire lors des manifestations étudiantes en 1989 finit par ébranler la foi de Qin Hui dans le communisme, ou du moins dans celui pratiqué par le régime chinois. Par la suite, ses recherches commencent à prendre une tournure plus polémique, bien que pas nécessairement politique, mais il n'a jamais abandonné pour autant son identité première de chercheur professionnel et sérieux, et la plupart de ses publications tout au long des années 1990 continue à porter des titres typiquement académiques. À la fin de la décennie, toutefois, commencent à paraître des ouvrages comme *Le marché d'hier et d'aujourd'hui / L'économie des biens de consommation, la rationalité du marché et la justice sociale*[4], qui pose les questions de manière plus abstraite et plus générale, ou bien *Paroles de cultivateurs. Recueil de textes sur les études paysannes*[5], où Qin raconte l'évolution de son propre développement intellectuel à travers des textes déjà publiés. La même année (1999), il publie *Problèmes et -ismes*[6], qui reprend un trope du « Mouvement pour une Nouvelle culture » des années 1920 et vise à critiquer ses confrères savants qui se perdent dans la théorie sans se soucier de la réalité sociale autour d'eux.

De telles publications se multiplient par la suite. En 2003, les *Dix thèses sur la tradition*[7] visent à remettre en question les idées reçues concernant la tradition chinoise, et *La Chine paysanne. Réflexions historiques et choix actuels*[8] est une variation sur le même thème. L'année suivante, Qin publie *Pratique et liberté*[9] qui examine les échanges entre l'État et les paysans dans le contexte des changements dans le régime agraire. En 2007 paraît *La voie de la réforme*[10] qui livre les opinions de Qin sur le sujet, soulignant entre autres l'importance des droits humains (surtout, mais pas uniquement, dans le contexte rural). En 2013 paraît *Perspectives sud-africaines*[11] dont une partie importante aborde « la Chine vue de l'Afrique du Sud », où Qin compare les Noirs sud-africains et les ouvriers migrants chinois en termes de rôle joué par les uns et les autres dans le développement économique de leurs pays respectifs, ainsi que du traitement qui leur est réservé par leurs gouvernements.[12] Il trouve une similitude dans ces rôles dans la mesure où les deux États ont profité d'une main-d'œuvre bon marché créée par les barrières de statut artificielles (système de discrimination raciale en Afrique du Sud, système de certificat de résidence, *hukou*, en Chine). Il constate aussi que, globalement, les Noirs sud-africains ont été mieux traités que les ouvriers migrants et les paysans chinois. En 2015, Qin publie son livre sur la Révolution de 1911, le « système des Qin » (c'est-à-dire le gouvernement impérial) et les questions constitutionnelles, à l'origine du texte traduit ici. Et ce n'est pas fini. En 2019 il publie un volume sur la transition Ming-Qing[13], et j'ai pour ma part signé un contrat pour traduire un volume sur l'histoire et l'avenir de la mondialisation que Qin Hui est encore en train d'achever. Résumer l'œuvre de Qin Hui n'est pas chose facile. Isaiah Berlin regroupait penseurs et écrivains en deux grandes catégories : les hérissons et les renards. Le hérisson (Platon) ne saisit qu'une seule chose, mais il s'agit d'une chose fondamentale, alors que le renard (Shakespeare) sait beaucoup de choses. Qin Hui (qui, au demeurant, pourrait être le Isaiah Berlin chinois si une telle chose était possible en Chine) est à la fois hérisson et renard. Dans ce qui précède, j'ai fait le tour du côté « renard » de Qin Hui. Pour ce qui est de son côté « hérisson », la chose fondamentale que Qin Hui a comprise, et qui le guide dans toutes ses recherches, est l'intuition que l'idéologie — toute idéologie — a pour but de masquer l'abus d'autorité de la part du pouvoir. Sa démarche est double : d'une part il expose la dure réalité sur le terrain, et de l'autre il vise à démolir l'idéologie qui l'a créée et qui la sous-tend. En conséquence, son allégeance unique est aux droits fondamentaux de la personne et, par implication, à la constitution qui défend ces droits. Mais il se méfie profondément de tout *système* politique ou idéologique, parce que n'importe quel système, qu'il soit « démocratique » ou « socialiste » ou « autoritaire », se fonde sur le pouvoir, ce qui donne lieu inévitablement à des abus. Comme on le verra dans le texte traduit ici, Qin Hui va jusqu'à se méfier de l'élégance stylistique, non pas pour des raisons idéologiques, mais parce que, selon lui, c'est un masque qui cache ou camoufle la vérité, tout comme l'idéologie qui est une apologie des abus du pouvoir et qui nous raconte une histoire pour nous vendre la réalité des faits.

Un excellent exemple est son texte de 2015, « Les dilemmes de la mondialisation au XXIe siècle[14] », dans lequel, sous prétexte de recenser l'ouvrage de Thomas Piketty, *Le Capital au XXIe siècle*, Qin propose sa propre lecture des destins du « capitalisme » et du « socialisme » à l'ère de la mondialisation. Comme chacun sait, Piketty se focalise sur le problème de l'inégalité économique croissante dans toutes les économies développées et rassemble des masses de données illustrant le fait que, à quelques exceptions près, le capital est systématiquement investi dans des instruments financiers plutôt que dans l'économie productive. Cette caractéristique fondamentale du

capitalisme signifie que l'inégalité est le résultat du
fonctionnement du marché, et que la lutte contre
l'inégalité, qui mine de plus en plus le fonctionnement des économies capitalistes, demande l'intervention active d'un État pour assurer la redistribution
nécessaire. Qin Hui rejette l'analyse de Piketty, ainsi
que le débat que son livre a suscité. La source des
inégalités qui handicapent les économies développe-
pées, selon Qin, est la Chine qui profite des forces de
la mondialisation pour éroder les bases de la prospérité occidentale d'après-guerre. L'argument de base
est simple : lorsque la Chine a rejoint l'économie
mondiale à l'époque des réformes et de l'ouverture,
les capitaux ont afflué en Chine pour profiter de la
main-d'œuvre bon marché et de ce que Qin appelle
l'avantage chinois « en matière de non-respect des
droits de l'homme », c'est-à-dire la volonté de l'État
chinois de poursuivre le développement économique
à tout prix, en passant par la confiscation des terres,
la suppression des droits des travailleurs et l'exploitation des travailleurs migrants, entre autres. Au fil du
temps, la Chine devient « l'usine du monde », produisant des biens de qualité à bas prix, au détriment des
emplois et des recettes fiscales des pays du monde
jusqu'alors développé, mais désormais délaissé par
les capitaux qui préfèrent l'Eldorado qu'est la Chine.
Malgré un excédent de capital et des pénuries de
main-d'œuvre de plus en plus fréquentes, la puissance de l'État chinois fait toujours tourner toute
la machine, prêtant les bénéfices aux économies
développées pour que « l'échange » puisse se poursuivre. Les dettes ainsi créées ne font qu'intensifier
la crise du monde développé, car les gouvernements
visent malgré tout à fournir plus de « bien-être » à
un nombre croissant de chômeurs malgré une baisse
de recettes fiscales. Ainsi, selon Qin Hui, Piketty

manque son coup, premièrement parce qu'aucun
État ne saura « redistribuer » l'argent qui n'existe
plus, et deuxièmement, parce que le débat issu de
la publication du livre a tourné autour de différents « modèles » de capitalisme (à l'américaine, à
l'européenne, à la scandinave...), alors que toutes
les économies sont en réalité dans le même bateau
face à la Chine. Ainsi, non seulement il n'y a pas de
conflit entre « capitalisme » et « socialisme », car ni
l'un ni l'autre n'existe, toutes les économies développées étant un mélange des deux et la Chine ayant
l'avantage d'être affranchie de toutes règles, mais
l'idéologie en elle-même sert avant tout à détourner
le regard du monde développé de ce qui se passe
réellement : l'abus du système mondial aux mains
de l'État chinois. Fidèle à lui-même, Qin préconise
que les ouvriers chinois bénéficient des mêmes droits
que les ouvriers mieux protégés ailleurs. Grâce aux
recherches de Qin Hui, nous voyons ici le conflit
immémorial entre les paysans et l'État chinois
transposé jusque dans l'économie mondialisée du
XXIe siècle, les enjeux étant restés sensiblement les
mêmes.

Quelques mots encore sur le style intellectuel de
Qin Hui. À l'instar encore une fois de Isaiah Berlin, Qin semble préférer l'oral à l'écrit, et beaucoup de ses textes sont en réalité des transcriptions
de conférences orales — c'est le cas pour le texte
qui suit. Mon impression est que cette préférence
trouve son origine dans le fait que Qin, comme tout
un chacun, parle plus vite qu'il n'écrit. Débordant
sans cesse d'idées, d'images, de données, de références, c'est un orateur né. De visite à Montréal il
y a quelques années, il a donné deux conférences à
la fin desquelles nous avons dû intervenir presque
physiquement pour l'arrêter, en lui expliquant qu'à

la différence de la Chine, les universités québécoises
ont des syndicats qui revendiquent leurs droits, y
compris celui de rentrer chez eux à heure fixe. Pour
ceux qui comprennent le chinois, il suffit de taper
« Qin Hui » dans YouTube pour se faire une idée des
charmes de son enseignement (qui lui ont au demeurant valu de nombreux prix). L'évolution de l'Internet
en Chine lui a permis de « publier » presque aussi
vite qu'il parle. Je n'ai ni le temps ni l'énergie de
suivre Qin à temps plein, mais il semble poster des
textes plusieurs fois par mois, si ce n'est par semaine
— et ce, en plus de ses livres et articles qui ne cessent
de sortir. Le résultat de ce rythme frénétique est une
inévitable répétitivité et parfois de l'incohérence (ou
plutôt de l'incompréhension chez le lecteur). Qin est
moins le compositeur classique qui crée des sympho-
nies complexes mais harmonieuses que le musicien
de jazz qui répète et retravaille ses « riffs » préférés
dans des occasions différentes. Les « morceaux »
issus de ce processus sont souvent peu structurés
et pleins d'ellipses, parce qu'il reprend aujourd'hui
une « pièce » amorcée hier, même si l'auditoire n'est
plus le même. Ce qui fait que, pour comprendre un
texte de Qin Hui, il faut souvent en lire deux ou trois
autres qui abordent le même sujet, faute de quoi il
est souvent difficile à suivre. Dans ce contexte, son
style direct et « oral » (même par écrit) est le bien-
venu, même si le refus de l'élégance peut choquer le
lecteur français.

Venons-en enfin au texte, un exemple typique
de l'œuvre de Qin. Il s'agit d'une conférence orale
dans laquelle il présente son livre qui venait alors
de paraître, *Sortir du système impérial. Rétrospective
historique de la fin des Qing à la République* (*Zouchu
dizhi. Cong wan Qing dao Minguo de lishi huiwang*).
Qin donne sa conférence le 3 novembre 2015 et le

livre sera interdit le 3 décembre, sous prétexte de « problèmes de qualité », au dire de la maison d'édition qui l'avait publié. Un mensonge, de toute évidence : l'État avait décidé que Qin était allé trop loin, même s'il s'agissait d'un recueil de textes déjà publiés dans des journaux et des revues savantes.

Soit dit en passant, j'avoue avoir peine à comprendre le fonctionnement de la relation entre l'État chinois et les intellectuels publics — un pas de deux extrêmement compliqué. J'ignore quels volumes Qin Hui n'a pas pu écrire pour cause de censure, mais il a publié énormément de choses qui ont certainement déplu au Parti communiste ainsi qu'à ses collègues plus consensuels (qui, eux, attaquent Qin publiquement et dont les critiques sont faciles à trouver en ligne). J'imagine que Qin a été invité à « prendre un thé » (en clair, à s'expliquer) par la police plus d'une fois. J'imagine aussi que les mandarins du Parti qui gèrent la Faculté où Qin enseignait lui ont fortement suggéré de temps en temps de mettre de l'eau dans son vin. Mais vue de l'extérieur, la stratégie que Qin semble avoir adoptée a été d'éviter la confrontation directe (à la Xu Zhangrun[15]) avec le Parti communiste et surtout avec le leader dudit Parti ; faire comme si de rien n'était ; continuer à publier autant que possible. Dans le cas présent, les textes du recueil sont probablement toujours disponibles en ligne (l'Internet en Chine ressemble à une jungle, les textes se multiplient et se déplacent à un rythme effréné), et Qin a continué d'aborder du moins certains des mêmes thèmes dans ses conférences et publications depuis lors. Là où il semble y avoir eu blocage, c'est que le lancement du livre de Qin, où il est beaucoup question du « rêve constitutionnel » du peuple chinois, entrait en conflit avec la célébration de la « Journée de la Constitution », une nouvelle

« fête » créée en Chine en 2014, prévue pour… le 4 décembre. Or, la constitution du Parti communiste n'est pas celle dont rêve Qin Hui et le constitutionnalisme est un sujet pour le moins sensible.

Faisons, à la manière de Qin Hui, comme si de rien n'était et retournons au texte et au livre. Le livre, qui porte le titre *Sortir du système impérial*, offre en fait une nouvelle lecture d'une période charnière, celle qui va de la chute de la dynastie des Qing en 1911 à l'instauration du régime communiste en 1949, et qui est autrement connue sous le nom de « période républicaine ». J'ai déjà parlé d'une tentative commune de la part des intellectuels chinois de « repenser la Chine » et d'en arriver à de « nouveaux mythes fondateurs », défi inspiré par la montée en puissance de la Chine au début du XXIᵉ siècle. La période abordée par Qin Hui dans son livre est la période clé pour qui prétend repenser la Chine, car s'y retrouvent tous les éléments centraux de n'importe quel récit de l'histoire moderne chinoise : l'échec de l'ancien régime, l'instauration de la République, le Mouvement du 4 Mai, la naissance du Parti communiste, la décennie de Nankin, la guerre contre le Japon, et enfin la victoire communiste de 1949. Le livre de Qin se veut une réaction *contre* une relecture surtout conservatrice et « néoconfucéenne » de toute cette période, qui veut que les choix « démocratiques » (surtout lors du Mouvement du 4 Mai), ainsi que les choix « socialistes », étaient tous malheureux et erronés du fait qu'ils n'étaient pas « chinois »[16]. Cette relecture, dont le héros principal est le « confucéen » Kang Youwei, conduit à croire que malgré les conflits importants avec l'Occident, la Chine était bien partie pour l'instauration d'une monarchie constitutionnelle, une démarche qui aurait évité la rupture pénible avec une tradition glorieuse, ainsi qu'un siècle de

révolution(s) inutile(s). Qin Hui balaie cette relecture d'un revers de main dans un argument complexe
qui comporte de multiples volets[17]. Je propose ici de
m'en tenir aux éléments abordés dans le texte traduit.

D'abord, selon Qin Hui, la Révolution de 1911
n'était ni inutile, ni un échec, car c'est elle qui a
marqué la fin de l'ancien régime, le « système des
Qin » qui avait défini toute l'histoire dynastique de la
Chine. Loin d'être « confucéen », l'esprit de ce régime
était « légiste », une philosophie qui vise à concen-
trer tout le pouvoir entre les mains de l'empereur
(et dont des exemples se trouvent aussi en dehors de
Chine) aux dépens des droits du petit peuple (ou des
droits tout court). Le système, dont certains vestiges
perdurent aujourd'hui, abuse de ses pouvoirs sans
pour autant assumer ses responsabilités. La chute
du système des Qin a été provoquée par la prise de
conscience, surtout de la part de l'élite chinoise, que
le système occidental — et donc constitutionnel —
était à la fois plus fort, plus efficace, *et* plus moral.
Dans cette perspective, l'idée propagée de nos jours
par les nouveaux confucéens que la Révolution de
1911 n'avait pas de raison d'être ne tient définitivement pas la route. Cette révolution devait avoir lieu,
et sa promesse reste à réaliser.

Tel est l'argument central du texte (et du livre)
de Qin Hui, une idée relativement facile à saisir. Le
reste de son texte demande plus d'explications. D'une
part, Qin Hui affirme que l'esprit confucéen originel
a perduré tout au long de l'histoire chinoise, malgré
le choix fait par d'autres « confucéens » de mauvaise
foi de collaborer avec le régime légiste, et Qin Hui,
de toute évidence, se verrait bien partager certaines
idées avec ces confucéens originels. Ceci veut dire,
entre autres choses, que la plupart des gens identi-
fiés au cours de l'histoire comme « confucéens » en

réalité ne l'étaient pas, et il cite à titre d'exemple Kang Youwei, qui n'est autre que le héros des nouveaux confucéens contemporains. Qin Hui souligne que si, à la fin du XIXᵉ siècle, Kang semble avoir été fidèle à une partie de l'héritage du confucianisme originel, au fil du temps, sa pensée a évolué vers une acceptation de l'empereur et de son pouvoir, ce qui revient en fait à une posture légiste — façon détournée d'accuser ses collègues néoconfucéens de faire la même chose aujourd'hui, c'est-à-dire de vouloir s'emparer du pouvoir politique avec l'appui de Xi Jinping (ou en lui apportant leur appui).

Mais le texte est plus complexe encore. Le Confucius et le confucianisme attaqués par les iconoclastes du Mouvement du 4 Mai n'étaient pas les « vrais » : ils ont exagéré les failles de l'ordre social traditionnel (à commencer par les problèmes liés à la famille) tout en passant sous silence la véritable source du problème, l'empereur légiste et sa légion de « confucéens » de mauvaise foi. Dans le livre (mais pas dans le texte traduit), Qin ajoute que la « libération de l'individu » réclamée par les activistes du 4 Mai ne visait pas une vraie libération, mais plutôt la séparation de l'individu de la famille, suite à quoi il tomberait sous la coupe de l'État (toujours légiste). Les passages vers la fin du texte où Qin semble défendre l'ordre social traditionnel visent à dire que cet ordre, malgré ses multiples failles, était en fait plus « raisonnable » que le tableau qu'en ont dépeint les activistes iconoclastes, et qu'il aurait donc pu évoluer vers la modernité sans intervention révolutionnaire étatique.

En somme, on voit ici Qin Hui à l'œuvre encore une fois, exposant des lacunes dans les lectures idéologiques à la fois des néoconfucéens et des iconoclastes qui réclamaient une occidentalisation totale. Selon lui, la vérité est que l'autoritarisme despotique du système des Qin fut la tare constitutive de la Chine impériale ; la société chinoise traditionnelle (la petite communauté) ne s'en sortait pas si mal malgré tout et aurait pu évoluer vers la modernité ; la Révolution de 1911 était impérative — un premier pas, quoique toujours inachevé, vers la libération de l'individu qui ne pourra être assurée que par l'instauration d'un ordre constitutionnel ; les autres récits de l'histoire ne sont que des leurres.

QIN HUI, « L'HISTOIRE DE CHINE SE RÉSUME À DEUX CHANGEMENTS DE MODÈLE, L'UN AU DÉBUT ET L'AUTRE À LA FIN »[18]

1) Ce nouveau livre (*Sortir du système impérial. Rétrospective historique de la fin des Qing à la République*) est en fait un recueil dont la première partie est une série d'articles publiés en tant que rubriques spéciales dans le journal *Nanfang zhoumo* (*Southern Weekend*) à l'occasion du centenaire de la Révolution de 1911. Les autres sont des essais qui ont été publiés dans des revues universitaires. Les sujets abordés sont similaires, tournant tous autour de quelques dates importantes — le centenaire de la Révolution de 1911 et le centenaire du Mouvement pour une Nouvelle Culture de 1915.

L'idée générale qui sous-tend les textes sur le centenaire de la Révolution de 1911 était très simple au départ : on a vu surgir au cours de ces dernières années de nouvelles interprétations de cette Révolution, en particulier du côté des plus conservateurs. Il y a maintenant pas mal de gens qui défendent une vision négative de la Révolution, et je voulais m'exprimer là-dessus. Par la suite, j'ai découvert que plus j'écrivais, plus j'avais à dire sur le sujet, ce qui m'a amené à constater que l'étude de notre histoire moderne (1840-1919) a fait de grands progrès au cours des vingt dernières années. Il est bien évident que les progrès accomplis dans le domaine de l'histoire contemporaine (de 1919 à nos jours) sont encore plus importants, mais elle reste aussi entourée de davantage de tabous. Plus l'étude de l'Histoire se rapproche du présent, plus les tabous se multiplient. L'histoire moderne se porte mieux sur ce plan, d'autant que nous avons mis la main sur un éventail de nouvelles sources nous permettant d'avancer sur tous ses aspects : les guerres de l'Opium, le Mouvement pour une Nouvelle Culture, la Période Républicaine (1911-1949). En revanche, l'accumulation de nouvelles sources a pour effet que l'évolution globale de l'histoire moderne de la Chine devient floue, un flou qui s'étend ensuite à l'histoire ancienne. Pour ne prendre qu'un exemple, sur la question du « système impérial », certains ont dit que la Révolution de 1911 n'était pas une bonne chose, que la République n'était pas une bonne chose, et que la meilleure chose pour la Chine aurait été d'instaurer une monarchie constitutionnelle ; puis d'autres ont dit qu'une monarchie constitutionnelle n'était pas nécessaire, que la monarchie était déjà très bien, ce qui est certes une façon de voir comme une autre.

Maintenant que les points de vue se multiplient, que nous disposons de nouvelles sources, que nous sommes soumis à de nouvelles idées sur de nombreuses questions spécifiques, un besoin émerge : celui d'un nouveau récit de l'Histoire dans son ensemble. Sans cela, les gens risquent de dire que la forêt est obscure même si chaque arbre se détache clairement ou, pour m'exprimer dans mes propres termes, que les acteurs jouent très bien alors qu'on a du mal à suivre le scénario. C'est un vrai problème. Je l'aborde en me fondant sur mes propres recherches.

2) Mon livre porte principalement sur la fin de la dynastie des Qing (1644-1911), mais mon objectif reste toujours de porter un jugement sur l'ensemble de l'histoire chinoise, une histoire qui se résume, en bref, à deux transformations, un changement drastique au début et un autre à la fin. Celui de la fin commence par la chute des Qing ; il est donc lié à la question de comment *sortir* du système impérial ou du « système des Qin », la première dynastie impériale (221-206 av. notre ère). Le changement au tout début a été en fait l'*entrée* dans le système impérial, ce qu'on appelle souvent la « transition Zhou-Qin ».

La portée de cette transition entre les Zhou (env. 1000-221 av. notre ère) et les Qin est d'une importance capitale. Au cours des siècles de ladite transition, l'élite intellectuelle et politique avait l'impression de vivre un effondrement moral général dans la société. Pourquoi ? La raison en est très simple. Avant le système Qin, la base de la société était une petite communauté personnalisée, une communauté de relations personnelles dont l'expression la plus simple était la famille ou, plus largement, le clan. Il y avait aussi les personnes qui n'étaient pas liées par le sang et entre lesquelles les interactions personnelles directes étaient néanmoins très stables. Cela vaut pour la Chine mais aussi pour de nombreux autres peuples ailleurs dans le monde, y compris en Europe occidentale où un proverbe médiéval dit : « Le maître de mon maître n'est pas mon maître. » Beaucoup de gens y voient un dispositif institutionnel de servitude ou de seigneurie, mais ce n'est pas que cela, c'est en fait un instinct éthique.

Pourquoi cela ? Parce qu'il y a une logique intrinsèque à l'idée que le maître de mon maître n'est pas mon maître, à savoir que mon maître et moi, nous avons une relation personnelle directe, nous nous connaissons et pouvons communiquer. La mobilité sociale de cette époque était faible et les liens se maintenaient souvent à vie, voire sur plusieurs générations. Souvent quand nous parlons de maîtres et de vassaux, nous utilisons la terminologie marxiste renvoyant à des ennemis de classe. Or il se trouve que les individus qui se côtoyaient toute leur vie, voire au-delà, n'avaient pas envie de se considérer comme des ennemis ; on peut aussi facilement imaginer que des sentiments se développaient avec le temps. C'est d'ailleurs ce qui fait dire à Marx, dans son *Manifeste du Parti communiste*, qu'« au Moyen Âge, les relations étaient comme un voile familial de sentimentalité ».

Ce voile familial de tendresse a fini par être déchiré pour être remplacé par des relations très froides — transformation qui a pris deux formes dans l'histoire de l'humanité. La première renvoie aux rapports de marché, ou ce qu'on appelle le capitalisme, qui « a déchiré le voile de sentimentalité qui recouvrait les relations de famille et les a réduites à n'être que de simples rapports d'argent », pour reprendre les termes du *Manifeste du Parti communiste*. Il est question ici de l'économie de marché et des interactions à longue distance, essentiellement entre des étrangers. Les interactions avec des étrangers sont certainement moins chaleureuses ; dans un sens positif elles sont plus libres, mais dans un sens négatif elles sont moins intimes. Pour cette raison, le passage du Moyen Âge aux temps modernes a été compris par beaucoup comme un processus de retrait moral, une interprétation qui n'est pas sans valeur. Mais si ce passage a eu un impact majeur sur le tendre voile familial, il est également à l'origine d'autres valeurs que l'on estime positives, conformes à la nature humaine, telles la liberté et l'égalité.

La deuxième forme, en dehors du capitalisme, qui a eu elle aussi un impact sérieux sur le tendre voile familial, est ce que j'appelle le système Qin. La logique de ce système est la suivante : « le maître de mon maître est plus grand que mon maître », ou « pour l'amour du maître, le maître du maître peut tuer le maître », ou même à la limite, « pour l'amour de l'empereur on peut tuer son père et sa mère ! ». Cette logique a pour but d'asseoir le contrôle absolu de l'empereur sur la société tout entière. C'est quelque chose qui, dès le début, va à l'encontre des émotions humaines les plus fondamentales, tant en Chine qu'en Occident. En Occident, la petite société communautaire a été ébranlée par le capitalisme, mais en Chine, elle a été ébranlée non pas par le capitalisme, mais par la logique brutale des Légistes, les théoriciens du totalitarisme antique dont les écrits légitimaient le système des Qin[19]. Qu'arrive-t-il à la Chine après ce choc ? À l'origine, cette société était constituée d'un agrégat de petits seigneurs, chacun avec son groupe de subordonnés. Bien sûr, ces seigneurs et leurs subalternes n'étaient pas des égaux, ce n'était certes pas une relation idéale d'un point de vue moderne, et ne parlons pas de liberté et d'égalité, mais il y avait de l'affection, et ce que Marx appelait la « tendresse » existait certainement ! Puis l'un des plus grands seigneurs a balayé tous les autres, et il est devenu le grand Maître de tout le peuple à travers tout le pays ! À première vue, ceci paraît très égalitaire, car il n'y a qu'un seul maître et le reste semble être devenu des esclaves, c'est-à-dire qu'il n'y a plus de relation maître-subordonné au plan de la société en général. Logiquement, un Premier ministre et un mendiant sont égaux devant l'empereur car pour celui-ci, tuer un Premier ministre et tuer un mendiant revient au même ! Il peut tuer n'importe qui. Comme le dit l'adage, « si le roi veut la mort du ministre, le ministre n'a plus qu'à mourir ». Quelle est la différence entre le grand Maître et les seigneurs du passé ? La différence majeure se trouve dans le fait que nous ne reconnaissons pas ce grand Maître. C'est la raison principale qui explique que le système Qin ait provoqué des guerres paysannes et des soulèvements populaires extrêmement violents. Une phrase prononcée lors d'une révolte sous la dynastie mongole des Yuan en dit long : « Le ciel est haut, l'empereur est loin, le peuple peu nombreux, les fonctionnaires partout. Tu te fais bastonner trois fois par jour, qu'attends-tu pour te révolter ? » Les seigneurs du passé n'avaient pas ce problème, parce qu'ils n'étaient pas « loin » comme l'était l'empereur, ils avaient une relation humaine directe, et le plus souvent chaleureuse, avec leurs subordonnés. Or, maintenant, voilà, il n'y a plus qu'un seul Maître dans le pays, et il est « loin ». Et si tout le monde finissait par s'apercevoir que la plus grande différence entre ce Maître et les seigneurs du passé, c'est que le Maître n'a aucun contact avec nous et qu'il ne nous gère pas directement, que se passerait-il ? Le Maître enverrait une poignée de fonctionnaires pour s'occuper de nous.

Quelle est la différence entre ces fonctionnaires et nos seigneurs d'antan ? La plus grande différence tient dans le fait que les seigneurs étaient nos propres maîtres, qu'ils nous traitaient comme si nous étions des leurs. Les fonctionnaires, eux, sont à la base les esclaves de l'empereur, comme nous tous ; il n'y a pas de lien affectif entre nous. Nous appartenons à l'empereur, tout comme eux. Mais sommes-nous pour autant assimilables à ces fonctionnaires ? Non. Pourquoi ? Parce qu'ils reçoivent la faveur du Maître. Pas nous. Pour le dire plus simplement, le système Qin se caractérise par un seul Maître qui emploie certains de ses serviteurs préférés pour gérer ceux qui ne bénéficient pas de ses faveurs. Or, on sait qu'un esclave favorisé est *a priori* beaucoup plus brutal envers un esclave mal-aimé que ne l'est son maître. L'expression qui décrit la pire des inégalités est d'« être traité comme une vache ou un cheval ». Votre vache, ou votre cheval, vous ne le maltraiteriez pas sans raison car il est votre propriété. De la même façon, un maître disposant de quelques vassaux n'aurait aucune raison d'abuser d'eux sans raison valable. Mais la situation est différente dans le cas des serviteurs privilégiés car les serviteurs non privilégiés ne sont pas leur propriété. Les serviteurs privilégiés n'ont qu'un seul objectif dans la vie : faire plaisir à leur maître, et il n'existe aucune relation entre eux et les serviteurs non privilégiés. C'est la raison pour laquelle, de tous les personnages du grand roman social et familial des Ming, *Le rêve dans le pavillon rouge*, les plus méchants à l'égard des jeunes femmes de ménage étaient les bonnes et les femmes de ménage un peu plus âgées, non les maîtres. C'est ainsi que le système Qin fonctionnait ; dès le début, il s'agissait d'un système sans aucun fondement moral. Mais il était redoutablement efficace.

Le conservatisme a beaucoup à nous apprendre ; il relève en même temps d'une logique assez problématique dans la mesure où certains tiennent pour acquis que le simple fait d'exister depuis des milliers d'années suffit à prouver la valeur d'une

pratique. Si nous parlons en termes de valeur uti-
litaire, d'accord, mais en termes de valeur morale,
il me semble que bien des tares humaines existent
depuis des milliers, voire des dizaines de milliers
d'années, sans pour autant devoir être reconnues
comme éléments de valeur. Par exemple, le fait de
tuer des gens pour s'approprier leurs biens existe
depuis des milliers d'années, et risque de prévaloir
encore fort longtemps. On ne peut pas pour autant
dire que c'est le « conservatisme » qui veut que nous
préservions de telles pratiques, ni celle de l'assassinat
ou de la tricherie. La raison pour laquelle le système
Qin existe depuis des milliers d'années repose sur
son indéniable efficacité. Pour le dire simplement,
le système Qin est efficace parce que l'homme de
bien ne peut pas l'emporter sur le méchant, l'homme
civilisé ne peut pas l'emporter sur le barbare et celui
qui a des scrupules ne peut pas l'emporter sur celui
sans scrupule, comme nous pouvons le voir clairement dans l'histoire du duc Xiang de Song (mort en
637 av. notre ère), l'un des « cinq hégémons » de la
période de transition Zhou-Qin. Difficile dès lors de
nier la valeur des Qin puisque, chaque fois qu'il y
avait un conflit entre le système des Qin et celui des
Zhou, le système des Zhou était perdant et le système
des Qin était gagnant. À l'époque des Printemps et
Automnes (771-476) et des Royaumes Combattants
(475-221), il n'y avait pas que les Qin à s'appuyer
sur le légisme, mais la tendance générale à l'époque
était d'emprunter la voie de la barbarie pour rem-
porter la victoire sur le champ de bataille. Ceci a
abouti à une grande concurrence à qui serait le plus
barbare, course gagnée par les Qin. Ceci explique la
réussite du système Qin, ce que personne n'a jamais
pu remettre en question après.

3) En réalité, ce n'est pas juste la Chine qui est ainsi, mais le monde entier. Et peu importent les opinions de Marx sur le tendre voile familial du Moyen Âge, quand une société dominée par des seigneurs ou des princes se heurte à un empire centralisé, elle ne peut être à la hauteur, surtout quand il s'agit de faire la guerre. Bien sûr, le féodalisme a lui aussi été à l'origine d'États forts, celui de Charlemagne, par exemple. Mais la force de Charlemagne résidait dans le fait que ses ennemis étaient eux aussi des États seigneuriaux. Lorsque son adversaire était plus barbare, il était souvent perdant. Nous connaissons tous l'hostilité historique entre la Pologne et la Russie. La Pologne est plus proche de l'Europe occidentale ; le développement de sa civilisation au cours des XVIe et XVIIe siècles a été beaucoup plus marqué qu'en Russie (et surtout qu'à Moscou), une situation qui a perduré jusqu'en 1917. Malgré cela, la Pologne, du moins Varsovie et d'autres parties importantes de son territoire, est devenue partie intégrante de la Russie. Au moment de la Révolution russe, la Pologne constituait l'espace le plus industrialisé, le plus alphabétisé, en somme le plus moderne de l'Empire russe. Si vous regardez son niveau de civilisation, la Pologne a toujours été au-dessus de la Russie. Mais elle n'était pas capable de l'emporter sur le champ de bataille. Avant le XVIIe siècle, lorsqu'un conflit éclatait entre les deux pays, la Pologne avait l'avantage, en raison de son haut niveau de civilisation ; les forces polonaises ont même avancé jusqu'à Moscou où elles ont installé un régime fantoche. D'ailleurs, si vous êtes déjà allé à Moscou, vous avez pu contempler deux statues sur la place Rouge — celles de Minine et Pojarski, considérés comme deux héros anti-polonais, chefs de la résistance contre l'armée polonaise lorsque celle-ci contrôlait la ville. Et puis Moscou a gagné

en force, malgré une économie sous-développée et un faible taux d'alphabétisation. Comment expliquer ce retournement de situation ? Par la centralisation du pouvoir du tsar. Au XVIIIᵉ siècle, la Russie a gagné en puissance et a fini par intégrer la Pologne au sein de son empire, malgré ce retard évident et persistant.

L'un des points forts de notre civilisation moderne est que l'homme civilisé, armé de sa créativité, arrive enfin à l'emporter sur la force de la barbarie. Les conquêtes barbares étaient autrefois monnaie courante. Nombre de dictons chinois disent que l'homme de bien perd toujours face au méchant, voilà tout. L'homme moderne se pose plein de questions d'ordre moral et c'est de ces interrogations que je parle dans mon livre, à savoir, les doutes qu'avaient les confucéens à l'endroit du système Qin, leur principe de « suivre les Zhou et abhorrer les Qin ». Ce genre de sentiment peut s'enflammer rapidement, surtout lorsqu'on est devant l'exemple d'un pays gouverné avec succès, et de surcroît devenu puissant, *sans* pour autant employer le système des Qin. Le système des Zhou brillait sur le plan moral, mais n'avait pas la capacité de battre le système des Qin. Mais le jour où des pays supérieurs aux Qin sur le plan moral ont surgi, qui étaient *aussi* capables de les vaincre sur le champ de bataille, la crise du système des Qin était inévitable. Voilà ce qui est arrivé à la fin de la dynastie des Qing — je ne peux pas dire que c'était inévitable, mais la probabilité était forte. Dans ce livre, j'argumente aussi qu'une fois que le peuple chinois a commencé à comprendre ceci, la probabilité d'évoluer vers une république était également très élevée. Pourquoi ? Parce que dans un système comme le système chinois, dans un pays soumis à deux mille ans de tradition des Qin surtout, il était difficile d'évoluer vers une monarchie constitutionnelle. L'une des caractéristiques parmi les plus frappantes de notre pays par rapport aux peuples de tradition féodale, c'est que les Chinois ne ressentent pas de loyauté réelle envers le souverain. La loyauté et le patriotisme, oui, la fidélité et la piété filiale, oui encore, font partie de la tradition chinoise, mais combien d'entre nous sommes fidèles au souverain ? Nous avons peur du pouvoir concentré entre les mains d'un empereur. Pas seulement peur, bien sûr, car le pouvoir aux mains de l'empereur peut aussi nous dispenser des récompenses. Si le maître puissant vous tient en faveur, il vous gâte en vous offrant rang et richesse, mais si vous le provoquez il vous tue. Voilà pourquoi soit vous le craignez, soit vous le suivez. Mais que faire s'il n'a plus de pouvoir et ne peut plus ni vous récompenser ni vous punir ? Quand le tyran tombe, tout le monde se précipite pour le rouer de coups. Qui va le respecter à ce moment-là ?

Le diplomate Liu Xihong (mort en 1891, qu'on peut voir peut-être comme le Bi Fujian[20] de la fin des Qing), faisait partie des voix les plus conservatrices à la cour, mais s'est révélé très ouvert dans son journal intime : il a remarqué au cours de son mandat comme ambassadeur en Angleterre que les Anglais sont les vrais loyalistes. Pourquoi ? Car le roi a peu de pouvoir, ce qui veut dire que la loyauté ne vous apporte rien mais que la déloyauté ne vous coûte pas la tête, et malgré cela, les Anglais sont loyaux. Et nous, à quoi sommes-nous fidèles ? Notre loyauté va au pouvoir détenu par l'empereur — comme on dit communément : « Celle avec du lait c'est ma mère, celui avec des armes c'est mon roi. » Ceci exprime-t-il une quelconque loyauté envers le souverain ? Il est vraiment difficile de construire une monarchie constitutionnelle sur la base de telles habitudes. La fin des Qing était une période compliquée, et certains disent que la monarchie constitutionnelle n'a pas fonctionné parce que l'empereur était mandchou et que les Chinois n'ont pas voulu reconnaître l'autorité d'un Mandchou, et que l'histoire aurait fini autrement si l'empereur avait été un Han. En fait, quand nous regardons les « Articles veillant au traitement favorable de l'Empereur après son abdication » rédigés après la Révolution de 1911 au sujet d'un empereur-enfant que les Chinois sont néanmoins parvenus à tolérer, ils sont plutôt raisonnables. Certes, nous ne parlons pas d'une monarchie constitutionnelle, mais la cour impériale gardait le pouvoir de continuer à vivre au sein de la Cité interdite, de nommer certains fonctionnaires et d'utiliser le nom de règne Xuantong, autant de marques d'un traitement de faveur. La cour pouvait nommer les tuteurs de l'empereur, le personnel, et non seulement les nommer, mais aussi leur accorder rangs et privilèges. Certes, elle n'avait pas le droit de sortir de la Cité interdite pour s'immiscer dans les affaires du peuple, mais à l'intérieur elle conservait quelques pouvoirs. Reste que, lorsque le seigneur de la guerre Feng Yuxiang (1882-1948) a voulu les chasser, il les a tout bonnement mis dehors. En fait, je pense que si la Chine avait véritablement tenté de mettre en place une monarchie constitutionnelle à l'époque, elle ne pouvait pas se permettre de manquer son coup, car le moindre problème aurait été mis sur le compte de l'empereur qui aurait alors été liquidé aussitôt.

La modernisation de la Chine est donc vraiment une voie que nous devons emprunter, une voie conforme aux valeurs universelles. Mais la voie spécifique empruntée est quelque peu différente de celle de l'Occident, parce que les peuples d'origine féodale sont plus susceptibles de s'engager dans la monarchie constitutionnelle. Reprenons l'exemple de la Pologne où, sans parler de monarchie constitutionnelle, la République et le roi coexistaient et le roi était élu ! Ceci n'est certainement pas notre cas. Nous avons rencontré de nombreux obstacles sur la voie du républicanisme, mais si on regarde les choses sur le long terme et en particulier les changements qui se sont produits lors de la transition entre les Zhou et les Qin, et qu'on les compare avec l'histoire de l'absolutisme monarchique occidental post-féodal, on doit prendre acte du fait qu'un siècle seulement, ou à peu près, s'est écoulé depuis la fin des Qing, laps de temps qui a été nécessaire pour se débarrasser de l'absolutisme en Occident. Nous devons donc poursuivre notre chemin. Et, pour être honnête, c'est ce que nous devons faire, tant en termes de tendances mondiales actuelles qu'en termes de valeurs de la nation chinoise elle-même.

Beaucoup de gens se demandent si le gouvernement constitutionnel fait partie de notre tradition, et ici je vais utiliser une métaphore que certains vont peut-être trouver un peu simpliste, mais qui me plaît bien. En Chine, comme ailleurs, il existe des histoires et des légendes qui mettent en scène des personnages capables de voler, tels les *apsaras* ou divinités volantes des grottes bouddhiques de Dunhuang. L'existence de ces personnages nous dit que l'humanité entière a nourri le rêve de pouvoir voler. Voilà une « tradition » qui existe bel et bien. Peut-on pour autant affirmer que toutes les nations ont inventé l'avion ? Bien sûr que non. Pour revenir à la question de savoir si la Chine dispose d'une tradition en matière de constitutionnalisme, nous nous retrouvons donc face à deux questions. La première est de savoir si la Chine aurait déjà inventé un gouvernement constitutionnel sans influence étrangère, ce que certains affirment en prétendant que c'est le confucianisme qui l'aurait inventé. Je ne suis pas d'accord, évidemment, et ce n'est pas seulement le cas de la Chine, même les Britanniques ne l'ont pas inventé dès le début. Le constitutionnalisme doit être vu comme une création précieuse, le fruit de toute l'histoire de l'humanité. Mais l'autre question est de savoir si les Chinois ont des valeurs leur permettant d'apprécier et d'accepter le constitutionnalisme, même s'ils ne l'ont pas inventé. Devant le choix entre constitutionnalisme et non-constitutionnalisme, une fois compris les enjeux, lequel allaient-ils choisir ? À la fin des Qing, après avoir comparé la situation en Chine et dans le monde occidental, le constitutionnalisme était l'idéal universel, ceci ne fait pas de doute. D'aucuns osaient le dire ouvertement et d'autres se contentaient de le chuchoter en privé ou après avoir bu — mais ceci était la seule différence.

4) Depuis la dynastie des Qin jusqu'à celle des Qing, à en croire le dicton, « cent générations ont pratiqué le système des Qin ». Cela dit, il y a eu aussi une période où le système Qin s'est trouvé affaibli. Au cours de cette période, dite des Wei-Jin (266-420) et des dynasties du Nord et du Sud (386-589), il y a eu un certain degré de restauration féodale. Tandis que le pouvoir des nobles grandissait, celui de la cour déclinait, et la Chine avait un peu l'air d'un agrégat de seigneurs locaux. Sans toutefois, naturellement, que cela remette en question le schéma général des « cent générations pratiquant le système Qin ».

En fait, l'une des choses les plus réussies dans ce que j'appelle « le légisme enrobé de confucianisme » (c'est-à-dire le régime dit « confucéen » qui apparaît plus tard) a été le système des examens.

Comme chacun sait, la matière des examens était les Classiques confucéens, et (plus tard) les réponses conformes ont été tirées des *Commentaires aux Quatre Livres* du maître confucéen des Song, Zhu Xi (1130-1200). Au début, les dissertations sur les problèmes politiques prédominaient, mais les « dissertations en huit parties », dans lesquelles la forme prévaut sur le fond, ont progressivement pris le dessus, toujours fondées sur les *Commentaires aux Quatre Livres*. Mais personne n'a remarqué que les opposants les plus farouches aux examens, à partir de la création du système et jusqu'à son abolition, ont été les confucéens eux-mêmes (à commencer par Zhu Xi) qui disaient défendre les idéaux confucéens originels. Zhu Xi pensait que tout s'était détérioré avec le temps, que le meilleur système avait été celui des « recommandations locales » des Zhou, que le « système des neuf rangs »[21] s'était rapproché un peu de celui des Zhou, mais que de son vivant, tout allait de mal en pis.

En fait, il est intéressant d'analyser le système des examens en détail, car beaucoup de termes qui lui sont associés sont dérivés d'idées confucéennes de l'Antiquité. Comme tout le monde le sait, les examens qui se tenaient dans les provinces étaient appelés « examens locaux ». Je demande toujours à mes étudiants pourquoi ne pas les avoir appelés « examens provinciaux » ? Tout le monde sait aussi que ceux qui réussissaient au niveau local étaient appelés *juren*, c'est-à-dire « personnes recommandées ». Autrefois, celui qui avait été sélectionné recevait une lettre de félicitations qui ne disait pas qu'il avait été sélectionné — message trop direct qui aurait froissé les sensibilités — mais qui employait plutôt des formules toutes faites du genre « *rongdao xiangjian* » ou « *dejian xiangshu* », ce qui signifie en substance

« félicitations pour avoir reçu la recommandation de la localité ». Dans le confucianisme traditionnel, les personnes sélectionnées étaient d'abord les représentants d'une petite communauté, le produit d'une société de relations personnelles. Dès lors, le principe de leur sélection reposait sur un système de recommandation et non sur leur réussite aux examens ; la raison de leur recommandation était d'ordre moral, comme c'était le cas dans le système des neuf rangs. Autrement dit, le concept d'élection a toujours existé en Chine, même s'il est différent des élections telles qu'on les conçoit aujourd'hui. Le mot pour « élection » est constitué de deux caractères, le premier, *xuan*, marque l'envoi par l'empereur de son personnel dans les régions pour y dénicher des hommes de talent ; le deuxième, *ju*, se réfère aux recommandations mises en avant par la société locale à l'attention de l'empereur. Dans les deux cas, il s'agit de recommandations de la part de personnes âgées et respectées au sein des communautés, chargées de signaler la présence dans leur village d'un fils pieux qui s'occupait bien de ses parents, qui s'était valu les louanges de tous ses voisins et qui, de ce fait, méritait d'être promu et de servir comme fonctionnaire.

S'il s'agit d'une petite « société communautaire », une telle façon de fonctionner peut paraître logique. Mais ce n'est pas le cas dans une société plus complexe ; cela créerait certainement des cliques. Par conséquent le système des examens a dû aller à l'encontre de cette logique pragmatique sur trois points. D'abord la sélection ne pouvait plus être locale, mais devait être le résultat d'un choix direct et centralisé de la cour impériale parmi le vivier des candidats qui postulaient. Deuxièmement, le principe de sélection ne reposait plus sur la moralité. Le philosophe chinois He Waihong (né en 1954) a affirmé que le système des examens impériaux était un test d'intelligence sophistiqué et nous pouvons voir en l'occurrence l'avantage des dissertations en huit parties qui n'étaient d'aucune manière un examen moral, mais requéraient bel et bien une intelligence supérieure. L'empereur Taizong (598-649) des Tang, quant à lui, parlait du processus de sélection des « héros » — « j'ai tous les héros du monde dans ma poche » — sans jamais parler des gens de bien ou vertueux. Qu'entendait-il par « héros » ? Le mot pour désigner le « héros » (*yingxiong*) en chinois ancien n'a non seulement rien à voir avec la vertu, mais il signifie presque son contraire ; nous dirions aujourd'hui qu'il s'agit de quelqu'un d'« arrogant », voire d'« impitoyable ». Alors que *ying* peut se traduire par « intelligent », *xiong* renvoie à « audacieux ». Un héros est donc quelqu'un d'intelligent et d'audacieux, comme la bande de Cao Cao (155-220) et Liu Bei (161-223), vaillantes figures militaires de la période de la fin des Han. Voilà le genre d'individu que le système privilégiait ; il se moquait des questions de vertu et de moralité. Et c'est cela qu'il faut comprendre dans la dénonciation du système des examens par Zhu Xi, le fait que le système reposant sur un choix éclairé au niveau local a disparu. Personne n'est plus sélectionné par sa communauté mais par la Cour, sur la base de son intelligence, une démarche qui met de côté toute prise en considération de son caractère moral. C'est pourquoi beaucoup disaient qu'une fois le système des examens instauré, tout le monde finirait par oublier son lieu d'origine. Dans la réalité des faits, les choses sont un peu plus compliquées et ce n'est pas forcément vrai que, en l'absence d'un système de recommandation locale, tout le monde oublie ses origines. Beaucoup de notables ruraux y tenaient toujours. Cette conscience s'est trouvée

cependant atténuée par rapport à celle des individus sélectionnés par le système des Zhou, par le système des neuf rangs ou issus des grandes familles.
Et si l'on fait une comparaison avec les cadres du
Parti au sein des communes rurales après 1949, il y
a peut-être un peu quelque chose du même ordre.
Ceci étant, ces cadres ne représentaient pas la communauté locale de la même façon.

Le système des examens sera aboli à la fin des
Qing. Si l'on cherche les origines intellectuelles de
cette décision, on se rend compte qu'il y a toujours
eu des demandes pour en finir avec ce système et que
ces requêtes ne venaient pas de l'Occident mais de
ceux qui ne cessaient de dire que les examens allaient
à l'encontre de la moralité, ou même que le confucianisme allait s'écrouler si le système des examens
n'était pas aboli. Liang Qichao (1873-1929), disciple
de Kang Youwei, est même allé jusqu'à dire que le
Livre de la piété filiale (*Xiaojing*), qui était pourtant
au fondement même du confucianisme, était à son
époque tombé dans l'oubli du fait qu'il n'était plus
sujet d'examen. Est-ce à dire qu'en Occident on cesse
de lire la Bible au motif qu'elle n'est pas un sujet
d'examen ? Non. Pourquoi serions-nous différents ?
Le système des examens a servi précisément à cor-
rompre la morale, il a été destiné à faire oublier le
contexte local à tout le monde, et à permettre à une
personne de travailler directement pour l'empereur
à titre personnel, et c'est ainsi que la structure originelle de la société s'est effondrée.

Wang Chong (27-97) a souligné la grande opposition entre les confucéens et les fonctionnaires.
À l'époque, les confucéens étaient des gentilshommes
locaux, et les fonctionnaires des officiers travaillant pour l'empereur. Tout le monde trouvait que
les fonctionnaires étaient plutôt utiles alors que les

confucéens ne servaient à rien. Wang Chong, en intellectuel vivant à la fin des Han, avait pour sa part envie de défendre les confucéens en arguant que « les fonctionnaires ont leurs défauts, et les confucéens leurs points forts », et que ces derniers faisaient toujours preuve d'une certaine utilité. Le conflit serait résolu par la mise en place du système d'examens combinant les deux groupes, la question étant de savoir si cette combinaison allait finir par confucianiser les fonctionnaires ou par fonctionnariser les confucéens. Or, c'est cette dernière transformation qui s'est produite. Et malgré cela, l'esprit confucéen originel a perduré au fil des siècles, expliquant la résurgence de l'idée de « suivre les Zhou et abhorrer les Qin » à la fin des Qing. En somme, je ne crois pas que la tradition confucéenne ait été anéantie par la progression du légisme, mais le fait est que ceux qui étaient attachés à l'antique tradition confucéenne se sont retrouvés dans une véritable tension avec le système Qin.

Beaucoup de gens se demandent si ma critique de l'anti-confucianisme du Mouvement du 4 Mai est similaire à celle des néoconfucéens qui voient le mouvement comme une erreur fondamentale, inspirée par une acceptation hâtive des valeurs de l'Occident ayant entraîné une rupture douloureuse avec la civilisation traditionnelle. En fait, si je suis contre l'idée de voir le confucianisme comme le principal obstacle au constitutionnalisme, je n'ai jamais dit que j'étais moi-même néoconfucéen. En réalité, aujourd'hui, lorsqu'on réfléchit au Mouvement du 4 Mai, on ne devrait pas uniquement se pencher sur cet aspect du mouvement culturel, son iconoclasme bien connu. On devrait également regarder les cas de « Jing Ke[22] assassine Confucius » où les gens qui prétendent dénoncer la tradition impériale s'en prennent en fait à Confucius, ainsi que les cas de « Zilu[23] fait l'éloge de Qin Shihuang » où des individus qui prétendent être confucianistes font en fait l'éloge de l'empereur Qin. Ce que je veux dire par là, c'est que les confucianistes qui s'opposaient au Nouveau mouvement culturel de la période du 4 Mai n'étaient en fait pas des confucianistes. Prenez par exemple Kang Youwei (1858-1927), qui a la cote aujourd'hui parmi les nouveaux confucéens. Il est indéniable que les idées de Kang ont évolué avec le temps ; au moment de la Réforme des Cent Jours en 1898, il n'y avait pas beaucoup de différence entre Kang et son disciple Tan Sitong (1865-1898). Tous deux parlaient de la beauté des Trois Dynasties de la haute Antiquité et dénonçaient le système Qin. Ceci étant, au début de la période républicaine, on constate deux changements majeurs dans l'idéologie de Kang. Premièrement, en écho au sentiment anti-familial généralisé, Kang a produit son *Livre de la Grande Unité* dont l'argument principal était que la famille ne doit plus exister, les enfants doivent être la propriété collective de tout le monde. Des propositions qui vont à l'encontre de la tradition confucéenne dans son ensemble. En outre, aux environs de 1913 il a publié un texte où il dit que les Trois Dynasties étaient mauvaises, que c'était le féodalisme ; or, qui dit féodalisme dit inégalité. L'égalité serait arrivée avec la période Qin-Han, qui a mis fin au féodalisme. Dès lors tout le monde s'est trouvé sur un pied d'égalité et, à l'exception de quelques rites et des symboles du dragon et du phénix que le peuple ne pouvait pas toucher, tout le monde disposait de la liberté de parole et de commerce. En bref, à en croire Kang, les deux mille libertés obtenues au cours de la grande Révolution française avaient d'ores et déjà été accordées au peuple chinois par le

Premier Empereur de Chine Qin Shihuang. Le texte
de Kang Youwei m'a fait penser à ces formules :
« sans Qin Shihuang il n'y aurait pas de Chine nouvelle »[24] et « nombreux étaient les avantages de la
démocratie mis en place par Qin Shihuang ». Du
moins j'imagine que c'est ce que Kang a voulu dire.
Et cet argument aussi va à l'encontre de la tradition
confucéenne. La critique de Chen Duxiu (1879-1942),
fondateur du Parti communiste chinois, à l'égard de
Kang était très juste : sa vénération pour Confucius
n'était qu'un leurre ; il ne visait en fait qu'à obtenir
un poste d'importance au sein du gouvernement. Ce
type de comportement met dans l'embarras à la fois
les Chinois qui étaient en faveur de la modernisation
à l'occidentale et les confucianistes. Face à ce genre
de propos, les pro-occidentalisation auraient eu à
rompre complètement avec la tradition chinoise, y
compris le système des Han. Mais le malaise touchait
aussi les confucianistes qui se demandaient combien
d'entre eux respectaient véritablement Confucius
sans faire l'éloge des Qin et combien prétendaient
vénérer Confucius alors que, en réalité, ils faisaient
l'éloge des Qin — c'est d'ailleurs une question qui
perdure encore aujourd'hui. Il y a eu récemment une
dispute (sur papier) entre les nouveaux confucéens
de Taïwan et ceux du continent sur cette même question, les nouveaux confucéens de la diaspora trou-
vant que ceux du continent étaient en train de faire
l'éloge des Qin alors qu'eux-mêmes s'y refusaient.
Bref, il me semble qu'il y a des choses qui méritent
d'être repensées des deux côtés du Mouvement pour
la Nouvelle Culture. De se demander si ce mouvement était un cas de « Jing Ke assassine Confucius »
constitue une vraie question. Je n'ai jamais dit que le
confucianisme était sacré au point où on ne pouvait
pas y toucher. Mais quoi qu'il en soit, de tous les

problèmes que la Chine a rencontrés en essayant de sortir du système Qin, celui de la place de la « petite communauté » ne se classe assurément pas en premier. Quelqu'un a dit tout à l'heure que le système familial était vraiment corrompu. Or quand le romancier Ba Jin (1904-2005), auteur de *Famille*, a écrit ses Mémoires après la Révolution culturelle, il a déclaré que ce n'était pas le cas des vraies familles, que la « corruption » était le produit d'un imaginaire débordant à l'époque.

Ou prenons la question du mariage, par exemple : je suis personnellement contre les mariages arrangés, mais en même temps, si l'ingérence extérieure ne peut pas être complètement éliminée du processus, je pense que les arrangements à l'initiative des parents, abolis dans notre pays après le 4 Mai, sont bien meilleurs que ceux à l'initiative d'autres instances. Nous avons tous vu, à la télévision, « Les Années de la Passion »[25], « Huit mille filles du Hunan gravissent les Monts Célestes »[26] et d'autres séries du même genre. Il est évident que les mariages arrangés par les parents posent problème, personne n'a jamais dit le contraire, mais honnêtement, la grande majorité des parents ont de l'affection pour leurs enfants. En conséquence, ils ne vont pas se mêler des affaires de leurs enfants sans se soucier de leur bien-être, alors qu'une instance étatique va les traiter comme de simples boulons dans la machine révolutionnaire, en l'absence complète d'affection. Pour le dire autrement, la tyrannie de la grande communauté sur les individus — en termes moraux, tant en Chine qu'en Occident — ne peut pas être à la hauteur de la chaleur de la petite communauté. Je ne dis certainement pas que cette petite communauté est fondamentalement et systématiquement bonne, mais l'essence de la modernisation est la libération personnelle et cette libération ne signifie pas nécessairement que l'on doive se départir des liens qui nous ont jusque-là unis. Il existait des églises au Moyen Âge ; il existe des églises encore aujourd'hui. Quelle est la différence entre l'Église actuelle et l'Église médiévale ? L'Église au Moyen Âge pouvait s'engager dans des procès pour hérésie tandis que l'Église d'aujourd'hui accepte la liberté de culte. Dans le passé chinois, il y avait le *yamen*, le bureau du magistrat, maintenant il y a le gouvernement. Quelle est la différence ? Le *yamen* pouvait arrêter les gens et abuser de son pouvoir à sa guise. La constitution ne permet plus ceci, le pouvoir reconnaît certaines contraintes. En ce qui concerne la forme de l'organisation de la société humaine, qu'il s'agisse des liens du sol, du sang, du karma ou de la foi, l'essentiel est de respecter les droits humains. Est-ce qu'une société moderne pourrait retourner en arrière ? Peut-être, mais il est impossible d'imaginer que les gens se laissent à nouveau traîner au temple pour se faire battre avec une planche. C'est tout simplement impossible. En même temps, je pense que même si ce genre de chose a existé par le passé, on en a vraiment exagéré la fréquence pour toute la période qui s'étend du début du système des Qin à 1949. Même chose pour l'achat et la vente des terres. On a longtemps parlé d'un droit de priorité accordé aux parents et aux voisins, ce qu'on a voulu voir comme de l'ingérence de la petite communauté dans les questions de propriété. Et c'est vrai que cela a existé. Mais au cours des vingt dernières années, les chercheurs ont trouvé qu'on avait pas mal exagéré le phénomène et que dans la Chine traditionnelle, c'étaient les fonctionnaires et le pouvoir qui étaient véritablement en mesure de s'immiscer dans les questions de propriété du petit peuple.

Le professeur Zhang Ming l'a mentionné tout à l'heure dans sa conférence, à l'époque traditionnelle, surtout après les Han, la cour impériale était peu présente au niveau des villages. Comme le veut l'adage, « le pouvoir de l'État n'arrive pas au niveau du comté ». J'ai justement écrit quelque chose là-dessus pour exprimer mon désaccord. Mais j'approuve ce qu'a dit Zhang Ming, à savoir que les services publics au sein du village n'étaient pas le fait de l'État, que l'entretien des ponts et des routes était l'affaire des notables locaux. Quel était donc le rôle du gouvernement à l'époque ? « Même celui qui vit dans la montagne la plus reculée n'échappe pas aux impôts et aux corvées ». En l'absence de l'État, est-ce que le peuple acceptait les corvées, prenait l'initiative de payer ses impôts ? Beaucoup de gens confondent une chose avec l'autre — l'exercice des droits et les responsabilités du gouvernement —, les deux sont intégrés dans un gouvernement constitutionnel mais complètement séparés dans un gouvernement non constitutionnel, et un gouvernement avec des pouvoirs énormes peut ne pas assumer ses responsabilités. Donc, après avoir accepté la notion occidentale de grand et petit gouvernement, certains ont mal interprété la situation et disent que le gouvernement de Qin Shihuang était petit parce qu'il pouvait pousser les châtiments jusqu'à massacrer des clans entiers, parce qu'il pouvait d'un coup mobiliser des centaines de milliers de personnes pour construire la Grande Muraille ou le tombeau du Premier Empereur au Mont Li, parce qu'il pouvait transformer une partie importante de la population chinoise en criminels. Mais pourquoi parler de « petit gouvernement » ? Quelqu'un a-t-il entendu dire que Qin Shihuang a mis en place l'éducation obligatoire, la sécurité sociale ou un système de retraite ? Parce

que le gouvernement ne fournit aucun service, tout
en contrôlant les gens à mort. C'était en fait là la plus
grande faille du système Qin — zéro service mais
beaucoup de pouvoir. En fait, dès sa création, le système Qin a visé la destruction de la communauté.

Il y a quelque chose de très moderne dans la loi
des Qin, consistant à décréter que chaque membre
d'une famille possédait sa propriété, qui était divi-
sible. Je me suis souvent demandé comment ils ont
réussi à faire cela. En d'autres termes, comment
diviser clairement la propriété d'un couple, quelles
affaires appartiennent à qui ? À moins que les Qin
aient inventé le contrat prénuptial ? Je n'en sais rien,
mais la réglementation existait bel et bien qui détail-
lait comment l'épouse pouvait garder ses biens si
elle dénonçait son mari et comment les biens de la
femme pouvaient aller au mari si lui la dénonçait.
Qu'est-ce que cela veut dire exactement ? Je ne sais
pas, mais ce n'est pas impossible. Ceci étant dit,
la raison à mon avis la plus évidente qui explique
pourquoi la petite communauté a continué d'exister,
pourquoi elle n'a pas été détruite, est que même si le
pouvoir a réussi à s'immiscer dans les coins les plus
reculés du pays, il n'assumait aucune responsabilité.
Cette réalité ne concerne pas juste les Qin, on en fait
l'expérience aujourd'hui même. J'ai quelques amis,
des économistes surtout, et chaque fois qu'on parle
de l'État providence, ils me disent, voilà, c'est ça le
grand gouvernement et c'est terrible, il faut y mettre
un terme. En Occident, « grand gouvernement » veut
dire beaucoup de pouvoir mais aussi beaucoup de
responsabilités, alors que le système Qin reposait
sur « beaucoup de pouvoir, aucune responsabilité ».
Il n'y a aucune contradiction à demander à un gouvernement de type Qin d'assumer ses responsabilités
et de limiter ses pouvoirs.

Donc le fait qu'un gouvernement n'assume pas ses responsabilités ne veut pas dire qu'il n'est pas capable d'exercer son pouvoir, il s'agit de deux choses différentes. Il y a des gens pour dire que l'empereur Wanli (1563-1620) des Ming n'a pas tenu audience pendant vingt ans, qui serait le signe d'une attitude de « laisser-faire ». Le fait que Wanli se soit absenté pendant vingt ans peut vouloir dire qu'il n'assumait pas ses responsabilités, mais cela signifie-t-il pour autant qu'il n'avait pas de pouvoir ? Tout le monde sait que, malgré son absence prolongée à la Cour, il a envoyé nombre d'eunuques aux quatre coins du pays pour réclamer contributions et impôts, ce qui a d'ailleurs provoqué des révoltes partout. Tout ceci était illégal selon les statuts des Ming parce que cela se passait en dehors du cadre normal de perception des impôts. C'était également le résultat du fait que Wanli n'avait pas tenu d'audience pendant vingt ans. Qu'est-ce que cela nous dit ? Qu'on peut ne pas assumer ses responsabilités en étant absent. Si un Premier ministre britannique n'allait pas au bureau pendant vingt ans, est-ce qu'il serait toujours Premier ministre ? Non, mais Wanli, lui, est resté empereur. Donc ce qu'on appelle un régime autoritaire relève de l'existence de pouvoirs illimités sans qu'il y ait moyen de le forcer à assumer ses responsabilités. Si l'empereur n'avait pas envie de tenir audience il ne le faisait pas, mais il pouvait envoyer des eunuques voler les biens du peuple, ce qui n'a rien à voir avec tenir — ou non — audience. Alors maintenant il y a plein de gens qui écrivent des textes disant que Wanli gouvernait par le non-agir, qu'il pratiquait le laisser-faire, voire que c'était un anarchiste. Pour moi tout cela ne tient pas la route, et le problème c'est que l'on confond pouvoir et responsabilité. À la source de cette confusion se trouve le fait d'avoir comparé un grand gouvernement fonctionnant dans un cadre constitutionnel avec un gouvernement impérial qui a du pouvoir mais qui n'assume pas ses responsabilités. Si on met de côté le fait que le gouvernement n'a pas fourni de service au niveau local, qu'est-ce qu'il a fourni aux autres niveaux ? Rien. « Même celui qui vit dans la montagne la plus reculée n'échapperait pas aux impôts et aux corvées » veut dire que le pouvoir va te retrouver, peu importe la montagne que tu as choisie pour t'y réfugier. « Si tu es pauvre, tu peux vivre en ville et personne ne viendra te chercher, mais si tu es riche, tu peux vivre au plus profond des montagnes et les parents viendront de loin pour te chercher. » S'il n'y a même pas de service fourni en ville, oubliez les villages, mais ceci n'a rien à voir avec la capacité du pouvoir de descendre jusque-là. Ceci a en revanche beaucoup à voir avec un système qui détient le pouvoir mais qui n'assume pas de responsabilités — tel est le plus grand problème du système Qin.

Traduit du chinois par David Ownby.
Les éditeurs remercient Hugo Dubois-Mouro
pour l'aide apportée à l'établissement du texte.

L'INVENTION
DU « CINÉMA CHINOIS »

ANNE KERLAN
CNRS

En juin 2019, se tenait à l'Université de Shanghai un de ces colloques anniversaires dont la Chine a le secret : « Les soixante-dix ans du cinéma de la Chine nouvelle. Image. Industrie. Culture ». Ce devait être l'occasion, à quelques mois des festivités célébrant la fondation de la République Populaire de Chine, de proposer un regard rétrospectif sur le cinéma depuis 1949 tout en évoquant ses mutations récentes. Le colloque commença par un bref rappel factuel : en 2018, l'administration qui gérait les industries du cinéma, de l'édition et des médias et relevait directement du Conseil des affaires de l'État avait disparu et ces industries avaient été placées sous l'autorité du Département de propagande du Comité central du Parti communiste chinois. Cela signifiait le renforcement de la censure au cinéma. Pourtant, de censure on ne parla guère durant le colloque. La question récurrente fut davantage celle du modèle et concurrent hollywoodien, un film étant régulièrement cité en exemple : *La Terre errante* (*Liulang diqiu*, 2019), labellisé comme le premier film de science-fiction chinois.

Ceux qui l'ont vu ne manqueront pas de remarquer le paradoxe : ce film, comme auparavant *Wolf Warrior* (*Zhan lang*, 2015), est devenu un objet de fierté nationale alors qu'il suit les codes formels des *blockbusters* américains qui font fureur en Chine. On serait là dans le cas de l'élève dépassant le maître. Reste qu'on pourrait s'étonner que le cinéma d'une république qui se dit socialiste et chinoise prenne pour modèle l'américaine Hollywood.

« Mais quoi ? », diront d'autres. Un film produit en Chine n'aurait-il pas le droit d'être, lui aussi, un produit culturel transnational ? Et qu'est-ce que devrait être un « film chinois » ? Suggérer qu'il existe une spécificité chinoise, indépendamment des moyens financiers et matériels, peut se révéler périlleux. On court le risque de s'en tenir à une vision étroite et purement politique, autrement dit nationaliste, ou encore d'essentialiser une production à l'histoire longue et complexe, marquée par sa diversité et son écartèlement entre les superproductions diffusées sur des millions d'écrans (mais presque inconnues du public occidental) et les films à petits budgets souvent soutenus par des producteurs étrangers, peu ou pas diffusés en Chine, quand ils n'y sont pas tout simplement interdits (mais présents dans les festivals internationaux).

Existe-t-il un cinéma chinois et si oui, quel est-il ? Tout pose problème dans cette question : le singulier plutôt que le pluriel, les modalités de définition du qualificatif dont on ne sait s'il renvoie à un espace géographique, une langue, une culture, historicisée ou essentialisée. On aimerait pouvoir évacuer la question, ou l'ignorer. Cependant on ne cesse de s'y confronter et les discours (critiques, théoriques, esthétiques, politiques) sur le cinéma, en Chine (mais pas seulement), nous y ramènent. Sans prétendre y répondre, on se propose donc de l'examiner.

La question d'un cinéma national ne se pose pas que pour la Chine. Depuis ses débuts, le cinéma voyage. Et pourtant, cet art transnational, ce divertissement de masse, ne cesse d'être ramené (peut-être justement parce qu'il est transnational et de masse) à la question des identités nationales. Il peut être dès lors intéressant d'observer comment les débats se sont formulés localement.

En Chine, ces débats ont très tôt tourné autour de la légitimité culturelle d'un produit importé d'Occident et s'articulent en un double discours : d'une part il est reproché dès les années 1920 au cinéma d'être le bras armé d'un Occident conquérant ; d'autre part, la recherche d'une voie chinoise prend forme alors même que les modèles artistiques locaux sont en train de se transformer en intégrant les arts étrangers (américains, européens ou soviétiques). L'histoire se complexifie lorsque, plus tard, les pays occidentaux formulent à leur tour une certaine idée du cinéma chinois, véhiculée notamment dans les milieux festivaliers européens à partir des années 1980. On observe alors un jeu de chassé-croisé entre ce « cinéma chinois » d'Occident et celui de Chine.

Nous nous proposons ici d'examiner différents moments qui en Chine ponctuent la longue histoire de cette invention du « cinéma chinois » et nous permettent de comprendre quels sont les ressorts profonds des débats contemporains.

Un dernier *caveat* est nécessaire. Nous ne parlerons ici que de la Chine continentale (Chine républicaine jusqu'en 1949 puis communiste). Ce choix restreint les termes du débat. Il existe en effet une longue et riche production cinématographique sur deux autres territoires qui ont longtemps gardé et espèrent encore garder leur indépendance politique et culturelle : Hong Kong et Taïwan. Sur le plan cinématographique, c'est peut-être là que les propositions formelles les plus originales ont été

faites, dans le domaine par exemple du cinéma dit
d'arts martiaux qui puise aux sources de la culture
populaire chinoise, ou encore avec des réalisateurs
aujourd'hui mondialement reconnus comme King
Hu, John Woo, Wong Kar-wai, Johnnie To, Hou
Hsiao-hsien, Edward Yang, Tsai Ming-liang. Dans le
cas de Hong Kong et de la République populaire de
Chine, la perméabilité entre les deux cinématogra-
phies, en termes financiers notamment, mais aussi
humains, qui a toujours existé, a pris récemment une
tournure plus politique. Nous ne parlerons pas de ces
interactions mais espérons que nos analyses aident à
comprendre également ce qui se joue quand la Chine
impose de diffuser à l'étranger en mandarin un film
hongkongais parlant au départ cantonais ou que les
oscars gagnés par le réalisateur d'origine taïwanaise
Ang Lee provoquent la colère de « citoyens chinois ».

1) Le cinéma est arrivé en Chine vers 1897 par les
ports ouverts, Hong Kong et Shanghai, introduit par
des opérateurs français et américains sillonnant le
monde pour montrer cette nouveauté. Il est perçu à
la suite de bien d'autres inventions importées d'Occident avec ambivalence, l'émerveillement alternant
avec l'inquiétude. Le cinéma est néanmoins adopté.
Son succès dans les métropoles et, à partir de la fin
de la Première Guerre mondiale, la présence massive des productions hollywoodiennes sur les écrans
(90 % des films projetés en Chine en 1929 sont américains. Bergeron, 1977, p. 81) inquiètent les élites
culturelles du pays, alors même que certaines d'entre
elles sont férues de ces mêmes films américains. Le
cinéma étant une technique coûteuse, les productions chinoises peinent à concurrencer, en termes de
qualité, les films étrangers. Cependant, alors que la
question nationale est au cœur des préoccupations, il

paraît inconcevable que ce qui est en train de devenir un divertissement de masse soit entièrement laissé entre des mains étrangères, impérialistes de surcroît.

Les débats sur le cinéma émergent dans ce contexte. Ils coïncident avec la prise de conscience de la question nationale, au moment où la République de Chine se constitue à partir de 1912. Ils sont souvent l'occasion de porter au pinacle une « culture chinoise » qu'il s'agit de défendre contre une invasion étrangère. Le cinéma peut en outre répondre aux besoins éducatifs du moment en propageant ou en préservant les « valeurs chinoises ». Très critique des productions étrangères et de leurs « histoires d'amour sentimentales… qui corrompent les mœurs », un homme de lettres souhaite ainsi voir « plus de films éducatifs basés sur des anecdotes historiques pour diffuser ce qui appartient à l'âme de notre peuple, ce qui nous sera non seulement d'une grande utilité, mais nous procurera une belle éducation » (Zhang Siwei, 1996, p. 549).

De quelle culture, de quelles valeurs s'agit-il ? Même si les positions ne sont pas toujours tranchées entre les tenants d'une nouvelle culture progressiste et cosmopolite et les milieux conservateurs, force est de constater qu'au cours des années 1930, ceux qui appellent de leurs vœux un « cinéma chinois » sont plutôt du côté des seconds. Sans surprise, ils sont aussi souvent des proches de l'État et du Parti nationaliste et conçoivent le cinéma comme un outil de propagande. C'est le cas de Chen Lifu, membre du Parti nationaliste et proche de Chiang Kai-shek (Jiang Jieshi). Dans un discours prononcé en 1933, il décrit sa vision de l'industrie cinématographique chinoise. Selon lui le cinéma chinois se distingue du cinéma occidental par son usage éducatif, permettant de « toucher les consciences, susciter la vertu

et l'intelligence et améliorer les comportements »
(Chen Lifu, 1933, p. 4). Récusant tout universalisme,
Chen considère que cultures orientale et occidentale s'opposent : la première est pacifique, la seconde
guerrière, l'une est solidaire, l'autre individualiste,
l'une spirituelle, l'autre matérielle (Chen Lifu, 1933,
p. 8). Naturellement, les valeurs chinoises que le
cinéma se doit de défendre et d'illustrer sont les
« valeurs traditionnelles » : « la piété, l'amour des
proches, l'esprit pacifiste et de justice » ou encore
« la loyauté, le courage, l'héroïsme, le sacrifice de
soi pour l'équité » (Chen Lifu, 1933, p. 9). Le cinéma
serait donc chinois lorsqu'il deviendrait un conserva-
toire de valeurs anciennes qui définiraient l'essence
de la culture chinoise.

Une telle conception ignore totalement la question formelle. Chen Lifu le reconnaît : « Je pense
que c'est le contenu qui doit décider de la forme...
Si le contenu est riche alors que la forme est un peu
vieillotte, ou que le film n'a pas la beauté des productions étrangères, ce n'est pas très grave. » (Chen
Lifu, 1933, p. 33.)

Cet évitement ne cache-t-il pas plutôt une gêne ?
Car autant il paraît assez simple de défendre une sorte
de pureté culturelle s'agissant du contenu (il suffirait
par exemple d'adapter pour le cinéma « de glorieux
moments de l'histoire chinoise »), autant, sur le plan
formel, la chose se complique. Le langage cinématographique qui s'est constitué depuis les années 1910
au moins a certes l'avantage d'être facilement compris
de tous en tout endroit du globe, mais aussi le défaut
d'avoir été créé à Hollywood par ces David D. Griffith,
Cecil B. DeMille, Charlie Chaplin ou Harold Lloyd
dont le public chinois raffole. Poser la question d'une
esthétique du cinéma proprement chinoise reviendrait
à chercher à s'affranchir de ce langage artistique, à

inventer des formes nouvelles, ce qui n'est pas une mince affaire tant le cinéma hollywoodien classique a prouvé son efficacité.

La question formelle s'est cependant posée. Elle apparaît notamment dans les discussions concernant la traduction en chinois du mot « cinéma ». Dans les premiers temps, plusieurs traductions se faisaient concurrence et l'une finit par s'imposer jusqu'au début des années 1930 : celle de *yingxi* désignant le théâtre d'ombres. Ce n'est que plus tard que la traduction de cinéma par « ombres électriques » (*dianying*) s'imposa.

Associer cinéma et théâtre d'ombres n'est pas anodin. Cela permet d'enraciner le cinéma dans la culture locale et de mettre en avant sa dimension dramaturgique plutôt que visuelle : « l'origine d'un film, c'est le théâtre », affirme l'un des fondateurs de la compagnie Mingxing. « Dans théâtre d'ombres, il y a "théâtre", toutes les règles de l'art dramatique s'appliquent donc au cinéma », disait encore Hou Yao, important dramaturge, critique de cinéma et réalisateur (Chen Xihe, 2012, p. 469).

Même s'il existe des variantes régionales remettant en cause cette conception (Yeh, 2018, p. 19), l'idée d'une proximité entre le cinéma et le théâtre d'ombres s'est imposée jusqu'à aujourd'hui. Elle a aussi permis de « nationaliser » le cinéma : dans le musée du cinéma chinois à Pékin, une frise chronologique dans le hall d'entrée nous fait remonter deux mille ans en arrière, jusqu'à des bas-reliefs sur lesquels sont représentés des personnages de profil, comme le sont les marionnettes du théâtre d'ombres, également exposées dans les premières salles. La scénographie du lieu parvient ainsi habilement à gommer l'origine étrangère du cinéma pour mettre en avant des héritages locaux, au point qu'un visiteur peu attentif ou pressé pourrait même croire que le cinéma a été inventé grâce au théâtre d'ombres chinois !

Lorsque Hou Yao parle de théâtre, il pense pourtant sans doute au théâtre moderne, également appelé théâtre civilisé (*wenming xi*), inspiré du théâtre occidental et qui mettait en scène des faits de société : le mariage arrangé, les ravages de l'opium par exemple. Certaines de ces pièces furent portées à l'écran dans les années 1920 et les premiers acteurs ou réalisateurs de cinéma étaient souvent issus des milieux du théâtre moderne.

Mais une autre forme théâtrale est associée au cinéma : l'opéra de Pékin. Les historiens font ainsi remonter les débuts du cinéma chinois aux enregistrements cinématographiques de performances de grands acteurs de l'opéra de Pékin, avec, en 1905, *La prise du Mont Dingjun* joué par Tan Xinpei. La réalité de ce récit des origines est sujette à caution ; la légende de cette appropriation locale d'un art étranger est cependant vivace. L'opéra de Pékin, profondément modernisé au début du XXᵉ siècle, prit de l'importance et fut promu dans les années 1930 au rang d'art national. Certains imaginèrent alors mettre le cinéma à son service, comme l'acteur Mei Lanfang qui voyait en lui un outil de diffusion et de conservation de son art. En revanche, rares furent les pionniers du cinéma à tenter de s'inspirer de l'opéra de Pékin pour inventer un style cinématographique original.

Un réalisateur fait exception : Fei Mu. Celui qu'on surnommait « le poète » tenta dès ses premières réalisations au début des années 1930 des expérimentations formelles. Sa réflexion sur le cinéma se nourrit autant des techniques cinématographiques classiques qu'il connaît parfaitement que de l'esthétique chinoise, notamment des théories de la peinture et de la poésie, mais aussi de l'opéra. Fasciné par la toute-puissance de la caméra, il voulait capter avec elle l'invisible pour aller vers un art de l'évocation : ce qu'il veut rendre, ce sont les sentiments, un état d'âme, personnel ou social, ce qu'il nomme « l'air » (*kongqi*) (Wang, 2015, p. 271). Plus largement, une conception du monde héritée de la pensée chinoise infuse ses films, tout particulièrement son chef-d'œuvre, *Printemps dans une petite ville* (*Xiaocheng zhi chun*, 1948) (Cheng, 2003, p. 90).

Fei Mu adapta à deux reprises des pièces d'opéra, la seconde fois pour réaliser en 1948 avec Mei Lanfang le premier film chinois en couleurs. Il s'intéressa à la façon dont cet art offrait un ensemble de conventions stylistiques permettant de travailler autrement la représentation de la vie à l'écran. Il dit ainsi de l'opéra de Pékin : « Le jeu et les costumes des personnages du théâtre chinois indiquent qu'ils ne sont pas des figurations de la réalité. Objectivement parlant, on peut les comparer à des marionnettes, à des fantômes ; subjectivement, on peut les comparer à des gens de l'Antiquité ou à des peintures. Mais le but ultime du théâtre chinois est de faire en sorte que le public les reconnaisse comme des êtres humains vivants, des êtres dans la réalité ; de leur faire ressentir "ceci est réel" à travers des personnages et des interprétations peu réalistes. » (Wang, 2015, p. 271.) Même dans ceux de ses films qui ne doivent rien en apparence à l'opéra, comme *Printemps dans une petite ville*, le jeu des acteurs, comme détaché, en apesanteur, reprend cette idée.

Fei Mu cherchait aussi à placer le cinéma dans le prolongement des arts classiques chinois pour en faire un moyen d'expression poétique moderne. Il puise dans la peinture chinoise des idées pour un art

visuel cinématographique : « La peinture chinoise est
une peinture de l'intention : c'est une sorte "d'associations improbables et d'épiphanie fantastique, son
sens ne se trouve qu'en dehors de la langue et de
l'image". » (Wang, 2015, p. 271.) Il se détourne des
procédés de narration classiques, avec leurs « cli-
max dramatiques », pour une forme de description
aplanie de la vie ordinaire qui permettrait ce qu'il
nomme le *xuanxiang*, suspension-imagination (Fan,
2015, p. 109).

Pour autant, sensible aux injustices de son temps,
ayant connu la guerre, Fei Mu n'est pas détaché du
monde. Son cinéma est aussi une réponse à son
époque. Mais c'est à l'aide de figures de la tradition chinoise qu'il évoque la situation de l'homme
contemporain. Le seul film qu'il tourna durant la
guerre est *Confucius*, présenté, selon ses propres
mots comme « un grand éducateur, un penseur et
un philosophe voué à être la victime des politiques
de son temps » (Wong).

La condition de l'homme fait partie de la quête
artistique de Fei Mu qui cherche aussi à dépasser
les contingences factuelles pour rendre sensible
l'expérience humaine en des moments douloureux.
Nombre de ses films mettent en scène le conflit
entre devoir moral et désirs en des temps de crise
ou de mutations. Avant guerre déjà, Luo Mingyou,
le producteur de la Lianhua, avait confié à Fei Mu
la réalisation d'un film, *Song of China* (*Tianlun*),
censé illustrer les valeurs chinoises confucéennes
remises au goût du jour nationaliste. Ce film étonnant, hybride, où la morale conservatrice imposée
par le producteur est parfois sublimée par le talent
du réalisateur, est un des rares à mettre en adéqua-
tion le fond et la forme, avec une mise en image originale, inspirée de l'esthétique picturale et poétique

chinoise. Le but était aussi d'exporter un film destiné à devenir le porte-drapeau d'un cinéma chinois. Il fut au demeurant reçu comme tel aux États-Unis mais resta un cas isolé.

2) La voie ouverte par Fei Mu ne fut pas suivie. Avec l'arrivée des communistes au pouvoir en 1949, le cinéma fut mis au service du politique. Le cinéma soviétique — celui du réalisme socialiste des années 1950, bien loin des audaces formelles de Eisenstein — devint le modèle dominant.

Pour autant le cinéma chinois ne devait pas en être une simple copie. Au cœur d'une esthétique qui se veut internationaliste, la Chine invente son cinéma des masses, suivant le slogan « combiner le réalisme révolutionnaire avec le romantisme révolutionnaire » (Prudentino et Quiquemelle, 2008, p. 670). Les liens avec le théâtre sont réaffirmés. L'opéra de Pékin répond en effet parfaitement aux exigences de l'esthétique révolutionnaire voulue par Mao Zedong dans laquelle il n'existe que « des personnages types dans des circonstances types » (Barmé, 1985, p. 124). Les artistes s'efforcent de suivre ces consignes. Un des grands acteurs de la période, Zhao Dan, dit par exemple chercher à atteindre, par une gestuelle dramatique, ce qu'il appelle « la ressemblance spirituelle » (Lin, 1985, p. 91). L'emprunt à l'opéra est revendiqué jusqu'au choix de faire prendre à son personnage, en pleine action, la fameuse « pose de présentation » (*liangxiang*), moment où l'interprète se fige au centre de la scène. Zhao Dan cherche ainsi à créer « un archétype cinématographique » à l'instar des personnages conventionnels qui peuplent l'opéra (Barmé, 1985, p. 117).

Ce formalisme est poussé à son paroxysme durant la Révolution culturelle. Avec les opéras révolutionnaires, les *yangbanxi*, et leurs versions cinématographiques, la Chine invente un véritable « style national », le seul, peut-être, à avoir proposé une alternative au classicisme hollywoodien en termes de culture de masse (McGrath, 2010, p. 374). Le jeu des acteurs réduit à des pantomimes, la création de personnages types, les costumes et maquillages aux couleurs codifiées, l'artificialité du décor, la diction sont autant d'éléments issus de l'opéra aboutissant à une esthétique aussi rigide qu'artificielle, laquelle s'énonce par la fameuse règle des « trois proéminences » (*san tou*) : « De tous les personnages, faire ressortir les personnages positifs ; des personnages positifs, faire ressortir les héros positifs ; des héros positifs faire ressortir le héros principal. » (Prudentino et Quiquemelle, 2008, p. 678.)

Un tel style ne pouvait survivre à cette période d'intense idéologisation. Au mitan des années 1970, après la mort de Mao Zedong, et durant les années 1980, les conventions des décennies précédentes furent remises en cause. Il fallait « jeter au loin les béquilles du théâtre » pour moderniser le langage cinématographique (Barmé, 1985, p. 125). Au moment où le pays s'ouvre et où des réalisateurs expérimentent de nouvelles formes, inspirées du cinéma européen, resurgit la question d'un cinéma national, et de l'équilibre à trouver entre les apports internes et externes.

Les avis divergent. Pour certains il suffit qu'un film décrive de façon authentique la société chinoise pour être chinois, pour d'autres, « le cinéma arrivant d'ailleurs, il doit nécessairement être nationalisé, c'est-à-dire être mêlé au sang de la culture chinoise nationale » (Xia, 1987, p. 53). La question de la forme fait débat. Faut-il puiser son inspiration dans les arts chinois ? C'est ce qu'affirment certains, pour qui « les films chinois doivent être uniquement orientaux, avec des caractéristiques propres » (Xia, 1987, p. 55). D'autres estiment en revanche qu'il serait plus intéressant de combiner les traditions esthétiques chinoises et les expérimentations ou théories venues d'Europe, comme celle de Bazin (Lichaa, 2017, p. 180). Enfin, il y a ceux qui récusent l'idée d'une nationalisation du cinéma au nom de l'universalité des images : abandonner un langage cinématographique partagé de par le monde risque d'enfermer le cinéma chinois dans un style inaccessible hors du pays.

Certains vont jusqu'à rejeter l'esthétique traditionnelle, jugée « féodale ». On est à l'ère des réformes, la Chine est désireuse d'entrer de plain-pied dans le monde, y compris par la voie du cinéma : « Le volume et la rapidité des échanges mondiaux ne cessent d'augmenter. La terre rétrécit, c'est pourquoi je pense qu'il n'y a pas de raison de maintenir des standards esthétiques nationaux. Pour la production cinématographique, nous devons absorber tout ce qui dans le monde peut bénéficier au progrès national, nous devons remodeler les anciennes traditions et les habitudes ancrées qui empêchent ce progrès. » (Xia, 1987, p. 57.) Voilà comment la production de films commerciaux dans le plus pur style hollywoodien a été possible.

La volonté de trouver une proximité entre le cinéma et des formes artistiques locales demeure cependant. C'est ainsi que la figure de Fei Mu réapparaît. *Printemps dans une petite ville*, redécouvert en 1983, est aussitôt considéré comme un chef-d'œuvre. Dans les années 1990 l'artiste fait l'objet de nombreux articles dans lesquels se trouvent soulignées une modernité formelle digne d'Orson Welles, mais encore sa dette aux arts traditionnels chinois (Signer, 2018, p. 92).

Mais de quels arts parle-t-on ? Sûrement plus de l'opéra. C'est à présent du côté des arts du pinceau — peinture, calligraphie et poésie — que l'on se tourne. Dans un article paru en 1980, Lin Niantong repère des techniques cinématographiques inspirées de la peinture et de la poésie, y compris dans des films d'avant la Révolution culturelle, entre 1957 et 1964. Il voit par exemple un lien entre les mouvements de caméra continus, prétendument fréquents dans le cinéma chinois, et ceux de l'œil parcourant un rouleau de peinture horizontal : le plan séquence devient le moyen d'expression d'un cinéma faisant « la synthèse entre l'esthétique de l'art chinois et la tradition cinématographique » (Lin, 1985, p. 85). De même, le cadrage afocal serait issu des constructions spatiales de la peinture chinoise et aurait « une affinité esthétique avec la notion de *you* », ce vagabondage de l'imagination guidé par des images s'enchaînant par mouvement progressif ou lien suggestif (Lin, 1985, p. 86-87). Lin établit même de grandes oppositions entre le cinéma chinois et occidental. Il distingue ainsi un cinéma occidental au « rythme syncopé », où les événements « s'enchaînent assez rapidement sans trop de digression » et la « lenteur imperturbable » d'une narration chinoise « qui se déroule jusqu'à la fin sans tension particulière » (Lin, 1985, p. 91).

Ce texte fut publié en France en 1985, à un moment où critiques et spectateurs occidentaux, découvrant les productions venues de Chine, se forgeaient leur idée de ce que devait être un « style chinois ». Le plan séquence, les travellings latéraux, une « esthétique de la surface » se manifestant par l'absence de clair-obscur et le choix de plan moyen ou d'ensemble plutôt que de plans resserrés devinrent, selon bien des critiques occidentaux, des caractéristiques de ce style. En vérité, une analyse de quelques films remet en doute ces généralisations (Udden, 2012, p. 268-275). Notons ici surtout que parallèlement aux réflexions engagées en Chine sur le style national, un cinéma considéré comme d'essence chinoise est inventé en Occident et peut-être tout particulièrement en Europe.

Peu présent sur les écrans avant les années 1980, le cinéma chinois est en effet découvert, notamment à l'occasion des festivals internationaux, alors qu'une nouvelle génération de cinéastes réalise ses premières œuvres. *Terre Jaune* (*Huang tudi*, 1984) remporte ainsi le Léopard d'argent au 38e Festival de Locarno et le prix de la meilleure photographie au Festival des Trois Continents à Nantes. Il avait pourtant été interdit de sortie en République populaire de Chine. Ce ne fut pas le seul film de la 5e génération à connaître des ennuis dans son pays tout en étant distingué en Europe : en 1990 le Bureau du film, jugeant que *Judou,* film de Zhang Yimou avec l'actrice Gong Li dans le rôle-titre, n'était pas bon pour l'image de la Chine, tenta de le retirer de la liste des Oscars.

Un « cinéma chinois » est donc inventé par la cinéphilie occidentale. Une tendance (on pourrait presque parler de pratique) se met en place : un film interdit ou censuré en Chine est au contraire reçu en Occident avec les honneurs. Passons sur ce que ce mécanisme révèle des représentations que l'on se fait du cinéma chinois en Occident, entre clichés esthétiques et *a priori* politiques. Soulignons combien cette réception favorable a fait débat en Chine. On reprocha par exemple à Zhang Yimou d'avoir « exoticisé » la Chine pour plaire au public occidental (Dai,

1993, p. 336) avec des films qui « projetaient la Chine comme un "autre culturel" dans le contexte post-colonial et mondialisé » (Chen Xihe, 2012, p. 476). Certains accusèrent même Zhang Yimou ou ses confrères d'insulter les Chinois pour plaire aux Occidentaux (Lau, 1991-1992, p. 3).

Ces débats révèlent une complexification de la question au moment où le cinéma chinois émerge sur la scène internationale. L'enjeu n'est plus seulement de savoir *comment* forger un cinéma chinois, selon quels équilibres, mais aussi de décider *quel* cinéma peut être considéré comme véritablement chinois, pour quel public, national ou international, et pour quels objectifs. L'époque contemporaine a largement hérité de ces questions.

3) À l'aube du XXIᵉ siècle la politique a, une fois de plus, repris en main les choses. On commença à s'en rendre compte à l'occasion des célébrations du centenaire du cinéma… en 2005 et non en 1995, car on fêta moins l'invention d'un art que son appropriation chinoise. Fut construit à cette occasion un grandiose musée du cinéma chinois, avec son IMAX attenant, au nord-est de Pékin au-delà du cinquième périphérique. Le China National Film Museum ouvrit officiellement ses portes en 2007. Dans cette imposante construction en matériau noir et aux formes géométriques est présentée une version très officielle du cinéma chinois. Sa chronologie immuable débute par une reconstitution, figures de cire à l'appui, de l'enregistrement de *La prise du Mont Dingjun* et le parcours donne autant de place au cinéma de la guerre révolutionnaire qu'à toute la production depuis l'ère des réformes (Kerlan, 2014).

Certes, ce centenaire a également permis la publication d'ouvrages renouvelant en profondeur l'histoire et la conception du cinéma chinois. Les questions et problématiques ne sont cependant pas toujours éloignées des préoccupations politiques : c'est le cas du débat, devenu central, sur le marché et l'audience. Car les analyses concernant la fréquentation des salles répondent aussi bien à de nouveaux courants historiographiques internationaux qu'à des préoccupations économiques voire idéologiques. En effet, depuis les années 1980, le système des studios d'État a progressivement disparu aux profits de conglomérats devenus pour certains de puissantes multinationales. Le système est en apparence forgé sur le modèle hollywoodien, mais en vérité ces multinationales n'existent qu'avec l'accord et l'appui, y compris financier, de l'État qui ne soutient que des productions considérées comme idéologiquement correctes tout en s'efforçant de contenir, par une politique de quotas, l'arrivée sur le marché intérieur des puissantes machines commerciales que sont les *blockbusters* américains. En soutenant ce cinéma de divertissement de masse, l'État se donne la possibilité de contrôler totalement le contenu des films diffusés dans le pays.

La théorie a accompagné cette mutation. Dans les revues spécialisées ou les institutions, on s'est mis par exemple à réfléchir à la façon dont le cinéma de divertissement chinois pouvait combiner économie de marché et valeurs socialistes pour devenir un grand cinéma populaire. Les questions formelles ont cédé le pas aux impératifs politiques et il est désormais communément admis que ce cinéma de divertissement aux valeurs socialistes doit suivre les formes narratives classiques du cinéma hollywoodien (Hu, 2019, p. 10 ; Jia, 2008, p. 21).

La reprise en main du cinéma s'est encore accentuée sous Xi Jinping. Une série de lois limite par exemple la production de films par de petites structures, plus difficilement contrôlables. La décision prise en 2018 de placer sous l'autorité du comité de la propagande la production cinématographique relève de la même logique.

Aujourd'hui le cinéma chinois se pense donc, officiellement du moins, comme au service de la Nation chinoise, de ses valeurs mais aussi de sa volonté de puissance économique. *La Terre errante* (*Liulang diqiu*) en est un bon exemple. Les discussions sur les forums en ligne, tout comme l'accueil affiché par la presse officielle, ne laissent aucun doute : le film est apprécié car le réalisateur a réussi à s'approprier une forme narrative populaire classique (la science-fiction) pour illustrer les valeurs considérées aujourd'hui en Chine comme « socialistes ».

Sorti pour le Nouvel An chinois, moment privilégié pour les productions au fort potentiel en termes de box-office, *La Terre errante* a connu un grand succès : en trois semaines, 80 millions de spectateurs l'avaient vu. Produit par les plus importants conglomérats de l'industrie cinématographique chinoise, le China Film Group et le Beijing Culture Studio, spécialistes des productions à gros budget, ce film a été annoncé à l'aide de slogans comme « Un petit pas pour *La Terre errante*, un grand pas pour la science-fiction chinoise ». Pour la presse et les réseaux sociaux, ce film marque en effet « une nouvelle ère pour le cinéma de science-fiction chinois ». L'objectif est clair : il faut rattraper Hollywood. « Quand les Chinois pourront réaliser leur propre film de science-fiction, le monde entier sera émerveillé », lit-on dans un autre article (Anon.). La comparaison avec Hollywood est bien présente, y compris dans l'esprit du réalisateur Frant Gwo qui prévient ses spectateurs en ces termes : « Je pense qu'il nous faudra une dizaine d'années pour réussir ne serait-ce que la moitié de ce que fait Hollywood. Ce ne sont que les premiers pas, nous devons être patients. » Le cinéma est engagé dans une course qui s'énonce dans les mêmes termes que pour l'armement ou la conquête de l'espace : « Nous pouvons rattraper notre retard par le travail, affirme Frant Gwo. Il y a tant de gens qui font tout leur possible pour rattraper ce retard » (Eagan, 2019). La presse a retiré également une grande fierté de l'achat des droits du film par Netflix et de sa distribution dans vingt-deux villes américaines.

Mais le film n'est pas uniquement apprécié au nom du patriotisme économique et technologique. S'il plaît tant, c'est aussi parce qu'il illustrerait les fameuses « valeurs chinoises » d'aujourd'hui. Implicitement, les articles enjoignent les spectateurs à renverser la comparaison *a priori* négative avec Hollywood : certes le film est perfectible sur le plan technique, mais sur le plan éthique et moral, et finalement politique, il apporte une alternative positive et se place bien au-dessus des productions américaines.

« En fait, seuls les Chinois peuvent sauver le monde », peut-on lire sur Sina.com, un des plus grands médias chinois en ligne, à la sortie du film le 7 février 2019 (Anon.). La suite de l'article s'emploie à démontrer cette affirmation à l'aide d'arguments qui ne sont pas sans rappeler ceux prononcés en 1933 par le nationaliste Chen Lifu. Car, et c'est une des forces du film, « *La Terre errante* est en apparence un film de SF, mais en vérité il contient beaucoup de la culture chinoise » (Anon.).

La résilience des Chinois dans le film en est l'illustration : « Depuis Yu le Grand qui a maîtrisé les eaux jusqu'au combat contre les inondations de 1998, ou encore le tremblement de terre de Wenchuan, les Chinois ont toujours affronté les désastres et surmonté les catastrophes », rappelle l'article (Anon.). Eux seuls sont capables de ne pas paniquer quand la Terre risque d'entrer en collision avec la planète Saturne, eux seuls peuvent trouver des solutions pour éviter le pire : « cette race de constructeurs » qui a bâti la Grande Muraille trouvera les moyens d'entreprendre les travaux pharaoniques propres à sauver la terre.

Ceci s'expliquerait notamment par un attachement indéfectible à la planète : « Pour échapper au désastre, les gens décident de prendre la Terre avec eux : tel est l'amour des Chinois pour notre maison, pour notre monde », explique Frant Gwo (Eagan, 2019). L'article de Sina.com puise dans des exemples tirés de l'histoire ou de la poésie classique pour conforter ses lecteurs dans l'idée que cet amour est proprement chinois. Il va même jusqu'à prétendre que celui-ci est affaire de durée puisque les Chinois peuplent la terre depuis cinq mille ans.

Cet attachement à la planète permet d'échapper au soupçon de patriotisme étriqué : « Au cœur de la science-fiction chinoise il y a l'idée d'un destin collectif commun pour toute l'humanité. » (Anon.) Il ne s'agit donc pas de sauver la Chine mais *le monde entier*. Et la Chine, capable de penser le collectif, se distinguerait en cela de l'Occident individualiste : ce n'est pas « un seul homme qui sauve toute l'humanité » (et l'abandonne au dernier moment pour les beaux yeux d'une femme, ajoute l'article sur un ton sarcastique) comme le cinéma hollywoodien nous y a habitués. Le film met en scène non pas un héros, encore moins un super-héros, mais un groupe de personnages de tous âges et majoritairement masculins, tous Chinois bien entendu, prêts à se sacrifier par amour de l'humanité. Ce que l'article résume avec une citation issue des Classiques confucéens :

Tianxia datong (*Que le monde entier vive en harmonie*). L'avantage du terme « collectif », c'est qu'il permet la fusion de l'ancien et du nouveau, du confucianisme et du socialisme, lorsqu'il se décline en collectivisme : « Ce collectivisme c'est ainsi que les Chinois travaillent, c'est ainsi que nous résolvons les problèmes », proclame le réalisateur (Eagan, 2019).

Comme le rêvait en son temps Chen Lifu, *La Terre errante* est donc aussi un film didactique, transmettant les valeurs phares de la société. Le réalisateur fait ouvertement sien ce but : « Nous espérons que les enfants verront ce film et y trouveront des objectifs pour leur vie », confesse-t-il (Eagan, 2019). Mais cela n'est pas du goût de tous. On trouve sur Internet quelques courageux blogueurs ou internautes anonymes déplorant « l'endoctrinement propre à ce socialisme à la chinoise » qui accompagne le film (Zhang Zhulin, 2019). Il est devenu impossible, remarquent certains, d'émettre des critiques : « Ne pas critiquer, ne pas égratigner. Sinon, votre famille sera, au mieux insultée, au pire expulsée de Chine et déchue de la nationalité », se plaint sur Weixin un artiste chinois (Hu Tianyao, 2019). Des « bandes de Gardes rouges », dit un autre internaute dont le billet a été depuis supprimé, font la loi sur le Net et attaquent ceux qui émettent des avis défavorables.

La réception de *La Terre errante* et les discours qui l'accompagnent sont ainsi révélateurs de l'atmosphère nationaliste et répressive qui règne aujourd'hui en Chine, et de l'instrumentalisation du cinéma populaire. Le gouvernement est parvenu à imposer sa vision d'un cinéma « chinois » c'est-à-dire d'un cinéma au service d'une politique nationaliste mêlant valeurs « confucéennes » et « socialistes ». La question formelle est une fois de plus mise de côté, car l'efficacité narrative est recherchée et, en la matière, le gouvernement paraît convaincu (comme bien d'autres dans ce monde) que la forme hollywoodienne est la meilleure.

Est-ce à dire que, une fois de plus au cours de sa longue histoire, le cinéma chinois se réduit aujourd'hui à n'être qu'un instrument au service du politique ? Ce serait oublier qu'il existe en dehors des circuits soutenus par l'État des démarches autres, plus modestes ou isolées, plus périlleuses aussi mais qui ne cessent d'inventer de nouvelles formes. C'est le cas de nombreux réalisateurs de films documentaires indépendants qui ont choisi le cinéma pour révéler des réalités de leur pays autrement masquées. Depuis 2015 la censure a considérablement amoindri leur capacité de réaliser et de montrer leurs films en Chine. Wang Bing, le plus connu à juste titre parmi ces réalisateurs, ne peut travailler, depuis la France, qu'avec des financements étrangers. On en arrive à cette situation paradoxale que son dernier opus, *Les Âmes mortes* (*Si linghun*, 2019), film aussi important pour la mémoire de la Chine contemporaine que l'est *Shoah* en Occident, ne peut être montré publiquement en Chine : pour les censeurs et le public nationaliste, un film qui montre la face sombre de l'histoire chinoise est anti-chinois. Et pourtant c'est ce cinéma en exil qui attire l'attention et suscite l'admiration des spectateurs occidentaux qui, pour certains, et de façon un peu réductrice, y voient l'essence d'un cinéma chinois.

C'est peut-être pour résoudre ce paradoxe que Jia Zhangke a cherché par tous les moyens, y compris celui du compromis avec le pouvoir, à obtenir que ses films et ceux d'artistes en marge du système puissent être vus en Chine. Il a fondé à cet effet en 2017 le Festival de Pingyao. Le recul manque pour comprendre la place que peut occuper ce festival dans le paysage cinématographique chinois contemporain. En termes d'affichage, les organisateurs et programmateurs, d'origine chinoise et internationale, cherchent visiblement à construire un lieu propice au développement d'un « cinéma chinois » qui se penserait dans ses dimensions artistiques plutôt que politiques : l'un des prix porte ainsi le nom de Fei Mu et vise, comme l'explique le site du festival, à « transmettre l'héritage esthétique de Fei Mu, soutenir de jeunes réalisateurs venant de régions de langue chinoise et développer le cinéma de langue chinoise ». Le Festival de Pingyao se veut cependant aussi un lieu de rencontre entre les cinémas occidental et chinois, comme le prouvent l'autre prix au nom de Roberto Rossellini ou la programmation très internationale.

Est-ce qu'un nouveau « cinéma chinois », ouvert sur le monde, lui apportant autant qu'il reçoit, est en train de se mettre en place à Pingyao ? Il s'agirait de débarrasser ce cinéma de toute injonction nationaliste, de s'intéresser aux propositions artistiques, aux inventions formelles, aux sensibilités esthétiques que des artistes nourrissent avec leurs cultures, chinoises, cinéphiliques, ou autres. Ce cinéma-là en vérité existe déjà, il a toujours existé, à l'ombre des contraintes politiques et parfois malgré elles. Espérons que cela reste possible dans un pays où la censure et le contrôle politique vont en augmentant.

Bibliographie

Anon., « Guoran, neng zhengjiu diqiu de, zhi you Zhong-guo ren » 果然，能拯救地球的，只有中国人 (« En vérité, seuls les Chinois sont capables de sauver la planète »), mis en ligne sur Sina.com le 7/02/2019. https://finance.sina.com.cn/stock/usstock/c/2019-02-07/doc-ihrfqzka4177728.shtml

BARMÉ, Geremie, « Persistance et tradition au "royaume des ombres". Quelques notes visant à contribuer à une approche nouvelle du cinéma chinois », Jean-Loup Passek, Marie-Claire Quiquemelle (dir.), *Le Cinéma chinois*, Paris, Centre Georges-Pompidou, 1985, p. 113-128.

BERGERON, Régis, *Le cinéma chinois, 1905-1949*, Lausanne, Alfred Eibel, 1977.

CHEN, Lifu, 陳立夫, *Zhongguo dianying shiye* 中國電影事業 (*L'industrie cinématographique chinoise*), Shanghai Chenbao she chubanshe, mars 1933.

CHEN, Xihe, « Chinese Film Scholarship in Chinese », Yingjin Zhang (dir.), *A Companion to Chinese Cinema*, Chichester, Malden, Wiley-Blackwell Publishing, 2012, p. 467-483.

CHENG, Anne, « Le souffle chinois », *Cahiers du cinéma*, n° 584, novembre 2003, p. 90-91.

DAI, Qing, « Raised Eyebrows for *Raise the Red Lantern* », trad. Jeanne Tai, *Public Culture*, vol. 5, n° 2, 1993, p. 333-337.

EAGAN, Daniel, « "A New Era for Chinese Science Fiction". The Wandering Earth Director, Producer Wow Fans at US Screenings », *South China Morning Post*, 27/02/2019 ; en ligne : https://www.scmp.com/lifestyle/entertainment/article/2187854/new-era-chinese-science-fiction-wandering-earth-director

FAN, Victor, « Fey Mou. The Presence of an Absence », *Cinema Approaching Reality. Locating Chinese Film Theory*, Minneapolis, University of Minnesota Press, 2015.

HU, Ke 胡克 « Zouxiang dazhonghua de zhuliu dianying » 走向大众化的主流电影 (« Toward the Popularized Mainstream Film »), *Dangdai dianying*, 1, 2008, p. 10-14.

HU, Tianyao 胡天遥« "Liulang diqiu" shi huyou ? hai shi laohu pigu »《流浪地球》是忽悠？还是老虎屁股？(« *La Terre errante* : est-ce du chiqué ou bien un vrai risque ? »), billet sur Weixin, 11/02/2019. https://mp.weixin.qq.com/s?__biz=MzU0ODU3MDYxMQ==&mid=2247484990&idx=1&sn=d4c0cd3d45ba071bbb95dae069c1f5f7&chksm=fbbc52a2cccbdbb48219980

bf44318abe191c33890353a9aadd51718c84c2f0e87
e3a7eaeed2&mpshare=1&scene=1&srcid=0211pedTnt12
ktiU23iH8kIt&pass_ticket=%2BqEJ1Hab3s%
2B1f6PEer780xZwAVr%2BlajhGnAMJqU0BfsdEggJ4N%
2FoELNBp5iIk%2F%2F5#rd

Jia, Leilei, 贾磊磊, « Chonggou Zhongguo zhuliu dianying de jingdian moshi yu jiazhi tixi » 重构中国主流电影的经典模式与价值体系 (« Reconstructing the Classic Mode and Value System of Chinese Mainstream Film »), *Dangdai Dianying* 1, 2008, p. 21-25.

Kerlan, Anne, « La bataille de l'histoire du cinéma chinois n'aura pas lieu (dans les musées) », billet sur le Carnet de recherche *Ombres électriques*, mis en ligne le 18/11/2014, https://ombrel.hypotheses.org/23.

Lau, Jenny Kwok Wah, « *"Judou"*. A Hermeneutical Reading of Cross-Cultural Cinema », *Film Quarterly*, vol. 45, n° 2, hiver 1991-1992, p. 2-10.

Lichaa, Flora, « Le documentaire en Chine (1905-2017) : entre autonomie politique et enjeux artistiques », thèse de doctorat de l'Inalco sous la direction de Vincent Durand-Dastès et Kristian Feigelson, soutenue le 7 décembre 2017.

Lin, Niantong, « Les théories du cinéma chinois et l'esthétique traditionnelle », Jean-Loup Passek, Marie-Claire Quiquemelle (dir.), *Le cinéma chinois*, Paris, Centre Georges-Pompidou, 1985, p. 85-94.

McGrath, Jason, « Cultural Revolution Model Opera Films and the Realist Tradition in Chinese Cinema », *The Opera Quarterly*, vol. 26, n° 2-3, printemps-été 2010, p. 343-376.

Prudentino, Luisa et Quiquemelle, Marie-Claire, « Du cinéma réaliste au cinéma de propagande dans la Chine maoïste », Jean-Pierre Bertin-Maghit (dir.), *Une histoire mondiale des cinémas de propagande*, Paris, Nouveau Monde, 2008, p. 661-680.

Signer, Léa, « Historicité de la réception et rôle de la critique : le cas de *Printemps dans une petite ville* », *Études Chinoises*, XXXVII-1, 2018, p. 77-94.

Udden, James, « In Search of Chinese Film Style(s) and Technique(s) », Yingjin Zhang (dir.), *A Companion to*

Chinese Cinema, Chichester, Malden, Wiley-Blackwell Publishing, 2012, p. 263-283.

WANG, David Der-Wei, « A Spring That Brought Eternal Regret. Fei Mu, Mei Lanfang, and the Poetics of Screening China », _The Lyrical in Epic Time. Modern Chinese Intellectuals and Artists Through the 1949 Crisis_, New York, Columbia University Press, 2015, p. 271-309.

WONG, Ain-ling, « Introduction. The Vicissitudes of History », avril 2010, _Hong Kong Film Archives_ ; en ligne : https://www.lcsd.gov.hk/CE/CulturalService/HKFA/documents/2005525/2007353/4-1-45_intro_e.pdf.

XIA, Hong, « Film Theory in the People's Republic of China. The New Era », George Stephen Semsel (dir.), _Chinese Film. The State of the Art in the People's Republic_, New York, Praeger, 1987, p. 35-64.

YAU, Elaine, « _The Wandering Earth_ Could Be The Film To Spark China's Science Fiction Moviemaking », _South China Morning Post_, 4/02/2019 ; en ligne : https://www.scmp.com/culture/film-tv/article/2184706/wandering-earth-could-be-film-spark-chinas-science-fiction

YEH, Emilie Yueh-yu (dir.), _Early Film Culture in Hong Kong, Taiwan, and Republican China_, Ann Arbor, University of Michigan Press, 2018.

ZHANG, Siwei 張四維, « Dianying yu jiaoyu 電影與教育 (Cinéma et éducation) », _Tianyi gongsi tekan_, n° 7, 1996, _Zhongguo wusheng dianying (Le cinéma chinois muet)_, Beijing, Zhongguo dianying ziliao guan, 1996, p. 549.

ZHANG, Zhulin, « The _Wandering Earth_, le _blockbuster_ qui divise la Chine », _Courrier International_, 19/02/2019 ; en ligne : https://www.courrierinternational.com/revue-de-presse/cinema-wandering-earth-le-blockbuster-qui-divise-la-chine

MAI 68 VU DE CHINE[1]

CHU XIAOQUAN
Université Fudan, Shanghai

Comment les Chinois voient-ils Mai 68 ? Commençons par la façon dont ils le désignent. Si les Français se réfèrent à cet événement par sa date, les Chinois le considèrent comme un phénomène météorologique, une « tempête » : « la tempête de mai » (*wuyue fengbao*), tel est le nom consacré de Mai 1968 pour les Chinois depuis qu'un éditorial du *Quotidien du Peuple* l'a ainsi baptisé. Cette dénomination métaphorique implique déjà une certaine appréciation du mouvement — violent, massif, irrésistible et naturel —, mais tout autant une absence d'appréciation de la réalité humaine de l'événement : personne n'est à l'origine d'une tempête dont rien ne peut infléchir le cours, la trajectoire ni la fin. On retrouve la même astuce terminologique lorsqu'il est habituellement question de notre Révolution culturelle en Chine de 1966 à 1976 : « Il est mort dans la tempête de 66 », ou bien « Il a subi des souffrances atroces dans la tempête de la Révolution culturelle » — ce genre d'expressions pudiques fleurit dans nombre de biographies contemporaines d'artistes, d'intellectuels et d'hommes politiques chinois. L'homologie de la dénomination de ces deux événements historiques révèle un certain rapprochement dans les esprits. Il est courant, en effet, de les classer dans une même catégorie.

Au-delà de la question de la dénomination, à l'échelon international le lien entre ces deux événements semble relever d'une évidence aussi bien pour les historiens que pour le grand public. L'historien britannique Eric Hobsbawm, dans son histoire du XXᵉ siècle[2], parle d'un mouvement estudiantin à l'échelle mondiale qui constitue, selon lui, un développement politique des plus dramatiques dans les années 1960 et 1970 du siècle dernier. Force est de constater que la présentation du Mai 1968 français et de la Révolution culturelle chinoise sur un même plan a pu fournir au public une certaine facilité de vision et de compréhension de la deuxième moitié du XXᵉ siècle ; elle a également permis que s'élabore un certain discours théorique sur la marche de l'Histoire, hier comme aujourd'hui. Mais la grandeur de ce mirage discursif et le plaisir des souvenirs retravaillés qu'une telle narration globale a pu procurer aux théoriciens de la révolution et aux nostalgiques de tous genres risquent fort d'être gâchés par ce que Michel Foucault appelait « la grande colère des faits »[3]. Celle-ci se manifeste dès que l'on prend le temps de se plonger dans les archives de l'époque afin de mesurer ce que les Chinois ont perçu et compris des événements en France et de vérifier s'il existe un lien entre Mai 1968 et la Révolution culturelle. On s'accorde très souvent sur la nécessité d'une certaine distance de l'observateur d'avec l'événement dont il entend rendre compte, sans risquer de se perdre dans le foisonnement des anecdotes du moment. La distance dans le temps (plus d'un demi-siècle) et dans l'espace (plus de dix mille kilomètres) pourrait sembler une condition favorable pour un observateur chinois, voire le conduire, arguant de nombreuses similitudes apparentes, à postuler une cause commune aux deux tempêtes soufflant à deux bouts du monde. Mais toute observation se heurte d'emblée à une inévitable question : comment la Chine des années 1960 aurait-elle pu entrer en résonance synchronisée avec les agitations françaises alors qu'elle-même était hermétiquement repliée sur elle-même ? Y a-t-il vraiment eu la possibilité pour la Chine de la Révolution culturelle de partager un grand moment révolutionnaire mondial avec la population d'un autre pays ?

Si l'on adopte l'approche qui sera la mienne de déterminer ce qui était connu et perçu par les Chinois au moment de Mai 1968, alors il n'est jusqu'à l'intitulé de ce chapitre qui ne fourvoie mon lecteur : car en vérité, les Chinois ne voyaient rien et ne savaient rien de ce qui advenait dans le monde extérieur. Toutes les informations dont ils disposaient consistaient en des mots, des mots fabriqués, sélectionnés, filtrés, recomposés pour être finalement publiés dans les médias officiels. Qu'entendre par médias officiels ? Essentiellement la presse écrite ; et cette presse se résumait au *Quotidien du Peuple* et à ces éditions locales. Sur les six pages que le *Quotidien du Peuple* publiait tous les jours, une seule et unique page était réservée aux nouvelles internationales, c'est-à-dire à des dépêches chinoises qui décrivaient le monde extérieur. Ces informations, bien canalisées dans leur diffusion, s'intégraient dans le tableau général que le Parti voulait montrer à son peuple afin que celui-ci y croie. En conséquence, si les Chinois ignoraient par exemple que l'homme avait marché sur la Lune, faute d'en avoir été informés, ils n'ignoraient rien des luttes anti-impérialistes de par le monde : la guerre victorieuse des Vietnamiens contre l'invasion américaine, les protestations sur les campus contre le gouvernement américain, les luttes des Palestiniens contre l'occupation israélienne, la guérilla insurrectionnelle des paysans en Amérique latine, etc. Grâce à cette page du *Quotidien du Peuple*, les Chinois pouvaient croire que, de l'Europe à l'Amérique latine, des États-Unis à l'Asie, le monde entier s'embrasait dans une situation révolutionnaire permanente et de grande envergure, et ce, dès les années 1950, en concomitance avec l'instauration de la République populaire de Chine en 1949.

Si l'éclatement de Mai 1968 avait surpris tout le monde en Occident, y compris les étudiants parisiens eux-mêmes, ce ne pouvait être vraiment une nouvelle extraordinaire pour les Chinois. Quand les premières informations sur la révolte parisienne sont apparues dans la page du *Quotidien*, elles voisinaient avec des nouvelles du type : « le valeureux peuple vietnamien a abattu le mois dernier plus de 400 avions militaires américains », ou encore « les héroïques combattants palestiniens ont tué dans une embuscade plus de 300 soldats israéliens ». Sans même avoir à développer une philosophie de l'Histoire de la cause du peuple au niveau mondial, nous autres Chinois de l'époque avions déjà acquis la conviction, à travers notre lecture quotidienne, que le monde entier était derrière nous et que sans surprise nous allions voir les révolutionnaires se soulever un peu partout et à tout moment. Quand enfin les Parisiens, dignes héritiers de la grande tradition révolutionnaire de la Commune de Paris, se décidèrent à reprendre le flambeau révolutionnaire, ce tournant historique pour les Français est apparu pour les Chinois comme un élément de plus dans une vision fixe de la situation révolutionnaire. Le seul changement perceptible dans le paysage révolutionnaire médiatisé, c'est que pendant un peu plus d'un mois le *Quotidien du*

Peuple, dans son tableau habituel de la révolution mondiale, consacra plus de place aux nouvelles de Paris qu'à celles d'autres pays du monde.

Une fois mis au centre de la scène par les médias, les événements français impliquaient bien naturellement qu'un plus grand soin soit apporté dans la présentation et que les informations soient plus abondantes — abondance à proportion de la place relative du monde extérieur dans les journaux de l'époque. Dès les premières nouvelles de la révolte à Paris, les médias officiels tenaient déjà une interprétation toute prête des événements et y accommodaient les faits rapportés afin de livrer le récit d'une lutte révolutionnaire des plus classiques. Le premier élément à déterminer dans le cas d'une vraie révolution est assurément l'identité de ses chefs. Tout lecteur des œuvres de Mao sait l'importance que celui-ci accordait au rôle des dirigeants. Qui donc étaient les chefs, aussi bien en théorie qu'en pratique, de cette révolution populaire en France ? Deux figures, expliquait-on aux lecteurs chinois, guidaient la pensée des jeunes révolutionnaires parisiens qui les portaient très haut dans leurs manifestations : Lénine et Mao. Et Mao plus encore que Lénine, comme en témoignaient les murs de Paris. En revanche, jamais ne furent mentionnés Che Guevara et encore moins Trotski, abomination des abominations pour les rédacteurs des dépêches chinoises envoyées de Paris. En Chine la simple lecture des ouvrages de Trotski pouvait automatiquement vous condamner à la prison. Pour ne rien dire de Marcuse, jamais cité dans les reportages ou commentaires, parce que c'eût été un sacrilège de mettre en parallèle un professeur bourgeois américain et le grand Président. Mais la simple mise en avant de Mao et de Lénine garantissait sans besoin de démonstration le caractère révolutionnaire et prolétarien du mouvement. Toutefois, force était de trouver un dirigeant à ces luttes, qui fût sur le terrain. Dans la geste chinoise de Mai 1968, jamais n'apparurent les noms de leaders étudiants comme Daniel Cohn-Bendit, Alain Geismar ou Jacques Sauvageot, ni des camarades maoïstes de la rue d'Ulm qui demeurèrent totalement inconnus du public chinois. En revanche, à un certain Jacques Jurquet, secrétaire général du groupusculaire Parti communiste marxiste-léniniste de France, fut attribuée une place d'honneur dans les pages du *Quotidien du Peuple*. Le journal nous garantissait la légitimité de la direction des luttes par Jurquet, dont deux articles sous forme d'éditorial de *L'Humanité Nouvelle*, l'organe du PCMLF, furent diffusés par les médias chinois. Dans ces deux éditoriaux, qui furent les seuls articles signés publiés dans le *Quotidien du Peuple* pendant Mai 1968, Jurquet donnait pour directives d'une importance capitale au peuple révolutionnaire de bien apprendre la pensée de Mao et de poursuivre la lutte jusqu'à la victoire finale.

La description d'une révolution ne serait pas complète si ses ennemis n'étaient pas désignés. L'ennemi principal pour les révoltés et les grévistes, selon le *Quotidien du peuple*, ce n'était ni de Gaulle ni Pompidou, auxquels il était simplement reproché de s'être laissé déborder et d'avoir pris peur, et moins encore la police dont la violence ne fut pas dénoncée comme l'adversaire majeur des étudiants. Non, l'ennemi principal, dénoncé et stigmatisé dans presque toutes les dépêches, éditoriaux et commentaires consacrés aux événements de Paris, c'était bien « le groupe révisionniste français ». Cette qualification était alors aussi bien connue du public chinois que de tous les militants maoïstes dans le monde. En clair, il s'agissait du Parti communiste français. Le

récit que le *Quotidien du Peuple* a construit à travers
la soixantaine d'articles consacrés au mouvement
de Mai 1968 opposait essentiellement, d'un côté,
les masses révolutionnaires françaises sous la juste
direction du PCMLF et, de l'autre, les révisionnistes
perfides qui n'avaient qu'un seul but en tête : saboter
la révolution. La trahison de la CGT, le piège des
négociations salariales et sociales, les tentatives pour
briser les grèves, l'impasse du compromis, la collaboration avec les forces de l'ordre — tout, absolument
tout était le fait du grand méchant dans la saga de
Mai 1968 qui s'appelait Waldeck Rochet, secrétaire
général du PCF. Mais, toujours selon le *Quotidien
du Peuple*, la félonie des révisionnistes se trouvait
fort heureusement démasquée par les masses révolutionnaires dont la mobilisation dans la rue témoi-
gnait assez qu'elles n'étaient pas dupes des intrigues
sournoises du PCF. Une dépêche de l'Agence Chine
Nouvelle racontait comment Louis Aragon, membre
du PCF, avait été conspué et chassé par les manifestants alors qu'il tentait de prendre la parole.

Outre les traîtres du PCF qui manigançaient dans
les rues et dans les usines, les reportages du *Quotidien* ne manquaient jamais de désigner l'autre grand
ennemi de la révolution parisienne : « les révisionnistes soviétiques ». À lire le *Quotidien*, l'Union
soviétique était un acteur majeur du mouvement de
Mai 1968, ignoble et pernicieux, auquel incombait,
à travers ses acolytes du PCF, une très lourde responsabilité dans l'échec du mouvement.

Le Mai 1968 tel que raconté aux Chinois, pour être
une curiosité aux yeux de tout autre peuple, avait le
mérite de la clarté et de la cohérence pour les lecteurs du *Quotidien*. Deux antagonistes se faisaient
face sur le terrain : le juste dirigeant Jurquet qui
incarnait la pureté idéologique et l'ignoble Rochet

qui sapait le mouvement populaire par sa trahison révisionniste. Derrière ces deux figures se profilaient les deux grandes lignes diamétralement opposées dans le mouvement communiste international : la droite ligne représentée par la Chine de Mao, fidèle à l'authentique tradition de la révolution d'Octobre, et la ligne dévoyée incarnée par l'Union soviétique post-stalinienne, devenue l'ennemi numéro un de la révolution mondiale. Au-delà de la reconstruction des faits et de curieuses exégèses, la présentation du mouvement de Mai 1968 dans les pages du *Quotidien du Peuple* avait ceci de remarquable qu'elle transposait de Pékin à Paris une seule et même dramaturgie. Les événements en France tels que racontés par le *Quotidien* devenaient en réalité une copie conforme, avec pour seule différence des noms étrangers et inusités, du discours sur la Chine que les Chinois entendaient tous les jours. Les personnages et leurs actions sur la scène s'intégraient merveilleusement au tableau de la révolution chinoise que le peuple chinois était amené à croire depuis longtemps. Pour quelle raison, alors qu'au cours des événements il brilla plus par son inaction que par son action, le PCF devint-il l'ennemi principal des médias chinois, et non pas la police, le gouvernement bourgeois ou le patronat ? L'explication se trouve dans le nouveau scénario de la révolution que le Parti communiste chinois avait adopté depuis la fin des années 1950. L'ennemi principal n'était plus le Guomindang (ou Kuomintang), ce Parti nationaliste du régime de Chiang Kai-shek déjà vaincu et chassé du continent, ni la bourgeoisie, pas plus que les impérialistes et les réactionnaires de tous les pays qui bientôt tomberaient d'épuisement ; le plus grand danger désormais, après la trahison de Staline par Khrouchtchev, c'étaient aux yeux de Mao les ennemis tapis au sein du Parti. En cohérence avec ce nouveau programme de la révolution continue, les campagnes pour purifier le Parti se sont succédé en Chine jusqu'à leur paroxysme, la Grande Révolution culturelle prolétarienne (1966-1976). Le numéro deux du Parti, Liu Shaoqi, fut désigné comme l'ennemi numéro un. Il est à remarquer que dans la presse chinoise le secrétaire général du PCF Rochet et ses alliés étaient appelés « traîtres » et « briseurs de grève », des qualificatifs qui ramenaient le lecteur chinois aux accusations formulées dans les mêmes termes contre Liu Shaoqi pendant toute la Révolution culturelle. Le langage que le quotidien chinois employait pour raconter les événements français était exactement celui utilisé pour mobiliser les masses pendant les événements chinois. Cette terminologie identique et l'analogue dramaturgie du combat à mort entre le marxisme-léninisme et le révisionnisme permettaient au public chinois de reconnaître la même musique pour un même scénario. Vue de la France, la grande foule déferlant dans les rues chinoises représentait, pour les maoïstes inconditionnels, la multitude créatrice des idées révolutionnaires et, vu de la Chine, chaque côté des barricades parisiennes était naturellement défendu par des révolutionnaires qui tenaient leur juste rôle dans un combat idéologique simple et univoque. De Paris et de Pékin, à travers les récits de Mai 1968 et de la Révolution culturelle, on voyait dans un miroir le reflet de sa propre image.

Dans l'esprit des lecteurs, le mouvement de Mai 1968 en France a incontestablement à voir avec la Révolution culturelle qui faisait rage alors en Chine. Pour faire bonne mesure à cette connexion qui n'échappait certainement pas aux observateurs d'alors, Pékin a orchestré, au moment le plus intense des révoltes à Paris, ses propres manifestations gigantesques, d'abord dans les rues de la capitale, ensuite dans une dizaine de grandes villes à travers la Chine. Des centaines de milliers, voire une dizaine de millions, de Chinois défilaient en cortèges serrés pour manifester leur soutien à leurs camarades français. Tous ces signes extérieurs ont renforcé cette impression de lien étroit : à Paris et à Pékin, le même spectacle d'une grande foule dans la rue, les mêmes drapeaux rouges agités et quelques icônes apparemment identiques, Mao, Marx et Lénine, hissées par des jeunes et tout cela à peu près au même moment. Il y avait là de quoi nourrir une philosophie de l'Histoire globale, un cas d'école où s'esquissait une grande et unique révolution planétaire.

Mais une question demeure. Quelle fut la temporalité de cet épisode de l'histoire mondiale ? En réalité vivait-on le même temps historique à Pékin et à Paris ? Avec le recul, nous savons que quand les jeunes Français descendaient dans la rue pour défier l'ordre établi, la France vivait encore dans les « Trente Glorieuses » qui y ont instauré une société d'affluence ; quant à la Chine, elle sortait d'une gigantesque famine lorsque la Révolution culturelle éclata. En France, les étudiants en révolte réclamaient l'ouverture de leurs facultés fermées par la police, mais en Chine c'étaient Mao et ses Gardes rouges qui avaient fermé toutes les universités et les lycées pendant de longues années. Une fois passé le moment révolutionnaire, ces deux sociétés se sont tournées vers des avenirs sans commune mesure. Les soixante-huitards français poursuivirent ensuite leur propre destin dans une société plus tolérante et ouverte, tandis que tous les Gardes rouges et tous les jeunes révoltés des premières heures de la Révolution culturelle, une fois leur utilité passée pour le Parti, furent envoyés, contraints et forcés, dans des campagnes lointaines et déshéritées, pour ne pas troubler la fête du IXe Congrès du Parti en 1969. La France d'après Mai 1968 fut marquée par une forte aspiration à l'autonomie individuelle, par une revendication des droits de l'homme et une affirmation des identités minoritaires, tandis qu'en Chine, sous l'impulsion de Mao, les autorités poursuivaient une radicalisation du fondamentalisme léniniste qui étouffait toute expression de la liberté individuelle. Il y a peut-être une simultanéité des événements chinois et français en Mai 1968, mais je pense que l'on n'est pas fondé à croire que les deux pays ont vécu un processus parallèle dans un temps historique commun. L'historien allemand Jürgen Osterhammel, ancien professeur d'histoire contemporaine à l'Université de Constance, montre qu'en insistant sur la simultanéité ou la synchronie, les adeptes de l'histoire mondiale tendent à mettre en avant l'espace au détriment du temps[4]. Ceux qui voient encore aujourd'hui dans les mouvements de Paris et de Pékin un même moment de la révolution mondiale partagé entre les Gardes rouges chinois et les révoltés français ont effectivement substitué l'espace au temps. Une histoire de l'espace a remplacé une histoire du temps, car ces deux pays étaient alors et sont toujours sur deux axes temporels différents et distincts. Il n'existe en réalité qu'un vaste espace d'un bout à l'autre du continent eurasiatique. Cet espace, que les deux mouvements étaient appelés à partager par mots interposés, a servi surtout de lieu de regards croisés ou plus exactement, de terrain de chassés-croisés. Quand les révoltés français tournaient leur regard vers la Chine, ils y voyaient une révolution d'une très grande originalité par rapport au modèle soviétique sclérosé. Mais cette révolution chinoise flamboyante dans la rue cachait une autre révolution, tactique celle-là. Si Mao mérite sa réputation d'avoir été un dialecticien accompli, la preuve en est apportée dans son recours au désordre comme moyen le plus efficace d'imposer son ordre à lui, de faire de la destruction de l'appareil d'État la façon la plus sûre de garantir son règne et d'ériger l'anarchie en absolutisme sans faille.

La grande découverte de la doctrine qui porte son nom est que le système policier le plus développé ne vaut pas, sur le plan de l'efficacité, une idéologie transformée en foi de masse. Mais depuis Paris le regard n'était pas capable de percer cet aspect de la réalité chinoise. De même, le regard porté depuis Pékin demeurait aveugle à la dimension libertaire de la révolte des jeunes Français. Ces célèbres slogans de Mai 1968, « il est interdit d'interdire », « l'imagination au pouvoir », « sous les pavés la plage », etc., étaient totalement absents des récits chinois du mouvement. Auraient-ils été connus qu'ils seraient apparus incongrus, sinon complètement incompréhensibles. Pour les Chinois de la Révolution culturelle, une révolution, si Mai 1968 en était une, impliquerait nécessairement une pureté de pensée, une austérité morale et une discipline de fer ; dans l'esprit des Chinois une révolution n'est autre que l'inauguration d'un nouveau monde purifié des vices bourgeois, au premier chef le libertinage sexuel. Nous ignorions totalement que c'était l'envie d'entrer librement dans le dortoir des filles qui avait déclenché le mouvement estudiantin à Nanterre. En effet, les revendications des jeunes Français pour plus de libertés individuelles ont souvent mis les journalistes du *Quotidien du Peuple* dans un certain embarras et en rédigeant leurs reportages ils eurent parfois recours à des termes

très vagues. On peut lire, à propos de l'incident du
dortoir, « les étudiants français se sont mis à protester contre le système éducatif pourri ». Dans le
langage officiel en Chine, la « révolution libidinale »
ne peut qu'être un oxymore. Si le regard chinois se
portait vers la France de Mai 1968, vers ces barricades parisiennes, les pages que lui consacrait le
Quotidien étaient autant d'exhortations à une plus
grande dévotion à la cause révolutionnaire, à un
plus grand sacrifice de la part des individus. Le
reste n'était ni perçu ni nommé. Pas un mot sur
les modalités de la mobilisation des manifestants,
sur leurs revendications ou leurs aspirations personnelles. De même, quand les maoïstes français
se réjouissaient du soutien chinois à leur cause, ils
ignoraient sans doute que toutes ces manifestations
de soutien n'avaient rien de spontané : tout avait
été organisé et orchestré. Le nombre des participants, les itinéraires, les drapeaux, les pancartes,
les slogans à déclamer et le déroulement national,
à Pékin, à Shanghai et ensuite dans quelques chefs-
lieux provinciaux, etc., tout avait été planifié par les
autorités du Parti.

Les journalistes sur le moment et les historiens et
les analystes depuis ont l'habitude de travailler avec
des concepts abstraits tels que « la révolution » et
autres -ismes dans un univers théorique séduisant
qui leur permet de parler de la Révolution culturelle
chinoise et du Mai 1968 français dans un même discours. Ce qui a le plus grand mal à trouver place
dans l'abstraction de ce récit construit, c'est le vécu
de tout un chacun — expérience qui apparaît alors
trop triviale, insignifiante, sinon sordide et difficile
à intégrer dans une rationalité universelle. Il y eut
une théorisation grandiose et sans doute originale
pour accompagner la Révolution culturelle, mais

l'horrible violence à l'encontre de ses victimes s'explique peut-être plus pertinemment dans un registre peu présentable : par exemple, par la jalousie d'une femme contre une autre. On dit que Jiang Qing, *alias* Madame Mao, a très mal supporté que Wang Guangmei, femme de Liu Shaoqi, lui ait volé la vedette lors de visites d'État à l'étranger à la veille de la Grande Révolution culturelle. Ragots mesquins relevant du plus bas instinct qui n'ont pas de place dans les grands récits historiques, objecteront certains. Ils deviennent donc complètement invisibles, vus à une certaine distance. Pourtant ils expliquaient bien des choses aux contemporains des événements. Mais la réalité ne disparaît pas pour autant et la perception du monde ne saurait être complète sans ces dénis et ces refoulements.

De nos jours, plus de soixante ans après, comment les Chinois voient-ils encore Mai 1968 ? Dans cette Chine contemporaine préoccupée non plus par la révolution mais par la puissance économique, bien des choses ont changé dans sa vision du mouvement. Dans cette nouvelle vision, l'ordre, l'idéologie et la révolte ont pris un autre sens. Entre les deux forces qui s'opposaient de part et d'autre des barricades, la Chine d'aujourd'hui a du mal, en fait, à choisir son camp. Elle a une grande sympathie pour les forces de l'ordre, l'ordre et la stabilité étant la clé de voûte de sa politique intérieure ; mais elle ne veut pas non plus rompre avec l'héritage idéologique de Marx à Mao, l'orthodoxie maoïste connaissant un regain d'autorité depuis un certain temps. Ce qui gêne, ce que l'on préfère ne pas voir, c'est cette barricade au milieu de la scène. La Chine fera tout pour éviter qu'elle ne soit érigée. Dans cette vision de Mai 1968, dans cette parabole moderne, la question pour la Chine d'aujourd'hui est simplement celle-ci : peut-elle réussir à combiner les deux forces à sa disposition afin de continuer à vivre ses Trente Glorieuses ?

Bibliographie

FOUCAULT, Michel, « La grande colère des faits », *Le Nouvel Observateur*, n° 652, 9-15 mai 1977, p. 84-86.

HOBSBAWM, Eric, *L'âge des extrêmes. Le court XXᵉ siècle, 1914-1991*, Bruxelles, Éditions Complexe/Le Monde diplomatique, 1999 (édition originale en anglais : *Age of Extremes. The Short Twentieth Century, 1914-1991*, Londres, Michael Joseph Lᵗᵈ, 1994).

OSTERHAMMEL Jürgen, *La transformation du monde. Une histoire globale du XIXᵉ siècle*, Nouveau Monde Éditions, 2017 (édition originale en allemand : *Die Verwandlung der Welt. Eine Geschichte des 19. Jahrhunderts*, Munich, C. H. Beck, 2009).

OSTERHAMMEL, Jürgen, *Unfabling the East. The Enlightenment's Encounter with Asia*, Princeton, New Jersey, Oxford, Princeton University Press, 2018 (édition originale en allemand : *Die Entzauberung Asiens. Europa und die asiatischen Reiche im 18. Jahrhundert*, Munich, C. H. Beck, 1998).

TROISIÈME PARTIE

MODES DE CONTRÔLE
DE LA SOCIÉTÉ CIVILE

LA MARGINALISATION
DES INTELLECTUELS D'ÉLITE
ET L'ESSOR D'INTELLECTUELS
NON INSTITUTIONNELS DEPUIS 1989

SEBASTIAN VEG
EHESS

À première vue, la société chinoise actuelle apparaît comme noyée sous la marchandisation consumériste qui n'en épargne aucun recoin, assortie d'un contrôle politique intrusif, renforcé par de nouvelles technologies de surveillance.

Dans ce contexte, l'espace pour la réflexion intellectuelle et le débat public semblent parfois se réduire presque au point de disparaître. La fin souvent annoncée des intellectuels, ou du moins de leur rôle dans la société — en lien avec une crise aux dimensions sans doute plus globales — y prend de ce fait une coloration particulière d'urgence. Aujourd'hui, le terme d'« intellectuel public » (*gonggong zhishifenzi*, abrégé en *gong zhi*) est souvent prononcé comme une insulte, désignant des intellectuels médiatiques qui se vendent au plus offrant pour leur bénéfice personnel. Où peut-on alors trouver des espaces de production de savoir et de retour réflexif sur la société chinoise ? Quels rapports entretiennent les instances et les espaces de production de savoir avec l'État et les institutions officielles ?

Il n'est sans doute pas nécessaire de rappeler en détail le rôle traditionnel des lettrés (*shidafu* ou *shidaifu*) en Chine, consistant à endosser la responsabilité pour les affaires du monde en apportant leur contribution à la conduite des affaires de l'État. Cette tradition s'est prolongée, par-delà la rupture du 4 Mai 1919 — qui, au-delà des manifestations s'opposant à la signature du traité de Versailles par la Chine, marque un moment de profonde remise en question de la culture classique —, d'abord dans la figure de l'activiste politique dans les années 1920, puis dans celle de l'intellectuel d'appareil, deux figures marquées par l'idée d'un rôle d'avant-garde pour les intellectuels. Timothy Cheek dans un ouvrage récent (2016) trace un parallèle entre les journalistes Deng Tuo (1912-1966) du côté communiste et Chen Bulei (1890-1948) du côté nationaliste : les contradictions inhérentes à ce rôle ont conduit à une fin tragique dans les deux cas. Après la fondation de la République populaire de Chine, les « intellectuels », définis par le Parti communiste comme tous ceux qui ne sont pas engagés dans le travail manuel, ont été mis au pas dès les années 1950, et de façon plus systématique lors du mouvement anti-droitier de 1957, puis lors de la Révolution culturelle. Dès lors, après la mort de Mao en 1976, les intellectuels (entendus au sens plus étroit d'universitaires, chercheurs, écrivains, artistes ou employés dans le domaine de la presse et de l'édition) aspiraient avant tout à retrouver leur statut et leur rôle traditionnel de conseillers loyaux de l'État.

Deng Xiaoping a permis ce retour en grâce en les recrutant au service de sa politique de réformes et d'ouverture. Lors du discours inaugural qu'il a prononcé le 18 mars 1978 au Congrès national des sciences (*Quanguo kexue dahui*), Deng a officiellement réaffirmé l'idée que les intellectuels constituaient une strate à l'intérieur de la classe ouvrière, redonnant ainsi une légitimité révolutionnaire aux intellectuels et au savoir (Deng, 1983, p. 105). Dès lors, ces derniers pouvaient également aspirer à retrouver leur place traditionnelle parmi l'élite sociale, dont la Révolution culturelle les avait privés. Au prix certes d'une alliance parfois ambiguë avec les réformateurs au sein du régime, les intellectuels ont été dans les années 1980 les fers de lance d'un mouvement de « nouvelles Lumières » qui devait faire écho à celui de 1919. Les salons apparus au début de l'année 1989 montrent l'influence exercée par certains d'entre eux sur les étudiants du mouvement pour la démocratie. Cependant, l'ambiguïté de leur alliance avec les réformateurs à l'intérieur de l'État a fini par se dénouer lors de la répression par la violence du mouvement de 1989. C'était sans doute la dernière fois que les intellectuels jouaient le rôle de conscience morale de la nation. S'en est suivi un retrait dans l'académie, une marginalisation des voix critiques dans la société en même temps que la vaste commercialisation du domaine de la culture que nous connaissons aujourd'hui.

Plusieurs schémas ont été proposés pour rendre compte de l'évolution de la position des intellectuels au cours des dernières décennies. Le plus courant consiste à montrer comment les intellectuels sont passés du service de l'État au service du marché. Cependant, si la commercialisation du domaine de la culture et la marchandisation de l'expertise ont procuré aux intellectuels la possibilité de rendre leur revenu moins dépendant de l'État, elle ne leur a guère apporté une position d'autonomie. Cette évolution en croise une seconde, plus globale, que Zygmunt Baumann (1996) a résumée comme le passage du rôle de législateur à celui d'interprète : les intellectuels, longtemps les prophètes d'une révolution dans laquelle la classe ouvrière jouait le rôle de

Pygmalion, ont désormais renoncé à formuler les lois de l'histoire et de la société. Ce renoncement est ambigu en Chine, car bien que peu d'entre eux aspirent aujourd'hui à être des intellectuels d'appareil, sur le plan théorique la référence au marxisme reste largement partagée dans les lieux de savoir institutionnel. Enfin, en troisième lieu, on peut s'intéresser à l'évolution de la manière dont sont organisées la production de savoir et sa validation sociale, et à la façon dont les intellectuels cherchent à légitimer leurs interventions publiques. Dans ce domaine, on observe des évolutions peut-être plus profondes, tendant à remettre en question la façon de constituer un savoir légitime sur la société et sur l'histoire. Le présent chapitre tentera de démêler l'écheveau de ces trois fils en distinguant trois périodes successives dans l'évolution récente des intellectuels, qui correspondent à autant de régimes de production du savoir.

LES ANNÉES 1980 : LE RETOUR D'INTELLECTUELS UNIVERSELS PRODUCTEURS D'UN SAVOIR INCONTESTÉ

Suite à la réouverture des examens d'entrée à l'université en 1978 et au retour progressif au fonctionnement d'avant la Révolution culturelle, les disciplines classiques réapparaissent et les sciences sociales retrouvent une place légitime comme productrices de savoir. Ce retour en grâce est consacré par l'autonomisation de l'Académie des sciences sociales de Chine en décembre 1977, à travers la séparation de l'Institut de philosophie et de sciences sociales d'avec l'Académie des sciences[1]. La sociologie, par exemple, qui avait été condamnée par le nouveau pouvoir dès 1952, et entièrement bannie de l'institution au moment du mouvement anti-droitier de 1957, est réhabilitée, et le célèbre sociologue Fei Xiaotong (1910-2005), docteur de la London School of Economics en 1938, condamné comme droitier en 1957, est chargé de reconstruire la discipline à l'Académie des sciences sociales et au département de sociologie de l'Université de Pékin (Merle, 2007). Il s'agit pour les sciences sociales d'adopter une approche empirique afin d'aider le pouvoir à « moderniser » la société et l'économie. Plus généralement, les intellectuels retrouvent une place légitime auprès du pouvoir, qui découle moins du statut retrouvé comme membres de la classe ouvrière que de leurs compétences techniques nécessaires aux réformes programmées par le pouvoir.

Le consensus qui s'établit entre les réformateurs économiques dans les échelons élevés de la bureaucratie de l'État-Parti et les diplômés en sciences humaines et sociales de l'enseignement supérieur à peine remis en ordre de marche repose donc sur l'idée de modernisation. Hu Yaobang, secrétaire général du Parti de 1980 à 1987, et son successeur Zhao Ziyang (1987-1989) s'appuient sur les économistes, les démographes et les sociologues pour mettre en œuvre la politique de décollectivisation et d'ouverture progressive aux réformes de marché (Gewirtz, 2019). Le rôle des intellectuels comme « nouvelle classe » indispensable au bon fonctionnement de la bureaucratie socialiste correspond d'ailleurs d'assez près au modèle envisagé par György Konràd et Ivan Szelényi (1978) dans la Hongrie des années 1970. Ce consensus permet l'ouverture de nouveaux espaces de production du savoir à l'intérieur du périmètre de l'État : des comités éditoriaux de revues agréées ou de collections d'ouvrages, comme la collection « Zou-xiang weilai » (« En marche vers l'avenir ») dirigée par Jin Guantao, affilié à l'Académie des sciences sociales et le groupe « Wenhua : Zhongguo yu shijie » (« Culture : la Chine et le monde ») de Gan Yang, qui s'est développé à partir du salon non officiel de Hei-shanhu et se rattache à l'éditeur Sanlian (Gu, 1999). On trouve également des centres de recherche placés sous la tutelle d'unités de travail qui sont soit des administrations de l'État, soit des entreprises d'État, ou encore des structures universitaires (Bonnin et Chevrier, 1991). Les plus connus sont les suivants :

— l'Académie de la culture de Chine (« Zhongguo wenhua shuyuan ») de Tang Yijie et Wang Shou-chang, enregistrée auprès du Bureau municipal de la formation continue de Pékin en 1984 et qui génère des revenus considérables en proposant des cours par correspondance (Gu, 1997).

— plusieurs groupes apparus dans l'entourage de Zhao Ziyang, devenu Premier ministre en 1980, notamment l'Institut de recherche sur le développe-ment rural, fer de lance des réformes économiques, qui s'est ensuite divisé entre l'Institut de recherche sur les réformes du système économique (« Zhong-guo jingji tizhi gaige yanjiusuo »), dirigé par Chen Yizi, et l'Institut de recherche sur le développement rural (« Zhongguo nongcun fazhan yanjiusuo ») de Du Runsheng (Burns, 1989).

— l'Association des jeunes économistes de Pékin (« Beijing qingnian jingjixue hui »), dirigée par Bao Tong.

— l'Institut de recherche sur le développement social (« Shehui fazhan yanjiusuo »), sous l'égide de l'entreprise privée Stone (Wan Runnan), dirigé par le sociologue Zhou Duo qui quitte son poste au département de sociologie de l'Université de Pékin, et où travaille également le politologue Cao Siyuan.

— le Centre de recherches des aciéries de la capitale (« Shougang »), dirigé par Zhang Xianyang de l'Académie des sciences sociales.

— l'Institut de recherche en sciences économiques et sociales de Pékin (« Beijing shehui jingji kexue yanjiusuo »), dirigé par les politologues Chen Ziming et Wang Juntao (ce dernier s'était distingué lors de la manifestation du 5 avril 1976 à Pékin pour rendre un hommage populaire à la mémoire de Zhou Enlai contre les extrémistes de la Bande des Quatre), enregistré sous l'égide du Centre pour l'échange d'expertise (« Rencai jiaoliu zhongxin ») de la Commission nationale pour la science et la technologie (Gu, 1998). Grâce aux revenus générés par un réseau d'entreprises privées de conseil rattachées à l'Institut, celui-ci a pu effectuer de vastes enquêtes sur la culture politique chinoise et publier régulièrement des rapports sur les questions politiques. Il a également racheté le *Jingjixue zhoubao* (*Hebdomadaire de l'économie*), qui, sous la direction de la rédactrice en chef Gao Yu, devient le premier journal semi-autonome en Chine depuis 1949. L'Institut a joué un rôle important dans la mise en place d'associations de soutien au mouvement étudiant en 1989.

Sur le plan des idées, les réformateurs politiques autour de Chen et Wang prônent une démocratie de type élitiste, alors que les réformateurs économiques font l'éloge du « néoautoritarisme ». Mais les idées restent secondaires dans ces structures *minban* (auto-organisées), qui correspondent avant tout à des réseaux clientélistes : les intellectuels ont besoin de protecteurs à l'intérieur du système ; les fonctionnaires qui les protègent en retirent le prestige d'être associés à des institutions semi-autonomes et à de grands intellectuels.

La réintégration des intellectuels à l'élite politique

se fait donc sous le signe d'une alliance stratégique avec l'État-Parti, qui s'inscrit aussi dans un récit particulier sur l'évolution historique dont les limites ont été fixées par la Résolution de 1981 sur « Certaines questions dans l'histoire du Parti »[2]. Malgré de « graves erreurs pratiques et théoriques », en particulier dans la période 1966-76, le Parti y réaffirme sa légitimité en tant que représentant de la classe ouvrière et de la nation tout entière. Dans ce cadre, la critique et le rejet du maoïsme se font sous le signe du « féodalisme », auquel sont opposées les « Lumières ». Les abus de pouvoir par Mao sont décrits comme un résultat des survivances du « féodalisme », des spécificités de la culture chinoise, ou de la longue histoire impériale plutôt que du système politique communiste. Dès lors, la Révolution culturelle doit être « niée », plutôt que faire l'objet de discussions ou d'études.

Les intellectuels inscrivent globalement leurs recherches dans ce périmètre. Jin Guantao par exemple, physicien de formation et éditeur de la série *En marche vers l'avenir*, forge le concept de « structure ultrastable » de la société chinoise, rappelant les « sociétés hydrauliques » de Karl Wittfogel, pour expliquer la résurgence répétée du « féodalisme » en Chine (Jin, 2001). Jin propose de « moderniser » la culture chinoise afin de sortir de ce cycle, un thème qui figure de façon saillante dans le fameux documentaire télévisé « L'Élégie du fleuve » (*Heshang*), diffusé en 1988. Même dans les textes les plus critiques, il n'est presque jamais envisagé que les « erreurs » du Parti puissent être corrélées au léninisme, au marxisme et donc *in fine* à la modernité. Tout au plus certains, comme le rédacteur en chef adjoint du *Quotidien du Peuple*, Wang Ruoshui, tentent de séparer le marxisme du léninisme et de se servir du « marxisme humaniste » comme outil théorique d'analyse et de critique de « l'aliénation » à l'intérieur des sociétés socialistes (Wang, 1985). Il faut noter que Liu Xiaobo (2011) a été l'un des rares à exprimer des doutes sur ce récit, publiant dès 1986 un brûlot dans la presse où il s'en prend à la « littérature des cicatrices », coupable selon lui de négliger les causes politiques de la Révolution culturelle et d'idéaliser la période des années 1950.

Au « féodalisme » sont opposées la science et les Lumières, qui font l'objet d'un consensus largement partagé, en tant qu'« outils de modernisation » qu'il faudrait emprunter à l'Occident pour sortir la Chine de l'arriération. Li Zehou, l'un des philosophes les plus influents des années 1980, propose la distinction entre Lumières (*qimeng*) et salut national (*jiuwang*), défendant l'idée que les impératifs du second auraient, tout au long du XXe siècle, entravé la pleine réalisation des premières. Il suffirait alors de libérer les Lumières du savoir de l'emprise de la politique pour sortir du féodalisme et émanciper les esprits (Li, 1987). Même les critiques les plus acerbes du système politique, comme l'astrophysicien Fang Lizhi, n'expriment pas de doutes sur ce récit linéaire d'une modernité déterminée par le savoir scientifique. Ainsi, c'est au nom de la science que Fang critique l'idéologie marxiste et qu'il soutient la démocratie, mode de gouvernement « scientifique » (par exemple Fang, 1988).

Les années 1980 sont donc une décennie d'une grande confiance des intellectuels en leur rôle central et en leur savoir universel : ses méthodes, sa validité, et son application directe à la société sont à nouveau légitimes après la parenthèse de la Révolution culturelle. Leurs interventions sont justifiées par la référence à la science, qui représente un argument irréfutable, dans une continuité certaine avec le scientisme marxiste. On a ainsi pu parler de la résilience du « monisme théorique » (c'est-à-dire du cadre de pensée marxiste érigé en dogme) dans le monde intellectuel chinois. Enfin, leur statut d'intellectuels est garanti par les liens directs qu'ils entretiennent avec les structures d'État et leur collaboration active dans la théorisation et la mise en œuvre des « réformes ».

LES ANNÉES 1990 : LA COMMERCIALISATION DU SAVOIR ET LA CRISE DES INTELLECTUELS

Après le massacre du 4 juin 1989, les intellectuels sont critiqués de tous les côtés : mains noires du mouvement étudiant pour le pouvoir, élitistes bornés qui n'auraient pas réussi à opérer la jonction avec les ouvriers (qu'ils auraient cantonnés dans un coin de la place Tian'anmen ; voir Walder et Gong, 1993), pas plus qu'avec les citadins ordinaires (séparés des étudiants par des cordons lors des marches vers Tian'anmen), ou bien produits d'un système d'éducation autocratique qui ne favorise pas les prises de décision démocratiques au sein du mouvement (Barmé, 1991), ou enfin porteurs d'une idéologie radicale (Yü, 1993). Certaines de ces critiques sont sans doute injustes : la volonté de ne pas s'engager dans une alliance de grande ampleur avec les ouvriers et citadins procédait certainement autant d'une volonté de protéger ces derniers (en évitant de prêter le flanc à l'accusation de vouloir renverser le régime) que d'un mépris élitiste. Il reste que l'échec du mouvement marque le début d'un recul durable de l'influence des intellectuels dans la société chinoise.

Face aux critiques, deux grandes tendances se dessinent parmi les universitaires et « experts » technocrates. Certains mettent en cause les « grands récits » des années 1980, soulignant que les intellectuels ont été trop prompts à s'engager dans des « débats d'idées » (*sixiang*) assez vagues, en maniant des notions dont ils ne maîtrisaient pas vraiment les tenants et les aboutissants théoriques. Ils appellent à revenir à un discours plus modeste, plus universitaire, appuyé sur les méthodes des sciences humaines ou sociales, qui respecte les « normes académiques » (*xueshu guifan*). L'historien de la littérature chinoise Chen Pingyuan est l'un des défenseurs de cette tendance qui le conduit à fonder la revue *Xueren* (*Le Savant*).

Une autre tendance, opposée, rassemble tous ceux qui ne voient pas d'avenir à la réflexion autonome dans le périmètre de l'État et préfèrent « se lancer à la mer » (*xia hai*) dans la nouvelle économie privée. Les médias, l'édition, mais aussi d'autres domaines moins liés à la culture sont autant de champs où il est possible de s'affranchir de la tutelle des structures d'État. Dans certains cas, le but explicite est d'utiliser le commerce pour soutenir d'ultérieurs projets politiques (*yi shang yang zheng*). On peut citer l'exemple de Chen Ping (né en 1955) qui, après avoir fréquenté les réformateurs économiques dans les années 1980, se lance comme entrepreneur des médias en 1992, avant de racheter plus tard le groupe de médias iSun.

Après la tournée méridionale de Deng Xiaoping au début de 1992, a lieu le débat sur le nouvel esprit humaniste en 1992-1993 qui oppose deux coalitions intellectuelles inattendues. D'un côté, les partisans de l'économie de marché, persuadés que les réformes économiques finiront par changer les mentalités conservatrices et permettre au pays d'évoluer dans un sens plus libéral, rassemblent d'anciens hauts fonctionnaires libéraux comme Wang Meng (écrivain né en 1934, cible du mouvement anti-droitier en 1957, ministre de la Culture au moment de la répression des étudiants place Tian'anmen en juin 1989, renvoyé après les événements) et de jeunes rebelles comme l'écrivain à succès Wang Shuo (né en 1958), défenseur d'une culture populaire. De l'autre côté, les « humanistes », traditionnels partisans d'une culture moins commerciale et plus intellectuelle (comme l'universitaire shanghaien Wang Xiaoming), s'allient aux « moralistes » conservateurs (Zhang Wei et Zhang Chengzhi) dans la défense d'une culture qui doit servir d'antidote au marché (Davies, 2007, p. 87-105).

Ce premier grand débat des années 1990 autour du rôle de l'économie de marché dans l'autonomisation des intellectuels cède bientôt la place à une seconde controverse. Wang Hui — titulaire d'un doctorat en histoire littéraire et intellectuelle consacré à l'écrivain Lu Xun et soutenu peu avant le mouvement de 1989 — publie en 1997 son célèbre essai *La pensée en Chine contemporaine et la question de la modernité* (Wang, 1997). Critiquant tous azimuts les partisans des différents courants intellectuels alors à la mode, Wang Hui souligne que la modernité reste un impensé dans la dichotomie Lumières-féodalisme qui sous-tend la critique de l'époque maoïste proposée dans les années 1980. Dès lors, les problèmes que rencontre la société chinoise contemporaine sont moins un résultat de la « structure ultrastable » de la tradition « féodale » que de la modernité elle-même : le capitalisme, la bureaucratie et le pouvoir énorme de l'État moderne. Il se réfère à Max Weber pour désigner cette « crise de la modernité » comme le problème central auquel la société chinoise doit désormais se confronter et dont fait partie le socialisme bureaucratique. S'appuyant sur les enquêtes historiques sur le capitalisme de Karl Polanyi et Fernand Braudel, Wang Hui critique les positions « simplistes » de penseurs critiques des réformes qui commencent à être désignés comme la « nouvelle gauche » (Wang Shaoguang, Hu Angang, Cui Zhiyuan, Gan Yang). Pour autant, Wang Hui, qui s'est ensuite lui-même rapproché de certaines positions de la nouvelle gauche, estime aussi que l'expérience politique maoïste peut représenter une « modernité non moderne » et donc une réponse alternative au problème d'une institutionnalisation démocratique de la société.

La remise en question de l'impensé de la modernisation, qui faisait l'objet d'un consensus des intellectuels et des réformateurs au sein de l'État dans les années 1980, représente une évolution importante dans le débat intellectuel chinois, coïncidant avec la réaction de rejet que provoquent les réformes capitalistes parmi une partie de l'intelligentsia. La seconde moitié de la décennie et le tournant des années 2000 sont ainsi dominés par les controverses entre la nouvelle gauche et les libéraux, notamment autour de la question des privatisations, de la propriété foncière et de la démocratie représentative ou électorale, opposée à la « démocratie de masse » pratiquée sous Mao (voir par exemple Qin, 2003).

Cependant, comme l'a souligné Gloria Davies (2007), la remise en question de la modernité ne conduit pas à renforcer de manière décisive le pluralisme du champ intellectuel. Davies détaille les trois théories critiques principales que certains intellectuels chinois s'approprient dans les années 1990, et la manière dont ces théories sont reformulées et transformées. D'abord, la critique des Lumières (qui font l'unanimité dans les années 1980), placée sous le signe du postmodernisme et de la fin des grands récits, devient en Chine un outil sélectif pour « déconstruire » le capitalisme et la « rationalité occidentale » et pour réaffirmer l'authenticité de la tradition chinoise parfois présentée comme proto-socialiste. En second lieu, l'affirmation des normes académiques (*xueshu*) contre la posture de l'intellectuel universel et ses grandes théories (*sixiang*) revient souvent, parmi les penseurs chinois qui se revendiquent comme « postmodernes », à réaffirmer une vision normative du « progrès » dans la pensée, plutôt que de signifier un acte d'autolimitation et de pluralisme méthodologique. Enfin, l'intérêt pour le « tournant linguistique » qui met en doute la transparence du langage par rapport à la réalité débouche en Chine sur une réaffirmation des postures traditionnelles dans lesquelles le savoir est fondé sur une posture de cultivation morale (*xiushen*). Ainsi, Davies estime que les tentatives des intellectuels chinois après 1989 de remettre en question les normes de validation du savoir n'ont conduit qu'à réaffirmer l'exceptionnalisme chinois, un positivisme hégélien, et enfin un patriotisme moral et une attitude instrumentale vis-à-vis de la théorie. Si bien que le « monisme » théorique (jadis pointé par Joseph Levenson) qui sous-tend la place particulière du lettré sous l'empire comme celle de l'intellectuel d'avant-garde sous le Parti (même si l'idéologie qui valide ces positions n'est plus la même) se réincarne une fois de plus dans un postmodernisme de façade qui cache une théorie néotraditionnaliste de l'exceptionnalisme chinois.

Il est donc difficile de voir dans l'évolution des années 1990 la marque d'un véritable pluralisme dans le débat intellectuel. Il est vrai que la nouvelle gauche et les libéraux se sont fortement divisés sur la question des réformes, mais leurs différences idéologiques apparaissent parfois davantage comme de simples rationalisations de positions politiques de soutien ou d'opposition au gouvernement, plutôt que le résultat d'une véritable réflexion intellectuelle. Les deux groupes se disent tous deux en principe favorables à davantage de démocratie et moins d'inégalités sociales ; ce qui les sépare en dernière analyse est leur confiance ou non dans le gouvernement pour parvenir à ces objectifs. Ainsi, la nouvelle gauche se présente comme partisane de la démocratie, critiquant le lien entre capitalisme et gouvernement autoritaire. Cette préférence est assortie de la conviction que la démocratie « de masse » de l'époque maoïste est supérieure à la démocratie libérale. De même, les libéraux affirment qu'une meilleure protection de la propriété privée permettra de contenir les dérives du capitalisme de connivence (*quangui zibenzhuyi*) qui prolifère au nom du rôle dirigeant de l'État. Seuls quelques penseurs iconoclastes sortent de ces débats prévisibles, comme Qin Hui (2015) qui n'a cessé de répéter que la Chine souffre à la fois de trop de contrôle et de trop de laisser-faire, à la fois d'un manque de liberté et d'un manque de protection sociale.

Le débat en apparence pluriel des années 1990 cache en réalité de nombreux conflits de prestige et d'influence entre les membres d'une même élite académique. La forte polarisation et la commercialisation du champ du savoir provoquent une compétition intense et l'essor de factions intellectuelles qui cherchent à s'allier à différents groupes au sommet de l'État, de manière assez comparable aux années 1980. Ainsi, bien que le gouvernement de Jiang

Zemin soit réputé libéral, il s'appuie aussi bien sur la nouvelle gauche (les théories de Wang Shaoguang et Hu Angang sur les capacités extractives de l'État inspirent directement les réformateurs néoautoritaires et la grande réforme fiscale de Zhu Rongji en 1995), que sur les intellectuels dits libéraux qui militent, comme l'économiste Wu Jinglian, pour l'entrée de la Chine dans l'Organisation mondiale du commerce. Mais Wu Jinglian trouve paradoxalement aussi des soutiens dans l'entourage de Hu Jintao quand il dénonce, en tant que membre de la Conférence consultative politique du peuple chinois, les conditions de vie des travailleurs migrants en 2007. Le rapport au pouvoir politique reste donc bien l'instance décisive de validation sociale du savoir. Ainsi, les jeux de pouvoir et d'influence ont fini par ruiner la crédibilité des intellectuels « publics » qui sont de plus en plus souvent vus comme de simple porte-voix de différents groupes d'intérêt.

LES ANNÉES 2000 : L'ESSOR DES INTELLECTUELS NON INSTITUTIONNELS[3]

À partir de la fin des années 1990 et du début des années 2000, alors que les intellectuels traditionnels — écrivains, universitaires, technocrates — sont progressivement décrédibilisés, un nouveau type de personnage public apparaît dont les prises de parole ne reposent pas sur le même statut social ni sur les mêmes mécanismes de validation du savoir. Ces prises de parole ne s'appuient ni sur la reconnaissance par une institution homologuée par l'État, ni sur un savoir de type théorique à prétention universelle.

Elles sont rendues possibles par de nouveaux espaces de publication ouverts par la commercialisation de l'édition et de la presse dans le courant des années 1990. Malgré la censure, la course au profit incite en effet les responsables éditoriaux à tester parfois les limites de ce qui est toléré, notamment dans le grand groupe de presse Southern Media à Canton.

On voit alors entrer dans la sphère publique des personnages dont la parole s'appuie sur un travail concret avec des groupes situés aux marges de la société (les *ruoshi qunti* ou groupes subalternes), et dont le savoir est en ce sens « spécifique », à la manière des praticiens hospitaliers ou carcéraux que Foucault (1994) appelle des « intellectuels spécifiques ». Plutôt que de présenter de grands récits ou de faire valoir des savoirs théoriques, il s'agit dans ces prises de parole de partir de l'expérience de personnes ordinaires ou marginales afin d'évoquer des questions concrètes qui les concernent. La légitimité de l'intervention repose sur la proximité vécue avec les personnes qui font l'objet de la discussion. Il s'agit donc d'un nouveau type de savoir, qui vient de la société plutôt que de l'académie, et qui est souvent décrit par le mot *minjian*, littéralement « parmi le peuple ». Cette notion, employée en général de façon assez peu rigoureuse par les intéressés, recouvre plusieurs traits sémantiques. *Minjian* est d'abord le contraire de ce qui est officiel ou institutionnel (*guanfang*) ; le terme a aussi le sens de « populaire » par contraste avec l'élite (*jingying*) ; enfin il contient une idée d'autonomie, d'autofinancement ou d'auto-organisation (*freelance*), une activité qui ne fait pas partie de l'économie étatique ni du système capitaliste global (même si elle peut générer des profits privés).

L'un des premiers intellectuels *minjian* en ce sens est l'écrivain Wang Xiaobo (1952-1997) qui, après avoir quitté son poste universitaire (grâce à la publication d'un best-seller sur la Révolution culturelle) en 1992, devient un essayiste culte dans les nouvelles revues semi-autonomes du milieu des années 1990 (*Orient*, *Nanfang zhoumo*, *Sanlian*) et le premier intellectuel *freelance* depuis 1949 (jusqu'à sa mort prématurée d'une crise cardiaque en 1997). Dans ses essais, il développe un certain nombre de critiques des intellectuels traditionnels. En premier lieu, il s'en prend aux grands projets utopiques portés par les intellectuels au nom des Lumières et de leur rôle d'avant-garde, projets qui ont contribué à faire survenir la Grande Famine de 1959-1961 ou la Révolution culturelle. Il souligne avec ironie que le maoïsme s'est toujours référé à la science et aux Lumières, et critique les « grands discours » des intellectuels qui prétendent toujours mieux savoir comment faire le bonheur des autres. Cette critique du rôle d'avant-garde du parti léniniste et des intellectuels est formulée au nom de la « majorité silencieuse », ceux qui n'ont pas la possibilité ou la capacité de s'exprimer (Wang a, 2006). En second lieu, Wang critique la position traditionnelle de responsabilité des intellectuels chinois, justifiée par leur position de supériorité morale. Wang prône au contraire la neutralité axiologique. Il se réfère à Bertrand Russell pour estimer que les jugements positifs peuvent être confirmés ou infirmés par les faits, mais que les jugements normatifs ne devraient être formulés que sous forme de requête. Les intellectuels devraient, selon lui, s'employer à apporter des connaissances plutôt qu'à donner des leçons de morale et à s'éduquer soi-même plutôt que les autres (Wang b, 2006). Enfin, et en lien avec l'attitude de neutralité axiologique, il incite à observer la société depuis le point de vue des « subalternes » (*ruoshi qunti*, terme qu'il semble avoir été le premier à populariser) : travailleurs du sexe, ouvriers migrants, homosexuels, pétitionnaires sont autant de groupes marginalisés qu'on n'entend jamais alors qu'ils composent une part non négligeable de la société. Influencé par sa femme Li Yinhe, sociologue du genre avec qui il co-écrit la première étude sur les homosexuels en Chine (*Leur monde*, 1992), Wang Xiaobo définit ainsi une nouvelle façon d'envisager le savoir sur la société ainsi que la position du producteur de savoir dans la société.

Au cours de la décennie qui suit la mort de Wang Xiaobo, on voit des intellectuels *minjian* apparaître dans différents domaines, conduisant à l'élaboration de nouveaux types de savoirs : notamment sur le passé (historiens amateurs), sur la société (documentaristes) et sur la citoyenneté, les droits et le système politique (juristes et militants associatifs). Dans chacun des cas, on peut souligner le rôle que joue un savoir spécifique, mais constitué à l'extérieur des institutions, l'autonomie par rapport à l'État aussi bien que par rapport au marché (l'activité *minjian* n'est pas destinée à générer un profit), et aussi le fait qu'il s'agit toujours de réseaux collectifs (plutôt que de « grandes personnalités » qui pontifient au sujet de leurs propres théories).

Pour s'en tenir à quelques exemples parmi les mieux connus, on peut évoquer le cas de Yang Jisheng (né en 1940), un journaliste retraité de l'agence Chine nouvelle, qui a mis à profit ses contacts pour rassembler un grand nombre de documents d'archives locales et de témoignages de cadres locaux, portant tous sur la Grande Famine de 1959-1961. Il s'est ainsi transformé en historien amateur de l'époque maoïste (un domaine qui n'est pour ainsi dire pas représenté à l'intérieur de l'université en Chine). La publication de *Stèles* en 2008 n'a certes pas pu avoir lieu sur le continent, mais l'édition de Hong Kong a été largement diffusée en Chine par le biais d'éditions pirates, de scans ou d'autres éditions électroniques plus ou moins légales. L'ouvrage a connu une notoriété telle que certaines revues grand public y ont fait allusion, l'exemple le plus fameux étant une couverture du *Nanfang renwu zhoukan* en 2012 montrant une courbe de la mortalité pendant la famine. Yang, retraité, vit de sa pension, et dispose ainsi du temps nécessaire pour compiler ses documents. Enfin, Yang faisait partie d'un collectif d'historiens amateurs réunis dans une revue semi-officielle, *Yanhuang Chunqiu* (*Annales de l'Empereur jaune*), spécialisée dans la publication d'articles critiques sur l'histoire du Parti. Bénéficiant de protections élevées parmi les libéraux qui cherchaient à préserver des réseaux d'influence après 1989, la revue a pu continuer pendant assez longtemps à négocier avec la censure, jusqu'à ce qu'elle soit finalement mise au pas en 2016.

Un second exemple est celui du collectif de documentaristes qui s'est installé à Songzhuang, un village de travailleurs migrants (*chengzhongcun*) à l'est de Pékin où se sont également regroupés un certain nombre d'artistes et d'universitaires comme Yu Jianrong. Le foncier bon marché et la proximité entre différents groupes sociaux participent de la position *minjian*. Le nouveau type de cinéma documentaire, apparu dans les années 1990 et grandement aidé par l'apparition de caméras digitales bon marché, représente lui aussi une démarche de savoir non institutionnelle. Alors que les départements de sociologie universitaires restent sous la domination d'une orthodoxie idéologique et théorique indéniable, ces documentaristes développent une nouvelle approche de la société chinoise contemporaine, en rupture avec l'esthétique du documentaire classique, qui comporte généralement une voix off insistante au service d'une thèse fortement appuyée (comme « Élégie du Fleuve », le fameux documentaire conçu par Jin Guantao et diffusé juste avant le mouvement démocratique de 1989). Les documentaristes des années 2000 s'intéressent aux zones marginales de la société, sans pour autant en faire des objets exotiques, ils s'efforcent de les documenter plutôt que de les insérer dans un schéma idéologique ou théorique, ils cherchent à montrer le temps historique comme contingent plutôt que comme téléologique, et ils mettent en scène des personnages individuels plutôt que des représentants d'une classe ou d'un groupe social. La cinéaste Ji Dan a ainsi affirmé, en réponse aux critiques de la nouvelle gauche lui contestant le droit (en tant qu'intellectuelle d'élite) de parler pour les subalternes, que sa position était celle d'un chaman, qui laisse parler une autre voix à travers la sienne, et en aucun cas celle d'un porte-parole. Pour un exemple de ce type d'enquête, on peut citer le film-fleuve *Pétition* de Zhao Liang, résultat d'une immersion pendant une décennie parmi les pétitionnaires, ces déboutés du système juridique regroupés dans un bidonville de Pékin, en attente de divers recours. En permettant à chacun d'entre eux de présenter sa requête à la caméra, le réalisateur montre que les pétitions, bien qu'elles représentent un terrible fardeau pour ceux qui les présentent, finissent par définir leur capacité à se prendre en main et à agir (*agency*) et même leur projet de vie.

Parmi les juristes et militants des droits citoyens, on peut citer deux cas inauguraux qui ont en quelque sorte lancé ce mouvement : celui de Sun Zhigang, un jeune diplômé mort en détention à Canton en 2003 après avoir été arrêté sans permis de résidence, et celui de Huang Jing, une jeune femme victime de viol et d'assassinat par son amant la même année, dont le procès a servi de point de départ au nouveau mouvement de droits des femmes. Le premier cas, porté par trois juristes (dont Teng Biao et Xu Zhiyong) dans une lettre à l'Assemblée nationale populaire, a abouti au retrait de la loi sur la détention et le rapatriement des personnes sans permis de résidence, marquant le plus grand succès du mouvement de défense des droits. Le second, porté par l'universitaire retraitée et militante féministe Ai Xiaoming, a conduit à mettre en place des associations consacrées aux violences domestiques et autres sujets précédemment jugés tabous. Comme le détaille Xu Zhiyong dans sa collection d'essais autobiographiques, il s'agit dans cette nouvelle façon d'aborder la citoyenneté de partir des questions concrètes qui occupent les gens ordinaires qui ne peuvent pas jouir des droits pourtant garantis dans la constitution (Xu, 2014). Ce positionnement marque une rupture par rapport aux années 1980, époque des grandes théories sur la démocratie et les réformes constitutionnelles. Xu et Teng fondent ensuite Gongmeng, une ONG unique en son genre, consacrée à la production, à l'extérieur des institutions, de savoirs destinés à résoudre des problèmes politiques concrets. Des rapports sont ainsi publiés sur les pétitionnaires, sur la scolarisation des enfants de travailleurs migrants (privés du droit de scolarité si leurs parents n'ont pas de certificat de résidence), et même sur les affrontements au Tibet en mars 2008, plaidant pour une approche pragmatique fondée sur une analyse factuelle des inégalités. Gongmeng est ainsi devenu un véritable modèle d'un nouveau type d'action citoyenne avant sa fermeture par les autorités au prétexte d'infractions à la fiscalité des entreprises.

Ces exemples d'historiens, sociologues ou juristes amateurs ou non institutionnels, illustrent le processus de reconstruction d'un type de savoir alternatif, enraciné à d'autres endroits de la société que dans les institutions universitaires d'élite, même s'il entretient également des rapports avec elles. Ces intellectuels *minjian* interviennent publiquement au nom d'un savoir spécifique (sur l'histoire, la société, le droit), mais sans être des experts rémunérés par l'État. Ils occupent une position subalterne : la légitimité de la prise de parole repose sur leur connaissance directe de groupes marginalisés de la société. Si leur présence dans l'espace public est permise par l'existence de forums qui ne sont pas directement sous le contrôle du Parti, qu'il s'agisse de publications commerciales, souterraines ou virtuelles (sur Internet), les intellectuels *minjian* ne travaillent ni pour l'État, ni pour le marché ; ils inscrivent leurs pratiques dans un tiers-secteur à but non lucratif, même si cette posture impose des contraintes fortes à leur action en termes de moyens. Enfin, comme le souligne le sociologue Yu Jianrong dans un article définissant « Ma posture subalterne », leur méfiance vis-à-vis des grandes théories induit une position pluraliste qui rompt enfin avec quelques-uns des piliers du monisme théorique qui accable encore le monde intellectuel chinois : l'éloge de la modernisation, la vision téléologique de l'histoire, l'exceptionnalisme chinois (Yu, 2008). Pour autant, il ne s'agit pas d'une société civile organisée (et encore moins de dissidence) ; le terme *minjian*, vague et diffus, est justement mieux à même que les concepts occidentaux à rendre compte des nuances de la société chinoise.

L'État chinois n'a certes pas observé l'apparition de ces nouveaux intellectuels et réseaux non institutionnels avec bienveillance, ni même avec indifférence. À partir de 2013, avec le Document central n° 9, révélé par une fuite, l'État prend pour cible directement les groupes sociaux susceptibles de représenter un défi à l'hégémonie idéologique et organisationnelle du Parti. Les remises en cause de l'histoire officielle sont stigmatisées comme relevant du « nihilisme historique » et leurs auteurs parfois attaqués en justice pour diffamation de héros et de martyrs révolutionnaires. Une loi spécifique de 2016, visant la zone grise dans laquelle opère le cinéma documentaire, interdit toute production et diffusion cinématographique non autorisée. L'Internet et les publications commerciales comme le *Nanfang zhoumo* (*Southern Weekend*) sont également reprises en main. Les avocats de défense des droits subissent une rafle d'arrestations le 9 juillet 2015 et les ONG comme Gongmeng sont démantelées. Cette répression s'accompagne même d'une théorisation assez détaillée sous la forme d'un nouvel idéal étatiste ou souverainiste (*guojiazhuyi*), où la distinction à la Carl Schmitt entre ami et ennemi ainsi que l'hostilité au libéralisme font figure de références (voir Veg b, 2019).

Pour autant, le nouveau type d'intellectuels et de mode de production du savoir pose au pouvoir des défis si profonds que les interdictions ponctuelles pourront difficilement les enrayer. En ce sens, l'essor des intellectuels *minjian* représente une évolution sans doute appelée à se poursuivre même dans une zone grise sous le radar de la répression actuelle.

En conclusion, pour jauger la situation actuelle, il faut garder à l'esprit les trois régimes de production de savoir qui se sont succédé en Chine depuis le début de l'époque de l'ouverture et des réformes. Dans les années 1980, les intellectuels universels, écrivains ou philosophes, proposaient de grands récits à une société sortant tout juste de la Révolution culturelle. Pour autant, ils tiraient leur légitimité en grande partie de leur cooptation par l'État, dans la tradition des lettrés chinois. Leurs discours étaient dominés par une vision scientiste et évolutionniste du savoir qui prône une sortie du « féodalisme » et la critique de la culture chinoise au nom de la modernité.

Dans les années 1990, la production intellectuelle s'est commercialisée et diversifiée. Le consensus sur la modernisation des années 1980 est rompu ; or, plutôt qu'un surcroît de pluralisme, cette rupture entraîne une multiplication des factions et le morcellement accru du débat intellectuel dont les participants restent dépendants de leurs liens de cooptation avec les instances de l'État. Sous l'apparence de pluralisme, ce sont donc encore les réseaux clientélistes et le monisme théorique qui subsistent.

Les années 2000 voient la remise en cause de ce schéma avec une interrogation plus profonde sur les mécanismes de production de savoir sur la société. L'affirmation d'un rôle autonome pour des instances de production et de légitimation du savoir à l'extérieur des institutions officielles permet certes une véritable pluralité des expressions, mais elle finit également par provoquer en réaction une réaffirmation théorique et répressive du rôle de l'État comme régulateur ultime du savoir légitime. Mais malgré la force de la répression exercée par le régime actuel, le tournant vers la société comme productrice de savoirs correspond sans doute à une évolution plus profonde dont les effets continueront peut-être à se faire sentir dans les années et décennies à venir.

Bibliographie

BARMÉ, Geremie R., « Travelling Heavy. The Intellectual Baggage of the Chinese Diaspora », *Problems of Communism*, janvier-avril 1991, 1991, p. 94-112.

BAUMAN, Zygmunt, *Legislators and Interpreters. On Modernity, Post-modernity and Intellectuals*, Ithaca, Cornell University Press, 1996.

BONNIN Michel et CHEVRIER, Yves, « The Intellectual and the State. Social Dynamics of Intellectual Autonomy During the Post-Mao Era », *The China Quarterly*, n° 127, 1991, p. 569-593.

BURNS, John, « China's Governance. Political Reform in a Turbulent Environment », *The China Quarterly*, n° 119, 1989, p. 481-518.

CHEEK, Timothy, *The Intellectual in Modern Chinese History*, Cambridge, Cambridge University Press, 2016.

DAVIES, Gloria (éd.), *Voicing Concerns. Contemporary Chinese Critical Inquiry*, Lanham, Rowman and Littlefield Publishers, 2001.

DAVIES, Gloria, *Worrying about China. The Language of Chinese Critical Inquiry*, Cambridge, Harvard University Press, 2007.

DENG, Xiaoping, « Zai Quanguo kexue dahui kaimushi shang de jianghua » (Discours inaugural au Congrès national des sciences), 18 mars 1978, in *Deng Xiaoping Wenxuan*, Pékin, Renmin chubanshe, vol. 2., 1983.

FANG, Lizhi, « China Needs Modernization in All Fields — Democracy, Reform, and Modernization », *Chinese Law & Government*, vol. 21, n° 2, 1988, p. 87-95.

FOUCAULT, Michel, « La fonction politique de l'intellectuel », *Dits et écrits*, vol. 3, Paris, Gallimard, 1994, p. 109-114.

GEWIRTZ, Julian, « The Futurists of Beijing. Alvin Toffler, Zhao Ziyang, and China's "New Technological Revolution", 1979-1991 ». *The Journal of Asian Studies*, vol. 78, n° 1, 2019, p. 115-140.

GU, Edward X., « From Intellectuals to Technocrats. The Formation and Development of Chinese Reformist Think Tanks in the 1980s », *The Stockholm Journal of East Asian Studies*, vol. 8, 1997, p. 89-135.

GU, Edward X., « "Non-Establishment" Intellectuals, Public Space, and the Creation of Non-Governmental Organizations in China. The Chen Ziming-Wang Juntao Saga », *The China Journal*, n° 39, janvier 1998, p. 39-58.

GU, Edward X., « Cultural Intellectuals and the Politics of the Cultural Public Space in Communist China (1979-1989). A Case Study of Three Intellectual Groups », *The Journal of Asian Studies*, vol. 58, n° 2, mai 1999, p. 389-431.

JIN, Guantao, « Interpreting Modern Chinese History through the Theory of Ultra-Stable Systems », Gloria Davies (éd.), *Voicing Concerns. Contemporary Chinese Critical Inquiry*, Lanham, Rowman and Littlefield, 2001, p. 157-184.

KONRÀD, György, SZELÉNYI, Ivan, *La Marche au pouvoir des intellectuels. Le cas des pays de l'Est*, Paris, Le Seuil, 1978.

LI, Zehou, « Qimeng yu jiiuwang de shuangchong bianzou (Le duo des lumières et du salut national), 1986 », *Zhongguo xiandai sixiang shilun*, Pékin, Dongfang chubanshe, 1987, p. 7-49.

LIU, Xiaobo, « Crise ! La littérature de la nouvelle époque est entrée en crise » (*Shenzhen Qingnianbao*, 3 octobre 1986), trad. Sebastian Veg, in Liu Xiaobo, *La Philosophie du porc et autres essais*, textes réunis par Jean-Philippe Béja, Paris, Gallimard, 2011, p. 57-87.

MERLE, Aurore, « De la reconstruction de la discipline à l'interrogation sur la transition : la sociologie chinoise à l'épreuve du temps », *Cahiers internationaux de sociologie*, n° 122, 2007, p. 31-52.

QIN, Hui, « Dividing the Big Family Assets », in Wang Chaohua (dir..), *One China, Many Paths*, Londres, New York, Verso, 2003, p. 128-159.

QIN, Hui, « Dang Zhongguo meng zaoyu quangui zibenzhuyi (Quand le rêve chinois rencontre le capitalisme de connivence) », *Gongshiwang*, 17 juin 2015 ; en ligne : https://www.hrichina.org/cht/node/20049.

VEG, Sebastian, *Minjian. The Rise of China's Grassroots Intellectuals*, New York, Columbia University Press, 2019.

VEG, Sebastian, « The Rise of China's Statist Intellectuals. Law, Sovereignty, and "Repoliticization" », *The China Journal*, vol. 82, juillet 2019, p. 23-45.

WALDER, Andrew G., GONG, Xiaoxia, « Workers in the Tiananmen Protests. The Politics of the Beijing Workers'Autonomous Federation », *The Australian Journal of Chinese Affairs*, n° 29, 1993, p. 1-29.

WANG, Hui, « Xiandai Zhongguo de sixiang zhuangkuang yu xiandaixing wenti », *Tianya*, n° 5, 1997, p. 133-150 ; traduction anglaise : « Contemporary Chinese Thought and the Question of Modernity », trad. Rebecca Karl, in Wang Hui, *China's New Order. Society, Politics, and Economy in Transition*, Cambridge, Harvard University Press, 2003, p. 139-187.

WANG, Ruoshui, « A Defense of Humanism », *Chinese Studies in Philosophy*, vol. 16, n° 3, 1985, p. 71-88.

WANG, Xiaobo, « Chenmo de daduoshu (La majorité silencieuse) », *Siwei de lequ* (*Le plaisir de penser*), Kunming, Yunnan Renmin chubanshe, 2006, p.10. Traduction anglaise par Eric Abrahamsen, « The Silent Majority », *Paper Republic* ; en ligne : https://media.paper-republic. org/files/09/04/The_Silent_Majority_Wang_Xiaobo.pdf.

WANG, Xiaobo, « Daode baoshouzhuyi ji qita (Le conservatisme moral et autres sujets) », *Dongfang*, n° 5, 1994, in Kunming, Yunnan Renmin chubanshe, 2006, p. 63.

XU, Zhiyong (avec TENG Biao), *Tangtang zhengzheng zuo gongmin : Wo de ziyou Zhongguo* (Être un citoyen fier : ma Chine libre), Hong Kong, New Century, 2014.

YU, Jianrong, « Zhongguo de diceng shehui : Wode yanjiu he lichang (La société subalterne en Chine : mes recherches et ma posture) », conférence donnée à l'Université du Peuple, 29 juillet 2008 ; en ligne : http://www. aisixiang.com/data/20274.html ; traduction anglaise par Stacy Mosher, « China's Underclass », *Contemporary Chinese Thought*, vol. 45, n° 4, 2014, p. 19.

YÜ, Ying-shih, « The Radicalization of China in the Twentieth Century », *Daedalus*, vol. 122, n° 2, *China in Transformation*, 1993, p. 125-150.

ENQUÊTER ENSEMBLE
SUR CE QU'ON PEUT PENSER

ISABELLE THIREAU
CNRS/EHESS

La singularité de l'expérience chinoise actuelle peut être saisie de différentes manières. L'une d'elles retiendra ici notre attention : le caractère fragile, insaisissable, chaotique que revêt aujourd'hui l'institution du social, c'est-à-dire le politique entendu comme mise en forme et comme mise en sens de l'existence collective (Lefort, 1986). Les transformations rapides et contrastées observées en Chine depuis le lancement, en 1979, des « quatre modernisations »[1], puis d'une politique dite « d'ouverture et de réforme », ont encouragé toutes sortes d'analyses et de commentaires, mais celles-ci s'interrogent rarement sur la façon dont l'expérience en cours est compréhensible ou pas pour ceux qui l'habitent ; sur la nature des principes qui orientent la manière dont chacun se rapporte à lui-même et aux autres ; ou sur l'existence de repères qui permettent de penser les relations entre les conduites, les savoirs et les croyances. Or, force est de constater que ces repères « en fonction desquels s'ordonne l'expérience de la coexistence » (Lefort, 1986) sont aujourd'hui marqués par les incohérences et les discontinuités, ainsi que par une divergence croissante entre les dimensions symboliques dont sont parées les décisions politiques et les situations ou hiérarchies que ces décisions, de fait, organisent et légitiment[2].

D'un côté, les principes constitutifs du système politique instauré à partir de 1949, et les connexions internes qui existaient entre eux, sont ébranlés ; certains sont abandonnés alors que d'autres sont maintenus ; des termes ancrés dans des références et des dimensions disjointes sont accolés pour aboutir à une configuration politique inédite et largement inintelligible. De l'autre, le souci manifesté par les gouvernements successifs, depuis le début des années 1980, de s'inscrire dans une continuité avec le passé immédiat en dépit des changements institués — un passé caractérisé notamment par la lutte des classes telle qu'elle a été mise en œuvre en Chine après 1949 — accentue le décalage entre le sens publiquement revendiqué de l'expérience actuelle et les réalités sociales instaurées, quelle que soit la diversité des projets et des parcours biographiques.

Les décennies maoïstes (1949-1979), dites aujourd'hui de la « révolution », ont été marquées par une entreprise politique qui n'a pas atteint les fins annoncées. De nouvelles recherches révèlent chaque jour l'écart entre les réalités alors affichées et la complexité des expériences, des situations et des interprétations, y compris au sein de l'appareil politique et administratif. Cet écart et les dénégations dont il fait l'objet pendant ces premiers temps de la République populaire de Chine sont alors associés à l'impossibilité d'une mise à l'épreuve effective des significations et des évaluations, à une configuration sociale marquée par le nombre croissant d'individus considérés comme des ennemis du peuple ou faisant l'objet de différentes formes de soupçon. C'est donc sur un socle normatif, moral et politique, fragilisé que se met en place, à partir de 1979, une nouvelle politique dite de

« construction ». Depuis, un autre type d'écart s'est instauré entre l'expérience en cours et ce qui en est publiquement dit. Il ne s'agit plus tant d'inscrire les descriptions publiques de la réalité dans une sorte de fiction que de nier la brèche instaurée entre les mesures politiques adoptées et les principes idéologiques qui sont censés les inspirer, alors qu'ils forment un tissu distendu, bigarré et troué de toutes parts.

Les relations problématiques ainsi établies entre « ce qui est » et le sens publiquement assigné à « ce qui est » ; les distorsions et les incohérences qui en résultent concernant notamment le juste et l'injuste, le légitime et l'illégitime, le vrai et le faux, ne sont pas anodines. Elles brouillent le rapport entre le symbolique et le réel ; elles soustraient à la discussion les situations qui ne devraient pas être ; elles occultent les initiatives et les innovations en cours ; elles empêchent les médiations grâce auxquelles une société se rapporte à elle-même. Il en résulte toutes sortes d'obstacles pour ancrer l'expérience actuelle dans son historicité — obstacles d'autant plus insurmontables que les décennies dites révolutionnaires (1949-1979) et officiellement porteuses d'une rupture radicale avec le passé sont à la fois posées comme des références, mais ne peuvent faire l'objet de débats publics, tandis qu'un lien est en revanche établi avec le passé considéré dans sa longue durée, quitte à revêtir une forme d'anhistoricité. Si ces écarts et ces incohérences ont été escamotés jusqu'en 2013, ils sont désormais manifestes dans le discours officiel, occasionnant toutes sortes d'inquiétudes, d'incompréhensions et de paralysies, y compris au sein de l'administration du Parti et de l'État. Et ce, en dépit des débats très intéressants qu'ils suscitent parmi certains intellectuels qui s'interrogent sur le processus de sinisation de la pensée marxiste ou sur la possibilité de subsumer l'histoire de la Chine — et éventuellement celle du monde —, dans sa longue durée jusqu'à la période actuelle, sous des concepts forgés en Chine il y a plusieurs millénaires.

Dès lors, des repères symboliques partagés, susceptibles de faire l'objet de débats afin de figurer ce qui est, peinent à se mettre en place. Ceux qui pourraient surgir font l'objet d'une vigilance inquiète. Exemple parmi bien d'autres et pour s'en tenir aux représentations symboliques dans des lieux publics, le 27 avril 2018 a été adoptée par l'Assemblée nationale populaire une nouvelle législation pour « la protection des martyrs et héros » révolutionnaires : la diffamation de ces derniers, soit la mise en cause de leurs faits et gestes tels qu'ils sont rapportés dans le récit officiel, peut désormais faire l'objet d'amendes administratives ou de sanctions criminelles[3]. Un mois plus tard, en mai 2018, une campagne de démolition des grandes statuaires bouddhistes et taoïstes placées à l'entrée des temples est lancée[4]. Elle sera suivie, en 2018 et 2019, de la destruction des statues de martyrs catholiques chinois dans plusieurs provinces, mais aussi de l'adoption de nouvelles réglementations concernant les personnages célèbres pouvant être représentés à la porte de leur ancienne demeure ou à l'entrée des musées. On pourrait également évoquer, dans un tout autre registre, le sort réservé à ceux, journalistes, bloggeurs ou avocats, dont les propos et les actions rendent sensibles et publics des critères de discernement qui débordent, et fragilisent, les significations officielles (Veg, 2019).

De cette situation il résulte, pour aller très vite, une sorte de brouillage des formes d'intelligibilité de l'expérience actuelle, des manières possibles de se nommer et de se donner à voir, des distinctions susceptibles d'orienter les attentes, les interprétations et les jugements. Ce brouillage est d'autant plus important que des ressources sans précédent — techniques, humaines, financières — sont mobilisées pour s'assurer que seuls les récits et les repères jugés valides prédominent, quels que soient leur anachronisme ou leur incapacité à donner sens aux réalités actuelles. Surtout ce brouillage vise à empêcher l'apparition publique des incohérences qui existent, d'un côté, entre les énoncés à partir desquels l'expérience actuelle se donne officiellement à lire et, de l'autre, les situations dans lesquelles les individus se trouvent pris.

Ce brouillage et les multiples formes d'indétermination qui l'accompagnent ne sont pas sans effets sur ce que l'on peut penser en Chine aujourd'hui. Ils expliquent la prégnance des rapports de force, anticipés ou réels, pour orienter les situations et les conduites, pour mettre un terme aux conflits et aux désaccords. Ils expliquent également les moments d'enquête récurrents dans lesquels les individus — administrateurs inclus — semblent pris, au quotidien, pour orienter non pas simplement ce qu'ils peuvent dire — comme s'il s'agissait uniquement de contourner censure et contrôle —, mais ce qu'ils peuvent considérer comme certain, partagé, et les actions dès lors jugées possibles, ou envisageables. Ce chapitre entend montrer quelques traits, forcément limités, de tels moments d'enquête qui s'inscrivent dans des domaines et des registres très variés.

DEUX RASSEMBLEMENTS PUBLICS

L'enquête menée par les citoyens chinois dans des circonstances singulières, aussi diversifiées soient-elles, vise à sortir du doute et de l'incertitude. Elle porte donc sur ce que l'on peut croire ou pas, ce en quoi on peut avoir foi, ce qui est assuré. Le caractère polysémique du terme « croire » s'étend ici à la langue chinoise dans laquelle *xin* peut être traduit par la confiance, la foi, mais aussi par les verbes croire, ajouter foi, se fier, avoir confiance. L'enquête est individuelle mais elle est aussi collective. Elle est plus facile à saisir lorsqu'elle est publique, lorsqu'elle se cristallise par exemple autour de faits divers qui suscitent tout à coup des interrogations et des indignations plurielles ainsi que l'expression, dans la presse ou sur Internet, des principes alors reconnus valides. Si de telles affaires se succèdent pendant les années 1990 et 2000, elles peinent aujourd'hui à prendre forme face à l'interdiction intimée aux médias, depuis une décennie, de procéder à des reportages critiques. L'enquête et ses tâtonnements peuvent également être appréhendés en observant comment des individus s'adressent, seuls ou à plusieurs, aux représentants locaux du Parti et de l'État pour révéler des faits jugés déraisonnables ou inacceptables. L'Administration des lettres et visites, par exemple — qui accueille depuis 1951 des accusations et des dénonciations ; des appels à l'encontre de jugements administratifs, politiques et juridiques jugés infondés ; des demandes d'assistance ou des avis constructifs « venus du peuple » —, est ainsi la destinataire de toutes sortes de récits qui s'efforcent de donner sens aux situations rencontrées, d'énoncer le juste et l'injuste (Thireau et Hua, 2010). Et ce, même si ces récits sont alors contraints par l'identité des destinataires et donc par la nécessité de prendre appui, en les réinterprétant, sur les engagements pris par les dirigeants et sur les décisions qu'ils ont adoptées.

Mais, en général, l'enquête ne se déroule pas sur la scène publique ou auprès des pouvoirs publics.

Elle se déploie, au quotidien, lors de moments de concertation et de coordination à la fois ordinaires et variés. Elle chemine notamment au sein de toutes sortes de rassemblements publics consacrés à une activité particulière — physique, artistique ou religieuse par exemple —, ou à des moments de loisirs ou de convivialité. Ces rassemblements sont plus ou moins ouverts ou fermés ; leur hétérogénéité sociale et générationnelle varie ; ils prennent souvent appui sur des repères temporels et spatiaux fixes, s'affranchissant ainsi de formes complexes de coordination et de concertation. Ils peuvent avoir pour objet l'action toute simple de « faire ensemble », qu'il s'agisse de danser, chanter, faire de la musique, en tenant alors la parole et donc l'enquête à distance. Mais ils peuvent également l'accueillir par les bavardages et les conversations qu'ils autorisent, et en faire même une dimension importante, quoique rarement explicitée, de la situation.

Pour esquisser quelques traits de ce processus d'enquête, on prendra appui sur deux rassemblements publics observés dans la ville de Tianjin, située à 120 km au sud de Pékin[5]. Le premier est celui qui se tient tous les soirs à 19 heures sur une place publique, la place Shengli (*Shengli guangchang*, place de la Victoire) de l'arrondissement Heping. Depuis plus de vingt ans, quelques dizaines d'hommes et de femmes se retrouvent en effet chaque jour à la même heure pour accomplir ensemble des exercices physiques : mouvements dits de rajeunissement, pratique du *qigong* puis du *taiji*. Si des liens de familiarité très variés existent entre les uns et les autres, n'importe qui peut se joindre aux participants et décider de revenir, ou pas, le lendemain. Le deuxième type de rassemblement est formé par des assemblées religieuses accueillies dans le principal temple protestant de la ville, le temple de la rue du Shanxi (*Shanxilu tang*), mais aussi dans un « point de rassemblement domestique » (*jiating juhui dian*), c'est-à-dire dans un appartement privé, transformé quelques heures par semaine en lieu de culte.

Le premier rassemblement se déroule donc sur une place rectangulaire, d'une superficie de 7 500 m², flanquée au nord et à l'ouest de bâtiments qui datent de la fin des années 1990 et du début des années 2000. Au sud, la place est bordée par le Grand magasin (*baihuo dalou*) construit dans les années 1920, mais aussi par l'une des artères les plus commerçantes de la ville, la rue Heping. Quant aux rassemblements protestants, ils se tiennent dans le temple qui se découvre derrière un portail annonçant le « Temple de la rue du Shanxi de l'église protestante de la municipalité de Tianjin ». L'édifice se compose en réalité d'un temple supérieur de deux étages avec ses 1 120 places, et d'un temple inférieur qui peut accueillir 350 fidèles. Les rassemblements ont été également observés dans un appartement de 60 m², situé au rez-de-chaussée d'un bâtiment de six étages, au sein d'une résidence d'une vingtaine d'immeubles entre lesquels des petites épiceries ou des coiffeurs en plein air se sont installés. Le mardi après-midi et le mercredi matin — des horaires choisis pour ne pas empiéter sur ceux du temple de la rue du Shanxi —, quarante à soixante personnes s'y retrouvent en effet pour des moments consacrés à l'« étude de la Bible » ou à des « prières et témoignages »[6].

Ces deux types de rassemblements relèvent respectivement, pourrait-on dire, du monde de la vie quotidienne et du monde de la vie religieuse, ce dernier étant ici lié, il convient de le souligner, à une religion dite étrangère, minoritaire en Chine quoique aujourd'hui en plein essor. Estimée en effet à environ un million au début des années 1950 puis à trois millions en 1986, la population protestante varie aujourd'hui entre 25 et 130 millions de personnes selon les chercheurs (Cao, 2011 ; Kaiser 2015). Si tous deux ont fait l'objet d'une observation régulière depuis 2011, seuls des fragments de l'enquête — menée par le chercheur cette fois — seront ici retracés. Qui plus est, faute de place, ces fragments ne pourront être rapportés aux contextes d'énonciation dont ils sont pourtant indissociables. Juxtaposés sans ambages, ils paraîtront sans doute disparates même si tous deux sont caractérisés par une participation plutôt féminine (environ les trois quarts des participants sur la place et dans les assemblées protestantes) ; par le nombre élevé d'adultes ayant plus de 60 ans (les deux tiers environ) en dépit d'une grande diversité générationnelle ; par une forte hétérogénéité sociale. Cependant, là où, dans les rassemblements protestants, des émotions et des expériences singulières, privées, sont rapportées par ceux qui les ont vécues, les participants qui se retrouvent sur la place Shengli discutent plus volontiers de situations générales, récurrentes et partagées, ou d'événements qui sont arrivés à autrui. Là où la parole fonde les premiers — sermons et témoignages donnent notamment à entendre l'enquête menée pour établir ce qui est, pour sortir du doute et fixer des croyances dans les multiples acceptions de ce terme —, se parler n'est pas la visée première affichée par ceux qui se rassemblent sur la place Shengli, même si les bavardages et les discussions y sont possibles. En dépit de ces variations, il a paru difficile de proposer quelques réflexions sur les processus très variés regroupés ici sous le terme d'enquête, sans donner à entendre celle-ci, même de manière fugace.

DES MOTS ET DES SAVOIRS POUR AGIR

L'enquête est inséparable du langage, même si elle ne passe pas uniquement par la parole. L'appréhender, c'est donc saisir dans un premier temps les termes qui en sont écartés car jugés déconnectés des expériences actuelles — même s'ils subsistent parfois dans les discours officiels ; ceux qui sont toujours utilisés pour les informations qu'ils charrient — même si les évaluations, positives ou négatives, dont ils étaient hier inséparables ne sont plus ; ceux qui sont revisités parce qu'on les fait soudain coexister avec des lexiques ancrés dans d'autres périodes ou avec des situations singulières inédites ; ceux, enfin, qui sont créés au quotidien pour nommer les réalités nouvelles ou qui surgissent de domaines autrefois empêchés, comme les domaines religieux.

Par exemple, des termes comme *qunzhong* (les masses) ou *fenzi* (éléments) ne sont jamais utilisés sur la place Shengli. À l'inverse, des catégories comme celle de « foyers aux 10 000 yuans », expression qui désignait dans les années 1990 la fortune nouvelle de certains foyers paysans, y refont surface. Cette catégorie singulière est alors associée à celle, beaucoup plus actuelle et péjorative, de *baofahu* ou « nouveaux riches », signalant l'importance attachée aux disparités actuelles et la mémoire toujours vive des premiers écarts de richesse observés après les réformes. Elle est opposée dans le même mouvement non pas à celle des « pauvres » mais à celle de « ceux qui respectent la loi » ou *shoufahu*. Il est difficile de faire ici justice aux évolutions linguistiques qui affectent aujourd'hui, sur la place et hors de la place, le lexique valide, les réseaux conceptuels ou les catégories disponibles pour se figurer ce qui est : ici, les inégalités matérielles observées et leur légitimité[7].

De même, l'essor du protestantisme en Chine, c'est aussi celui d'un vocabulaire partagé par « ceux qui croient ». Des mots peu usités dans le langage quotidien sont soudain disponibles. Ils évoquent des notions emblématiques de la foi chrétienne comme la grâce (*enhui*) ou le salut (*jiu'en*), mais ils autorisent également l'usage renouvelé de mots plus courants, quoique peu employés dans l'espace public après 1949, comme l'âme (*linghun*) ou le diable (*mogui*). De même, des rapprochements sont réalisés entre des catégories relevant en apparence de mondes distincts : les « militants », les « masses ordinaires » ou le « peuple », catégories emblématiques des décennies maoïstes, font ainsi leur apparition aux côtés des « disciples protestants ». Des emprunts sont faits à des formes idéologiques passées pour dessiner les contours de l'expérience en cours. « Si nous n'obéissons pas à Dieu, nous ne pourrons pas être des éléments progressistes », dit un prédicateur, reprenant ainsi une formule qui désignait hier une catégorie politique particulière[8]. Un autre parle de la « mentalité féodale » dont les membres de l'assemblée doivent se défaire[9]. Un autre encore mobilise la dialectique entre infrastructure et superstructure pour interroger le retard économique de la Chine, à partir d'un glissement entre la « loi » de Dieu et celle du matérialisme économique[10].

À travers l'usage qui est ainsi fait des mots disponibles, lesquels varient selon les situations, l'enquête travaille sans relâche les distinctions entre ce qui est certain et ce qui est objet de doute ; entre le normal et l'extraordinaire, qu'il soit inquiétant ou pas. Le 4 septembre 2015, par exemple, sur la place Shengli, les questions portent sur le ciel bleu qui a surgi la veille à Pékin à l'occasion du grand défilé militaire marquant les 70 ans de la « résistance du peuple chinois contre l'agression japonaise » : ce beau temps a-t-il été obtenu de manière artificielle ? Et si oui, par quel procédé exactement ? Pour essayer de démêler le vrai du faux, on compare l'apparition très nette du soleil ce jour-là au soleil brouillé, obtenu à coup sûr de façon artificielle, qui a régné sur les jeux Olympiques de 2008. On s'interroge aussi sur la fiabilité de certains produits alimentaires, médicaments, établissements, services publics. On tente alors de confirmer ce qui est — et notamment ce qui ne devrait pas être et dont chacun doit se prémunir — tout en enquêtant sur ce qui demeure indécis, incertain et potentiellement menaçant. Pour ce faire, des expériences personnelles sont réinterprétées à la lumière de celles d'autrui, permettant de distinguer ce qui est normal et récurrent de ce qui est singulier et exceptionnel.

Par un autre cheminement, les sermons prononcés dans les assemblées religieuses, en s'efforçant de fixer « ce qui est », confirment ce qui est aujourd'hui certain, évident, incontestable.

« Mon sermon porte aujourd'hui sur la question : qu'est-ce que la Bible ? Il existe beaucoup de proverbes en Chine. Le plus grand dictionnaire en compte huit mille, mais très peu de personnes orientent leur vie en fonction de ces proverbes. Ces proverbes, ils peuvent nous aider à comprendre la Bible, mais la Bible, ce n'est pas comme des proverbes. Il y a beaucoup de métaphores dans la Bible parce que les Occidentaux aiment bien les métaphores. Ils mettent ensemble des choses qui se ressemblent. Ils font des comparaisons.

Par exemple l'hostie, c'est comme une nourriture, la Bible c'est comme une nourriture. C'est une métaphore. Donc il nous faut comprendre cette métaphore, la Bible c'est comme une nourriture. Nous devons comprendre par exemple que la Bible ce n'est pas comme un médicament. [...] Mais la Bible ce n'est pas non plus comme des vitamines. Les vitamines ce n'est pas comme des petits pains cuits à la vapeur ou des galettes. On n'a pas besoin d'en manger tous les jours, même si ça fait du bien de temps en temps. Alors que la Bible il faut la lire tous les jours. »[11]

Des objets et des habitudes de la vie quotidienne (petits pains cuits à la vapeur, galettes, médicaments, vitamines) font ainsi leur apparition pour fonder des rapprochements et des contrastes. Ils pointent vers des usages familiers, des savoirs évidents, peu susceptibles d'être mis en doute et qui permettent ici d'établir ce que la Bible est, assurément. Ils soulignent alors comment la formation de croyances religieuses fait surgir les certitudes non questionnées qui traversent le monde de la vie quotidienne et qui privilégient aujourd'hui volontiers des éléments aussi irréfutables que l'alimentation, la cuisine, les goûts.

L'enquête vise donc à s'assurer de ce qui est, à distinguer ce que l'on croit de ce que l'on ne croit pas, à lever le doute concernant à la fois ce qui est, et ce qu'il est possible de faire par rapport à la réalité ainsi identifiée. Plutôt que des propositions ou des connaissances abstraites, elle engage donc des savoir-faire, aussi variés soient-ils ; elle est tendue par la nécessité d'agir, d'orienter sa conduite. Des dates particulières du calendrier mais aussi des remèdes, des recettes et des habitudes communes sont ainsi rappelées sur la place. Des manières de se protéger de situations jugées menaçantes et partagées sont échangées : on fait circuler les noms des médecins et hôpitaux de confiance ; on décrit les responsabilités refusées — y compris celle d'accompagner Wu Daye, animateur du rassemblement, à l'hôpital à la place de son fils, faute de pouvoir mesurer les conséquences d'un tel geste ; on décrit les manières de circonscrire les obligations familiales. Dans les assemblées protestantes, sermons et témoignages décrivent, après coup, les actions validées ou invalidées par leurs conséquences positives ou négatives, ces dernières étant associées à l'expression d'une appréciation divine. Ils évoquent également les conseils prodigués par Dieu, en amont, pour orienter la conduite de fidèles pris dans des situations jugées incertaines ou inacceptables, des conseils qui parfois les encouragent à accomplir une action jugée officiellement répréhensible. Le 2 novembre 2017, par exemple, une femme originaire de la province du Liaoning livre un long témoignage dans le temple de la rue du Shanxi. Elle rapporte la démolition, en 2011, de son habitation dans sa ville d'origine ; le choix d'un appartement sur plan fourni par la municipalité (les plans de la résidence et de chaque immeuble sont longuement décrits) ; la visite faite dans l'immeuble encore inachevé ; l'indignation éprouvée en entrant dans l'appartement attribué : « C'était comme une maison de poupée presque sans fenêtre. Aucune pièce n'était carrée. Le plafond était très bas. Il fallait souvent être courbé. Ça ne ressemblait tout simplement pas à un endroit où des gens peuvent vivre. Et j'avais attendu cinq ans pour ça ? C'était pas possible ! » Le témoignage se poursuit avec le récit des démarches entreprises auprès de l'administration locale pour comprendre la situation et réclamer un autre appartement au nom des trois principes formulés par celle qui témoigne : les architectes et ingénieurs se sont à l'évidence trompés dans les plans ; le gouvernement de la ville qui les a embauchés est responsable de ces erreurs ; chaque citoyen a le droit de disposer de conditions de logement convenables. Elle relate, enfin, la décision qu'elle a prise, face au silence de l'administration, de suivre les conseils de Dieu et de « prendre la route » pour Pékin. En effet, expliquera-t-elle à son fils venu aux nouvelles, Jésus, fils de Dieu, avait demandé à son père de dire au témoin qu'il fallait qu'elle monte à Pékin porter plainte.

Quelle que soit l'identité de ceux qui sont ainsi pris dans un échange, observé ou rapporté, de questions et de réponses entre des parties très différentes, l'enquête concerne un spectre extrêmement large d'actions qui vont ici par exemple des façons correctes de nettoyer différents types de fruits et légumes pour les rendre propres à la consommation à la manière valide de convertir des proches, en passant par la capacité à réorienter, par les gestes entrepris, les attentes entre générations au sein de la famille. Autrement dit, l'enquête lie étroitement savoirs — ou certitudes, convictions, croyances — et action.

DISCERNER CE QUI EST JUSTE, ACCEPTABLE, SOUHAITABLE

Pareil lien entre savoirs et actions fait surgir la question de leur efficacité mais aussi de leur dimension normative. L'enquête est ainsi indissociable d'une interrogation sur ce qui est bien, juste, légitime, un questionnement qui apparaît dès le premier jour passé dans le temple de la rue du Shanxi, le 4 janvier 2011, à la veille de la première excursion sur la place Shengli.

Ce jour-là est jour de témoignage et le premier à venir prendre la parole au micro placé au pied de la chaire est un homme d'une cinquantaine d'années qui raconte comment la veille de Noël, alors qu'il était sur son vélo électrique au coin des rues Heping et Bingjiang, une voiture l'a renversé. Trois personnes en sont descendues, « habillées de façon très correcte », et lui ont demandé s'il était blessé. Étant croyant, il a dit la vérité : il n'avait rien. S'il n'avait pas été croyant, sans doute aurait-il fait comme beaucoup, restant à terre et feignant d'être blessé afin d'être dédommagé. Si lui n'avait rien, son vélo en revanche était abîmé et le chauffeur de la voiture a insisté pour lui donner 200 yuans (environ 20 euros). L'homme répète à plusieurs reprises qu'il remercie Dieu de n'avoir pas été blessé mais qu'il n'a rien demandé, que peu lui importait qu'on lui propose de l'argent ou pas mais qu'il se demande, et demande à l'assistance, s'il a eu raison d'accepter cette somme[12].

De tels questionnements, dans leur diversité, traversent les rassemblements observés. Ils portent sur les façons correctes de se conduire en leur sein comme sur les comportements attendus à l'extérieur. Ils donnent à entendre les principes reconnus valides *in situ* et qui sont jugés susceptibles d'être étendus au-delà du rassemblement, mais aussi les évaluations portées sur des expériences extérieures à ces rassemblements et qui deviennent soudain dicibles, du fait des formes de familiarité ou de légitimité instaurées.

> « Avant quand on sortait de chez soi, plus on paraissait pauvre mieux c'était. Il fallait avoir une allure simple, frugale. Il y avait alors ce mot très important, *pusu* ("simple et frugal"). Les plus âgés se souviennent de cette époque. Dans les années 1950, on portait rarement des vêtements non

rapiécés. Un vêtement était neuf pendant trois ans, vieux pendant les trois années suivantes, et puis il y avait trois ans pendant lesquels il était repris, recousu, raccommodé. Mais maintenant ce n'est plus la même chose. On ne peut pas rejoindre l'assemblée n'importe comment, juste après le travail sans s'être lavé ni habillé un peu mieux. »[13]

Sermons et témoignages évoquent ainsi tout à la fois les façons convenables de se présenter dans les assemblées et celles qui attestent d'une « bonne croyance », ce qui signifie notamment l'impossibilité d'avoir plusieurs croyances, soit de venir par exemple prier au temple tout en brûlant des offrandes lors de la Fête des Esprits (*xiayuanjie*), ou de prendre sa carte du Parti pour obtenir un poste convoité alors qu'on est déjà baptisé. Ce qui signifie également la réalisation correcte des obligations assignées aux croyants : prier, évangéliser, venir aux rassemblements hebdomadaires et y témoigner. Mais les prises de parole privilégient surtout l'exposé des expériences vécues en dehors des lieux de culte. Des situations qui ont surgi en famille, entre voisins, au travail, dans les moyens de transport ou encore à l'hôpital sont ainsi soudain décrites et appréciées ; des conduites, y compris personnelles, sont déplorées. L'exemplarité du croyant se manifeste alors avant tout dans la nature des relations établies avec autrui, proche ou lointain, et notamment dans les mots qui n'ont pas été prononcés, dans les actions qui n'ont pas été commises comme « proférer des injures, affirmer des mensonges, inventer des choses fausses de toutes pièces ! »[14].

L'exemplarité de Jésus permet quant à elle de réaffirmer des attentes normatives jugées fragilisées, ou transgressées.

« Jésus a dit à sa mère : "Mère, vois ton fils !"
Et puis il est allé voir ses disciples et il leur a dit :
"Voyez votre mère !" Qu'est-ce que cela veut dire ?
Il a rappelé un principe de base entre les hommes,
une obligation fondamentale. Il faut montrer un
respect particulier envers ses parents. Nous disons
souvent qu'il faut avoir des fils et des filles pour
pouvoir s'appuyer sur eux quand on sera vieux,
car il faut aider et respecter les personnes âgées.
Ça c'est dit aussi dans la Bible et c'est pourquoi
Jésus se conduit comme ça. Il voit Marie en bas et
il lui dit : "Mère, vois ton fils !" Et il dit la même
chose à ses disciples pour leur confier sa mère et
leur dire de prendre soin d'elle. Il veut dire par là :
"Ma mère est également votre mère." Il confie sa
mère à ses frères. Il se montre responsable d'elle
jusqu'au bout ! Même s'il va être cloué sur la croix
il n'oublie pas sa mère ! Et cela veut dire quoi ?
Cela veut dire qu'il est un modèle pour nous tous !
Et nous tous qui avons encore un père et une mère,
qui avons encore des parents, est-ce que nous agis-
sons comme Jésus ? Aujourd'hui il y a tant de fils
et de filles qui ne s'occupent pas de leurs parents,
qui se battent pour les biens de la famille, qui ne
pensent pas du tout à prendre leurs parents à leur
charge ! Ça c'est la disparition de la morale. Ça
c'est ne plus avoir figure humaine. »[15]

De même, sur la place, associées à la reconnaissance des gestes qui conviennent pour se
saluer ou se quitter, prendre place et se regarder,
se font entendre toutes sortes d'interrogations qui
concernent ce que signifie aujourd'hui le fait d'être
une « bonne fille » ou un « bon père », ou qui visent
à légitimer des attentes partagées alors qu'elles vont
à l'encontre des injonctions moralisatrices officielles.

Comme, par exemple, le souhait exprimé avec force par de nombreux participants de ne plus habiter avec leurs enfants mariés. On y discute aussi de ce que peut vouloir dire, aujourd'hui, le fait d'être un « bon cadre » ou un « bon maire ». On débat des conduites attendues de la part des dirigeants locaux, des formes de redistribution qu'ils devraient adopter, de la légitimité des écarts de richesse observés, une question qui surgit également dans les temples au détour des sermons et des témoignages.

En quittant la place Shengli. 8 juin 2014. « Deng Xiaoping a dit qu'il fallait que certains s'enrichissent en premier. D'accord ! Mais la question aujourd'hui, c'est que tu as les pauvres. Tu as ensuite les moins pauvres, ceux qui ont d'assez bons salaires ou qui n'ont pas beaucoup de revenus mais qui ont pu s'acheter un appartement au bon moment. Pendant un moment ça ira pour eux, mais passé 40 ans ils devront faire comme les autres et ne pas trop dépenser pour avoir les moyens de se soigner le jour où ils tomberont malades. Et puis il y a les autres. Ceux-là ils ne sont pas riches, ils sont extrêmement riches ! Non seulement tu as les pauvres et les riches, mais les pauvres sont de plus en plus pauvres et les riches de plus en plus riches. Nous on a travaillé toute notre vie et on se retrouve sans rien. Les gens en ce moment sont très tendus, très inquiets, la pression est très grande. On ne comprend pas ce qui nous arrive. »[16]

« Parfois quand je suis seul ça va. Mais dès que je suis avec certaines personnes, j'ai l'impression qu'il existe un grand écart entre nous. C'est trop inégal, alors je me dis qu'il faut que j'arrive à améliorer mes conditions de vie. [...] Bien sûr normalement, chacun devrait avoir en fonction de ce qu'il mérite. Et bien sûr on est aussi en colère, alors qu'on ne devrait pas quand on voit des gens qui après avoir gagné beaucoup d'argent se mettent tout à coup à croire. Ils viennent au temple, font des dons à droite et à gauche et les gens disent : c'est formidable, vous voyez ils croient maintenant. Mais en fait ils continuent à être au-dessus de tout. Personne ne peut les atteindre. [...] Le pire c'est quand on était pareils. On était du même groupe et tout à coup il y en a qui obtiennent beaucoup plus sans l'avoir vraiment mérité. »[17]

Ainsi, si ces rassemblements n'ont pas pour seule visée, ou pour visée explicite, de s'assurer de « ce qui est », de poser ce qui est désirable, ils sont bien indissociables d'un processus d'enquête, aussi diversifié soit-il, qui porte à la fois sur les significations et sur les orientations normatives. À la participante qui explique que si jamais elle cessait de venir sur la place Shengli, elle ne saurait plus « de quoi il retourne »[18], répond ainsi celle qui, dans le temple de la rue du Shanxi, affirme qu'« aujourd'hui il faut avoir la Bible dans une main et le journal ou la télévision dans l'autre et essayer d'interpréter ce qu'on dit dans le journal ou à la télévision grâce à la Bible. Sinon tout devient chaotique. Rien n'est certain, rien n'est sûr »[19].

DE L'APPARITION AUX APPARENCES

Dans l'un et l'autre cas, il s'agit donc de tenter de circonscrire des formes d'indétermination plurielles même si la nature des enquêtes menées, la façon dont elles se déroulent et éventuellement se referment, diffèrent largement d'un rassemblement à l'autre. Ces formes d'indétermination suscitent un entrelacs de doutes et d'inquiétudes qui associent des craintes ancrées dans une expérience historique particulière, des peurs liées à l'opacité des dangers encourus au présent dans des domaines tels que l'environnement ou l'alimentation, et une méfiance face à la conduite considérée comme instable et imprévisible des hommes et des institutions.

Contrainte par les dispositifs et les situations dans lesquels elle s'inscrit, l'enquête est également bornée par les obstacles qui se posent à son déroulement sur la scène publique, comme elle est bornée par ce qui est publiquement affiché comme certain, incontestable, irréductible au doute précisément. Elle est également traversée par la tension qui existe entre, d'une part, la légitimité officiellement accordée à ce qui peut apparaître en public et qui donne à voir la réalité devant s'imposer à tous et, d'autre part, l'importance politique accordée aux intentions, visées et motivations individuelles — et donc à ce qui ne se voit pas — comme incarnant la vérité ou l'authenticité des acteurs et de leurs actions, légitimant en retour les manifestations de doute à l'égard des conduites et des situations telles qu'elles se donnent à voir.

Pareille tension n'épargne pas les rassemblements observés. Sur la place, les écarts qui existeraient entre ce que les gens disent en public et leurs intentions ou actions véritables, ou les craintes concernant ce que les gens sont capables de faire avec les paroles d'autrui, sont régulièrement convoqués par des participants, en aparté, pour justifier leur mutisme ou leur réserve. Les multiples déconnexions — simulation, dissimulation, déni de réalité — observées entre les engagements officiels et les situations effectivement rencontrées y sont décrites, appréciées, soupesées pour orienter une compréhension partagée de l'environnement. Dans les temples, on dénonce sans relâche les conduites qui sont données à voir au sein comme à l'extérieur des assemblées, mais qui occultent, dit-on, ce qui est réellement accompli en privé ou ce qui est véritablement entrepris, recherché, voulu. Autrement dit, les apparences sont désavouées comme ne constituant pas la réalité. Nul ne peut être certain du sens des paroles et des actes que tous peuvent néanmoins voir et entendre, à l'intérieur comme à l'extérieur du temple. Il convient donc de se défier de tous, y compris des fidèles aux côtés desquels on se trouve assis.

Loin de ne refléter qu'une sorte de méfiance partagée, cette tension, fruit d'une expérience historique singulière, mériterait une analyse plus approfondie. En effet, d'un côté, des efforts officiels inédits ont été déployés à partir du milieu du XXᵉ siècle pour que la réalité sociale, la réalité présumée partagée, soit instituée à partir de ce qui apparaît de la même façon aux yeux et aux oreilles de tous. Des processus et des ressources importantes ont été mobilisés, avec des variations bien sûr selon les lieux et les périodes, afin de susciter ou d'imposer l'apparition publique des propos attendus, des actions conformes, des comptes rendus acceptables. Ce qui était ainsi réel car se présentant à tous était cependant affranchi, il faut le souligner, d'une reconnaissance de la pluralité des existences et des appréciations. De l'autre, et d'une façon quelque peu jacobine, le « cœur », les motivations ou les intentions individuelles ont été considérés comme incarnant la vérité ou l'authenticité des acteurs et de leurs actions. D'où les nombreuses pratiques, campagnes et mobilisations qui ont exigé des uns et des autres, pendant les trois premières décennies du régime et bien au-delà du cercle des dirigeants politiques, qu'ils « livrent leur cœur au Parti ». Il s'agissait alors de procéder à des récits et à des confessions ayant officiellement pour visée de manifester une vérité — et éventuellement une transformation — personnelle, sanctionnée cependant par autrui et sans pouvoir décider soi-même de l'image à offrir.

Ces deux orientations, présentées ici de façon beaucoup trop rapide et simplificatrice, n'ont pas disparu aujourd'hui même si elles se sont profondément transformées. Elles contribuent à expliquer la légitimité politique que revêt d'emblée ce qui paraît en public — et donc les efforts déployés pour que d'autres récits ou appréciations n'acquièrent pas une telle visibilité —, mais aussi les motivations et les intentions mauvaises volontiers prêtées aux individus, dès lors qu'il s'agit précisément de les désigner comme mauvais. Leurs effets conjoints éclairent la prégnance actuelle de la notion de dissimulation tout autant que la fréquence des actions incriminées comme relevant des seules apparences ou du faux-semblant.[20]

Dès lors, en inscrivant l'enquête dans une opposition incessante entre ce qui se présente et ce qui demeure caché, ces repères contrastés affectent son déroulement, la manière dont elle progresse et éventuellement se clôt. Ils soulignent en retour l'importance des formes de rassemblement public ici observées. Ceux-ci constituent en effet des espaces où des doutes sont exposés et en partie circonscrits, où des compréhensions partagées, malgré tout, se stabilisent. Ce sont également des espaces où, dans la récurrence et la continuité, des relations, des gestes et des actions deviennent visibles, se stabilisent et acquièrent, pour ceux qui y participent, une forme d'existence mondaine qui contribue, en atténuant l'opposition entre apparition et apparence, à limiter incertitudes et indéterminations.

Bibliographie

ANGELOFF, Tania (en collaboration avec Wang Su), *La société chinoise depuis 1949*, Paris, La Découverte, 2018.

ARENDT, Hannah, *La vie de l'Esprit*, vol. 1, *La Pensée*, Paris, PUF, 1981.

BODA, Chayma, « De passants secourables à acteurs vertueux. Politiques de l'engagement au secours d'autrui dans les lieux publics en Chine contemporaine », *Études Chinoises*, XXXVII-1, Paris, Klincksieck, 2018, p. 113-124.

CAO, Nanlai, *Constructing China's Jerusalem. Christians, Power, and Place in Contemporary Wenzhou*, Stanford, Stanford University Press, 2011.

« China Adopts Law Protecting Reputation of Martyrs, Heroes », *Xinhuanet* ; en ligne : http://www.xinhuanet.com/english/2018-04/27/c_137141703.htm (mis en ligne le 27 avril 2018, consulté le 3 septembre 2019).

« China Orders Crackdown on Large Outdoor Religious Statues to "Prevent Commercialization" », *South China Morning Post*, 26 mai 2018.

ESHERICK, Joseph, *Ancestral Leaves. A Family Journey through Chinese History*, Berkeley, Los Angeles, Londres, University of California Press, 2011.

GUIHEUX, Gilles, *La République populaire de Chine. Histoire générale de la Chine (1949 à nos jours)*, Paris, Les Belles Lettres, 2018.

LAI, Xinxia et CHEN, Weimin, *Tianjin renkou de bianqian* 天津人口的变迁 (*Les évolutions de la population de Tianjin*), Tianjin, Tianjin guji chubanshe, 2004.

LEFORT, Claude, *Essais sur le politique, XIXᵉ-XXᵉ siècles*, Paris, Le Seuil, 1986.

ROUX, Alain, XIAO-PLANES, Xiaohong, *Histoire de la République populaire de Chine. De Mao Zedong à Xi Jinping*, Paris, Armand Colin, 2018.

JIE, Yu, « China's Christian Future », *First Things*, août-septembre 2016, p. 49-54 ; en ligne.

KAISER, Sigurd, « Church Growth in China. Some Observations from an Ecumenical Perspective », *The Ecumenical Review*, 2015, p. 35-47.

TASSIN, Étienne, « La question de l'apparence », dans Colloque Hannah Arendt, *Hannah Arendt. Politique et pensée*, Paris, Éditions Payot & Rivages, 2004, p. 87-120.

THIREAU, Isabelle, HUA, Linshan, *Les Ruses de la démocratie. Protester en Chine*, Paris, Éditions du Seuil, 2010.

THIREAU, Isabelle, « S'accorder sur ce qui est. Les dimensions politiques d'un rassemblement public à Tianjin », *Politix*, n° 125, 2019, p. 161-190.

VEG, Sebastian, *Minjian. The Rise of China's Grassroots Intellectuals*, New York, Columbia University Press, 2019.

BOUDDHISME ET ÉTAT : UNE HISTOIRE DE NÉGOCIATIONS

JI ZHE
INALCO

La renaissance de la religion dans la République populaire de Chine (RPC) contemporaine constitue un phénomène des plus marquants. Avec la promulgation en 1982 du « Document n° 19 » par le Parti communiste chinois (PCC), la religion, jusqu'alors considérée comme un « opium du peuple » qu'il fallait extirper radicalement, a retrouvé une existence légale. Désormais, dans le contexte du relâchement relatif des contraintes étatiques pesant sur la société, les religions traditionnelles et les mouvements nouveaux sont non seulement réapparus progressivement mais ont même prospéré depuis les années 1990. En 2018, le gouvernement a publié un livre blanc intitulé *Politiques et pratiques de la Chine en matière de protection de la liberté de croyance religieuse*, qui reconnaît explicitement l'existence de « près de 200 millions de croyants ». Depuis ce nombre a doublé par rapport aux chiffres officiels déclarés par le gouvernement chinois. En outre, certaines enquêtes non officielles menées au début du XXIe siècle ont montré que la Chine pourrait compter jusqu'à 300 millions de croyants, ce qui représenterait plus de 31 % de la population adulte, dans les zones urbaines et rurales (Ji, 2013). Il est certes difficile d'obtenir des statistiques précises concernant le nombre de croyants, car l'identité religieuse des Chinois est loin d'être exclusive et toutes les enquêtes existantes se concentrent sur des régions spécifiques. Personne ne saurait toutefois nier le caractère de plus en plus religieux de la Chine communiste.

Pour bien mesurer la portée d'un tel phénomène, il faut garder à l'esprit un fait tout aussi marquant : le PCC n'a jamais cessé de réprimer la religion. Des efforts considérables ont été déployés par le gouvernement pour contrôler les propriétés monastiques personnelles et l'influence sociale de la religion. La répression brutale du nouveau mouvement religieux Falun Gong en 1999 n'en est que l'un des exemples les plus dramatiques. Toute une série d'événements survenus dans les années 2010 nous rappelle la tension entre croyance et pouvoir en Chine, notamment les cas tragiques et répétés d'auto-immolations au Tibet et la démolition à grande échelle de croix ou d'églises chrétiennes dans les provinces orientales. Il ne faut donc pas s'étonner que les discours portant sur la politique religieuse oscillent souvent entre « tolérance » et « répression ». Ces phénomènes suggèrent une relation extrêmement complexe entre l'État et la religion, laquelle semble reposer sur une contradiction inhérente au « modèle chinois en matière de religion » (Qu, 2011).

En gardant à l'esprit ces éléments, ce chapitre examinera principalement certaines logiques fondamentales présidant aux relations entre l'État et la religion dans la Chine post-maoïste en s'intéressant plus particulièrement au bouddhisme. De fait, celui-ci a été un fondement de la société et de la culture chinoises pendant deux mille ans et compte de très nombreux adeptes. De multiples observations et statistiques montrent qu'en termes de capacité d'impact social, le bouddhisme est, dans la Chine d'aujourd'hui, bien plus important que les quatre autres religions institutionnelles reconnues — taoïsme, islam, catholicisme et protestantisme (Lai, 2003 ; Ji, 2013) —, avec au moins 100 millions de croyants et de pratiquants adultes revendiqués[1]. On peut constater qu'au cours des quatre dernières décennies au sortir de la Révolution culturelle (1966-1976), des milliers de temples et de monastères ont été reconstruits ou rouverts ; des millions de personnes se sont rassemblées sur des sites bouddhiques à l'occasion de diverses fêtes ; et les symboles et références bouddhistes sont devenus omniprésents dans les espaces sociaux et culturels.

Il ne faut toutefois pas voir en cette remarquable renaissance du bouddhisme l'histoire heureuse d'une réconciliation du communisme et de la religion, mais le fruit de négociations âpres et incessantes entre les deux parties, faites de collaborations et de conflits, de routines et d'incidents. La question est bien sûr très vaste ; aussi pour éclairer les tribulations du renouveau bouddhiste, ce chapitre se contentera-t-il d'aborder trois questions fondamentales : l'éducation de la communauté religieuse (*Sangha*), les mouvements bouddhistes laïcs et l'économie monastique. Pour chacune de ces questions, j'essaierai de prendre en compte à la fois les tentatives politiques de restructuration du bouddhisme et les réponses bouddhistes aux interventions politiques qui se déploient en retour et qui permettent donc de repérer le plus clairement les défis et les opportunités qui s'offrent aux forces politiques et religieuses en présence. L'accent mis sur les relations contemporaines entre le bouddhisme et l'État s'inscrira dans un horizon historique plus large, remontant brièvement à l'époque républicaine, afin de mieux mettre en évidence la dialectique entre continuité et discontinuité.

LE SYSTÈME D'ACADÉMIE BOUDDHISTE : PLAN CENTRAL ET INITIATIVES LOCALES

Si le bouddhisme a pu se remettre rapidement de la répression violente qui dura trois décennies sous le règne de Mao, c'est d'abord en raison de la mise en place en 1980 d'un système d'« académie bouddhiste » (*foxueyuan*) présenté comme le plus important dispositif de reproduction de l'élite de la Sangha. Cette académie a de fait formé des dizaines de milliers de moines et de nonnes au cours des quarante dernières années.

L'Académie bouddhiste est une invention institutionnelle qui date du début du XXe siècle en Chine (Ji, 2016). En 1922, Taixu (1890-1947), moderniste et réformateur bouddhiste, fonda l'Académie bouddhiste Wuchang, le premier organe éducatif portant le nom de *foxueyuan*. Différente de la « salle d'étude » (*xuejietang*) que les grands monastères réservent à la formation de leurs propres novices, l'Académie, censée être ouverte aux jeunes clercs de n'importe quel monastère, tenta d'adopter un système rigoureux d'examen et d'évaluation ainsi qu'un programme d'études diplômant, en suivant le modèle de l'école moderne. Cette réforme fut très réussie et largement imitée : de 1922 à 1949, les dizaines de séminaires bouddhistes nouvellement créés furent pour la plupart appelés *foxueyuan* (Welch, p. 107).

Ces séminaires durent cependant cesser leurs activités les uns après les autres pendant la guerre civile entre le PCC et les nationalistes du Kuomintang

(1946-1949) ; et lorsque le PCC prit le pouvoir en 1949, aucun séminaire ne put être mis en place. En 1953, l'Association bouddhiste de Chine (ABC) fut fondée à l'instigation du PCC. Quelques années plus tard, cette association, dont la direction effective était composée de membres du Parti et de bouddhistes pro-communistes, devint la seule organisation bouddhiste nationale légale autorisée (Ji, 2008). Jusqu'à aujourd'hui, l'ABC est toujours le principal canal de contrôle du gouvernement et la seule association nationale en situation de monopole de la communauté bouddhiste. C'est dans ce cadre que l'Académie bouddhiste de Chine (*Zhongguo foxueyuan*) fut ouverte au sein du temple Fayuan à Pékin en 1956, mettant ainsi fin à l'absence de séminaires bouddhistes pendant sept ans. Cependant, en raison de l'atmosphère politique radicalement antireligieuse, cette académie était condamnée dès le début. Avant sa fermeture officielle en août 1966, trois mois après l'éclatement de la Révolution culturelle, 410 moines avaient été recrutés au total, et beaucoup d'entre eux n'avaient été formés que dans des classes de courte durée.

Contrairement aux académies bouddhistes de la période républicaine où les séminaires religieux ne pouvaient exister qu'en tant qu'institutions privées, l'Académie bouddhiste de Chine a été en fait le premier établissement d'enseignement bouddhiste national, bénéficiant du soutien de l'État mais également placé sous son contrôle. Financée chaque année par le gouvernement, elle est en situation de monopole, le régime maoïste à ses débuts n'ayant autorisé l'existence que d'une seule et unique académie bouddhiste — une situation qui, comme nous le verrons plus tard, a perduré jusqu'en 1980. Le PCC a ainsi réussi à la fois à maintenir une apparence de liberté religieuse et à mettre un terme au marché de l'éducation de la Sangha. Dans une certaine mesure, la création de l'Académie bouddhiste a été le résultat de la « transformation socialiste » de l'ensemble de l'économie, de la société et de la culture en Chine et une étape dans la construction d'un système central et planifié de gestion au cœur du bouddhisme.

Pendant la Révolution culturelle, on a assisté à la confiscation et à la destruction de temples ; les moines et les nonnes ont été contraints de retourner à la vie laïque ; toute activité religieuse publique a été interdite. Ce n'est qu'à la fin des années 1970 que certains temples ont pu rouvrir. C'est principalement pour accueillir le nombre croissant de visiteurs bouddhistes étrangers, qu'ils soient d'origine chinoise ou d'autres régions d'Asie, que ces réouvertures ont été permises. À cette époque, les temples étaient principalement administrés par des services des jardins publics ou du patrimoine culturel, dont les agents ne pouvaient évidemment pas assurer de services religieux. Cette situation a servi de prétexte légal aux bouddhistes pour obtenir la restauration de la Sangha (une raison qui, en RPC, reposait sur des motifs plus recevables que la notion de « liberté de croyance religieuse »). Grâce à leurs efforts, les clercs qui avaient été forcés de retourner à la vie laïque furent rappelés dans les temples. Leur nombre a commencé à croître lentement et, en assez peu de temps, on a assisté localement à l'apparition publique de nouveaux bouddhistes, dont des moines, des nonnes et des pratiquants laïcs. Cependant, être moine ou nonne n'était pas considéré à l'époque comme une occupation respectable d'avenir. Aussi ces nouveaux clercs étaient-ils souvent issus de familles pauvres et avaient un faible niveau d'éducation. Si le bouddhisme devait être reconstruit, l'urgence était de leur offrir une formation systématique tant sur les dogmes religieux que dans l'éducation laïque de base. C'est ainsi que l'ABC décida de donner la priorité à sa réouverture et obtint l'autorisation du gouvernement. En décembre 1980, l'Académie reprenait ses activités après 14 ans de fermeture, ce qui s'est notamment traduit par le recrutement de 41 personnes pour un programme de deux ans.

Après le cauchemar de la Révolution culturelle, les bouddhistes ont vu là une lueur d'espoir pour le renouveau de leur religion et ont accueilli avec enthousiasme la perspective d'une restauration de la Sangha, en dépit de la stigmatisation et de la marginalisation dont continuait de souffrir la religion. Avec le soutien de Zhao Puchu (1907-2000), président de l'ABC, le temple du Mont Lingyan à Suzhou au Jiangsu ouvrit également en décembre 1980 l'« Académie bouddhiste de Chine, branche du Mont Lingyan (*fenyuan*) », avec 43 étudiants. En 1982, après deux ans de préparation, le temple Qixia à Nankin créa une « classe de formation à la Sangha » (*sengqie peixunban*). La première session de recrutement attira plus de 180 aspirants originaires de tout le pays. Un an plus tard, la classe changea son nom en « Académie bouddhiste de Chine, branche du Mont Qixia ». Il est important de noter que les deux « branches » étaient indépendantes de l'Académie bouddhiste de Chine de Pékin d'un point de vue pédagogique, même si elles pouvaient être considérées comme des écoles préparatoires pour cette dernière, leur niveau étant moins avancé. Elles ont toutefois conservé le nom d'« Académie bouddhiste de Chine » pour deux raisons : d'abord, le fait de garder le même nom leur a permis de contourner les obstacles politiques à la création de nouvelles dénominations, parce qu'à l'époque, seule la

« restauration » des institutions religieuses existantes était autorisée. Ensuite, comme les organisations bouddhistes locales n'avaient pas encore été complètement réactivées et que les gouvernements locaux adoptaient une attitude conservatrice en matière d'affaires religieuses, la dénomination montrait que ces établissements travaillaient au nom de l'organisation nationale légale et facilitait son fonctionnement, notamment dans ses efforts pour recruter des étudiants de niveau suffisant dans toute la Chine. Quoi qu'il en soit, malgré le lien nominal avec l'Académie bouddhiste de Chine, l'apparition de ces deux « branches » a marqué de *facto* la fin du monopole en matière d'enseignement monastique.

En septembre 1982, le Bureau du Conseil d'État donna son accord à la « Demande d'instructions concernant la création d'écoles religieuses » émanant du Bureau des affaires religieuses. Il s'agit du premier document autorisant l'ouverture de nouvelles écoles religieuses (Luo, 2001, p. 312-313). En avril 1983, le Conseil d'État autorisa la réouverture de 142 monastères bouddhistes d'importance historique dans les régions de la Chine Han. Ces réouvertures ont stimulé le développement du bouddhisme local et permis la création d'académies bouddhistes régionales. En 1983, quatre académies bouddhistes (dont une pour les nonnes de la province du Sichuan) furent fondées, et deux classes de formation à la Sangha ouvertes. Le nombre d'académies bouddhistes n'a cessé de croître depuis lors. En 2003, selon les statistiques de l'ABC, on dénombrait 34 académies bouddhistes au total, dont 26 étaient de tradition chinoise, six de tradition tibétaine et deux de langue pâlie (Wen, 2006). En 2011, selon Zhanru, alors directeur du Comité de l'éducation de l'ABC, on comptait, selon des données incomplètes,

45 académies bouddhistes de tradition chinoise, cinq académies supérieures bouddhistes de tradition tibétaine et quatre académies de tradition pâlie (Zhanru, 2011). Cependant, ni l'ABC ni le SARA (l'ancien Bureau d'État des affaires religieuses) n'ont jamais fourni de liste officielle des académies bouddhistes. Selon mes enquêtes pour la période 2009-2014, au milieu des années 2010, il y avait 58 académies bouddhistes de tradition chinoise (Ji, 2019).

Bien que le nombre d'académies bouddhistes ait augmenté, l'ABC s'est tout de même efforcée d'administrer ce secteur selon les méthodes de la planification centralisée. En août 1986, l'ABC organisa à Pékin le « Forum de travail national des écoles bouddhistes de langue chinoise », une réunion à laquelle participaient les dirigeants de l'ABC et de sept académies bouddhistes, ainsi qu'un représentant du Bureau d'État des affaires religieuses. Le but principal de la réunion était d'organiser des académies régionales, sans lien entre elles jusqu'alors, en les plaçant sous la direction et la supervision de l'ABC centrale. L'objectif était de construire un système national unifié d'éducation de la Sangha à trois niveaux : primaire, secondaire et supérieur. Selon le compte rendu de la réunion, seule l'Académie bouddhiste de Chine propose une éducation bouddhiste de niveau supérieur. La réunion exigea même que les ressources locales soient exclusivement consacrées aux séminaires existants, et qu'aucun nouveau séminaire de niveau secondaire ne soit ouvert. En outre, la réunion proposa une liste de manuels de base pour les académies bouddhistes des trois niveaux et suggéra que les plus grands temples transfèrent un certain pourcentage de leurs revenus annuels pour constituer un fonds pour l'éducation bouddhiste que l'ABC se chargerait de répartir entre les séminaires bouddhistes.

Cependant, presque aucun des plans proposés lors de la réunion n'a été mis en œuvre par la suite. Selon mes propres statistiques, en dépit des recommandations de la réunion, la période entre 1986 et 2000 a connu le rythme de création d'académies bouddhistes le plus soutenu, avec une à six académies fondées chaque année, principalement au niveau secondaire. L'enseignement dans ces académies locales était en outre la plupart du temps autonome par rapport à l'académie centrale et à l'ABC : la recommandation concernant les manuels scolaires n'a pas eu de réelle force contraignante. L'appel à l'allocation centralisée de fonds pour l'éducation n'a pas non plus été suivi d'effet.

En janvier 1992, l'ABC a convoqué une fois de plus un forum de travail national et a réaffirmé son projet de centralisation. À l'heure actuelle, la résolution de cette réunion et celle de la réunion de 1986 constituent toujours théoriquement les principes directeurs des activités éducatives de l'ABC. Cependant, dans les faits, le système de planification centrale de l'éducation de la Sangha non seulement n'a pas été mis en place, mais s'est progressivement érodé. Cela est dû à une double décentralisation du contrôle des ressources : les monastères locaux et les associations bouddhistes régionales ont vu leur pouvoir augmenter par rapport à l'ABC. Dans le même temps, les autorités locales ont gagné en pouvoir par rapport au gouvernement central.

Dans les années 1980, les monastères récemment rouverts ont été confrontés à de graves difficultés économiques et à l'hostilité fréquente des autorités locales. L'ABC centrale détenait en revanche une légitimité politique grâce à l'appui du gouvernement et disposait d'une quantité limitée mais non négligeable de ressources économiques. En conséquence,

les monastères locaux restaient fortement tributaires de l'ABC pour leur restauration. Cependant,
au mitan des années 1990, avec l'augmentation du
pouvoir économique des bouddhistes et le renforcement de leur interaction avec la Sangha, le pouvoir
économique des monastères locaux a considérablement augmenté. Dans le même temps, les autorités
locales ont commencé à faire un usage réfléchi des
ressources historiques et culturelles bouddhistes en
vue de développer l'industrie du tourisme (Ji, 2004 ;
2011). Dans les régions où le bouddhisme jouit d'une
grande popularité, les autorités locales ont accueilli
avec enthousiasme l'idée de construire des sites
religieux et de veiller à la croissance quantitative et
qualitative du personnel des services religieux. Par
suite, les monastères de ces régions, ainsi que certains monastères importants d'autres régions, ont
acquis un pouvoir économique et un soutien politique suffisants pour créer de leur propre initiative
des académies bouddhistes et se passer de l'approbation ou du soutien de l'ABC.

D'autre part, depuis 2005, la « gestion territoriale »
(*shudi guanli*) est devenue la principale modalité
d'administration des religions par l'État central. Ce
mode de gestion confère aux gouvernements provinciaux davantage de responsabilités juridiques et
administratives et a encore accru l'autonomie des
autorités locales et des monastères. Depuis lors, les
associations bouddhistes provinciales (souvent placées sous le contrôle des chefs bouddhistes régionaux et de quelques grands monastères) peuvent,
avec l'aval des bureaux provinciaux des affaires religieuses, ouvrir des académies bouddhistes légales.
Ceci constitue *de facto* un rejet des mesures d'avali-
sation préconisées par l'ABC en 1992.

Dans ce contexte, la coordination nationale de

l'éducation de la Sangha a commencé à être démantelée, avant même d'avoir été achevée. À ce jour, l'ABC ne reconnaît qu'une seule académie bouddhiste « de niveau supérieur », à savoir l'Académie bouddhiste de Chine à Pékin, mais cette distinction n'a plus guère de sens, car toutes sortes d'académies bouddhistes régionales se sont lancées dans une course à l'ouverture de programmes sur deux ans, de licence et même de troisième cycle. Dans une certaine mesure, l'éducation Sangha est à nouveau commercialisée comme à l'époque républicaine. Afin d'attirer les aspirants-moines, certaines académies bouddhistes ont commencé à mettre l'accent sur les caractéristiques locales ou les héritages dont relèvent leurs programmes. D'autres ont coopéré avec des universités laïques, et même avec des organisations bouddhistes étrangères, afin de renforcer la valeur de leurs diplômes. Ces initiatives ont entraîné des tendances au localisme, à la spécialisation et au pluralisme dans l'enseignement de la Sangha, et ont ainsi constitué un véritable moteur du renouveau bouddhiste.

LE BOUDDHISME LAÏC : RENOUVELLEMENTS INTERNES ET DYNAMIQUES EXTERNES

On peut également observer la coexistence de la réglementation de l'État et de la déréglementation du bouddhisme dans l'évolution du bouddhisme laïc. Des groupes bouddhistes laïcs ont existé tout au long des deux mille ans d'histoire de cette religion en Chine ; mais la première moitié du XXe siècle a connu un âge d'or avec le développement rapide de nouvelles associations laïques. Selon Chan Wing-tsit

(1953, p. 85-86), la plupart des activités bouddhistes modernes ont été prises en charge par des institutions laïques plutôt que par des monastères. S'appuyant sur un rapport publié en 1930, Holmes Welch (1968, p. 310-311) affirme qu'il y avait au moins 571 associations bouddhistes en Chine à cette époque, dont la majorité était organisée et gérée uniquement par des laïcs bouddhistes. Parmi ces associations laïques, celles appelées *jushilin* sont les plus remarquables. Principalement établies avec le soutien des notables locaux et de la bourgeoisie urbaine émergente, ces associations ont adopté une structure organisationnelle moderne pour leur administration et ont cherché activement à impliquer la pratique bouddhiste dans la construction de la société civile moderne.

Le premier *jushilin* de l'histoire chinoise, le *jushilin* de Shanghai, fut officiellement fondé en 1920. Comme l'a souligné James Brooks Jessup (2010, p. 8), il « représentait un nouveau développement dans les pratiques organisationnelles de l'activisme bouddhiste laïc au début du XXᵉ siècle en combinant dans un schéma organisationnel intégré de nombreux types d'institutions et d'activités auparavant distincts ». En moins de deux ans, entre 1920 et 1922, ce *jushilin* a successivement mis en place une salle de conférences sur la Loi bouddhique (*Dharma*), un cours spécial pour l'apprentissage du bouddhisme, une « société du Lotus » pour chanter le nom d'Amitābha (un Bouddha salvateur selon l'École de la Terre pure), une association de libération de la vie, un groupe de diffusion, une activité caritative, un bureau des écritures, une salle de lecture des canons et une maison d'édition, couvrant presque tous les aspects de la vie religieuse telle que la pratiquaient chez eux les bouddhistes (Jessup, 2010, p. 9). En

raison du caractère intégré du *jushilin*, ses membres
n'étaient pas organisés sur la base d'une doctrine,
d'une pratique, d'un texte ou d'un maître particulier,
mais sur la base d'une identité commune différente
de celle des non-bouddhistes et de la Sangha : l'identité du *jushi* ou « bouddhiste laïc ».

Le *jushilin* de Shanghai connut un tel succès qu'il
devint rapidement un modèle pour les bouddhistes
laïcs. Un grand nombre d'associations laïques du
même type furent fondées dans les années 1920
et 1930 dans tout le pays. Porté par cette dynamique,
un *jushilin* fut même créé au sein de la communauté
chinoise de Singapour en 1934 et reste actif encore
aujourd'hui. Cependant, après 1937, ce mouvement
bouddhiste laïc massif fut bloqué par l'invasion des
Japonais, puis perdit tout son espace vital après l'instauration du régime communiste en 1949.

Contrairement au régime républicain, le PCC a
non seulement fait de l'athéisme l'idéologie de l'État,
mais il a également d'emblée œuvré pour l'établissement d'un régime totalitaire et pour l'étatisation
complète de la société civile. Dans ce contexte, les
groupes bouddhistes laïcs établis avant 1949 ont été
soit interdits, soit absorbés par l'Association bouddhiste de Chine officielle. Après la Révolution culturelle, il a été beaucoup plus difficile, par rapport à
la période de reconstruction des temples, de rétablir
l'organisation du bouddhisme laïc. Le « Document
n° 19 » qui confirmait, pour l'après-Mao, les principales politiques en matière de religions, stipulait que
les activités religieuses ne pouvaient être autorisées
que dans des « sites religieux accrédités ». Dans le
cas du bouddhisme, les monastères étaient les principaux lieux de culte autorisés. En 1991, le gouvernement publia un autre document visant à limiter
le développement du bouddhisme en dehors des

monastères, en stipulant qu'il n'approuverait plus en principe la création de nouvelles associations bouddhistes laïques à l'avenir. En conséquence, la restauration des organisations bouddhistes laïques fut extrêmement lente jusqu'en 2000. Ainsi le célèbre *jushilin* de Shanghai n'a-t-il repris ses activités qu'en 1987. Le *jushilin* de Pékin, rétabli en 1979, n'a retrouvé qu'en 1994 la propriété qu'il occupait depuis 1958. Au milieu des années 1990, selon des statistiques incomplètes, il n'existait qu'une trentaine d'associations bouddhistes laïques en Chine (Fang, 1996).

Bien qu'une autre liste de sites bouddhistes publiée dix ans plus tard, en 2006, fasse valoir qu'à cette époque on comptait déjà 168 organisations bouddhistes appelées *jushilin* dans tout le pays (Gui, 2006), en fait, de nombreuses associations laïques n'avaient pas de statut juridique ; certaines d'entre elles dépendaient entièrement des temples et ne disposaient pas d'une autonomie suffisante par rapport à la Sangha. Des associations laïques influentes existaient certes encore. En 2000, le *jushilin* de Ningbo pouvait, par exemple, réunir près de cinq mille croyants pour participer aux activités quotidiennes. Fort d'un système de gestion relativement solide, ce *jushilin* a également connu quelques réussites dans le domaine de la philanthropie et espéré constituer un modèle pour d'autres associations laïques. Dans l'ensemble cependant, les *jushilin* d'aujourd'hui, si on les compare à ceux de la première moitié du XXe siècle, ne peuvent ni intégrer pleinement la force de l'élite bouddhiste laïque, ni être capables et désireux de participer à la vie publique. Leur statut dans le domaine bouddhiste a été marginalisé.

Le recul des *jushilin* ne signifie toutefois pas la stagnation de l'ensemble du bouddhisme laïc. Au cours des trois dernières décennies, certains grands monastères ont accordé une attention particulière à l'intégration des laïcs, hommes et femmes. Bien que les activités de ces bouddhistes laïcs ne puissent figurer dans l'espace public, elles n'en sont pas moins d'une grande importance pour la vie morale de centaines de millions de personnes en Chine (Zhang et Ji, 2018). Par exemple, les monastères ont mobilisé un grand nombre de « volontaires » (*yigong*) — terme par lequel on désigne les laïcs bouddhistes qui s'engagent dans des activités bénévoles pour servir et aider la Sangha. On a souvent recours à eux à l'occasion de cérémonies pour jouer un rôle important sur les plans logistiques et techniques, et pour maintenir l'ordre public pendant les activités (Zhang 2014). La « classe d'études bouddhistes » (*foxue ban*) ou le « groupe d'études bouddhistes » (*foxue xiaozu*) constitue un autre modèle d'organisation du bouddhisme laïc. Celui-ci s'est formé dans les années 1990, en particulier dans les zones urbaines. Ces groupes, de petites tailles, étaient souvent composés de bouddhistes laïcs qui se rattachaient au même monastère ou au même maître, qui vivaient reclus chez des laïcs ou ne quittaient pas les locaux où ils se retrouvaient ; la périodicité des réunions changeait également, passant des traditionnels 1er et 15e jours d'un mois lunaire, à une fois par semaine. Avec l'augmentation du nombre de croyants, sans oublier les adeptes potentiels, les activités religieuses centrées sur les monastères n'étaient plus adaptées à la vie quotidienne des croyants, sans parler du fait que le gouvernement exerçait une contrainte forte sur le modèle d'organisation axé sur les monastères. Par suite, les groupes d'études bouddhistes ont efficacement contourné ces entraves et ont offert au bouddhisme une vitalité accrue pour se développer

dans la vie urbaine. Le développement des technologies de la communication a en outre grandement
favorisé ce type de regroupement et de mise en
réseau. De nombreux chefs bouddhistes, monastiques ou laïcs, ont pu utiliser habilement les outils
médiatiques modernes tels que Weibo (blog chinois)
et WeChat pour diffuser leurs enseignements et avoir
des interactions directes avec leurs adeptes (Lu et
He, 2014). Toutes les communications étaient certainement sous la surveillance du gouvernement, mais
la technologie permettait aux bouddhistes laïcs de
créer un lien social entre eux, bien au-delà des « sites
religieux accrédités ».

Il faut ajouter que le bouddhisme à Taïwan, fortement développé, a été réintroduit en Chine continentale sous diverses formes. Vers 2000, dans le cadre de
sa nouvelle politique visant à empêcher la « désinisation » de Taïwan, le PCC a permis à certaines des
plus grandes organisations transnationales bouddhistes taïwanaises, comme Tzu Chi et Fo Guang
Shan, d'entrer officiellement sur le continent pour
y établir leurs branches. Bien que leur développement ait été sévèrement limité par le PCC, elles ont
apporté des modes d'organisation bien éprouvés et
des compétences d'administration appropriées pour
mobiliser des bouddhistes laïcs et attirer un certain
nombre d'adeptes. Dans le même temps, de nouveaux mouvements taïwanais, tels que ceux qui se
revendiquent de la « méthode Guanyin » (*Guanyin
Famen*) et de la « secte du vrai bouddha » (*Zhenfo
zong*), non reconnus par l'autorité de la Sangha et
même qualifiés d'hérétiques par le PCC, ont également pénétré certains réseaux religieux clandestins
en Chine continentale, du moins pendant quelque
temps. Sans compter qu'un nombre important de
bouddhistes laïcs vivant sur le continent suivaient

les enseignements de célébrités culturelles bouddhistes laïques taïwanaises comme Nan Huaijin (ou
Nan Huai-Chin, 1918-2012) et Xiao Pingshi (née
en 1944). Contrairement aux controverses susci-
tées par de nombreux autres dirigeants bouddhistes
laïcs taïwanais, Nan Huaijin, considéré comme un
« maître des études nationales » (*guoxue dashi*), a
constamment maintenu de bonnes relations avec le
gouvernement du PCC et la Sangha continentale,
exerçant ainsi son influence sur l'interprétation, par
une génération de continentaux, de la culture religieuse traditionnelle chinoise, y compris la médita-
tion bouddhiste (Despeux, 2017).

Du point de vue du bouddhisme laïc, l'influence
du maître taïwanais Jingkong (ou Chin Kung, né en
1927) doit également retenir notre attention. Né en
Chine continentale et exilé à Taïwan avec sa famille
en 1949, Jingkong a reçu la tonsure en 1959 à Taipei
à l'âge de 32 ans. Dans les années 1960 et 1970, il a
fondé plusieurs institutions au nom de l'« éducation
bouddhiste » ou de l'« École de la Terre pure ». Il
a été l'une des premières personnalités religieuses à
pouvoir utiliser, à une si grande échelle dans le milieu
bouddhiste, les médias modernes, de la télévision par
satellite à l'Internet. Alors qu'il était marginal dans la
Sangha de Taïwan, il a été accueilli et soutenu par
un certain nombre de laïcs bouddhistes en RPC. À la
fin des années 1980, Jingkong a commencé d'exercer
une certaine influence en Chine continentale alors
que le retour du bouddhisme commençait à peine.
Dans les premières années, il s'est surtout attaché à
perpétuer la tradition consistant à faire don de livres
(principalement sur les écritures bouddhistes) et à
promouvoir la pratique liée à la Terre pure. Après
le milieu des années 1990, ses disciples ont commencé à parrainer des institutions bouddhistes sur

le continent et à distribuer des textes, des enregistrements et des vidéos de ses discours dans divers
sites bouddhistes. Jingkong s'est présenté comme un
représentant de la « culture traditionnelle chinoise »
qui va au-delà du bouddhisme simplement monastique, et a accordé aux laïcs un rôle central dans
la pratique et la promotion du bouddhisme. En
conséquence, des millions d'adeptes laïcs de toutes
les couches de la société sont venus à lui et ont fait
de son entreprise l'une des plus importantes forces
bouddhistes en Chine continentale au-delà des établissements bouddhistes officiels (Sun, 2011). Un
développement aussi frappant n'était pas concevable
sans l'accord implicite du PCC qui considère Jingkong comme un agent potentiellement au service de
ses intérêts dans les cercles bouddhistes au-delà de
ses frontières. Cependant, en 2008, au plus fort de sa
carrière, Jingkong s'est vu interdire l'entrée en RPC.
La raison de cette interdiction n'est pas claire. Sans
doute le gouvernement central s'est-il inquiété de la
capacité jugée excessive de mobilisation sociale des
doctrines et de l'organisation de Jingkong, quand
bien même ce dernier est un conservateur et un col-
laborateur assumé du pouvoir politique en place. En
comparaison avec l'interdiction du Falun Gong, cette
répression a été plutôt prudente et discrète. Le matériel publicitaire de Jingkong était tacitement autorisé à circuler en RPC et le culte de Jingkong n'était
pas strictement interdit. Plus important encore, ses
enseignements ont continué à inspirer un grand
nombre de bouddhistes laïcs chinois, tant dans le
discours que dans la pratique (Ji, 2018).

ÉCONOMIE MONASTIQUE :
CAPITAL CULTUREL
ET EXPLOITATION COMMERCIALE

On observe, au centre de la configuration des relations bouddhisme-État, un autre phénomène remarquable : la reconstruction de l'économie monastique, qui a connu au XXᵉ siècle des changements sans précédent. À la fin de l'ère impériale, l'économie monastique était d'une taille considérable. Dans le sud de la Chine où le bouddhisme était bien développé, il n'était pas rare que de grands monastères possèdent des centaines d'hectares de terres agricoles, dont le loyer pouvait assurer la subsistance de plusieurs centaines de moines. Welch a étudié de manière détaillée l'économie monastique bouddhiste de la première moitié du XXᵉ siècle (Welch, 1967, ch. 8). Il souligne que la terre, les dons et les services rituels étaient les trois principales sources de revenus de la Sangha et que leur importance économique relative variait selon la catégorie, la taille et l'emplacement du temple. Certains grands monastères publics n'offraient que rarement des services rituels et dépendaient principalement des loyers fonciers. D'autres monastères de ce type, situés sur des voies de pèlerinage, dépendaient principalement de dons. Quant aux nombreux petits temples héréditaires qui parsèment les villes et les campagnes, ils dépendaient principalement des services rituels, notamment des rites pour les morts.

Jusqu'en 1949, la situation était essentiellement la même qu'à la fin de la période impériale. Cependant, Welch a observé deux tendances indissociables : la baisse des revenus fonciers et la dépendance croissante

à l'égard des aides laïques (Welch, 1967, p. 241-242).
D'une part, en raison des guerres et des bouleversements politiques et sociaux, les droits de propriété
foncière monastiques et les demandes de location
ont été, dans certaines régions, fréquemment violés.
D'autre part, le soutien croissant reçu des fidèles laïcs
dans les grandes métropoles a conduit la Sangha à
s'investir de plus en plus dans la société civile.

La structure de l'économie monastique n'avait
pas encore enregistré pleinement les effets de ces
ajustements quand elle reçut de la révolution communiste le coup fatal : l'abolition de la propriété
foncière privée, de l'autonomie de la Sangha dans
la gestion de la propriété des temples et de la liberté
de croyance et de pratiques religieuses, bases sur lesquelles reposait l'économie des monastères. Pendant
les premières années de la RPC, bien que certains
grands monastères aient été préservés, on ne voyait
plus en leurs activités religieuses traditionnelles que
la survivance d'une « superstition féodale ». Il était
donc difficile d'accomplir des offices rituels ou de
recevoir des dons des croyants. En outre, suite aux
campagnes de réforme agraire de la fin des années
1940 et du début des années 1950, qui auraient causé
la mort de deux à trois millions de personnes, les
monastères bouddhistes perdirent toutes leurs terres
agricoles. Dans le meilleur des cas, les temples situés
à la campagne ont pu préserver un terrain défini
selon des critères fixés au niveau local et en fonction
du nombre de religieux. Dans les zones urbaines,
les biens immobiliers des temples ont également été
confisqués. En ce qui concerne les biens du temple
confiés aux bouddhistes, le PCC déclarait en 1951
et 1952 que les moines et les nonnes n'en avaient que
l'usage, et en aucun cas un droit sur eux, surtout pas
celui de les acheter ou de les vendre.

Dans ce contexte, au début des années 1950, certains dirigeants bouddhistes ont tenté de recouvrer une autonomie économique en recourant au « travail productif ». Juzan (1908-1984), l'un des disciples de Taixu et moine philocommuniste, fut un pionnier en la matière. Soutenu par une minorité au sein de l'élite bouddhiste, il proposait de « réformer complètement le système bouddhiste actuel par le travail productif », afin d'« éliminer le statut de propriétaire des monastères, le système de propriété privée des temples héréditaires et les offices reposant sur la superstition » (Juzan, 1950, p. 22). Dès le début des années 1950, alors que certains monastères des zones urbaines investissaient dans l'industrie manufacturière, les monastères des campagnes mobilisaient les moines pour la production agricole. Cependant, le travail manuel direct avait inévitablement pour effet d'éloigner de la pratique religieuse. Tous les monastères n'avaient pas non plus la capacité d'investir dans des entreprises à but lucratif et de les administrer. De fait, selon les documents disponibles, seules quelques dizaines d'entreprises bouddhistes réalisèrent des bénéfices. Mais bientôt, la campagne de « transformation socialiste » (1953-1956) visant à éliminer la propriété privée et le marché a rapidement anéanti tout espoir d'établir une économie monastique autosuffisante. Dans les zones urbaines, les entreprises bouddhistes disparurent à cause de la « gestion conjointe public-privé » imposée (*gongsi heying*). Dans les campagnes, la collectivisation des terres a intégré les temples dans les unités de production agricole, obligeant les moines et les nonnes à devenir de simples paysans et à être, comme ces derniers, exploités par l'État.

Malgré cet échec, l'idée de l'autosuffisance économique par le « travail productif », telle qu'elle a

émergé dans les années 1950, a préparé le terrain
pour la formation, au cours des années 1980, d'un
nouveau cycle d'investissement des ressources
bouddhistes dans les secteurs de l'industrie et des
services au sortir de la Révolution culturelle. En
1983, Zhao Puchu, alors président de l'Association
bouddhiste de Chine, proposa de « combiner le Chan
(ou Zen en japonais) avec le travail agricole » (*nong
chan bingzhong*) (Zhao, 1983). Ici, le terme *nong* se
réfère non seulement aux activités agricoles, mais
aussi au travail productif dans un sens plus étendu.
« Combiner le Chan avec le travail agricole » signifiait que les monastères bouddhistes qui venaient
de rouvrir devaient financer le fonctionnement normal de leurs activités religieuses grâce à une production économique autosuffisante. Au cours de la
décennie suivante, certains moines des zones rurales
participèrent directement au travail agricole sur les
terres qui leur avaient été redistribuées par l'État.
Les restaurants et magasins végétariens vendant
des produits pour les rituels mis en place dans les
monastères étaient également considérés comme une
extension de la « combinaison du Chan avec le travail
agricole ». Bien que le bouddhisme puisse également
recevoir des dons des Chinois de l'étranger et bénéficier du système de droits d'entrée nouvellement établi pour les monastères, la participation des religieux
au travail productif a permis de légitimer l'existence
du bouddhisme au début de la période post-Mao, à
un moment où la religion faisait encore l'objet d'une
stigmatisation politique.

Le deuxième tournant d'importance s'opéra au
milieu des années 1990. Avec les changements
sociaux induits par les politiques de « réforme et
d'ouverture », la stratégie visant à « combiner le
Chan avec le travail agricole » a progressivement

perdu de son utilité. La valeur symbolique, à la fois politique et morale, du « travail productif » physique a fortement diminué et l'agriculture a cessé d'être la première préoccupation de l'État chinois. Par conséquent, le bouddhisme n'avait plus besoin de s'accrocher stratégiquement au travail agricole pour justifier son existence. Avec l'expansion de l'espace concédé aux activités religieuses et l'augmentation des ressources financières des croyants en Chine, les services rituels et les dons sont devenus les principales sources de revenus de la plupart des monastères (Gildow, 2014).

Dans le même temps, cependant, la participation aux activités du secteur commercial et des services s'est développée parallèlement à la reconstruction de l'économie de marché. La vente de souvenirs religieux et la gestion de restaurants végétariens sont devenues chose courante. Certains temples participent même désormais à des activités économiques qui n'ont rien à voir avec la religion, telles que la promotion immobilière, les transactions boursières et le transport de marchandises. Les services religieux eux-mêmes sont devenus plus commerciaux. Le paiement des droits d'entrée dans les temples est également une pratique courante. Dans une certaine mesure, les implications morales des rites bouddhistes se sont affaiblies. Parfois, les temples sont même devenus de pures affaires lucratives. Cette situation a, en retour, suscité les critiques de nombreux bouddhistes attachés à la pureté religieuse (Jing Yin, 2006).

Il convient de noter que l'État a activement contribué au renforcement de la tendance à la commercialisation du bouddhisme. Après 1989, l'idéologie et les valeurs officielles se sont complètement effondrées. Le régime communiste a adopté une optique nationaliste et utilitariste, et cherché à maintenir sa légitimité en tablant sur la croissance économique. Dans ce contexte, les gouvernements locaux ont pris conscience du rôle que le patrimoine culturel bouddhiste et la pratique collective pouvaient jouer dans la promotion du tourisme. En effet, plus d'un quart des principaux sites touristiques nationaux et plus de la moitié des principaux sites du patrimoine culturel placé sous protection de l'État en Chine aujourd'hui sont liés au bouddhisme Han (Huang, 2005). Ainsi, sous le slogan « la culture construit la scène et l'économie chante l'opéra » (*wenhua datai, jingji changxi*), les collectivités locales ont investi fortement dans la construction ou la rénovation de sites bouddhiques afin d'attirer les touristes. Ils ont même forcé les monastères à jouer un rôle actif dans le développement du tourisme.

L'implication des monastères dans les secteurs du commerce et des services a contribué à renforcer la légitimité d'une restauration du bouddhisme. Il arrive que cela permette l'amélioration des relations entre les monastères et les gouvernements locaux. Les deux parties peuvent même former une sorte d'alliance fondée sur des intérêts communs (Ji, 2004). Cependant, les conflits d'intérêts économiques entre les deux parties peuvent également être tendus. Force est de constater qu'à ce jour, le statut juridique des monastères n'est toujours pas clair en RPC. Ceux-ci ne sont pas reconnus comme des entités juridiques indépendantes. La gestion et l'administration des biens monastiques ainsi que les bénéfices qui en découlent sont généralement sous le contrôle du gouvernement. Plus important encore, le gouvernement local est non seulement le régulateur et le superviseur du marché, mais aussi un acteur, par le biais de différentes activités génératrices de rente. C'est pourquoi il se retrouve souvent en position de rivalité économique avec les monastères. Actuellement, il existe un nombre considérable de litiges entre les propriétaires de biens religieux de l'ordre monastique et les administrations locales. Par exemple, les bouddhistes critiquent vivement le temple Shaolin dans le Henan, mondialement connu du fait de sa tradition d'arts martiaux, pour le prix d'entrée élevé dont il faut s'acquitter pour y accéder. Celui-ci est de 100 yuans (environ 13 euros) depuis 2005. Mais le temple doit reverser 70 % de ces recettes au gouvernement local, qui lui-même doit reverser 51 % de ses bénéfices à la China National Travel Service Group Corporation, une entreprise d'État. Le temple Shaolin s'est opposé à de nombreuses reprises au gouvernement local au sujet des conditions du partage des bénéfices. En 2014, il a intenté un procès contre le gouvernement de Dengfeng, la ville où se trouve le temple, l'accusant de défaut de paiement sur une période de deux ans et dix mois ; ce qui représente un montant de 4 970 000 yuans (environ 700 000 euros) depuis 2011.

Tous les monastères ne peuvent pas compter, à l'instar du temple Shaolin, sur des revenus aussi importants tirés des droits d'entrée. En fait, depuis le milieu des années 1990, la Sangha dépend de moins en moins des recettes provenant des droits d'entrée. Ayant constaté que ces droits sont généralement préjudiciables à l'économie monastique, car ils affectent la volonté des visiteurs et des pratiquants de faire des dons, de nombreux monastères qui dépendaient principalement des dons et n'avaient pas à partager les revenus de leurs droits d'entrée avec le gouvernement local ont renoncé à faire payer les visiteurs. Le 10 mai 2013, 29 monastères de la province du Hunan ont annoncé ensemble cette suppression, attirant ainsi l'attention de nombreux médias. Ces dernières années, certains dirigeants bouddhistes ont lancé un appel à la fin du système de droits d'entrée dans tout le pays. Les obstacles à cet égard proviennent principalement des gouvernements locaux. Tant qu'ils seront, en droit, les seuls propriétaires des terres qu'utilisent les monastères et continueront de tirer profit des relations de marché, les gouvernements locaux persisteront dans la commercialisation des ressources publiques religieuses.

*

La complexité des interactions entre l'État et les bouddhistes depuis les années 1980 est extrême. Les faits présentés ici suffisent à nous rappeler qu'un tel renouveau ne correspond ni à une simple « mise en œuvre de la politique du Parti en matière de liberté de croyance religieuse », ni à une conséquence naturelle des efforts engagés par les bouddhistes pour répondre à un besoin spirituel pur. C'est bien plutôt le résultat d'un processus de négociations visant un compromis dynamique entre les exigences politiques et les attentes religieuses.

De fait, bien que la liberté de conscience soit garantie par la Constitution de la RPC de 1982, le PCC a imposé des restrictions importantes, directement ou indirectement, au développement du bouddhisme et continue de s'y employer. Toutefois, les ajustements que connaît l'ensemble de la structure gouvernementale et économique, l'ouverture relative aux sociétés chinoises basées hors de Chine et aux pays étrangers, la diversification des échanges économiques et sociaux et l'intensification de la mobilité ont offert au bouddhisme, fort de son héritage culturel reconnu et de ses ressources financières croissantes, des espaces de négociation avec le PCC, qui lui permettent de viser une certaine autonomie et légitimité de développement. Dans certains cas, le fait que nous n'ayons pas affaire à un régime totalitaire fermé et hautement centralisé comme il l'était à l'époque de Mao explique l'efficacité moindre de la politique de l'État. Dans d'autres cas, on observe que le PCC a lui-même cherché à promouvoir le bouddhisme, pour des raisons on ne peut plus laïques telles que le tourisme et la cohésion nationale. En tout cas, il est clair que le bouddhisme et l'État ne sont plus dans un jeu à somme nulle mais se livrent à des manœuvres dont les incidences peuvent se révéler mutuellement bénéfiques.

Traduit de l'anglais par Patrick Savidan

Bibliographie

CHAN, Wing-tsit, *Religious Trends in Modern China*, New York, Columbia University Press, 1953.

DESPEUX, Catherine, « The "New Clothes" of Sainthood in China. The Case of Nan Huaijin (1918-2012) », in David Ownby, Vincent Goossaert et Ji Zhe (dir.), *Making Saints in Modern China*, Oxford, Oxford University Press, 2017, p. 349-93.

FANG, Hua 方華, « Tantan fojiao jushilin jianshe 談談佛教居士林建設 », *Fayin* 法音, 1996, p. 41-45.

GILDOW, Douglas M., « The Chinese Buddhist Ritual Field. Common Public Rituals in PRC Monasteries Today », *Journal of Chinese Buddhist Studies*, 27, 2014, p. 59-127.

GUI, Weibing 桂未冰 (comp.), *Zhongguo fojiao siyuan minglu* 中國佛教寺院名錄 *2006*, Hong Kong, Zhonghua fojiao chubanshe, 2006.

HUANG, Xianian 黄夏年, « Dangdai hanchuan fojiao yu Zhongguo lüyou : qianxi zhuanxingqi de Zhongguo hanchuan fojiao lüyou gongneng de bianhua 當代漢傳佛教

與中國旅遊：淺析轉型期的中國漢傳佛教旅遊功能的變化 »,
Dangdai zongjiao yanjiu 當代宗教研究 2, 2005, p. 5-13.

JESSUP, James Brooks, « The Householder Elite. Buddhist
Activism in Shanghai (1920-1956) », PhD dissertation,
Berkeley, University of California, 2010.

JI, Zhe, « Buddhism and the State. The New Relationship »,
China perspectives, n° 55, 2004, p. 2-10.

JI, Zhe, « Secularization as Religious Restructuring. Statist
Institutionalization of Chinese Buddhism and Its Paradoxes », in Mayfair Mei-hui Yang (dir.), *Chinese Reli-
giosities. Afflictions of Modernity and State Formation*,
Berkeley, University of California Press, 2008, p. 233-260.

JI, Zhe, « Buddhism in the Reform-Era China. A Secu-
larised Revival ? », in Adam Yuet Chau (dir.), *Religion
in Contemporary China. Revitalization and Innovation*,
Londres, Routledge, 2011, p. 32-52.

JI, Zhe, « Chinese Buddhism as a Social Force. Reality and
Potential of Thirty Years of Revival », *Chinese Sociologi-
cal Review*, vol. 45, n° 2, 2013, p. 8-26.

JI, Zhe, « Buddhist Institutional Innovations », in Vincent
Goossaert, Jan Kiely et John Lagerwey (dir.), *Modern
Chinese Religion II, 1850-2015*, Leyde, Brill, 2016,
p. 731-766.

JI, Zhe, « Making a Virtue of Piety. *Dizigui* and the Dis-
cursive Practice of Jingkong's Network », in Sébastien
Billioud (dir.), *The Varieties of Confucian Experience.
Documenting a Grassroots Revival of Tradition*, Leyde,
Brill, 2018, p. 61-89.

JI, Zhe, « Schooling Dharma Teachers. The Buddhist Aca-
demy System and Sangha Education », in Ji Zhe, Gareth
Fisher et André Laliberté (dir.), *Buddhism after Mao.
Negotiations, Continuities, and Reinventions*, Honolulu,
University of Hawai'i Press, 2019, p. 171-209.

JING, Yin, « Buddhism and Economic Reform in Main-
land China », in James Miller (dir.), *Chinese Religions
in Contemporary Societies*, Santa Barbara, ABC-CLIO,
2006, p. 85-99.

Juzan, 巨贊, « Yinian lai gongzuo de zibai 一年來工作的自
白 », *Xiandai foxue* 現代佛學1 : 2, 1950, p. 22-25.

LAI, Hongyi Harry, « The Religious Revival in China »,

Copenhagen Journal of Asian Studies, n° 18, 2003, p. 40-64.

LU, Yunfeng 盧雲峰 et HE, Yuan 和園, « Shanqiao fangbian : lüelun dangdai fojiao tuanti zai chengshi zhong de fazhan celüe 善巧方便：略論當代佛教團體在城市中的發展策略 », *Xuehai* 學海 2, 2014, p. 26-34.

LUO, Guangwu 羅廣武, *Xin Zhongguo zongjiao gongzuo dashi gailan* 新中國宗教工作大事概覽, Beijing, Huawen chubanshe, 2001.

QU, Hong, « Religious Policy in the People's Republic of China. An Alternative Perspective », *Journal of Contemporary China*, vol. 20, n° 70, 2011, p. 433-448.

SUN, Yanfei, « The Chinese Buddhist Ecology in Post-Mao China. Contours, Types and Dynamics », *Social Compass*, vol. 58, n° 4, 2011, p. 498-510.

WELCH, Holmes, *The Practice of Chinese Buddhism, 1900-1950*, Cambridge, Harvard University Press, 1967.

WELCH, Holmes, *The Buddhist Revival in China*, Cambridge, Harvard University Press, 1968.

WEN, Jinyu 溫金玉, « Zhongguo dangdai fojiao zhidu jianshe : yi dalu hanchuan fojiao wei zhongxin 中國當代佛教制度建設——以大陸漢傳佛教為中心 », *Foxue yanjiu* 佛學研究 15, 2006, p. 144-156.

ZHANG, Hengyan 張恒豔, « Beijing Guangjisi de hufa zuzhi he jushi shenghuo 北京廣濟寺的護法組織和居士生活 », *Zongjiao shehuixue* 宗教社會學 2, 2014, p. 90-104.

ZHANG, Jia et JI, Zhe, « Lay Buddhism in Contemporary China. Social Engagements and Political Regulations », *The China Review*, vol. 18, n° 4, 2018, p. 11-39.

Zhanru 湛如, « Tigao banxue pinzhi, peiyang hege sengcai 提高辦學品質,培養合格僧才 », *Zhongguo minzu bao* 中國民族報, 2011 ; en ligne : http://www.mzb.com.cn/html/report/188240-2.htm

ZHAO, Puchu 趙朴初, « 中國佛教協會三十年 Zhongguo fojiao xiehui sanshinian », *Fayin* 法音 6, 1983, p. 13-21.

LE SYSTÈME DE CRÉDIT SOCIAL, OU LA GESTION TECHNOCRATIQUE DE L'ORDRE PUBLIC

SÉVERINE ARSÈNE
Médialab, Sciences Po

Dans un « Rapport d'analyse annuel 2018 sur les listes noires de personnes malhonnêtes » (*shi xin*, littéralement : « qui ne sont plus dignes de confiance »), produit par le Centre national chinois d'information sur le Crédit social public, on peut lire que l'instauration d'un système de punitions conjointes a conduit à l'inscription de 3 594 000 entités (individus ou entreprises) sur différentes listes noires. Un million d'entre elles a l'interdiction de participer à des appels d'offres, 37 900 ne peuvent pas obtenir de terrains, de financements ou de quotas d'importation de la part du gouvernement, et 12 200 ne peuvent pas émettre d'obligations d'entreprises. En particulier, fin 2018 les tribunaux chinois avaient placé 12,77 millions de personnes sur une liste de personnes n'ayant pas respecté les termes d'un jugement et interdit à 17,46 millions de personnes de réserver des billets d'avion. Par ailleurs, d'après l'administration nationale chinoise des impôts, 16 642 cas de violations de la réglementation fiscale avaient conduit à exclure 12 920 contribuables de l'accès au crédit, et à interdire à 128 contribuables de quitter le territoire. Le rapport se félicite de l'efficacité de ces mesures, indiquant que plus de 2 millions de personnes avaient corrigé leur comportement et étaient ainsi sorties des listes noires.

Ces listes noires sont l'une des facettes du système de Crédit social (*shehui xinyong tixi*), un dispositif dont l'objectif est d'encourager les citoyens à mieux respecter les lois, à travers l'application de récompenses et de punitions. Dans son volet « public », le système comprend deux types de mécanismes assez distincts. D'une part, dans ce qu'on appelle le Crédit social « personnel », des municipalités mettent en place des systèmes de points pour évaluer le « crédit » de leurs résidents. Les barèmes peuvent comprendre des dizaines, voire des centaines d'indicateurs issus des données dont les administrations locales disposent déjà : infractions au code de la route, arrestations pour troubles à l'ordre public, non-paiement des factures d'électricité, mais aussi niveau de diplôme, bénévolat par exemple. Une bonne note de crédit personnel à l'échelle locale donne accès à des subventions ou aux services municipaux (emprunt d'ouvrages à la bibliothèque), mais une mauvaise note n'implique pas de sanctions, en principe. D'autre part, le système comprend des listes noires instaurées par chaque administration (Impôts, ministère du Tourisme ou des Transports, etc.) sur la base d'infractions à la réglementation, qui sont assorties de sanctions et constituent donc la partie la plus contraignante du système. Les sanctions sont mises en place à travers la signature d'accords de partenariats (*MOU, Memorandum of Understanding*) entre plusieurs administrations et entreprises. Les individus et entreprises sur liste noire peuvent faire l'objet de contrôles plus fréquents, se voir interdire l'accès à certains emplois, et, dans un certain nombre de cas, être soumis à des restrictions concernant les dépenses somptuaires, comme réserver un billet d'avion ou jouer au golf. Ces listes sont rendues publiques, dans le but d'utiliser la réputation comme levier pour convaincre les citoyens de mieux respecter les lois.

Par ailleurs, le gouvernement a encouragé l'établissement d'un marché privé du Crédit social, qui se développe à travers des initiatives commerciales. Le service le plus connu est le Crédit Sésame d'Alibaba, un système de notation qui évalue le « crédit » des utilisateurs d'Alibaba sur la base des données dont dispose cette société, dans le cadre d'activités liées à l'e-commerce et à la microfinance principalement. Il s'agit là plutôt d'une logique de programme de fidélité, mais assortie aussi de récompenses variées et d'un enjeu de réputation à travers l'affichage de la note.

Le système de Crédit social est un instrument de politique publique dont la logique repose sur la notion de gouvernance par les données, où la collecte d'informations sur les citoyens et son exposition sont utilisées comme levier pour susciter l'autodiscipline. En cela il s'inscrit dans un héritage historique de contrôle de la population en Chine (Dutton, 1992), mais aussi dans un type de gouvernance qui connaît un nouvel essor aujourd'hui du fait des capacités informatisées de traitement de l'information (Supiot, 2015).

Ce chapitre s'attache à décrire ces filiations, d'abord par une comparaison avec des précédents historiques, puis avec des sources d'inspiration dans le monde contemporain. De telles comparaisons permettent de caractériser le système de Crédit social en tant qu'instrument de gouvernance, et elles éclairent de manière critique son historicité et la spécificité des dispositifs mis en place. Elles montrent aussi en quoi il est le produit d'une insertion de la Chine dans des courants de pensée et dans une circulation mondialisée de concepts et d'instruments de gouvernance.

Cependant, il est utile dans un premier temps de clarifier la nature et la fonction du système de Crédit social, en regard d'une autre utilisation possible, et souvent concomitante, du recueil des données personnelles : la surveillance policière. S'il est bien question d'une gestion modernisée, ostensiblement technique, de l'ordre public dans le système de Crédit social, c'est essentiellement sous l'angle d'une incitation au respect des lois et des règlements, plutôt que de la détection de l'activité criminelle.

UN LEVIER TECHNIQUE POUR UNE MEILLEURE APPLICATION DES LOIS

Parce qu'il utilise des données personnelles récoltées au fil des interactions des citoyens avec les administrations, le système de Crédit social est souvent vu comme un dispositif de surveillance, générant des comparaisons avec la fiction dystopique *Black Mirror*. Pourtant, c'est un système distinct de l'appareil de surveillance policière, lequel recueille par ailleurs ses propres données. La surveillance s'appuie de plus en plus sur un arsenal de technologies comme l'installation de caméras de vidéosurveillance parfois dotées de reconnaissance faciale, des algorithmes prédictifs, mais aussi de moyens humains pour produire du renseignement, et collecter les données personnelles des citoyens (Human Rights Watch a et b, 2019 ; Schwarck, 2018).

Dans le cas où les données récoltées par la police aboutissent à une contravention ou une condamnation judiciaire, alors cette sanction pourra donner lieu à une inscription dans un registre de Crédit social correspondant, mais ce processus n'est pas direct ni automatique. Ces dispositifs sont gérés par des administrations distinctes, soumis à des règles séparées et mis en place avec des solutions techniques différentes. Leurs cibles sont aussi différentes : si la surveillance policière est fortement tournée vers la détection d'activités criminelles, ainsi que la répression de la dissidence et des minorités ethniques, le Crédit social, lui, est avant tout un dispositif de coercition destiné à renforcer l'application des lois, à générer de l'autodiscipline dans le cadre du fonctionnement normal des entreprises et de la vie quotidienne des individus.

Le système de Crédit social relève de la tutelle de la Commission nationale pour le Développement et la Réforme (NDRC, acronyme anglais), une institution dédiée à la modernisation de l'État. Les documents de planification produits par la NDRC situent le système de Crédit social dans le cadre de la lutte contre les incivilités (code de la route, respect des règles de sécurité), la corruption (marchés publics), et de manière générale l'impunité des individus et des entreprises face à la loi (règles d'hygiène, protection de l'environnement), ainsi que le non-respect des contrats (remboursement des dettes).

Le problème central auquel s'adresse le système de Crédit social est donc celui d'un manque d'efficacité dans l'application des lois. Ce problème est en partie structurel, du fait de l'absence de séparation des pouvoirs et de la corruption. Par exemple, les règles d'évaluation des officiels à l'échelle locale, qui reposent en partie sur les chiffres de la croissance, les mettent en situation de fermer les yeux sur les entorses des entreprises locales aux règles de protection de l'environnement. Une fois promus et mutés dans une autre localité, ces officiels n'auront plus à se préoccuper des conséquences à long terme des activités économiques destructrices de l'environnement ou de la santé publique. Le problème est aussi en partie dû à un système légal encore incomplet. Par exemple, il manque un dispositif de banqueroute personnelle, ce qui conduit les personnes en difficulté à s'enfoncer dans des situations de surendettement sans issue légale.

Face à ces problèmes structurels, les gouvernements successifs depuis le début des années 2000 ont mis l'accent sur la notion de gouvernement par la loi (*yi fa zhi guo*). Cela se traduit par un effort de législation et de codification des règles destiné à apporter plus de prévisibilité, de clarté et de confiance dans les relations sociales et économiques. Une réforme du système judiciaire en 2014 avait notamment pour objectif de donner aux juges une meilleure formation professionnelle, et surtout plus d'autonomie par rapport aux enjeux de pouvoir purement locaux, en transférant la gestion des personnels vers l'échelon provincial (Li, 2016 ; Fu, 2019). Le système a été modernisé, pour une plus grande efficacité et une plus grande transparence dans la jurisprudence (une part très importante des décisions de justice est publiée en ligne). Il ne s'agit pas pour autant d'une avancée vers un État de droit au sens démocratique du terme, dans la mesure où le Parti communiste chinois reste, globalement, au-dessus des lois, et ces réformes resserrent en réalité la mainmise du pouvoir central sur le système judiciaire. De même la campagne anticorruption qui a débuté en 2013 a visiblement pour objectif de rétablir une confiance dans la légitimité du système. Mais son caractère sélectif, au service d'une centralisation accrue du pouvoir, jette le doute sur les effets de la campagne en termes d'impunité (Yuen, 2014 ; Ling Li, 2019).

Dans ce contexte, le système de Crédit social apparaît comme une solution technocratique, à la fois au problème pratique d'ordre public et au problème de légitimité politique que représente l'impunité. Ce dispositif repose sur des leviers de coercition au fond assez classiques. D'une part, les récompenses associées aux notations et surtout les sanctions qui découlent des listes noires relèvent du principe de la carotte et du bâton, qui doit encourager une forme d'autodiscipline. D'autre part, la publication des notes et des listes noires est destinée à utiliser la réputation comme levier, selon le principe du *name and shame* (« nommer pour stigmatiser »). Selon une approche issue de la théorie économique, il s'agit de réduire les asymétries informationnelles, c'est-à-dire de permettre aux acteurs économiques de choisir leurs partenaires en disposant d'informations plus complètes sur leurs actions passées.

Le caractère en apparence technique du système, à travers le recours à des instruments de compilation des données, des bases de données, des indicateurs, des listes, et dans certains cas des formes de visualisation sophistiquées, semble devoir conférer une forme de légitimité au dispositif, lui donnant une image d'impartialité et d'objectivité. C'est un effet connu de l'instrumentation de l'action publique (Lascoumes et Le Galès, 2004), qui tend à focaliser l'attention sur la machinerie, plutôt que sur les décisions normatives qui sous-tendent la conception même des instruments, ou la définition des règles et des seuils sanctionnés par exemple. Cela est renforcé par l'utilisation, surtout dans la presse, d'une iconographie *high-tech* mettant en scène l'imaginaire des *Big Data*, de la reconnaissance faciale et de l'intelligence artificielle qui ne sont pourtant pas vraiment mobilisés dans le système de Crédit social.

Il faut ainsi souligner que ce système est non seulement beaucoup moins *high-tech* qu'il n'y paraît, mais comme dans tous les dispositifs socio-techniques, l'intervention humaine est partout : établissement de barèmes dans les systèmes de note de crédit personnel, de seuils de gravité des délits conduisant à l'inscription sur les listes noires d'un côté ; saisie des données par les administrations, qui peut être erronée, mal mise à jour, ou faire l'objet de corruption ; dispositifs de recours encore peu clairs, etc. Le choix même de recourir à un tel dispositif dans son ensemble dénote une certaine vision de la gouvernance, de ses sujets, des délits, ainsi que des modes de coercition légitimes et supposément efficaces.

C'est cette vision qu'il est possible de mettre en perspective, pour tenter de souligner les spécificités de ce dispositif de gouvernance, au regard de ses héritages historiques, mais aussi de ce qu'il emprunte à des formes de gouvernance contemporaines, observables dans d'autres régions du monde.

FICHAGE ET AUTODISCIPLINE : DES FILIATIONS HISTORIQUES

Le recours à un système de récompenses et de punitions, destiné à renforcer l'application universelle de la loi, ne manque pas d'évoquer les principes fondateurs de la pensée légiste de l'Antiquité chinoise. Le principe même de gouvernement par la loi (*Rule by law*, qui traduit mieux que « État de droit » la notion de *yi fa zhi guo*) évoque ce courant de pensée, moins connu aujourd'hui que le confucianisme, mais qui a influencé les méthodes de contrôle social en Chine depuis la période des Royaumes Combattants (IVe-IIIe siècle av. J.-C.) (Cheng, 1997) et qui est très présent aujourd'hui dans la pensée politique de Xi Jinping (Bougon, 2017).

Partant d'une conception de la nature humaine comme étant animée seulement par des intérêts égoïstes, la pensée légiste conçoit le gouvernement efficace comme la manipulation de ces intérêts à travers des châtiments et des récompenses. Cette pensée, plus préoccupée d'efficacité que de justice, exige que la loi s'applique à tous les sujets de la même manière, et non selon leur rang. À cette fin elle doit être rendue publique et se manifester dans des institutions et des procédures bureaucratiques prévisibles (contrairement aux régimes où l'arbitraire est l'expression normale du pouvoir). Les individus, cherchant à maximiser leurs intérêts, sont incités à s'autoréguler.

On retrouve cette conception presque mécanique du comportement humain dans le système de Crédit social, avec l'idée que le (non-) respect des lois est seulement le produit d'un calcul d'intérêts, et qu'en augmentant le coût de la transgression, alors les sujets sont automatiquement amenés à rentrer dans le rang. La propagande, qui insiste sur le nombre de personnes sorties des listes noires après avoir corrigé leur comportement, abonde dans ce sens (sans qu'il soit vraiment possible de juger du lien de cause à effet).

Néanmoins, cette vision procède d'une double occultation : d'une part, celle du contexte et des facteurs structurels qui contribuent aux crimes et délits (notamment, les causes de la pauvreté et du surendettement, ou la corruption), et d'autre part, celle des « lieux de pouvoir, ou plus précisément de l'immersion du pouvoir dans un système généralisé de conditionnement des comportements » (Supiot, 2015, p. 94). Autrement dit, cette vision ne permet pas un regard critique sur le système, ni sur la définition des normes et des structures qui font de la société ce qu'elle est, ni sur la question de la légitimité du pouvoir qui détermine ces normes.

Historiquement, les récompenses et les châtiments propres à la pensée légiste ont trouvé des formes d'institutionnalisation plus ou moins hybrides. Dès le IVe-IIIe siècle av. J.-C., des échelles de délits et honneurs avaient principalement pour objectif de favoriser la production agricole, de collecter les taxes et la corvée et, le cas échéant, de faciliter l'effort de guerre. Ces mesures ont été rendues possibles par des recensements précis de la population, et par la tenue de registres permettant un contrôle bureaucratique étroit. Ces dispositifs font ainsi partie des premiers exemples historiques de l'utilisation de données statistiques, associées à des récompenses et châtiments, à des fins de contrôle de la population. Ils connaîtront de nombreuses reconfigurations au fil des siècles, au cours desquelles l'égalité des individus devant la loi cédera peu à peu la place à une hiérarchisation des droits et devoirs en fonction du statut social, selon une logique plutôt confucéenne. La stigmatisation est souvent, au cours de cette période, un élément important de la coercition. Au fil du temps des formes symboliques viennent remplacer le marquage du corps, avec des pancartes sur la porte, ou des inscriptions dans le registre, qui conduisent à différentes formes d'exclusion sociale.

Les unités administratives qui constituent la base de ces systèmes sont généralement des groupements de quelques familles, un système connu, à partir de la dynastie des Song (1021-1086 apr. J.-C.), sous le nom de *baojia*. Le *baojia* constitue à la fois une unité de surveillance mutuelle susceptible de punitions collectives en cas de faute, mais aussi une structure de solidarité. Ces entités préfèrent souvent régler les difficultés en leur sein plutôt que de faire appel à l'autorité de l'État, souvent violente (Dutton, 1992, p. 3). Dutton évoque, à ce sujet, une forme de pouvoir pastoral, qui articule l'autodiscipline avec des formes de cultivation de soi, à travers l'importance donnée à la réputation de la famille, sa valeur sociale.

Néanmoins, ces subdivisions administratives ne sont pas seulement des instruments de centralisation du pouvoir. Elles sont aussi des lieux de négociation du pouvoir, autour de questions comme la collecte des impôts, la tenue des registres, ou la désignation des représentants des unités administratives et le rôle que les familles puissantes y jouent. Ainsi, le *baojia* a été un lieu de résistances à l'ordre et de tiraillements entre familles, pouvoirs locaux et centraux, autant qu'un lieu de maintien de l'ordre, jusqu'à finalement se déliter en même temps que le pouvoir impérial des Qing à la fin du XIXe siècle. Restauré pendant la période républicaine, le système du *baojia* fut définitivement abandonné dans la République populaire de Chine.

Le Parti communiste chinois, préoccupé par la question de la production industrielle, et inspiré par l'expérience soviétique, introduit de nouvelles formes d'enregistrement de la population. Le *hukou*, livret d'enregistrement des familles, consigne le statut agricole ou non agricole (c'est-à-dire urbain) des citoyens, les membres de leur famille, leur ethnicité, et leur lieu de résidence. En attachant les services publics (éducation, santé, tickets de rationnement, mariage) à la localité d'enregistrement du *hukou*, ce système a été un puissant outil de maîtrise des flux de migration, et souvent considéré comme un instrument imposant une ségrégation entre une classe urbaine et une classe rurale, cette dernière n'ayant pas accès aux services publics disponibles dans les villes.

La fonction de maintien de l'ordre public est, elle, exercée par d'autres institutions : les comités de résidents (*jumin weiyuanhui*) et l'unité de travail (*danwei*). Dans les campagnes, les comités de résidents sont l'unité de base de la mobilisation des masses pendant la période maoïste. Ils fournissent des services essentiels comme les jardins d'enfants et permettent d'organiser la solidarité en période de crise. À partir des années 1980, ils contribuent aussi à appliquer la politique de l'enfant unique, au moyen de mesures très intrusives comprenant la surveillance des cycles menstruels des travailleuses et allant, selon les localités, jusqu'à des avortements et stérilisations forcés.

Dans les villes, c'est l'unité de travail qui occupe une place centrale. Elle fournit le logement et organise la vie quotidienne des travailleurs dont le parcours est consigné dans un dossier personnel (*dang'an*). Ce dossier contient des informations sur le parcours de chaque travailleur, son pedigree politique, ses compétences professionnelles notamment, mais aussi des remarques concernant son intégrité. Il n'est accessible qu'aux membres du Parti et aux personnels gérant les ressources humaines de l'unité de travail. Ces dossiers ont une grande importance dans la progression de carrière des travailleurs, dans un système où le travail est assigné, non choisi. Parce que les intéressés n'ont pas accès à son contenu, le dossier personnel fonctionne par intimidation, il donne une connotation « mystique » au pouvoir qui pourra octroyer des opportunités futures ou au contraire sanctionner arbitrairement des fautes (Yang, 2011). Le dossier personnel est, là aussi, un instrument conçu comme une technique de gestion « objective » de la population, mais qui est en réalité un lieu d'exercice de la subjectivité et de l'arbitraire, par exemple dans l'évaluation des travailleurs par leurs supérieurs hiérarchiques, et de possible corruption ou manipulation[1].

Avec la période dite d'ouverture économique qui commence dans les années 1980, et plus encore avec la vague de licenciements qui touche des millions d'employés des entreprises publiques dans les années 1990, l'unité de travail perd progressivement ses fonctions de contrôle de la population. C'est désormais au comité de résidents, dans une Chine en majorité urbanisée, que reviennent des tâches telles que le recensement et la surveillance du planning familial, mais aussi l'aide aux plus démunis et, le cas échéant, la liaison avec le bureau de police pour signaler des problèmes d'ordre public (Audin, 2015).

Le marché prend le relais dans l'allocation des emplois, du logement et d'autres bénéfices sociaux comme la santé, ce qui défait l'importance du dossier personnel en tant qu'instrument de contrôle social. D'autres formes de gouvernementalité sont attachées à ces dynamiques de marché, dans un contexte où la stratification sociale s'accroît et les aspirations individuelles à un style de vie plus « moderne » (c'est-à-dire occidental) constituent des leviers puissants (Jeffreys, 2009). En particulier, la « culture de l'audit » s'impose dans les administrations et les entreprises, mais la quantification de la performance, sous couvert d'objectivité, est frustrante par son réductionnisme et laisse elle aussi la place à toutes sortes de manipulations (Zhao, 2007 ; Kipnis, 2008).

Globalement, les transformations sociales et

économiques rendent les institutions existantes de plus en plus obsolètes. Le planning familial est désormais relâché, le *hukou* a perdu de sa substance, et plus généralement la société, plus diverse, est difficile à contrôler. Les années 2000 ont été émaillées de scandales attribués à un délitement moral au sein de la société : lait contaminé, gestion calamiteuse des catastrophes naturelles, corruption, non-assistance à personne en danger par peur des arnaques.

C'est dans ce contexte qu'ont émergé le discours sur le rétablissement de la « confiance » et de l'« honnêteté » au sein de la société et la volonté de rechercher des dispositifs nouveaux pour canaliser les comportements au quotidien. C'est ainsi que le système de Crédit social donne un nouveau tour à l'utilisation bureaucratique des données personnelles en articulation avec un système d'incitations et de punitions.

Comme pour les dispositifs antérieurs, le système est motivé par une forme d'utilitarisme. Le respect des lois et règlements est clairement destiné à un objectif de développement économique, et le système doit fournir des indicateurs permettant de faciliter l'établissement de relations de confiance entre acteurs économiques. L'enjeu est aussi de permettre le développement d'un marché intérieur, dans une Chine trop dépendante de ses exportations, et engagée dans des relations géopolitiques complexes avec ses principaux partenaires commerciaux, à commencer par les États-Unis. C'est enfin un enjeu de légitimité pour le Parti communiste chinois, qui doit convaincre qu'il peut efficacement lutter contre la corruption, mettre en œuvre les mesures de protection de l'environnement et fournir la croissance économique sur laquelle repose le contrat social établi depuis Deng Xiaoping.

C'est peut-être la première fois, cependant, qu'un tel dispositif vise directement les individus, sans médiation par la famille ou l'unité de travail. Signe que l'économie planifiée a concédé une place importante au marché, les entreprises sont elles aussi assujetties au système de Crédit social en tant que personnes morales, principalement à travers les listes noires mises en place par les administrations sectorielles (tourisme, environnement, hygiène par exemple). De lieu d'exercice du maintien de l'ordre, elles en sont devenues les sujets. D'un autre côté, des entreprises privées sont sollicitées pour établir un « marché » du Crédit social, en proposant des services commerciaux et facultatifs de notes de crédit personnel, construites plutôt comme des programmes de fidélité, et qui viennent compléter la fonction de signal exercée par les notes de crédit publiques.

C'est ainsi le retour du recours à la réputation, articulée à la notion d'autodiscipline et de culture de soi, qui distingue le Crédit social du dossier personnel de l'époque maoïste, lequel restait secret. Avec les listes noires et les notes personnelles rendues publiques sur des plateformes dédiées en ligne, ou sur des panneaux d'affichage dans l'espace public, on retrouve l'idée ancienne de la stigmatisation et de l'inscription au registre qui engendre des formes variées d'exclusion sociale et surtout économique, et qui doit encourager les citoyens à corriger leur comportement vis-à-vis de la loi. L'efficacité d'un tel dispositif est néanmoins sujette à caution, dans la mesure où une grande partie des délits sont d'ordre économique : non-paiement de factures, emprunts ou amendes. L'exclusion de nouvelles opportunités rend donc en principe encore plus difficile l'exécution des mesures demandées, sauf à considérer, comme la propagande semble souvent le faire, que le non-paiement est exclusivement le fait d'une mauvaise volonté. Cette focalisation importante du système sur les délits économiques, articulée à l'usage de la réputation comme levier, fait craindre la consolidation bureaucratique des inégalités de classe qui ont explosé avec le développement de l'économie de marché en Chine.

Cependant l'histoire, à travers l'enregistrement des familles comme avec le dossier personnel, nous a aussi appris combien ce type de dispositifs pouvait faire l'objet de luttes de pouvoir, entre les différents échelons administratifs, les citoyens et les bureaucrates chargés de gérer leurs dossiers, mais aussi de falsifications des données pour en tirer des bénéfices indus, ou de résistances, comme la non-communication des informations dans les délais impartis, ou la contestation pure et simple du dispositif. De telles contestations ont déjà eu lieu à l'encontre des premières expérimentations du système de Crédit social. Par exemple, la municipalité de Suining dans la province du Jiangsu a dû repenser son barème, après que les critiques de la population ont été relayées par la presse officielle (Mistreanu, 2018). Dans son fonctionnement quotidien, on peut raisonnablement s'attendre à ce que le système de Crédit social soit l'objet de tiraillements, ne faisant ainsi que déplacer les luttes de pouvoir et les opportunités de corruption, plutôt que de les résoudre.

Sans doute l'une des facettes les plus nouvelles du système de Crédit social est-elle son recours aux bases de données informatisées, souvent associé à l'imaginaire des *Big Data*. L'idée est que l'instrument informatique doit permettre de donner plus de puissance et d'objectivité au traitement des registres, et que les possibilités de visualisation nouvelles feront de la réputation un levier d'autant plus efficace. De ce point de vue, le système de Crédit social reflète la manière dont le régime chinois, depuis les années 1980, s'est appuyé sur l'informatisation pour renouveler sa légitimité et sa capacité d'action. Dans ce mouvement, il s'inspire et rejoint des tendances propres au capitalisme mondialisé, tenté par un « solutionnisme technologique » qui fait l'impasse sur les procédures démocratiques de définition des normes.

L'ORDRE TECHNOCRATIQUE À L'HEURE DE LA GOUVERNANCE PAR LES DONNÉES NUMÉRIQUES

Depuis les années 1980, l'informatisation se trouve au cœur du projet de réhabilitation de la Chine comme grande puissance sur la scène internationale. Avec la nouvelle phase d'ouverture, il apparaît clairement aux dirigeants chinois que l'avènement mondial des « autoroutes de l'information » représente un virage à ne pas manquer pour permettre à la Chine de se redresser. C'est un enjeu économique, mais aussi un enjeu de souveraineté et d'autonomie, afin de dépendre le moins possible des technologies étrangères dans le développement des nouvelles industries. C'est, enfin, un enjeu de légitimité politique pour le Parti communiste chinois qui doit établir un nouveau contrat social, ayant exclu la possibilité de réformes politiques après 1989.

Dans ce contexte, l'informatisation est aussi vue comme une opportunité de réforme de l'État. Les « technocadres » (Lagerkvist, 2005) qui sont influents dans l'élite dirigeante de la fin des années 1990 promeuvent le e-gouvernement comme la possibilité de moderniser l'administration, la rendre à la fois plus efficace en réduisant le poids des formalités et en automatisant les tâches, mais aussi plus transparente et réactive par rapport aux demandes de la population, donc plus légitime. L'informatisation de l'administration est aussi conçue comme un instrument de contrôle du pouvoir central sur les pouvoirs locaux, qui peut poursuivre des objectifs contradictoires.

Au fil des deux dernières décennies, les améliorations pratiques dans les services rendus par les services publics sont indéniables (procédures dématérialisées, informations sur le trafic routier, prise de rendez-vous dans les hôpitaux par exemple). Cependant beaucoup des programmes de e-gouvernement ont rencontré des difficultés majeures de mise en place, victimes des difficultés mêmes qu'ils devaient résoudre : conflits de territoire entre administrations, freins des bureaucraties locales, incompatibilité entre systèmes locaux qui empêchent la transmission de données (Lagerkvist, 2005). Néanmoins, l'effort d'informatisation se poursuit, promu à travers des programmes officiels tels que « Internet + » en 2015, destiné à encourager l'informatisation du pays, particulièrement dans le secteur industriel mais aussi au sein du gouvernement. Cet effort est largement aidé par un secteur privé en pleine expansion, qui offre des solutions clés en main aux collectivités, par exemple autour du concept de *Smart City*, qui implique l'utilisation de capteurs et de caméras dans les espaces publics pour mieux gérer les flux et organiser les services publics.

Le système de Crédit social est ainsi l'un des avatars d'un effort de numérisation et d'automatisation des relations entre la société et l'État qui promet, lui aussi, de réduire l'arbitraire dans l'application de la loi, de mieux coordonner l'information entre différentes entités administratives, tout en fournissant aux citoyens des informations utiles à la conduite de leurs affaires quotidiennes. L'idée selon laquelle les comportements des individus sont un *output*, que l'on peut influencer par des *inputs* tels que l'information sur le niveau de crédit ou des incitations et sanctions, peut apparaître comme une vision simpliste des relations sociales qui réduit les techniques de gouvernance à une forme d'ingénierie système (Creemers, 2018, p. 7). Néanmoins, le dispositif aura à surmonter des difficultés classiques, dans la coordination entre entités administratives, la communication des données dans les délais impartis (on parle généralement d'une transmission mensuelle des listes noires vers la plateforme nationale), dans l'inter-opérabilité des dispositifs utilisés par les différentes administrations, ou dans l'accès et la rectification possible des données par les utilisateurs.

Dans ce pari technologique, la Chine rejoint une tendance mondiale, qui est au demeurant encouragée par des normes internationales telles que celles de l'OCDE sur le « gouvernement numérique ». Les élites politiques, scientifiques et économiques chinoises circulent dans le monde, surveillent les dernières innovations, y participent et s'en inspirent pour inventer des solutions propres à la configuration politique particulière de la Chine et à leurs agendas respectifs.

Ainsi, les théoriciens du système de Crédit social se sont-ils d'abord intéressés, à la fin des années 1990, à la notion anglo-saxonne d'historique de crédit, dans la perspective de répondre aux difficultés du système financier chinois. Ils ont ensuite progressivement élargi le champ d'application de ce mécanisme à d'autres domaines de la vie sociale, en s'appuyant également sur des expérimentations locales qui reposaient sur des systèmes de points (Sel, 2019), et jusqu'à l'élaboration du projet national qui a été officiellement lancé en 2014 avec la publication d'un Document de programmation pour la construction du système de Crédit social (State Council).

Parce qu'il est organisé à une échelle nationale et recouvre dans un même programme des domaines très vastes de la vie quotidienne des citoyens et des entreprises, le système de Crédit social va sans doute plus loin qu'aucun dispositif existant ailleurs. Le caractère coercitif et explicitement disproportionné des sanctions attachées aux listes noires en fait aussi une expérience relativement inédite. Il se déroule, de surcroît, dans un environnement juridique marqué par une claire insuffisance de la protection des données personnelles et par des normes juridiques souvent floues, aisément instrumentalisées.

Pourtant, sur un plan purement technique le système de Crédit social est relativement plus simple que d'autres technologies de gouvernance par les données qui se développent dans le monde. En effet, l'avènement des technologies dites de *Big Data* a conduit ces dernières années à une forme d'accélération, dans plusieurs directions. Tout d'abord, la collecte de données devient un objectif central pour les administrations (comme pour les entreprises), puisqu'il s'agit d'utiliser des capacités de calcul massives sur des bases de données très vastes, afin de détecter des corrélations insoupçonnables par d'autres moyens, et ainsi d'orienter les politiques publiques. Cette collecte de données peut devenir très invasive. De plus il arrive qu'elle nourrisse des modèles prédictifs à travers lesquels les citoyens sont traités par les administrations non en vertu de leurs actions personnelles, mais de leur appartenance à des catégories déterminées de manière informatique, ce qui est discriminatoire (par exemple aux États-Unis, O'Neil, 2017 ; Eubanks, 2018).

En fait, contrairement à ce qui est fréquemment suggéré dans la presse occidentale (sans doute du fait d'une certaine familiarité avec les problèmes mentionnés ci-dessus), le système de Crédit social n'utilise presque pas les technologies de *Big Data* ou l'intelligence artificielle. Il n'utilise que des données déjà collectées par les administrations dans le cours normal de leurs activités, même si celles-ci peuvent représenter des centaines de points de données pour un individu. Les notes de crédit personnelles sont élaborées à partir de barèmes très simples, et non d'algorithmes, tandis que les listes noires sont de simples listes de noms assorties de quelques informations de base concernant les raisons de l'inscription dans la liste.

En revanche, une place de plus en plus importante est tenue par les sociétés privées dans la gestion et la visualisation des données. Par exemple, à Shanghai une application mobile, Honest Shanghai (« Xinyong Shanghai »), permet de consulter son score personnel et de visualiser sur une carte les restaurants n'ayant pas respecté la réglementation sur l'hygiène. Les autorités ont aussi encouragé le développement de services commerciaux d'évaluation du Crédit social (comme Crédit Sésame ou ses concurrents). Cela constitue un point commun avec ce qui se déroule ailleurs dans le monde. C'est une deuxième dimension de l'accélération due aux *Big Data*. Partout, les initiatives liées au gouvernement numérique, à l'*Open Data* ou à l'État-Plateforme font appel à des prestataires privés pour concevoir les plateformes ou héberger les données, puisque ce sont eux qui maîtrisent le savoir-faire et les technologies, et également parce que les sociétés privées ont accès à des données sur les comportements des individus dont les administrations n'oseraient même pas rêver. Si l'historique de crédit a fait l'objet d'une réglementation aux États-Unis dès 1970, le profilage réalisé à d'autres fins continue de se développer de manière anarchique, avec le développement d'un marché du courtage de données très douteux. Pasquale parle ainsi d'« emballement » ou de « fuite » des données (*runaway data*), tandis que Zuboff aborde la chose sous l'angle d'une appropriation capitaliste des données. Ces tendances sont d'autant plus préoccupantes que les instruments ainsi développés en l'absence de tout contrôle démocratique ont pour vocation d'influencer les comportements des individus, attirer leur attention, les inciter à travailler dans certains créneaux horaires ou, parfois, orienter leur vote.

En Chine, le système de Crédit social reflète aussi cette situation, dans laquelle des sociétés privées jouent un rôle prédominant dans la collecte et la manipulation de données personnelles. Cette situation a des implications particulières dans un pays où les relations entre l'État et les grandes entreprises du numérique sont très ambivalentes. Ces entreprises dépendent de l'État pour obtenir les subventions, les marchés publics et les licences qui leur permettent de travailler ; leurs dirigeants sont souvent cooptés par le Parti. En revanche, elles ont des objectifs de rentabilité et des modèles d'affaires qui représentent parfois des encouragements à diverger de la ligne officielle, y compris en ce qui concerne les bonnes pratiques en termes de gestion des données personnelles.

Enfin, les *Big Data* et l'intelligence artificielle jouent un rôle important dans la rivalité géopolitique entre la Chine et les États-Unis. De ce fait on assiste à une sorte de fuite en avant dans le développement de ces technologies, avec un soutien massif aux entreprises et centres de recherche concernés. Cette accélération ne donne pas le temps nécessaire à l'établissement de normes éthiques et réglementaires pour encadrer les usages, une tendance qui affecte également l'Europe.

Dans ce contexte, on peut se poser la question du rôle de l'iconographie qui accompagne la communication publique et privée autour du système de Crédit social, et qui met généralement en scène des visuels représentant le fonctionnement de l'intelligence artificielle, de la vidéosurveillance, et de la transmission de données en temps réel, autant de dimensions présentes dans d'autres aspects des politiques publiques chinoises, mais pas vraiment dans le système de Crédit social. Si l'on peut sans doute attribuer ces choix iconographiques à la maladresse des illustrateurs, ils conduisent néanmoins à développer un imaginaire qui nuit à la compréhension précise de la nature du système de Crédit social, et qui exacerbe le problème de la fuite en avant technologique dans la compétition internationale.

En résumé, dans le système de Crédit social, on retrouve ainsi le registre public, assorti de récompenses et de sanctions, comme instrument de contrôle de la population, et qui a connu différentes configurations au fil de l'histoire chinoise. Cet instrument trouve un renouveau à la faveur de la recherche, par le Parti communiste chinois, d'une solution de maintien de l'ordre public plus compatible avec les logiques de l'économie de marché. Il trouve aussi son avènement dans un moment où le PCC réinvente sa légitimité sur des bases technocratiques et utilitaristes, avec l'argument qu'une administration « scientifique », « objective », qui s'appuie sur les nouvelles technologies, est le meilleur moyen de procurer à la population une amélioration de ses conditions de vie, lesquelles sont essentiellement définies en termes de croissance économique.

Bien sûr, le système de Crédit social reflète des problèmes de société, s'inscrit dans une historicité et est mis en place à travers des institutions qui sont spécifiques à la Chine, notamment dans la configuration particulière des relations entre l'État central et les administrations, et entre l'État et le secteur privé. Néanmoins, avec la publication des notes et des listes noires, le régime parie sur la réputation pour générer de l'autodiscipline, selon une logique qui est aussi en plein essor dans le monde avec le déploiement des plateformes numériques, et plus communément attribuée au pouvoir néolibéral. La prolifération des bases de données et la croissance exponentielle des capacités de calcul, le rôle croissant des sociétés privées dans la maîtrise de ces instruments, et le manque de contrôle démocratique sur leur capacité d'influence, constituent des tendances préoccupantes dont la Chine nous montre l'une des facettes possibles.

Pourtant, l'un des enseignements historiques du recours aux registres et aux instruments techniques pour faciliter le contrôle des populations est que ces instruments reposent généralement sur des conceptions trop simplistes des activités humaines et des motivations des individus ; et que loin de rendre l'exercice de l'autorité plus efficace, transparent et légitime, ils tendent à occulter les sources du pouvoir et à déplacer les points de contention et les opportunités de corruption. Ils donnent donc lieu à de nombreuses formes de contestations, de détournements et de résistances, un scénario auquel il faudra être attentif dans le cas du système de Crédit social.

Bibliographie

AUDIN, Judith, « Gouverner par la communauté de quartier (*shequ*) en Chine », *Revue française de science politique*, vol. 65, n° 1, 2015, p. 85-110.

BOUGON, François, *Dans la tête de Xi Jinping. Essai*, Arles, Solin-Actes Sud, 2017.

Centre national d'information sur le crédit social public, « Rapport d'analyse annuel 2018 sur les listes noires de personnes malhonnêtes » (2018年失信黑名单年度分析报告发布), http://www.gov.cn/fuwu/2019-02/19/content_5366674.htm (mis en ligne le 19 février 2019).

CHENG, Anne, « Les légistes », *Histoire de la pensée chinoise*, Paris, Seuil, 1997, chapitre 9, p. 234-250.

CREEMERS, Rogier, *China's Social Credit System. An Evolving Practice of Control*, Social Science Research Network ; en ligne : https://papers.ssrn.com/abstract=3175792, 2018.

DUTTON, Michael R., *Policing and Punishment in China. From Patriarchy to « the People »*, Cambridge, Cambridge University Press, 1992.

EUBANKS, Virginia, *Automating Inequality. How High-Tech Tools Profile, Police, and Punish the Poor*, New York, St. Martin's Press, 2018.

FU, Hualing, « Dualité et lutte pour l'autonomie du droit en Chine », *Perspectives chinoises*, 2019, p. 3-9.

HUMAN RIGHTS WATCH A, « Reverse Engineering a Xinjiang Police Mass Surveillance App », https://www.hrw.org/report/2019/05/01/chinas-algorithms-repression/reverse-engineering-xinjiang-police-mass-surveillance (mis en ligne le 1er mai 2019).

HUMAN RIGHTS WATCH B, « China : Police 'Big Data'Systems Violate Privacy, Target Dissent », https://www.hrw.org/news/2017/11/19/china-police-big-data-systems-violate-privacy-target-dissent (mis en ligne le 19 novembre 2017).

JEFFREYS, Elaine, *China's Governmentalities. Governing Change, Changing Government*, Londres, Routledge, 2009.

KIPNIS, Andrew B., « Audit Cultures. Neoliberal Governmentality, Socialist Legacy, or Technologies of Governing ? », *American Ethnologist*, vol. 35, n°.2, 2008, p. 275-289.

LAGERKVIST, Johan, « The Techno-Cadre's Dream. Administrative Reform by Electronic Governance in China Today ? », *China Information*, vol. 19, n° 2, 2005, p. 189-216.

LASCOUMES, Pierre, LE GALÈS, Patrick, *Gouverner par les instruments*, Paris, Presses de Sciences Po, 2004.

LI, Anthony H. F., « Centralisation du pouvoir pour une gouvernance fondée sur la loi. La réforme judiciaire en Chine sous Xi Jinping », *Perspectives chinoises*, vol. 2, 2016.

LI, Ling, « Politics of Anticorruption in China. Paradigm Change of the Party's Disciplinary Regime 2012-2017 », *Journal of Contemporary China*, vol. 28, n° 115, 2019, p. 47-63.

MISTREANU, Simina, « Life Inside China's Social Credit Laboratory », *Foreign Policy*, 3 avril 2018.

O'NEIL, Cathy, *Weapons of Math Destruction. How Big Data Increases Inequality and Threatens Democracy*, New York, Broadway Books, 2017.

PASQUALE, Frank, *The Black Box Society. The Secret Algorithms that Control Money and Information*, Cambridge, Harvard University Press, 2015.

SCHWARCK, Edward, « Intelligence and Informatization. The Rise of the Ministry of Public Security in Intelligence Work in China », *The China Journal*, vol. 80, 2018, p. 1-23.

SEL, Pierre, « Vers un autoritarisme 2.0 ? Analyse du "système de crédit social" en Chine (1990-2020) », Mémoire non publié, Sciences Po, 2019.

STATE COUNCIL, « Planning Outline for the Establishment of a Social Credit System (2014-2020) », *China Law Translate*, 27 avril 2015 (consultation Internet).

SUPIOT, Alain, *La gouvernance par les nombres. Cours au Collège de France, 2012-2014*, Paris, Fayard, Nantes, Institut d'Études Avancées de Nantes, 2015.

YANG, Jie, « The Politics of the *Dang'an*. Spectralization,

Spatialization, and Neoliberal Governmentality in China », *Anthropological Quarterly*, vol. 84, n° 2, 2011, p. 507-533.

YUEN, Samson, « Discipliner le Parti. La campagne anti-corruption de Xi Jinping et ses limites », *Perspectives chinoises*, n° 3, 2014, p. 45-51.

ZHAO, Shukai, « The Accountability System of Township Governments », *Chinese Sociology & Anthropology*, vol. 39, n° 2, 2007, p. 64-73.

ZUBOFF, Shoshana, *The Age of Surveillance Capitalism. The Fight for a Human Future at The New Frontier of Power*, Londres, Profile Books, 2019.

QUATRIÈME PARTIE

TENSIONS ET CRISES

NI SOCIALISME, NI LIBÉRALISME :
LE CAPITALISME D'ÉTAT EN CHINE

NATHAN SPERBER
EHESS

Quel est le système économique de la Chine ? Cela fait des décennies déjà que cette question divise les opinions et pose un défi aux sciences sociales. Elle est d'autant plus délicate à démêler que les réponses qui y sont apportées prennent souvent une teinte politique, reflétant une prise de position — tantôt apologétique, tantôt critique — vis-à-vis du pouvoir communiste. En Chine même, un seul verdict, officiel, prétend trancher le débat : le pays est doté d'une « économie socialiste de marché » selon une formule adoptée par le Parti en 1992. À l'étranger, les amis et défenseurs du régime chinois ont tendance à reprendre l'étiquette de « socialisme », quand les esprits critiques les moins informés oscillent entre la dénonciation des excès du système chinois (« capitalisme sauvage », « ultra-capitalisme ») et la thèse selon laquelle les marchés en Chine ne seraient qu'illusoires.

On sait pourtant qu'à partir de 1978, les dirigeants chinois ont mis en œuvre une série de mesures de transformation sous la bannière de la « Réforme et Ouverture » (*gaige kaifang*) qui au fil des ans ont rendu le socialisme collectiviste et planifié de l'ère maoïste de moins en moins — et finalement plus du tout — reconnaissable. Dans les années 1980 et 1990 principalement, à l'occasion de deux grandes vagues de réformes structurelles, l'économie s'est ouverte aux investissements et aux biens étrangers, l'allocation des ressources par la planification s'est effacée au profit du marché, et un secteur privé parti de rien a émergé et prospéré au point de contribuer plus aux exportations, à l'emploi et à la création de richesse que le secteur public. Il est tout aussi vrai, cependant, que depuis le début de ce siècle, les entreprises d'État ont continué de dominer les secteurs les plus stratégiques de l'économie, que la politique industrielle du régime n'a cessé de revoir à la hausse ses ambitions et ses moyens et que, de manière générale, le Parti-État exerce un degré d'autorité sur la vie matérielle quasi inégalé dans le reste du monde.

Ce chapitre propose une esquisse d'ensemble de l'économie politique chinoise actuelle, appréhendée au prisme de la place prépondérante qu'y occupe la puissance publique *lato sensu* (Parti, administrations, entreprises à capitaux publics à tous les échelons). Il s'agit en outre de restituer la trajectoire historique mouvementée ayant débouché, au début des années 2000, sur un ordre économique pleinement marchandisé, partiellement privatisé, mais sous dominance étatique — une configuration qu'aucun dirigeant chinois n'avait anticipée comme telle durant la première phase des réformes. À la suite de nombreux chercheurs dans la période récente, nous faisons le choix de qualifier cette configuration de « capitalisme d'État », non parce que cette notion épuiserait à elle seule les multiples facettes de la vie économique en Chine, mais parce qu'elle identifie avec justesse ce qui fait, plus que tout autre facteur, la spécificité du système chinois aujourd'hui.

En guise d'entrée en matière, le chapitre débute

par une double critique : du discours officiel chinois sur le socialisme d'une part et du schéma interprétatif libéral de l'autre. C'est à condition d'avoir renvoyé préalablement dos à dos ces deux paradigmes dominants que l'on peut se permettre de penser l'interpénétration durable de l'État, du marché et du capital en Chine. Les deux parties suivantes abordent respectivement les conditions historiques d'émergence du capitalisme étatique, et ses ressorts essentiels dans la période actuelle.

LE LEURRE DU SOCIALISME, L'ILLUSION DE LA CONVERGENCE

Deux cadres de pensée contradictoires ont longtemps accaparé l'étude de l'économie chinoise à l'ère des réformes. Il s'agit, tout d'abord, du discours officiel chinois sur la « voie socialiste » (*shehuizhuyi daolu*) du développement, qui continue d'imposer des bornes infranchissables à toute discussion publique en Chine au sujet de la nature de l'économie. À l'inverse, de nombreux travaux d'orientation libérale depuis plusieurs décennies ont reposé sur l'hypothèse d'une convergence anticipée de la Chine vers un modèle d'économie de marché libre (*free market economy*) implicitement identifié à l'Occident.

Le socialisme : un concept évidé

Le « socialisme » reste le seul terme autorisé en Chine pour caractériser le système social, économique et politique du pays, quand la notion de capitalisme est réservée aux nations étrangères, en particulier occidentales. Les médias officiels peuvent donc se permettre de longs exposés critiques sur les « conséquences inéluctables de la détérioration du système capitaliste » (*Quotidien du Peuple*, 22 janvier 2017) dans le reste du monde, alors qu'au même moment, des milliers de chercheurs chinois se voient découragés d'appliquer explicitement à la Chine les différentes pensées critiques du capitalisme produites par les sciences sociales.

Ce qui est dénoté par le vocable « socialisme » en Chine, pourtant, a évolué de façon si marquée depuis un demi-siècle que sa valeur heuristique doit être remise en question. À l'ère maoïste, le socialisme reflétait étroitement le sens attribué à ce mot dans le mouvement communiste international, à savoir un mode de production transitionnel entre capitalisme et communisme une fois les moyens de production collectivisés sous la direction de l'État — en écho à ce que Karl Marx avait désigné, dans sa *Critique du programme de Gotha*, par l'expression de « première phase de la société communiste ». De fait, le système socialiste chinois des années 1960 ou 1970 se caractérisait par l'absence de propriété privée du capital, par l'allocation des ressources productives sur la base de la commande administrative, et surtout, par l'absence de marchandisation de la force de travail, dans la mesure où la « commune populaire » (*renmin gongshe*) à la campagne et l'unité de travail (*danwei*) à la ville liaient organiquement les travailleurs aux moyens de production.

Alors que l'ère des réformes débute à peine, Deng Xiaoping, en mars 1979, fait de l'adhésion à « la voie socialiste » le premier des « quatre principes cardinaux » qu'il annonce au pays. Néanmoins, durant les années et décennies qui suivent, les traits constitutifs du système socialiste de l'ère maoïste disparaissent un à un, donnant lieu à un évidement graduel du concept de socialisme en Chine. L'adoption de l'expression de « stade primaire du socialisme » pour désigner l'état d'avancement social du pays à l'occasion du XIIIᵉ Congrès du Parti en 1987 — expression toujours en vigueur aujourd'hui — sert à justifier les mesures de marchandisation partielle de la première vague des réformes, dont la dissolution des communes populaires au début des années 1980. À cette même époque, pourtant, le Parti-État continue de faire de l'« économie planifiée » un principe consubstantiel au socialisme. Il faut attendre quelques années pour qu'un discours mémorable de Deng Xiaoping lors de sa tournée dans le Sud en 1992 explique que « l'économie planifiée n'est pas le socialisme » (Deng Xiaoping, 1993, p. 373) — retournement conceptuel que le Parti reprend à son compte lors de son XIVᵉ Congrès quelques mois plus tard, avec l'adoption de l'expression d'« économie socialiste de marché » (*shehuizhuyi shichang jingji*). Dans la décennie qui suit ce congrès décisif, une seconde vague de réformes est mise en œuvre. La restructuration de l'industrie urbaine, qui prend le nom de *gaizhi* (« changement de système »), voit des dizaines de milliers d'entreprises publiques être liquidées ou privatisées, le secteur public perdre près de 40 millions d'employés (Green et Liu, 2005, p. 24), et la *danwei* (« unité de travail ») de type maoïste disparaître avec l'emploi à vie qu'il garantissait aux travailleurs — le fameux « bol de riz en fer » (*tie fan wan*).

Dans le contexte actuel, près de vingt ans après la fin du *gaizhi*, quelle pertinence le terme de « socialisme » garde-t-il en matière d'organisation économique ? Certains chercheurs en Chine continentale — tels que Cheng Enfu, de l'Académie des sciences sociales de Chine — et en dehors — tels que Wang

Shaoguang, de l'Université chinoise de Hong Kong — continuent de défendre l'usage de ce mot au nom du rôle directeur de l'État dans l'économie, qui se manifeste entre autres par un vaste secteur public et par une ambitieuse politique d'investissement (nous y reviendrons dans la dernière partie). Les économistes Rémy Herrera et Long Zhiming mettent également en relief ces aspects dans leur récent ouvrage *La Chine est-elle capitaliste ?* (2019). Si la frontière exacte entre capitalisme et socialisme restera toujours l'objet de débats, il nous semble que la manière la plus fructueuse d'aborder ce couple conceptuel doit s'axer, en fidélité au propos marxien originel, sur la nature du rapport social entre capital et travail. Or à cette aune, la société chinoise d'aujourd'hui met bien en jeu, à compter de la conclusion du *gaizhi* au début des années 2000, des rapports sociaux à caractère capitaliste généralisés à l'ensemble de la société. Le socialisme, pour cette raison, nous paraît une notion à rejeter dans l'étude de la Chine actuelle. Et cela, sans compter que son utilisation apologétique intempestive par le régime ne peut que parasiter son emploi éventuel par les chercheurs, y compris par ceux qui ne seraient pas plus ou moins forcés — comme le sont nombre d'universitaires en Chine continentale — de le mobiliser.

Déboires de la transitologie libérale

Alors que le discours officiel sur le socialisme se refuse à assimiler la Chine au système capitaliste qui domine le reste du monde, les approches de la convergence et de la transition de marché (*market transition*), tout au contraire, font de la configuration économique libérale de l'Occident l'horizon historique indépassable des réformes chinoises.

L'anticipation d'un alignement tendanciel des structures économiques chinoises sur un capitalisme de variante libérale, ou même néolibérale, prend forme dans les esprits dès la première décennie des réformes. Les écrits de plusieurs économistes étrangers renommés à propos des vertus du marché libéré — de Friedrich Hayek à Milton Friedman, en passant par le Britannique Ronald Coase et l'économiste hongrois du socialisme János Kornai — se diffusent en Chine dès les années 1980 et exercent un fort pouvoir de séduction sur plusieurs générations d'économistes et même de cadres (Gewirtz, 2017). À quoi s'ajoute le rôle croissant des allers-retours académiques entre la Chine et l'Occident (principalement, en ce domaine, les États-Unis). À partir des années 1990, alors que le modèle de l'économie planifiée est abandonné par le pouvoir et que les réformes de structure s'accélèrent à l'heure du *gaizhi*, l'hypothèse d'une convergence graduelle de la Chine vers un système de marché libre (*free market system*) en devient même une nouvelle *doxa*, au sein des milieux académiques et médiatiques occidentaux — et aussi parfois chinois.

Selon ce schéma de la convergence, toute mesure économique mise en œuvre, toute nouvelle législation ou régulation s'appliquant au marché, toute privatisation ou nationalisation d'entreprise, etc., tend à être évaluée selon qu'elle réduit ou augmente la distance qui sépare la configuration chinoise d'un idéal-type de système économique libre. Il faut préciser que cet idéal-type libéral ne se limite pas à l'allocation généralisée des ressources par le marché — qui, de toute manière, est acquise en Chine à partir des années 1990. Il exige de surcroît le respect d'une norme d'égalité entre acteurs de marché (*a level playing field*), sans discrimination ni penchant en faveur de tel ou tel type d'entreprises, sans monopoles ou oligopoles, sans barrières à l'entrée par secteur ou par localité, sans manipulation des prix, et bien sûr sans dominance du capital étatique — en somme, un ordre économique fort éloigné de ce qui prévaut en Chine.

Il a existé bien des nuances dans les applications de ce paradigme intellectuel libéral à l'économie chinoise. Un débat significatif entre économistes à une certaine époque a ainsi porté sur les avantages de la « réforme graduelle » pratiquée par la Chine, par opposition aux programmes libéraux de « thérapie de choc » promus par le FMI et la Banque mondiale dans les années 1990 dans les anciennes économies du bloc de l'Est (Naughton, 1995). En Chine même, les chercheurs libéraux se sont notamment départagés dans le rapport qu'ils pouvaient entretenir aux autorités communistes, et dans la nature des liaisons envisagées entre transition économique et transition politique vers plus de libertés ou de démocratie. Ainsi, une figure telle que l'économiste Wu Jinglian a accompagné plusieurs décennies de réformes, visant à les infléchir dans une direction libérale au moyen de nombreuses interventions auprès des cercles du pouvoir et du public — et y parvenant parfois. Dans une posture plus dissidente vis-à-vis des autorités, on trouve les économistes libéraux aujourd'hui associés au *think tank* Unirule Institute of Economics (*Tianze jingji yanjiusuo*), tels que Sheng Hong et Mao Yushi.

Or en Chine comme en Occident, les partisans de la lecture libérale semblent justement avoir abandonné, depuis une dizaine d'années, l'optimisme qui caractérisait autrefois leurs prédictions au sujet de la Chine. Réagissant à la raréfaction des mesures de libéralisation économique depuis la première moitié des années 2000, de nombreux chercheurs mobilisent aujourd'hui le leitmotiv de la réforme incomplète, interrompue ou bloquée (*stalled reform*). En 1998, le politologue Joel Hellman avait déjà averti que les principaux bénéficiaires des privatisations initiales dans les ex-pays du bloc de l'Est — souvent des *insiders* communistes reconvertis — avaient tout intérêt par la suite à s'opposer à des transformations institutionnelles plus profondes, afin de pérenniser leurs gains. Cette optique se reconnaît dans plusieurs travaux récents d'inspiration libérale à propos de l'économie chinoise, notamment ceux de Yasheng Huang et de Minxin Pei.

Si le cadre de pensée de la convergence et de la transition de marché admet ainsi sans difficulté le caractère heurté du cours des réformes, et même l'éventualité de reculs, il reste prisonnier de l'idéal-type libéral, implicitement assimilé à l'Occident actuel, qui lui sert de norme abstraite pour évaluer l'expérience chinoise. Cela amène à caractériser cette expérience à l'étalon de ce qu'elle n'est pas, et de ce qu'elle ne sera peut-être jamais, plutôt que d'œuvrer à restituer les traits constitutifs de l'économie politique dans leur propre logique. À cette faiblesse conceptuelle de l'*a priori* libéral s'ajoute un échec prédictif aujourd'hui patent. Dans la mesure où la Chine du XXIe siècle se refuse à devenir une économie libérée, ou même à s'en rapprocher, le trope de la « réforme bloquée » devient la seule formule sur laquelle la téléologie libérale du développement trouve à se rabattre. En bref, si le cadre interprétatif de la transition libérale a su produire nombre de travaux d'intérêt au sujet de l'économie chinoise à l'époque des réformes, elle fait aujourd'hui face à une double impasse, à la fois théorique et empirique.

Comment un capitalisme d'État a émergé en Chine

Il s'agit donc de rejeter simultanément ces deux cadres de pensée, désormais affaiblis, du socialisme et de la convergence. Tout à la fois descriptifs, prédictifs et normatifs, ces deux paradigmes si influents ne nous paraissent plus aptes à rendre compte de la forme qu'a prise l'économie chinoise depuis deux décennies. Si les institutions qui étaient le cœur du socialisme maoïste ont été dissoutes, si l'allocation par le marché a bien été généralisée, si les moyens de production des *danwei* (« unités de travail ») ont été convertis en capital lucratif, la configuration économique n'en est pas pour autant devenue neutre, impartiale et ouverte, comme le voudrait une norme libérale.

Comment en est-on arrivé là ? Il est nécessaire de revenir sur la trajectoire des réformes, dans toute leur dimension tumultueuse et contingente, pour saisir comment un capitalisme à dominance étatique a pu se concevoir, s'affirmer puis se pérenniser en Chine après les années 1990.

La trajectoire mouvementée des réformes : deux vagues, une stabilisation

La croissance spectaculaire de l'économie chinoise depuis le lancement de la « Réforme et Ouverture » fin 1978, parfois qualifiée de « miracle chinois », peut donner l'impression rétrospective d'une trajectoire de progrès continue et maîtrisée. Or le cours des réformes, en particulier durant les décennies clés des années 1980 et 1990, a été tout sauf paisible et linéaire. De fait, les effets non contrôlés de certaines réformes ont provoqué à plusieurs reprises des renoncements et des réorientations de la part du pouvoir — donnant tout son sens à la formule de Deng Xiaoping à propos de sa politique économique, « traverser la rivière en tâtonnant pierre à pierre ».

Durant la première vague des réformes, celle des années 1980, les autorités chinoises continuent, comme noté précédemment, de faire de l'allocation par le plan une dimension centrale du socialisme. Si l'économie rurale est rapidement bouleversée par la décollectivisation de l'agriculture et l'apparition de marchés pour les produits agricoles et pour l'industrie rurale, l'économie urbaine pour sa part reste entièrement structurée autour des *danwei* héritées de l'ère maoïste. Ces unités de production étatiques sont assujetties aux quotas industriels de la planification, mais se voient aussi pour la première fois autorisées à écouler une partie de leurs produits sur le marché, selon un principe de « système de prix à deux voies ».

Or à compter de la fin de la décennie 1980, ce système se dérègle pour une série de raisons. La création décentralisée de crédit dans l'économie provoque une forte inflation, à laquelle répond un choc d'austérité imposé par Pékin. Dans le même temps, sur le terrain industriel, les *danwei* sont de plus en plus nombreuses à ignorer les quotas du plan, préférant répondre avant tout à la demande de marché, parfois sous la protection de leurs tutelles politiques locales. Durant les années 1988-1992, la part de la planification dans l'allocation des ressources chute sans que le pouvoir central l'ait voulu et sans qu'il ait les moyens d'y répondre (Wedeman, 2003 ; Naughton, 1995). Au même moment, la répression du mouvement de Tian'anmen en juin 1989 s'accompagne d'une vaste purge au sommet du Parti et de l'État, mettant un terme à la première vague des réformes et plongeant dans l'incertitude toute la stratégie économique chinoise.

Il faut attendre 1992, avec la tournée dans le Sud de Deng Xiaoping puis le XIVe Congrès, déjà évoqués, pour qu'une politique de réforme nouvelle se dessine sur les décombres de la précédente. Avec l'adoption de la formule de l'« économie socialiste de marché », le Parti prend surtout acte du fait accompli, en l'espèce la désintégration de la planification industrielle de type maoïste durant les années précédentes. Après quoi, en novembre 1993, une réunion plénière du Comité central a pour charge de préciser la nouvelle politique économique. L'importance du document de synthèse de cette réunion de 1993 — intitulé « Décision sur quelques questions ayant trait à la construction du système d'économie socialiste de marché » — ne saurait être sous-estimée. Non seulement ce texte encadre la seconde vague des réformes, celle du *gaizhi*, qui dure du début des années 1990 au début des années 2000, mais nombre de principes de gouvernement économique qui y sont mentionnés continuent de définir le modèle de développement chinois actuel.

Abordant la question des rapports entre le marché et la planification, la « Décision » de 1993 précise que les plans n'ont pas vocation à disparaître, mais qu'ils doivent désormais « traiter les marchés comme fondation ». Le document va cependant plus loin dans la redéfinition de la place de l'État dans l'économie, en mettant en avant la notion de « contrôle macroscopique » — notion qui demeure à ce jour une référence constante de la politique économique chinoise. Le Comité central définit alors ce mode de contrôle de la façon suivante : « Préserver les équilibres fondamentaux des grands agrégats économiques, promouvoir la rationalisation des structures économiques, guider un développement de l'économie nationale qui soit durable, rapide et sain, et faire advenir le progrès social dans tous ses aspects. » Par cette formule apte à légitimer toute une panoplie d'interventions dans les activités de marché, le pouvoir chinois paraît signaler son rejet d'une conception libérale du développement.

Concernant l'industrie urbaine, la « Décision » du Comité central annonce la refondation des unités de production étatiques par la mise en place d'un « système d'entreprise moderne » — c'est-à-dire la normalisation des *danwei* héritées du maoïsme en firmes à vocation lucrative. La Loi sur les sociétés qui est votée le mois suivant par l'Assemblée nationale populaire entérine l'adoption de modèles juridiques inspirés de l'Occident, en particulier celui de la société par actions.

Or rapidement, le Parti est à nouveau rattrapé par les événements, en l'occurrence une détérioration rapide de la compétitivité du secteur public urbain, au point que plus d'un tiers des *danwei* étatiques enregistrent des pertes annuelles entre 1995 et 1999 (Lardy, 2014, p. 34). Face à l'urgence budgétaire créée par cette situation, le pouvoir admet l'idée du licenciement de masse de la main-d'œuvre, accompagné le cas échéant par la liquidation ou la privatisation des entreprises elles-mêmes. Sous le mot d'ordre « garder les grandes, lâcher les petites », des dizaines de milliers d'unités de production urbaines disparaissent du secteur public, principalement entre 1997 et 2003 — alors même que le terme « privatisation » (*siyouhua*) demeure tabou. Durant ces quelques années, les reprises de *danwei* par des acteurs privés se font souvent dans des conditions opaques et illicites, qui ne sont pas sans rappeler les privatisations des années 1990 en ex-URSS. À la différence de la plupart des pays de l'ancien bloc de l'Est, cependant, le pouvoir chinois garde la main sur les entreprises les plus grandes, les plus stratégiques et les plus profitables — désormais délestées des obligations sociales, telles que l'emploi à vie, qui incombaient aux *danwei* de l'ère antérieure.

La Chine urbaine finit par émerger des tumultes du *gaizhi* au début des années 2000 avec un secteur public toujours puissant, mais nettement amaigri en termes d'emploi, et dont les entreprises phares sont désormais des grands groupes profitables détenus aussi bien par le gouvernement central que par les provinces et les municipalités. Des commissions de supervision et de gestion des actifs publics (connues en anglais sous l'acronyme SASAC, State-owned Assets Supervision and Administration Commission) sont mises en place à tous les échelons en 2003 avec pour mission de faire croître la valeur des actifs publics. Un sauvetage bancaire orchestré par l'État après 1999 soulage le secteur financier du poids de la dette, considérable, contractée par les *danwei* durant les années 1990. C'est alors que les liquidations et privatisations à grande échelle d'entreprises publiques prennent fin.

Depuis la conclusion de la seconde vague des réformes, l'économie chinoise présente un profil institutionnel relativement stabilisé. Les actifs des entreprises d'État ont gonflé prodigieusement au fil du temps, notamment dans le secteur financier, par lequel le pouvoir chinois fait transiter des masses toujours plus grandes de crédit, en particulier à compter de 2009. La politique industrielle et technologique a été revigorée à partir du milieu des années 2000, comme on le verra plus bas. S'il y a eu des chocs et des crises localisés en Chine depuis la fin du *gaizhi*, la structure économique du pays est demeurée essentiellement la même, notamment pour ce qui concerne l'équilibre entre secteur public et secteur privé (et, de façon accessoire, secteur à capitaux étrangers).

Ce bref aperçu historique suffit à suggérer qu'il y a une contre-histoire des réformes chinoises à faire : non à la manière des discours déçus de la convergence, comme progression interrompue vers une économie pleinement libérée, mais plutôt comme trajectoire longtemps incertaine et précaire, qui s'oriente de façon résolue et durable, à partir de la décennie décisive 1992-2003, vers une économie sous dominance étatique, quoique marchandisée (diffusion de l'allocation par le marché) et capitalisée (conversion des moyens de production des *danwei* en capital lucratif).

Pourquoi le « capitalisme d'État » ?

Comment qualifier au mieux ce système économique chinois, tel qu'il s'est affirmé et consolidé depuis le début de ce siècle ? Les étiquettes ne manquent pas parmi les travaux spécialisés : du « capitalisme rouge » (Walter et Howie, 2011) au « néolibéralisme d'État » (So et Yin-wah Chu, 2012) en passant par le « capitalisme bureaucratique » (Wing-Chun Ho, 2013). Cela dit, la notion de « capitalisme d'État » se démarque des autres par le succès qu'elle semble rencontrer dernièrement auprès de chercheurs d'horizons divers (*inter alia* : Bergère b, 2013 ; McNally, 2013 ; Haley et Haley, 2013 ; Naughton et Tsai, 2015 ; Liebman et Milhaupt, 2016).

Il faut observer que les théories du capitalisme d'État en économie politique ont une histoire longue, puisque les origines de l'expression remonteraient à une allocution du socialiste révolutionnaire allemand

Karl Liebknecht prononcée en 1896 lors d'un congrès de la IIᵉ Internationale. Au cours du XXᵉ siècle, plusieurs courants de pensée plus ou moins proches du marxisme font usage de la formule du capitalisme d'État pour décrire des systèmes économiques assez variés (Sperber a, 2019). Depuis une dizaine d'années, par un surprenant retournement, l'expression est également employée dans des cercles académiques et médiatiques libéraux, pour qualifier des économies nationales dans lesquelles l'influence de l'État est jugée excessive. Le magazine *The Economist* a ainsi pris l'habitude de décrire la Chine comme un exemple du capitalisme d'État, aux côtés d'autres pays tels que la Russie et l'Arabie saoudite. Inutile de préciser que pour sa part le pouvoir chinois rejette ce vocable — un article de septembre 2018 dans *Qiushi*, la revue théorique du Comité central, a condamné avec force son usage par les commentateurs occidentaux.

Nous estimons que ce concept de capitalisme d'État, qui jouit d'une riche tradition intellectuelle dans la pensée économique critique, est valide pour qualifier la configuration chinoise actuelle pourvu qu'il soit employé dans une optique épistémologique ouverte, et non essentialiste et figée (Alami et Dixon). Plutôt que de faire du capitalisme d'État l'Autre antagonique d'un capitalisme libre ou occidental idéalisé — image souvent renvoyée dans les écrits d'obédience libérale —, il s'agit de voir dans le capitalisme d'État un faisceau d'éléments qui, conjointement, confèrent à la puissance publique une capacité à déterminer, dans une mesure variable, l'orientation d'ensemble de la vie économique.

LA DOMINANCE ÉTATIQUE :
FAIT DE STRUCTURE ET PROGRAMME
DE GOUVERNEMENT

Quels sont donc les éléments clés qui étayent l'autorité économique du politique en Chine aujourd'hui ? Il faut prendre en considération aussi bien la taille et les activités des entreprises publiques que les rapports entre Parti-État et acteurs économiques privés, ainsi que la politique d'investissement dans le cadre du système de planification. Ces trois volets du capitalisme d'État chinois sont brièvement évoqués tour à tour.

Le secteur public

Les actifs contrôlés par le Parti-État sont principalement de trois ordres : ressources foncières, capital industriel et capital financier.

Concernant le domaine foncier, il faut rappeler que le pouvoir chinois à l'ère des réformes n'a jamais accepté le principe de la cession de terrains à des propriétaires privés. En Chine rurale, le régime de propriété issu de la décollectivisation du début des années 1980 répartit l'occupation des terres agricoles de façon égalitaire entre habitants, à l'échelle de la localité, pour des périodes qui s'étendent aujourd'hui à plusieurs dizaines d'années. Officiellement propriété « collective », les actifs fonciers correspondants sont de fait sous l'autorité du pouvoir politique local, qui est seul en mesure de les réattribuer ou d'en modifier l'usage. En ville, les terrains sont des actifs étatiques, la plupart sous le contrôle des municipalités et districts et qui peuvent être concédés pour une durée prédéterminée à des entreprises immobilières — souvent elles-mêmes publiques — contre compensation. Cette pratique, qui prend le nom de *tudi caizheng* (« finance foncière »), représente depuis les années 1990 une manne significative pour les pouvoirs locaux, excédant souvent en valeur leurs revenus fiscaux.

Les entreprises industrielles à capitaux publics majoritaires se retrouvent à tous les échelons administratifs : grands groupes de niveau central (c'est-à-dire formellement détenus par le gouvernement central), entreprises provinciales, municipales, de district, ou détenues par des autorités de *xian* (« comté »), de *xiang* (« canton ») ou de *zhen* (« bourg »). Tous secteurs d'activités confondus, le Bureau national des statistiques (BNS) comptait, fin 2017, pas moins de 325 800 entreprises contrôlées par la puissance publique[1]. Les principaux groupes industriels du pays sont pour la plupart détenus en majorité par le gouvernement central. On trouve d'ailleurs, selon le dernier classement réalisé par le magazine *Fortune* en 2019, 17 entreprises publiques de niveau central parmi les 20 plus grandes sociétés chinoises en chiffre d'affaires[2]. Il faut noter, qui plus est, que certaines activités industrielles sont surreprésentées au sein du secteur public : énergie, télécommunications, transport, industrie lourde, construction, etc. — autant de domaines où les acteurs privés sont très minoritaires. Ces branches d'activités ont la caractéristique de se situer en amont de la plupart des processus de production dans l'économie, conférant aux grandes sociétés étatiques une capacité à peser sur les opérations des firmes en aval — industrie légère, biens de consommation, services de proximité, etc. — qui dépendent au quotidien de leurs produits et de leurs services.

Dans le secteur financier, enfin, on relève que la grande majorité des principales banques, compagnies d'assurance et fonds d'investissement sont dans le giron public. Les quatre plus grandes banques du monde par actifs, à en croire un classement récent du magazine *Forbes*[3], sont des banques chinoises détenues par le gouvernement central via Huijin, une holding du ministère des Finances. Le pouvoir financier prééminent de la puissance publique est en vérité une clé de voûte du capitalisme d'État chinois, puisqu'il facilite la transmission aux institutions financières d'instructions ciblées — connues sous le nom de *chuangkou zhidao* ou *window guidance* — au sujet des fonds à allouer à tels ou tels types d'acteurs économiques. Ce mécanisme permet aussi bien au Parti-État de relancer la croissance du PIB à court terme au moyen d'une expansion générale du crédit, que de favoriser des activités et des firmes particulières dans le cadre de sa politique industrielle.

Selon les dernières données en date du ministère des Finances chinois, les actifs des entreprises publiques — tous secteurs et échelons confondus — s'élevaient à 178 748 milliards de yuans fin 2018 (soit environ 23 000 milliards d'euros)[4]. Cette somme, équivalente à un peu moins du double du PIB chinois (et neuf fois le PIB français), donne la mesure du secteur public chinois, qui est sans équivalent au sein des autres grandes économies mondiales.

Les rapports public-privé

Malgré l'importance du secteur public, il faut garder à l'esprit que ce sont les entreprises à capitaux majoritaires privés qui, depuis la fin de la seconde vague des réformes, emploient le plus de travailleurs en Chine et contribuent le plus à la création de valeur ajoutée dans l'économie. On observe par ailleurs une forte hétérogénéité de l'économie privée chinoise, qui met en jeu des profils d'entreprises très différents les uns des autres, entretenant des relations variables avec le secteur public et le pouvoir politique. Cette diversité se traduit notamment dans l'éventail des formes juridiques en vigueur en Chine : des *getihu*, qui sont des micro-entreprises individuelles ou familiales, aux *siying qiye*, statut d'entreprise privée avec huit employés ou plus, aux sociétés par actions *gufen youxian gongsi*, qui peuvent parfois combiner à proportion égale capital privé et public, ou privé et étranger, donnant lieu à des entités hybrides. Les dirigeants d'entreprises privées eux-mêmes se distinguent sensiblement selon leurs origines, qui peuvent être aussi bien, selon l'expression chinoise, l'« intérieur du système » (*tizhi nei*) dans le cas d'anciens officiels communistes reconvertis dans les affaires, que l'« extérieur du système » (*tizhi wai*), pour les nombreux entrepreneurs qui sont parvenus à faire fortune à l'ère des réformes en partant de rien ou presque rien (Tsai, 2006 ; Walder, 2011 ; Bergère a, 2007).

Il existe cependant des faits de structure immanquables dans l'économie chinoise, qui imposent au développement du secteur privé des limites plus nettes que dans la plupart des pays du monde. La domination du capital public dans les secteurs industriels en amont des processus de production, ainsi que dans la finance, vient d'être évoquée. De fait, la configuration d'ensemble de l'économie peut être comprise comme hiérarchisée, ou échelonnée, au sens où les activités économiques les plus stratégiques — telles que la finance, les communications, les infrastructures — relèvent largement de la propriété publique (Pearson, 2015). Ces activités constituent l'échelon supérieur de l'économie politique et sont parfois qualifiées par les commentateurs étrangers de hauteurs stratégiques (*commanding heights*). À l'échelon immédiatement inférieur, celui des biens de consommation ou de production à technologie moyenne ou haute — automobile, chimie, machines-outils, électronique, etc. —, on note le plus souvent une coexistence des entreprises publiques, privées et hybrides. Ailleurs dans l'économie, qu'il s'agisse de biens à bas coûts orientés vers l'exportation (textile, jouets) ou de services de proximité (restauration, divertissement), les acteurs privés sont normalement dominants. Cette structure économique pérennise ainsi une supériorité qualitative du secteur public sur le secteur privé alors même que ce dernier comprend plus d'entreprises et emploie plus d'individus.

À ce constat structurel, s'ajoutent des moyens d'influence du politique sur le capital privé qui sont conditionnés par les institutions propres de l'autoritarisme chinois. Le contrôle de comités et groupes du Parti sur le système judiciaire, au centre comme dans les localités, entraîne un degré de protection moindre de la propriété privée que ce qui a cours en Occident, en particulier en cas de conflit entre un entrepreneur et l'administration — et ce malgré une loi de 2007 ayant déclaré en principe la propriété des citoyens « inviolable ». De même, le droit administratif chinois offre peu de voies de recours à des dirigeants d'entreprises qui se jugeraient en butte à un traitement arbitraire ou discriminatoire.

Au-delà de la vulnérabilité potentielle du capital privé vis-à-vis du Parti-État, il faut aussi noter que le pouvoir communiste a, depuis le début des années 2000, activement cherché à attirer les entrepreneurs privés dans son orbite. Une recherche de

Curtis Milhaupt et Zheng Wentong publiée en 2015 a ainsi montré que parmi les fondateurs et dirigeants des cent plus grandes firmes privées chinoises en chiffre d'affaires, seuls cinq n'étaient pas ouvertement membres d'un organe politique (tel que la Conférence consultative politique du peuple chinois, l'Assemblée nationale populaire, les assemblées populaires locales, des comités du Parti, etc.). Ces institutions remplissent en outre le rôle de forums de sociabilité, où officiels et entrepreneurs apprennent à se connaître et, le cas échéant, à nouer des partenariats (Sun Xin *et al.*, 2014). On observe en particulier que les quelques grands groupes privés chinois dont les activités revêtent un caractère stratégique pour le pouvoir — comme Alibaba et Tencent dans l'économie de l'Internet et Huawei dans les équipements télécoms — ont tendance à multiplier les programmes de coopération avec les autorités à tous les échelons, lorsqu'elles n'accueillent pas directement des entreprises et fonds publics parmi leurs actionnaires.

La politique d'investissement

Le pouvoir chinois ne se contente pas de posséder des entreprises et actifs stratégiques en grand nombre et de disposer d'une panoplie de moyens pour peser sur les destinées du secteur privé. Il faut aussi appréhender, parmi les aspects fondamentaux du capitalisme d'État, la politique d'investissement du Parti-État, qui vise à guider, dans le cadre du marché, les activités de firmes publiques comme privées vers la réalisation d'objectifs de développement et de puissance. Cette politique, axée sur une succession de plans quinquennaux généralistes et de programmes sectoriels, contribue en outre à réaliser la vision du « contrôle macroscopique » formulée dès la réunion plénière du Comité central de 1993 évoquée plus haut. À ce jour, le système chinois de « planification du développement » mobilise une myriade d'acteurs administratifs et économiques à tous les niveaux, en vue d'atteindre des résultats aussi variés que la baisse de la pollution aux particules fines, le réaménagement urbain, le développement des énergies renouvelables ou encore la maîtrise des applications de l'intelligence artificielle (Yang Weimin, 2010 ; Heilmann et Melton, 2013).

Quelque peu mise entre parenthèses durant les tumultes du *gaizhi*, la planification chinoise, et plus spécialement la politique industrielle, connaît une renaissance à partir du milieu des années 2000, coïncidant avec le lancement simultané, en 2006, du XIᵉ plan quinquennal (2006-2010) et d'un « Programme de développement à moyen et long termes des sciences et technologies » (2006-2020). Depuis lors, les plans industriels n'ont cessé de revoir à la hausse leurs ambitions, d'une initiative pour « cultiver et développer les industries stratégiques émergentes » (2010) au programme décennal *Made in China 2025* (2015) à un « plan de développement de l'intelligence artificielle de nouvelle génération » (2017) (Bironneau, 2012 ; Chen Ling et Naughton, 2016). On peut faire la remarque en passant que la rivalité commerciale qui s'intensifie depuis peu entre la Chine et les États-Unis — l'administration américaine ayant explicitement pris pour cible le programme *Made in China 2025* — ne fait sans doute qu'accentuer, aux yeux des dirigeants chinois, l'urgente nécessité du rattrapage technologique.

Il faut souligner que cette politique d'investissement a fort peu en commun avec les efforts de planification des décennies maoïstes. À la suite de la désintégration de l'économie administrée, les bureaucrates ont dû apprendre, comme les y avait justement invités le Comité central en 1993, à « traiter les marchés comme fondation ». Au XXIᵉ siècle, les documents programmatiques publiés par la Commission nationale de Développement et de Réforme (CNDR) ont donc abandonné les quotas explicites par bien industriel. Leur objet affiché est de « guider » les acteurs économiques dans le sens voulu, par des moyens indirects, plutôt que de simplement commander les activités productives. Au reste, les instruments aux mains de la puissance publique pour orienter les activités de marché vers les objectifs de la planification ne manquent pas, entre subventions incitatives, attributions de crédits ou encore régulations sur les processus et produits. Il faut voir en particulier que la domination du Parti-État sur le secteur financier s'articule étroitement avec sa politique d'investissement. En transmettant des instructions ciblées, par exemple, aux grandes banques d'État, le pouvoir se donne les moyens de financer ses ambitions industrielles par le crédit plutôt que par l'impôt (Wang Yingyao, 2015 ; Chevais, 2019 ; Sperber b, 2019). Il existe de la sorte tout un circuit financier mis au service de l'avancement technologique du pays, mobilisant conjointement des banques, des fonds d'investissement publics et des entreprises publiques et privées bénéficiant des faveurs des instances de planification.

Conclusion

Le bref examen qui vient d'être proposé des principaux ressorts du capitalisme d'État chinois suffit à démontrer à quel point l'ordre économique issu des décennies de « Réforme et Ouverture » s'accommode d'une influence prépondérante de la puissance publique vis-à-vis des activités de marché. Si les institutions fondatrices du socialisme collectiviste ont bien été démantelées, le processus heurté des réformes n'a pas mis la Chine sur les rails d'une convergence vers un modèle d'économie libre, comme escompté par tant de transitologues libéraux occidentaux et chinois. La marchandisation des échanges et la capitalisation de la base productive sont advenues sans pour autant être accompagnées d'une libéralisation achevée du système économique.

Du point de vue de l'étude comparée des économies politiques en sciences sociales, la trajectoire contemporaine de la Chine nous enjoint à dépasser une lecture dualiste trop souvent admise par les chercheurs, selon laquelle le marché ne saurait se développer qu'au détriment de l'État et vice versa. La décennie décisive des années 1990, celle du *gaizhi*, illustre sans doute plus que toute autre comment la marchandisation est capable de se conjuguer avec l'étatisme. L'abandon de la planification par la commande administrative durant cette période ainsi que la disparition de dizaines de milliers d'entreprises publiques n'ont pas abouti à un retrait du politique de la vie économique. Bien au contraire, ces mesures ont permis à un Parti-État délesté de ses obligations sociales antérieures de reprendre la main sur un secteur public industriel et financier qui n'a cessé de grandir en taille et en puissance depuis.

À l'heure de Xi Jinping, cette liaison organique entre les marchés et le Parti-État perdure. Symptôme parmi d'autres des espoirs déçus de la convergence, le sens donné en Chine au mot « réforme » (*gaige*) n'a jamais eu aussi peu d'affinité avec l'idée de libéralisation. Pour ne citer qu'un exemple, un plan d'« approfondissement de la réforme des entreprises d'État », publié par le Comité central en 2015, appelle aussi bien à promouvoir la compétitivité des firmes publiques sur les marchés qu'à renforcer le rôle dirigeant des comités du Parti en leur sein.

Le capitalisme d'État se manifeste donc aujourd'hui comme *differentia specifica* de l'économie chinoise au XXIe siècle. Cette formule du capitalisme d'État, rappelons-le, sert à mettre en relief une configuration des institutions où les activités de marché et l'accumulation du capital sont sujettes à une influence du politique sans commune mesure avec ce qui a cours, par exemple, en Occident. Il s'agit toutefois de ne pas essentialiser cette notion, comme il faut se prémunir contre la tentation de lire dans la prééminence économique du Parti-État l'expression d'un trait permanent de la Chine et de sa culture politique. La trajectoire chinoise est le fruit de la contingence, nous l'avons montré : l'étatisme dans sa forme actuelle s'affirme et se stabilise, il y a moins de deux décennies, au terme d'un processus de transformation mouvementé que le pouvoir communiste a, par moments, été incapable de maîtriser. S'il est vrai que le capitalisme d'État chinois fait preuve depuis le début de ce siècle d'une résilience avérée, on peut anticiper que dans le futur plus ou moins lointain l'économie politique connaisse de nouveaux bouleversements qui l'amènent à changer, une nouvelle fois, de structure.

Bibliographie

ALAMI, Ilias, DIXON, Adam D., « State Capitalism(s) Redux ? Theories, Tensions, Controversies », *Competition and Change*, à paraître.

BERGÈRE, Marie-Claire a, *Capitalismes et capitalistes en Chine. Des origines à nos jours*, Paris, Perrin, 2007.

BERGÈRE, Marie-Claire b, *Chine, le nouveau capitalisme d'État*, Paris, Fayard, 2013.

BIRONNEAU, Romain (dir.), *China Innovation Inc. Des politiques industrielles aux entreprises innovantes*, Paris, Presses de Sciences Po, 2012.

CHEN, Ling, NAUGHTON, Barry, « An Institutionalized Policy-Making Mechanism. China's Return to Techno-Industrial Policy », *Research Policy*, vol. 45, n° 10, 2016, p. 2138-2152.

CHENG, Enfu, DING, Xiaoqin, « A Theory of China's "Miracle". Eight Principles of Contemporary Chinese Political Economy », *Monthly Review*, vol. 68, n° 8, 2017.

CHEVAIS, Sébastien, « Évolution du système bancaire chinois : sa voie dans un dispositif global de conquête économique et politique », *Revue internationale des économistes de langue française*, vol. 4, n° 1, 2019, p. 315-347.

DENG, Xiaoping 邓小平, « 在武昌、深圳、珠海、上海等地的谈话要点 » (« Propos essentiels tenus à Wuchang, Shenzhen, Zhuhai, Shanghai, etc. »), *in* 邓小平文选 (*Œuvres choisies de Deng Xiaoping*), vol. 3, Pékin, 人民出版社, 1993.

GEWIRTZ, Julian, *Unlikely Partners. Chinese Reformers, Western Economists, and the Making of Global China*, Cambridge, Harvard University Press, 2017.

GREEN, Stephen, LIU, Guy S., « China's Industrial Reform Strategy. Retreat and Retain », Stephen Green, Guy S. Liu (dir.), *Exit the Dragon ? Privatization and State Control*, Londres, Wiley-Blackwell, 2005.

HALEY, Usha C. V., HALEY, George T., *Subsidies to Chinese Industry. State Capitalism, Business Strategy, and Trade Policy*, Oxford, Oxford University Press, 2013.

HEILMANN, Sebastian, MELTON, Oliver, « The Reinvention of Development Planning in China, 1993-2012 », *Modern China*, vol. 39, n° 6, 2013, p. 580-628.

HELLMAN, Joel S., « Winners Take All. The Politics of Partial Reform in Postcommunist Transitions », *World Politics*, vol. 50, n° 2, 1998, p. 203-234.

HERRERA, Rémy, LONG, Zhiming, *La Chine est-elle capitaliste ?*, Paris, Éditions critiques, 2019.

HO, Wing-Chung, « The New "Comprador Class". The

Re-Emergence of Bureaucratic Capitalists in post-Deng China », *Journal of Contemporary China*, vol. 22, n° 83, 2013, p. 812-827.

HUANG, Yasheng, *Capitalism with Chinese Characteristics. Entrepreneurship and the State*, Cambridge, Cambridge University Press, 2008.

LARDY, Nicholas, *Markets over Mao. The Rise of Private Business in China*, Washington, Peterson Institute for International Economics, 2014.

LIEBMAN, Benjamin L., MILHAUPT, Curtis J. (dir.), *Regulating the Visible Hand. The Institutional Implications of Chinese State Capitalism*, Oxford, Oxford University Press, 2016.

MARX, Karl, ENGELS, Friedrich, *Critique des programmes de Gotha et d'Erfurt*, Paris, Éditions sociales, 1966.

MCNALLY, Christopher A., « Refurbishing State Capitalism. A Policy Analysis of Efforts to Rebalance China's Political Economy », *Journal of Current Chinese Affairs*, vol. 42, n° 4, 2013, p. 45-71.

MILHAUPT, Curtis J., ZHENG, Wentong, « Beyond Ownership. State Capitalism and the Chinese Firm », *Georgetown Law Journal*, vol. 103, n° 3, 2015, p. 665-722.

NAUGHTON, Barry, *Growing Out of the Plan. Chinese Economic Reform, 1978-1993*, Cambridge, Cambridge University Press, 1995.

NAUGHTON, Barry, TSAI, Kellee S. (dir.), *State Capitalism, Institutional Adaptation, and the Chinese Miracle*, Cambridge, Cambridge University Press, 2015.

Parti communiste chinois, « 中共中央关于建立社会主义市场经济体制若干问题的决定 » (« Décision du Comité central du Parti communiste chinois sur quelques questions ayant trait à la construction du système d'économie socialiste de marché »), 14 novembre 1993.

Parti communiste chinois, « 中共中央、国务院关于深化国有企业改革的指导意见 » (« Opinion du Comité central du Parti communiste chinois et du Conseil des affaires de l'État sur l'approfondissement de la réforme des entreprises d'État »), 24 août 2015.

PEARSON, Margaret M., « State-owned Business and Party-State Regulation in China's Modern Political

Economy », Barry Naughton, Kellee S. Tsai (dir.), *State Capitalism, Institutional Adaptation, and the Chinese Miracle*, Cambridge, Cambridge University Press, 2015, p. 27-45.

PEI, Minxin, *China's Trapped Transition. The Limits of Developmental Autocracy*, Cambridge, Harvard University Press, 2006.

PEI, Minxin, *China's Crony Capitalism. The Dynamics of Regime Decay*, Cambridge, Harvard University Press, 2016.

Qiu shi 求是, « 认清"国家资本主义"问题的真相 » (« Faire voir la vérité sur la question du "capitalisme d'État" »), n° 17, septembre 2018.

Renmin ribao 人民日报 (*Quotidien du Peuple*), « 资本主义制度劣质化的必然结果 » (« Les conséquences inéluctables de la détérioration du système capitaliste »), 22 janvier 2017.

SO, Alvin Y., CHU, Yin-wah, « The Transition from Neoliberalism to State Neoliberalism in China at the Turn of the Twenty-First Century », in Chang Kyung-Sup, Ben Fine *et al.* (dir.), *Developmental Politics in Transition. The Neoliberal Era and Beyond*, New York, Basingstoke, Palgrave MacMillan, 2012, p. 166-187.

SPERBER, Nathan a, « The Many Lives of State Capitalism. From Classical Marxism to Free-Market Advocacy », *History of the Human Sciences*, vol. 32, n° 3, 2019, p. 100-124.

SPERBER, Nathan b, « La planification chinoise à l'ombre du capitalisme d'État », *Actuel Marx*, n° 65, 2019, p. 35-53.

SUN, Xin *et al.*, « Organizational Clientelism. An Analysis of Private Entrepreneurs in Chinese Local Legislatures », *Journal of East Asian Studies*, vol. 14, n° 1, 2014, p. 1-29.

TSAI, Kellee S., *Capitalism without Democracy. The Private Sector in Contemporary China*, Ithaca, Cornell University Press, 2006.

WALDER, Andrew, « From Control to Ownership. China's Managerial Revolution », *Management and Organization Review*, vol. 7, n° 1, 2011, p. 19-38.

WALTER, Carl E., HOWIE, Fraser J. T., *Red Capitalism. The Fragile Financial Foundation of China's Extraordinary Rise*, Singapour, John Wiley & Sons, 2011.

WANG, Shaoguang, « Steadfastly Maintain Our Direction and Explore New Roads. Sixty Years of Socialist Practice in China », *Social Sciences in China*, vol. 31, n° 2, 2009, p. 21-43.

WANG, Yingyao, « The Rise of the "Shareholding State". Financialization of Economic Management in China », *Socio-Economic Review*, vol. 13, n° 3, 2015, p. 603-625.

WEDEMAN, Andrew H., *From Mao to Market. Rent Seeking, Local Protectionism, and Marketization in China*, Cambridge, Cambridge University Press, 2003.

YANG Weimin 杨伟民 (dir.), 发展规划的理论和实践 (*Théorie et pratique de la planification du développement*), Pékin, 清华大学出版社, 2010.

LE XINJIANG CHINOIS,
« NOUVELLE FRONTIÈRE »
DE L'ÉPURATION NATIONALE

MAGNUS FISKESJÖ
Université Cornell, U.S.A.

LE XINJIANG DANS L'EMPIRE
ET SOUS L'ULTRA-NATIONALISME
CHINOIS ACTUEL

En 2014, l'actuel chef du Parti communiste chinois Xi Jinping s'est rendu dans la ville ouïghoure de Kasghar. Après avoir visité ses marchés animés et ses mosquées bondées, lors d'une réunion à huis clos avec les responsables locaux, il leur aurait reproché avec véhémence d'avoir si peu réussi à assimiler le peuple ouïghour : « Qu'avez-vous fait au cours des 60 à 70 dernières années ? » (Rushan Abbas, cité dans Cole, 2019).

Les termes exacts dans lesquels s'est exprimé le leader communiste ne peuvent être confirmés, mais ils semblent très plausibles, si l'on en juge par l'engagement radical en faveur de l'assimilation ethnique observable sous le régime de Xi. Une campagne d'assimilation forcée à grande échelle visant les quelque douze millions de Ouïghours, de Kazakhs et autres populations autochtones du Xinjiang a été lancée en 2016-2017, signalant un changement de politique qui tourne le dos à la reconnaissance des minorités pour rechercher leur assimilation nationale accélérée à une identité chinoise unifiée. Les Ouïghours, au nombre d'environ dix millions, sont la première cible.

Avant d'aborder les événements survenus depuis 2017, il importe de voir comment la question de l'identité et de la différence ethniques en Chine a pu rester sans réponse depuis la fin du XIXᵉ siècle, au moment où il s'agissait de substituer à l'empire chinois le nouvel idéal de l'État-nation unitaire moderne. La première République chinoise après 1911 devait, en tant que nation nouvelle, rompre avec l'empire dynastique. Elle s'est toujours signalée d'abord par un compromis impliquant la reconnaissance de cinq grandes composantes ethniques de l'ex-empire : les identités chinoise, mandchoue, mongole, tibétaine et musulmane (*wuzu gonghe* ; Fitzgerald, 1996 ; Fiskesjö, 2006 ; Liu, 2015). Sun Yat-sen, le père fondateur de la République, penchait fortement en faveur de la création d'un État unitaire plus proche du nouveau Japon tel qu'il s'était modernisé sur le modèle européen : une nation — un peuple. Sa joie fut complète, lorsqu'en 1924, le drapeau à cinq couleurs de la première République fut remplacé par le nouveau drapeau républicain, figurant un seul soleil brillant pour tout le monde (Fitzgerald, 1996, p. 180).

Pendant ce temps, hors de la Chine Han proprement dite, les habitants du Xinjiang développaient leur propre nationalisme moderne, inspirés par les courants intellectuels ottomans et autres, pour finalement créer la République du Turkistan oriental (Millward, 2007, p. 201-206 ; Wang, 2013, Klimeš, 2015 ; Thum, 2018). Ce nouveau nationalisme ouïghour, influencé par des tendances similaires dans la Turquie post-ottomane, s'appuyait également sur des formes de construction de l'identité locales et indigènes antérieures, comme les pèlerinages communs aux sanctuaires de personnages ouïghours célèbres et la circulation des manuscrits, qui contribuèrent à bâtir une communauté d'histoire commune, bien avant le nationalisme moderne (Thum, 2012).

À la même époque pourtant, la République chinoise continuait à affirmer ses droits sur l'ensemble du territoire conquis par l'empire Qing (qui doublait en fait la superficie des anciens empires) — en incluant le Xinjiang, la Mongolie et le Tibet. À la fin des années 1930, suite à l'invasion de la Chine par le Japon pendant la Seconde Guerre mondiale, le gouvernement républicain-nationaliste chinois fut lui-même contraint de se déplacer vers le sud-ouest. Il s'attacha alors à travailler à une nouvelle formule qui reconnaîtrait la réalité de la différence ethnique : on appellerait désormais « minorités ethniques » les barbares d'autrefois. Dans un premier temps, on leur attribuerait des noms officiels destinés à se substituer aux dénominations discriminatoires suggérant une identité semi-animale dont faisaient usage les Chinois depuis plus de deux mille ans, dans le cadre d'une idéologie impériale au service d'une vision extensive et sans frontières de l'empire (Fiskesjö, 2011).

Dans les années 1950, il revint au nouveau régime communiste de mener à bien le projet républicain d'« identification ethnique ». Sous l'influence soviétique et stalinienne (Hann, 2009, p. 118-119), la République populaire de Chine reconnut les « nationalités minoritaires » officiellement représentées au sein du Congrès national du peuple — ce qui avait d'ailleurs été également tenté à l'Assemblée nationale de la République de Nankin, bien que certains groupes ethniques eussent refusé de siéger, craignant d'entériner de ce fait la suprématie chinoise. Avec cette nouvelle semi-autonomie de style soviétique, y compris dans des régions clés comme le Xinjiang, les gouverneurs locaux et les maires devaient être eux-mêmes issus d'ethnies locales, tout en étant partout placés en position subalterne par rapport à des fonctionnaires du Parti communiste, détenteurs du véritable pouvoir et habilités à superviser leurs actions (Millward, 2007, p. 242-46).

Ce système, bien que dépourvu de substance, revêtait une certaine signification symbolique dans des régions qui, telles le Xinjiang et le Tibet, avaient de longues traditions de politique et de civilisation propres et s'étaient récemment affirmées comme des nations souveraines modernes à part entière. Parmi les Ouïghours du Xinjiang, la République du Turkestan oriental survit aujourd'hui avec fierté, mais, comme nous l'avons souligné plus haut, le Xinjiang et le Tibet ont tous deux été conquis de force par la République populaire de Chine après 1949. L'arrangement qui s'ensuivit avec une majorité Han invariablement présentée comme « ouvrant » la voie de la modernité et recevant l'appui de 55 minorités est encore aujourd'hui en place. Cette formule « 55+1 » masque commodément la différence de taille entre les bâtisseurs d'État comme les Tibétains et les Ouïghours du Xinjiang, et d'autres minorités plus petites dépourvues de cette expérience politique.

Le système des « nationalités minoritaires » n'a pas non plus mis un terme aux politiques d'assimilation lente menées depuis des siècles du temps des empires et poursuivies par la République et la République populaire (Chung, 2018). Les théories communistes soviétiques et chinoises des nations et des nationalités envisageaient bien la disparition éventuelle de toutes les nations dans un avenir théorique et lointain, mais en pratique, les politiques du Parti communiste chinois visaient à transformer les autres ethnies placées sous son contrôle, tels les Ouïghours, en sujets de langue chinoise, intégrés dans une économie et une nation chinoises.

Les autorités communistes ont, pourtant, également tenté de coopter les nouvelles minorités dans un projet d'assimilation à plus long terme et à un rythme moins rapide, notamment en leur offrant certains avantages éducatifs et autres avantages préférentiels, dans le but de réduire la pauvreté et d'encourager la bienveillance à l'égard des autres minorités — comme au Xinjiang (Sautman, 1998 ; Grose, 2019 b). Exception au tableau : la frénésie assimilationniste qui caractérise la Révolution culturelle de Mao, de 1966 à 1976, pour laquelle ces obstacles idéologiques à la révolution que sont la culture et la religion des minorités doivent être combattus en règle générale. Il est de notoriété publique que la femme de Mao, Jiang Qing, détestait les minorités ethniques qui à ses yeux n'étaient que des « étrangers » déloyaux, en particulier celles du Xinjiang dont la culture lui semblait « excentrique » (Millward et Tursun, 2015, p. 97-98). En conséquence, dans tout le Xinjiang, la religion et l'ethnicité ont fait l'objet d'attaques constantes d'ordre multiple, comme celle qui consiste à transformer de nombreuses mosquées, sinon la plupart, en porcheries (Millward, 2007, p. 274-76).

Après Mao, l'accommodement d'inspiration soviétique a été rétabli, pour être à nouveau attaqué aujourd'hui. Cette fois, il ne s'agit pas des Ouïghours et d'autres groupes ethniques en tant qu'ils constituent un danger pour la révolution socialiste, mais au motif que leur caractère distinctif représente une menace pour la Chine en tant que nation. Certains universitaires et fonctionnaires chinois ont commencé à faire valoir que le système d'inspiration soviétique pose problème en octroyant l'autonomie ethnique aux minorités (ou « nationalités ») (voir par exemple Ma, 2010, 2017 ; Hu et Hu a, 2011 ; b, 2011, etc. ; ainsi que l'analyse de Leibold, 2013 ; Elliott, 2015, et d'autres). Leur argument principal : la reconnaissance formelle et le traitement préférentiel des minorités dans le système ethnopolitique de la RPC après 1949 renforcent une conscience ethnique indépendante, ce qui conduit au séparatisme, aux troubles ethniques et même au terrorisme. L'État devrait donc plutôt promouvoir l'assimilation, au nom de l'unité nationale. En cela, ils n'ont pas tout à fait tort : comme les Britanniques l'ont découvert à leurs dépens en Inde, lorsque les colons favorisent l'éducation, cela peut effectivement renforcer le nationalisme et même promouvoir de nouvelles formes de conscience de soi et de résistance.

Mais la position de ces idéologues néonationalistes ne consiste pas simplement à comparer des pommes et des oranges (les minorités raciales ou sociales aux États-Unis et au Brésil sont comparées aux minorités ethniques en Chine, etc.), son principal défaut est l'échec total et le refus de reconnaître les « minorités » de la Chine moderne en tant qu'autochtones (Elliott, 2015) — ce que les communistes chinois ont fait à l'origine, dans les années 1930, lorsqu'ils ont promis aux ethnies conquises et opprimées par les empires que dans la future « Chine soviétique », elles seraient libres de faire sécession et de créer leur propre pays (Fiskesjö, 2006). Cette position omet et occulte aussi intentionnellement la discrimination, l'inégalité et l'exploitation qui nourrissent le profond ressentiment qui s'exprime dans les anciennes nations du Xinjiang et du Tibet.

Le nom chinois « Xinjiang », qui se traduit littéralement par « nouvelle frontière », est lui-même une cause de ressentiment parmi les peuples autochtones. Le nom chinois remonte à la conquête de l'empire Qing en 1759-1760 : Xinjiang était une appellation impériale courante pour désigner le territoire conquis, qui deviendrait avec le temps la « Vieille Frontière » (*jiu jiang*), et pour finir le Territoire Intérieur (*nei di*) indissociable des anciennes conquêtes déjà ainsi transformées. Le terme a été utilisé dans de nombreuses régions de l'empire dont l'étendue a doublé avec la conquête mandchoue des Qing. C'est historiquement par accident que le chinois Xinjiang a été retenu comme nom officiel de la région « autonome » — au lieu d'appellations indigènes telles que Altishahri utilisées par les indigènes de langue turque (Thum, 2018) qui sont maintenant devenus « des étrangers dans leur propre pays » (Bovingdon, 2010), en raison de l'immigration massive de Chinois Han organisée sous la férule de l'État depuis les années 1950. La promotion des programmes de colonisation par les Han et l'extraction à grande échelle des ressources naturelles (Cliff, 2009 ; 2015 ; Castets, 2019), ainsi que la discrimination largement ressentie, sont des sources majeures de ressentiment indigène.

Dans les années 2000, les idéologues jihadistes ont exploité ce ressentiment pour recruter des partisans et ont apporté à certains une aide logistique pour aller combattre en Syrie. Avant d'être innocentés et libérés, 22 Ouïghours ont été arrêtés pour activité terroriste par les États-Unis en Afghanistan puis enfermés à Guantánamo. Reste que plusieurs incidents terroristes ont eu lieu en Chine qui ont vu des jihadistes tuer des civils. Un réfugié ouïghour en

Suède m'a toutefois récemment expliqué qu'il est fort possible que ce soit le gouvernement chinois lui-même qui ait encouragé ce virage jihadiste, de toute évidence opportun à plusieurs égards, puisqu'il lui a permis de se débarrasser de plusieurs milliers de jeunes Ouïghours, de justifier une nouvelle vague de répression sévère à l'échelle de la société et, en prime, de s'aligner sur la rhétorique antiterroriste des États-Unis et de l'Occident (sur ces questions, voir Clarke, 2018 ; Bernstein, 2019 ; Roberts, 2020). Depuis lors, le gouvernement chinois persiste à qualifier l'ensemble du peuple ouïghour de dangereux terroristes — une démarche cynique rejetée avec force même par certains Han courageux comme Wang Meng, l'ancien ministre chinois de la Culture (1986-89). Ayant vécu en exil au Xinjiang pendant 15 ans à l'époque de Mao, il a appris la langue et a développé un profond respect pour le peuple ouïghour. En 2016, il a publiquement rejeté cette campagne alarmiste à un moment où elle se renforçait (voir le journal basé à Hong Kong, le *South China Morning Post*, 2016).

Pour autant, le terrorisme (qui est un problème réel mais limité) n'a pas été la question clé dans les débats politiques et universitaires chinois sur l'avenir des minorités ethniques et l'« unité nationale » chinoise. Le débat interne a plutôt porté sur la manière d'empêcher ou de détruire la formation, chez les indigènes colonisés, d'une conscience de soi jugée indésirable. L'argument en faveur d'une assimilation rapide et forcée a gagné en importance dans les cercles de pouvoir chinois après les graves affrontements ethniques du Xinjiang en 2009 (Clarke, 2019), contribuant ainsi à les exacerber. Par la suite, les idéologues nationalistes du Parti communiste chinois en sont venus à façonner directement les nouvelles politiques assimilationnistes actuellement appliquées aux Ouïghours, Kazakhs et autres populations minoritaires (Leibold, 2018). Wang Lixiong, le prolifique commentateur indépendant Han sur le Xinjiang et le Tibet, a suggéré que la répression extrêmement sévère des protestations et de la dissidence depuis 2009 pourrait conduire à la « palestinisation » du Xinjiang (Finley, 2018) — songeant par là à un ressentiment et une violence sans cesse renaissants qui ne peuvent être facilement contenus.

Cependant, aujourd'hui, dans le contexte d'un nationalisme chinois de plus en plus agressif, il semble que le but ultime des politiques gouvernementales soit l'élimination totale des cultures indigènes en tant que telles, dans la région du Xinjiang et au-delà. L'ampleur et l'escalade rapide de l'assaut contre les peuples du Xinjiang (plus marqué encore qu'au Tibet ou dans d'autres régions) pourraient également être liées au lancement de la nouvelle politique du gouvernement chinois, visant à ouvrir une « nouvelle route de la soie » pour étendre son infrastructure commerciale à toute l'Asie centrale et vers l'Europe et l'Occident.

ÉVOLUTION DE LA SITUATION AU XINJIANG DEPUIS 2017 : L'ÉLABORATION D'UN GÉNOCIDE À LA CHINOISE

En 2017, le gouvernement chinois a commencé à construire un nouveau système de camps d'internement de type goulag dans le Xinjiang. Un grand nombre de personnes y sont maintenant confinées. Selon des estimations prudentes, y seraient enfermées un million de personnes ou plus, soit environ un dixième de la population ouïghoure. Ces camps ne sont toutefois qu'un élément d'une stratégie plus vaste, formulée sous la direction du nouveau chef du Parti communiste néonationaliste et mise en œuvre par le nouveau secrétaire du Parti communiste du Xinjiang, en poste depuis 2016, Chen Quanguo : il s'agit ni plus ni moins de transformer les Ouïghours en Chinois Han. Titulaire d'un doctorat plagié (Hancock et Liu, 2019), Chen Quanguo est néanmoins membre du Politburo, de son noyau dur. Au Tibet, où il a occupé ces mêmes fonctions, il a mis en place une machine de surveillance et d'oppression opérant sur plusieurs fronts, en s'appuyant sur des personnalités locales intégrées au système, politique qu'il a reproduite au Xinjiang (Zenz et Leibold, 2017 ; Leibold, 2019). Auparavant, en tant que fonctionnaire au Hebei, dans l'est de la Chine, Chen a eu recours aux méthodes de rééducation (lavage de cerveau) initialement destinées aux partisans de la secte Falun Gong (Zenz, 2019 b ; également Robertson, 2018). Cette méthode, sur laquelle je reviendrai plus tard, est un élément clé du dispositif en place au sein des camps du Xinjiang.

La campagne contre les Ouïghours et les autres peuples indigènes et minoritaires du Xinjiang (notamment les Kazakhs, les Kirghizes, les Mongols, les Tadjiks, les Sibes, les Ouzbeks, les Tatars et les Hui) comporte plusieurs dimensions. On observe, tout d'abord, la mise en place, grâce à de nouvelles technologies qui commencent à être déployées dans le reste de la Chine, et à l'étranger, d'un système de surveillance et de contrôle à l'échelle de la société dans son ensemble. On assiste ensuite à une campagne visant à criminaliser et éradiquer *totalement* les cultures ouïghoures et autres cultures locales, y compris la langue, la religion, les traditions et les expressions culturelles. Enfin, le goulag constitue l'élément proprement punitif au service de cette cause.

Le plan pluriannuel de Chen Quanguo débute par la classification des personnes en vue du projet d'épuration nationale. À cet égard, il peut être comparé à la méthode mise en œuvre par Reinhard Heydrich en tant que gouverneur nazi du *Wehrkreis Böhmen und Mähren* (Protectorat de Bohême-Moravie, aujourd'hui la République tchèque et la Slovaquie), au début des années 1940. Heydrich a divisé les individus de ces régions en trois catégories : les germanisables, les germanisables potentiels et les non-germanisables qui seront *in fine* déportés ou exterminés (voir par exemple Deschner, 1981). De même, le système de Chen Quanguo répartit les personnes sur une échelle de fiabilité, allant de « sûre », « normale », à « dangereuse » (Chan, 2018). Selon certains observateurs, ces catégories sont codées grâce à un système de couleurs. Nous n'avons cependant pas d'archives qui en attestent — tout comme à l'époque nazie, cette opération doit rester secrète. Nous disposons en revanche d'éléments du raisonnement mobilisé pour justifier la criminalisation des Ouïghours : leur pratique religieuse est décrite comme extrémiste, révélant une maladie mentale, comme un virus ou comme une « tumeur maligne incurable » (Samuel, 2018). Ce langage biopolitique évoque étrangement celui qui accompagne les génocides (Roberts, 2018 ; Forth, 2020). Plusieurs génocides comparables adoptent en effet ce type de pensée raciste et insistent, par voie de conséquence, sur la nécessité d'une purification de la nation — comme dans le Cambodge de Pol Pot qui insistait de la même manière sur la purification de sa nation, convaincu que cette dernière en sortirait renforcée.

Dans le cas du Xinjiang, nous ne savons pas ce qu'il adviendra des personnes jugées incurables — mais l'exécution de masse à l'abri des regards s'inscrit dans la logique du projet de purification nationale. Peut-être est-ce là le sort de ceux qui semblent être secrètement transférés hors du Xinjiang, vers d'autres provinces chinoises ? Nous savons que la population de colons chinois Han est pour la plupart « sûre » et peut facilement passer les points de contrôle. Quant aux Ouïghours, même lorsqu'ils sont qualifiés de « normaux », ils sont constamment interceptés, leurs téléphones vérifiés pour s'assurer que le logiciel de surveillance est opérationnel ; ou bien alors on les embarque, soit arbitrairement selon des règles de quota, soit parce qu'on estime qu'ils présentent l'un des nombreux « signes d'extrémisme » — comme le fait de refuser que l'on contrôle votre téléphone, que l'on opère un prélèvement sur vous pour analyser votre ADN, que l'on examine votre iris, votre visage et votre voix (autant de données incluses dans des bases de données géantes), ou le fait de commettre d'autres « crimes », comme de continuer à parler ouïghour, à avoir des contacts à l'étranger, à aller à la mosquée et prier, à s'abstenir de fumer ou de boire de l'alcool, ou à refuser que des fonctionnaires chinois viennent s'installer chez vous pour un « séjour chez l'habitant » (voir la liste des 48 « signes », dans Groot, 2019, p. 105). L'un ou l'autre de ces signes peut entraîner l'internement dans les camps. Ces contrôles ne sont pas seulement effectués dans la rue, mais aussi à la faveur d'une campagne de grande envergure consistant à envoyer des résidents ou des fonctionnaires Han passer la nuit dans des maisons ouïghoures (Byler b, 2018). Les Han affectés à ce sinistre devoir détiennent effectivement le pouvoir de séparer la famille : s'ils découvrent un coran dans la maison ou si les enfants révèlent que leurs parents dissimulent la vérité, les agents hébergés dénonceront la famille, avec pour conséquences l'internement des parents ou des grands-parents, et l'envoi des enfants dans des orphelinats réservés aux Han (Zenz c, 2019).

La campagne visant sinon à faire disparaître non seulement la religion, mais aussi la langue et la culture ouïghoures, du moins à dissuader quiconque d'en faire usage, est une mesure clé du dispositif (Byler a, 2019). Les enfants n'ont pas le droit de parler leur langue maternelle à l'école, et le ouïghour et le kazakh sont partout battus en brèche. Les panneaux bilingues autrefois utilisés dans la région (de par la loi, en vertu du respect obligatoire pour les peuples autochtones) sont recouverts de peinture, ne laissant apparaître que le chinois (et parfois l'anglais). Tout ce qui est écrit en écriture arabe traditionnelle, comme les enseignes de magasins, etc., est détruit ; les librairies sont fermées ; des autodafés ont été signalés.

Les autorités ne se sont jamais publiquement exprimées sur un fait pourtant frappant : des figures publiques ouïghoures ou autres, telles que des stars de la musique, des universitaires, des religieux, des athlètes, des auteurs et des poètes ont disparu par centaines. On peut difficilement y voir autre chose que l'effet d'une politique délibérée, visant à provoquer la peur et à détruire le sentiment de fierté que les Ouïghours éprouvent vis-à-vis de leur culture et l'identité qu'elle sous-tend. Le ciblage délibéré de l'élite culturelle rappelle également les efforts d'assimilation des nazis. Dans les zones tchèques occupées, ils ont d'emblée considéré que la germanisation exigerait l'élimination de « la majeure partie de la classe intellectuelle, [qui] ne peut guère être

convertie idéologiquement, et représenterait un fardeau en revendiquant constamment le leadership
sur les autres classes tchèques et en interférant ainsi
avec une assimilation rapide » (Friderici, 1940). Là
encore, il n'existe aucun document prouvant que
c'est ce qui se passe actuellement au Xinjiang — de
tels documents n'auraient pas vocation à circuler ;
pourtant, les actions entreprises suggèrent une destruction ciblée du même ordre de l'élite culturelle
autochtone. La dernière liste recensant les dispari-
tions ou arrestations confirmées compte 435 noms
(UHRP, 2019 ; cf. Pedroletti, 2018), dont celui de
l'artiste virtuose de renommée internationale Sanubar Tursun qui n'a pu se rendre à Rennes pour y
donner son concert en 2019 (Bercault, 2019 ; Lee,
2019 ; Harris, 2019). Fin octobre 2019, on a appris
qu'elle se produirait à Shanghai. Peut-être grâce à la
mobilisation de l'opinion internationale en sa faveur
aura-t-elle survécu à la détention ; il reste à voir quel
effet la « rééducation » aura eu sur elle.

Parmi les autres icônes culturelles de premier plan,
citons l'anthropologue et folkloriste très appréciée
Rahile Dawut, arrêtée alors qu'elle quittait Urumqi pour une conférence à Pékin (Byler c, 2018) ;
Qurban Mamut, journaliste et rédacteur en chef de
l'un des principaux magazines accrédités par l'État
du Xinjiang (Radio Free Asia c, 2018) ; le célèbre
comédien Adil Mijit (Lyons et Kuo, 2019) et Tashpolat Tiyip, géographe de renommée internationale et
expert du climat du désert, jusqu'à son arrestation
en tant que président de l'Université du Xinjiang.
Tiyip, nommé *docteur honoris causa* à la Sorbonne
en 2008, aurait été condamné à mort, avec un sur-
sis de deux ans (Anderson, 2019) qui pourrait avoir
expiré. Le même sort, non confirmé, serait réservé à
Halmurat Ghopur, éducateur et éminent expert en

médecine traditionnelle ouïghoure et chinoise, ainsi qu'à Sattar Sawut, ancien chef du département de l'éducation du Xinjiang (Sinopsis, 2019). La liste est encore longue.

Ablajan, un autre célèbre chanteur de pop, a disparu. Si nous regardons son clip de 2016 « Söyümlük Muellim » (« Cher professeur »), nous comprenons pourquoi. Nous voyons l'artiste incarnant un maître d'école aimé de sa classe de fiers écoliers ouïghours, confiants dans leur culture *et* leur avenir à la fois ethnique et moderne, apprenant le ouïghour ainsi que le chinois et l'anglais, la science ainsi que la courtoisie traditionnelle. Il promeut une vision optimiste de l'identité ouïghoure. Mais c'est exactement ce que cherche à faire disparaître le régime lorsqu'il interdit aux écoliers de parler leur propre langue à l'école, lorsqu'il ne dénigre pas seulement les coutumes autochtones, la religion, et jusqu'aux rites funéraires, mais s'efforce de les éradiquer au motif qu'ils seraient non modernes et « terroristes ». Seul le chinois peut être moderne, pas le ouïghour. Le traumatisme et la peur qui règnent parmi tous les peuples autochtones du Xinjiang sont renforcés par le fait que personne ne peut y chanter les airs passionnés de Sanubar Tursun, ou la musique pop, nouvelle et fière, d'Ablajan. Tous sont réduits au silence. Si ces vedettes réapparaissent, la question principale sera de savoir si elles sont autorisées à chanter leurs propres chansons, dans leur langue maternelle, ou seulement les chansons qui leur sont imposées dans le cadre du projet d'assimilation.

Comme la grande majorité des gens, ces intellectuels ne sont évidemment pas des terroristes. En fait, beaucoup d'entre eux ont passé des carrières entières à s'adapter avec succès aux exigences d'un environnement bilingue sino-ouïghour, à recevoir une éducation en chinois et même à rejoindre le Parti communiste. Mais maintenant, on leur prête un « double langage » et le souci de dissimuler leur déloyauté envers le Parti. À Stockholm, un réfugié m'a parlé d'une scène récente : un camion de police est entré dans un village et s'est arrêté devant une maison abritant une famille comptant vingt personnes, pour les embarquer tous, enfants compris. Le secrétaire du Parti communiste du village depuis près de trente ans, alerté, est venu en moto à la rencontre des policiers et leur a demandé pourquoi ils allaient jusqu'à arrêter les enfants — et ce qui allait arriver aux animaux de la ferme dont s'occupait cette famille. En réponse, les policiers l'ont accusé d'être déloyal et l'ont embarqué avec tous les autres. Ainsi, certaines zones ont été vidées, non seulement des jeunes hommes capables, mais de tous leurs habitants.

Dans le même temps, se poursuit une vaste campagne de destruction matérielle. Des quartiers entiers, des lieux de culte, des lieux de pèlerinage et des cimetières historiques sont rasés au bulldozer (Kuo, 2019 ; CNES *et al.*, 2019). On s'applique à ne mettre en valeur que les découvertes archéologiques qui prouvent la propriété chinoise « depuis les temps anciens » (Bai, 2017). À l'intérieur des maisons, tout ornement ou dessin évoquant la culture traditionnelle doit être détruit. Par exemple, personne ne peut posséder un *mihrab*, cet objet d'art indiquant la direction de la Mecque. De même, les vasques utilisées pour la toilette avant la prière traditionnelle sont confisquées, ramassées et brûlées (Li, 2018). On ne peut qu'imaginer l'impact de ce genre d'humiliation sur le psychisme de ceux qui le subissent — brûler des objets de famille traditionnels au motif que ce seraient des « instruments terroristes ».

Si une maison ouïghoure comprend le plancher chauffant traditionnel (*supa*), il faut maintenant le retirer. Les autorités chinoises distribuent des images de Ouïghours utilisant des pelles pour enlever leur *supa* (Grose a, 2019 ; ce sont les femmes qui manient les pelles, car la plupart des hommes ont déjà été arrêtés). Détruire cet ingénieux élément architectural de la maison et le remplacer par des lits froids semble insensé aux yeux des observateurs extérieurs, notamment parce que le *supa* n'est rien d'autre que le *kang* chinois, plancher chauffant utilisé de la même manière dans de nombreux endroits du nord de la Chine ! Mais des responsables gouvernementaux zélés ont décidé qu'au Xinjiang, c'est un signe d'« extrémisme » et qu'il faut l'éliminer. Comment ne pas qualifier en retour d'« extrémiste » le gouvernement chinois ? Il en va de même s'agissant de la campagne forçant les Ouïghours et d'autres minorités non chinoises à célébrer le Nouvel An chinois. Byler (a, 2018) nous montre des images de décorations du Nouvel An qui doivent être mises en place ; des boulettes de viande qui doivent être cuites — pas question de s'enquérir s'il y a du porc dedans. Ceux qui refusent de remplacer leur propre culture par celle des Han seront dénoncés comme « extrémistes » et emmenés.

Qu'il nous soit permis maintenant d'évoquer les camps eux-mêmes. À l'origine, le gouvernement chinois niait leur existence. Cependant, grâce au travail d'universitaires comme Adrian Zenz et Shawn Zhang (a, 2018), étudiant diplômé de Vancouver, ainsi que de journalistes (BBC, 2018), ont pu être rassemblées, à partir de documents chinois internes et d'images satellites, des preuves accablantes de la construction et de l'expansion des camps depuis 2017. Sur certaines images, on voit même les détenus, vêtus d'uniformes suivant un code couleur (Zhang b, 2018) ; on n'en connaît pas la signification, mais on soupçonne qu'il pourrait impliquer des sorts différenciés.

En octobre 2018, les autorités chinoises ont reconnu l'existence des camps, mais ont continué de nier leur ampleur et leur véritable nature. Elles ont lancé une campagne de propagande, présentant les camps comme des « centres de formation profession-nelle », dont l'objectif est d'aider les gens à se guérir de l'« extrémisme » et à devenir « normaux ». Pour étayer cette communication, ils ont construit de faux camps Potemkine où ils s'efforcent d'attirer des diplo-mates, des journalistes et des universitaires étran-gers jugés malléables — encore une fois, à l'image de ce que firent les nazis lorsqu'ils faisaient visiter des camps modèles comme celui de Theresienstadt ou de Dachau à des étrangers, afin que ceux-ci en vantent les conditions de vie (Fiskesjö, 2018 ; sur les comparaisons avec le nazisme, voir également Clarke a, 2019). Un grand nombre des personnes identifiées sur ces images de propagande sont des citoyens autochtones très instruits et respectueux des lois. Ce constat aurait pu suffire à disqualifier d'em-blée cette entreprise. Ces citoyens — que ce soient des agents du gouvernement ouïghour ou des ingé-nieurs en informatique — n'ont manifestement pas besoin de « formation professionnelle » (Radio Free Asia e ; cf. également ceux cités ci-dessus). Cepen-dant, tout comme à l'époque nazie (et comme cela fut aussi le cas en Union soviétique à l'époque de Staline ou au Cambodge quand y régnait Pol Pot), certains étrangers aujourd'hui ont, à l'instar du professeur Christian Mestre de l'Université de Strasbourg, donné crédit au discours chinois (Xie et Bai, 2019). Sur d'autres étrangers invités, les visites guidées n'ont toutefois pas toujours eu l'effet escompté — le savant albanais Olsi Jazexhi (2019) a changé d'avis au cours du voyage, tout comme le journaliste jordanien Nihad Jariri (Radio Free Asia f) et bien d'autres. Le journaliste John Sudworth, dans le reportage qu'il a consacré à ces faux camps, pose de manière exemplaire les bonnes questions obligeant les responsables à concéder que ces détentions massives n'entrent dans aucun cadre juridique (BBC, 2019). En fait, c'est toute cette campagne qui, même au regard du droit chinois, est illégale (Clarke b, 2019). Du point de vue du droit international, il s'agit de mesures coercitives collectives et racistes infligées à des millions d'innocents. Aucun de ces prisonniers, parmi les centaines de milliers de personnes arrêtées en raison de leur identité ouïghoure, n'a la possibilité de contester les décisions d'internement. C'est la raison pour laquelle il est légitime d'employer le terme de « camps de concentration » ; et la raison aussi pour laquelle le gouvernement chinois doit contraindre les détenus à déclarer aux visiteurs étrangers qu'ils y sont venus de leur plein gré.

Des photos diffusées par les autorités chinoises dans un effort de propagande interne ont révélé la nature des véritables camps (cf. la campagne anti-*supa* mentionnée plus haut), *avant* que ces autorités ne réalisent qu'elles seraient vues et comprises par les étrangers — ainsi que par les Ouïghours en exil qui pourraient identifier les victimes photographiées, comme ce fut le cas avec l'image la plus emblématique des camps (Radio Free Asia d). Il y eut également des fuites occasionnelles d'images clandestines, comme la vidéo du drone de police diffusée en ligne en septembre 2019, montrant des centaines de prisonniers ouïghours les yeux bandés dans une gare (Rudolph, 2019). Fin 2019 et début 2020, plusieurs fuites importantes de documents internes et secrets du Parti communiste chinois ont en outre corroboré l'idée que le régime chinois est parfaitement conscient que cette campagne d'arrestations est hors de tout cadre juridique ; ce dont témoignent ses tentatives de dissimulation [cf. les *China Cables*, du Consortium international des journalistes d'investigation (ICIJ, 2019 ; *New York Times*, 2019)]. Ces documents secrets sont aussi particulièrement intéressants parce qu'ils révèlent que certains fonctionnaires chinois ont été secrètement condamnés et emprisonnés pour avoir refusé de participer à ces opérations ! La dernière fuite en date (Uyghur Human Rights Project, 2020 ; Zenz, 2020) révèle en détail qu'un grand nombre de citoyens respectueux de la loi dans un comté (Qaraqash ou Karakax ; dans la région de Hotan, dans le sud du Xinjiang), lesquels, de l'aveu même des agents du gouvernement, n'ont aucun lien avec le jihadisme, ont néanmoins été arrêtés en raison de leur appartenance ethnique et religieuse.

Une grande partie de ces documents révèlent ce que nous savions déjà grâce au grand nombre de récits documentés de témoins devenus réfugiés, et de parents à l'étranger (Fiskesjö, 2019 ; voir notamment la section des récits de témoins oculaires ; également Human Rights Watch, 2018 ; Mauk, 2019 ; témoignages du Uyghur Pulse Project, etc.). C'est la principale source d'informations sur les conditions de vie à l'intérieur des camps, ainsi que sur la campagne d'éradication des cultures autochtones menée à l'échelle de la société. Ces informations, mises bout à bout, brossent un tableau particulièrement sombre de ce qui est une catastrophe en matière de droits de l'homme. Les camps sont clairement des camps de concentration du XXIe siècle ; la « formation » consiste essentiellement en une forme de lavage de cerveau ou une thérapie en vue d'une conversion forcée qui vise à détruire, en chaque détenu, l'ethnicité, la culture et la religion autochtones.

À l'intérieur des camps, les détenus sont obligés de se dénoncer en tant qu'extrémistes, de nier qu'ils sont musulmans et d'adopter l'identité chinoise, en rejetant la leur. Cela se fait par le biais d'auto-dénonciations, de récitations de textes communistes chinois et de chansons telles que « Sans le Parti communiste, il n'y aurait pas de Nouvelle Chine », autant de pratiques obligatoires pour obtenir de la nourriture. Le fait de parler ouïghour est puni de coups, de torture et de peines d'isolement. L'auto-critique consiste à identifier les reproches que l'on peut s'adresser, notamment les signes montrant que l'on n'avait pas conscience de sa propre radicalisation (comme le fait de lever les mains avant un repas, de faire des ablutions, de connaître quelqu'un à l'étranger, etc.). Ces séances durent des heures. Les détenus doivent trouver des éléments pour se dénoncer eux-mêmes, faute de quoi on les punit pour dissimulation. Sur les ondes de la station ouïghoure de Radio Free Asia (b, 2018), un garde, contacté par téléphone, a donné une description de cette procédure : les prisonniers sont amenés à « discuter de leurs propres problèmes », jusqu'à avouer « Voici les raisons qui justifient que je sois ici pour y être rééduqué. » Ces « problèmes » sont ensuite répétés *ad nauseam*. Un autre témoin, un jeune homme croyant mais non terroriste, ayant pourtant été soupçonné d'extrémisme et interné, a résumé la situation en ces termes : « Tout ce qu'ils nous ont enseigné consistait à dénoncer notre religion. Ils affirmaient que notre religion n'était pas ce que nous pensions... Ils nous faisaient prêter serment et révéler nos pensées... »

(Radio Free Asia a, 2018). Le même témoin a parlé de passages à tabac interminables, par exemple pour avoir fait des ablutions par inadvertance ou simplement parce que les gardiens en ont éprouvé l'envie. La profusion de violence décrite par de nombreux détenus, hommes et femmes, suggère que l'ensemble de la vie au goulag du Xinjiang entraîne les détenus dans une spirale pathologique de tourments infligés par les gardiens. Un observateur extérieur pourrait faire remarquer que cela créera un profond ressentiment et jettera les bases d'un futur désir de vengeance et que c'est donc contre-productif.

Il semble bien cependant que le risque de ressentiment et de réactions anti-chinois ait été pris en compte dans le calcul. Les conditions d'emprisonnement sont si cruelles et la thérapie de conversion si humiliante qu'elle déchire les gens, les brise et les détruit psychologiquement. Le but visé pourrait bien être cette forme d'assimilation forcée plus adéquatement désignée par le terme de « neutralisation ». Les témoins ayant rencontré d'anciens détenus une fois sortis des camps ont noté la profondeur de leur traumatisme psychologique. Selon l'un d'entre eux, les personnes revenant des camps ont fondamentalement changé, « comme si quelque chose en eux avait été arraché […] ; ils considèrent que la situation est "correcte" et se promènent la tête basse » (Bunin, 2018). Un autre témoin, ayant eu des parents dans un camp, a décrit de façon encore plus frappante l'effet que la destruction de l'identité a pu avoir sur ces personnes : « Elles agissaient comme des robots et semblaient avoir perdu leur âme. […] Elles ressemblaient à des gens qui auraient perdu la mémoire à la suite d'un accident de voiture » (BBC Newsnight, 2018).

La seule employée d'un camp, connue pour s'en être échappée, est la professeure kazakhe bilingue

Sayragul Sautbay. Cette enseignante a également décrit l'atmosphère de peur totale qui règne à l'intérieur des camps. En raison de la violence et parce que des « étudiants » détenus étaient souvent emmenés sans jamais revenir, tout le monde vivait dans la peur constante de commettre des « erreurs ». Pour l'inciter à garder le secret et instiller en elle la peur, on lui a fait enfiler une capuche noire, lorsqu'elle a été conduite dans le camp plein de camarades kazakhs et contrainte de leur enseigner le chinois. Menacée de détention elle-même, elle a ensuite réussi à s'échapper de Chine au Kazakhstan et à obtenir l'asile en Suède en juin 2019. Dans le témoignage qu'elle a livré ensuite (2019, 2020), Sayragul Sautbay a également évoqué, à l'instar d'autres témoins, la violence sexuelle et physique généralisée que subissent les femmes dans les camps (Gauthier, 2019 ; ABC a, 2019 ; Ferris-Rotman *et al.*, 2019). On parle d'humiliations, de viols, mais aussi de prises forcées de médicaments inconnus, qui auraient pour effet de stopper les règles et perturber la mémoire. Sur la base de ces témoignages, ces traitements médicamenteux ont nourri la suspicion qu'ils pourraient s'inscrire dans une stratégie plus large de stérilisation. En juin 2020, Adrian Zenz (2020) publia un nouveau rapport accablant qui révélait la chute brutale des statistiques de la natalité ouïghoure. Des documents et des statistiques internes du gouvernement chinois concluent à la chute drastique de la croissance naturelle de la population (84 %) dans les deux plus grandes régions ouïghoures entre 2015 et 2018, tendance qui se poursuivait en 2019. Cette chute massive ne peut s'expliquer autrement que par la campagne des autorités visant à renforcer le contrôle des naissances et la stérilisation, confirmant ainsi les nombreux témoignages qui allaient en ce sens et qui continuent à se multiplier (Defranoux, 2020, témoigne d'une de ces innombrables victimes). Il ne faut pas oublier la campagne à long terme visant à faire que des hommes Han épousent des femmes ouïghoures, mais pas l'inverse, preuve que la propagande célébrant l'« intégration harmonieuse » des ethnies est à sens unique (Xiao, 2019 ; Yi Xiaocuo, 2019) et que persiste l'« autoritarisme patriarcal » chinois.

De plus, des rapports récents font état du transfert de détenus, particulièrement des jeunes, des camps vers des sites de travail forcé, soit dans le Xinjiang ou dans l'est de la Chine. Pour les autorités, c'est ici la preuve que les camps ont été « fermés » et que les sites de travail en usine sont des lieux de « réinsertion sociale des détenus ». À la vérité il semble que de nombreux camps existent toujours mais que certains ont été transformés à neuf pour le travail forcé. Par ailleurs, de nombreux jeunes Ouïghours ont été envoyés dans la Chine de l'Est pour travailler dans des usines gardées et dans des conditions qui sont celles des camps. Cette situation vise à renouveler l'exploitation des Ouïghours en tant que force de travail non libre et à terme à empêcher que ces Ouïghours puissent se marier et fonder un foyer. Ces ouvriers sont exploités par des entreprises chinoises et étrangères ; et la prise de conscience est en train de se faire jour que les entreprises étrangères, notamment celles de la mode qui recourent au coton du Xinjiang, devraient cesser leurs investissements et leur production dans cette région (Byler b, 2019 ; Coalition to End Forced Labour in the Uyghur Region, 2020). Que le travail au Xinjiang soit de la pure exploitation apparaît clairement dans les témoignages, tel le courageux message relayé par sa sœur réfugiée à Melbourne d'une infirmière senior de l'hôpital d'Urumqi qui après avoir été détenue dans un camp, a été transférée dans une usine textile chinoise du Xinjiang où les conditions sont épuisantes (ABC b, 2019).

Depuis notamment les révélations sur les stérilisations massives, les campagnes menées par le régime chinois contre les minorités du Xinjiang sont largement perçues comme un génocide au sens de la Convention de 1948 pour la prévention et la répression du crime de génocide, qui vise les « actes [...] commis dans l'intention de détruire, totalement ou en partie, un groupe national, ethnique, racial ou religieux, comme tel. Elles relèvent de l'article 2 : a) Meurtre de membres du groupe ; b) Atteinte grave à l'intégrité physique ou mentale de membres du groupe ; c) Soumission intentionnelle du groupe à des conditions d'existence devant entraîner sa destruction physique totale ou partielle ; d) Mesures visant à entraver les naissances au sein du groupe ; e) Transfert forcé d'enfants du groupe à un autre groupe ». Beaucoup de gens pensent à tort que le terme de génocide ne vaut que pour les massacres de masse. Ce n'est pas surprenant pour l'opinion commune dans la mesure où le terme est étroitement associé au massacre commis à l'échelle industrielle par les nazis pendant la Seconde Guerre mondiale. Mais le projet nazi d'extermination des identités était déjà constitué avant la « solution finale ». La Convention, rédigée au lendemain de la Seconde Guerre mondiale, en gardant à l'esprit les nazis, se concentre non sur les exécutions, mais sur la destruction des identités collectives.

Dans le Xinjiang, on observe (a) de nombreux décès dans les camps ; un nombre incalculable de détenus dont on est sans nouvelles ; (b) des internements massifs visant les Ouïghours et d'autres minorités en tant qu'ethnies ; la destruction du patrimoine et des lieux saints, entraînant des traumatismes massifs ; (c) la destruction systématique des entreprises ouïghoures et d'autres entreprises de minorités ethniques au bénéfice d'entités chinoises ; (d) la médication forcée des femmes, bloquant leur fertilité, voire les stérilisant ; et (e) les séparations familiales en masse, avec la confiscation des enfants qui sont envoyés dans des « orphelinats » réservés aux Chinois. Les preuves sont à ce point massives que ce qu'elles rapportent devrait au moins faire l'objet de poursuites judiciaires. Assurément il reste à voir ce que le monde en général fera à propos de ces crimes. Y aura-t-il des enquêtes et des poursuites devant des cours internationales (comme dans le cas de la Birmanie poursuivie par la cour de La Haye pour le génocide des Rohingyas), ou le gouvernement chinois pourra-t-il faire taire les critiques internationales et poursuivre ses activités en toute impunité ?

Je ne vais pas explorer ces questions, mais je terminerai cette section en prenant note de l'appel à l'aide des communautés en exil. On comprend que la plupart des Ouïghours et autres personnes à l'étranger se soient préoccupés de la situation de leurs proches chez eux, sur le territoire chinois, lorsqu'ils ont été embarqués et enfermés dans les camps. La situation était déjà critique avant 2017, mais, depuis, un grand nombre de personnes ont disparu. Toute personne répondant à un appel était jugée suspecte ; et toute personne s'avisant de ce qui lui était arrivé était également arrêtée.

Au nombre des héros culturels ouïghours détenus dans les camps, on trouve le célèbre poète et chanteur Abdurehim Heyit. En février dernier, des rumeurs ont commencé à circuler selon lesquelles il y était mort, et le gouvernement turc, conscient de sa renommée même en Turquie, a exprimé ses condoléances. Les rumeurs pourraient avoir été lancées par le gouvernement chinois qui avait préparé une vidéo en ligne montrant Heyit vivant, mais emprisonné comme suspect (Handley et Li, 2019) — de quoi, ce n'était pas précisé. Quoi qu'il en soit, la vidéo est devenue un symbole pour les communautés ouïghoures du monde entier. Elles ont lancé un mouvement en ligne #MeTooUyghur et ont exigé la diffusion de vidéos des membres de leur famille. En guise de réponse, le porte-parole du ministère des Affaires étrangères chinois a eu ce commentaire cynique : « Il y a un milliard de personnes dans ce pays, devrions-nous disposer d'une vidéo pour chacune d'entre elles ? » À quoi des voix ouïghoures en ligne ont aussitôt répondu : « Oui, pas de problème, vous avez déjà deux caméras par personne ! » — faisant ainsi référence à l'omniprésence de la surveillance dans le Xinjiang et dans toute la Chine. En l'état actuel des choses, les rares fois où un Ouïghour a été contacté par ses parents ou d'autres proches emprisonnés après avoir passé de longues périodes dans les camps, c'est là que le gouvernement a essayé de les utiliser pour faire taire cette jeune génération en exil qui s'efforçait de faire éclater publiquement la vérité.

RÉFLEXION :
LE REMODELAGE FORCÉ DE L'INDIVIDU

L'exemple de la vidéo prise sous la contrainte d'Abdurehim Heyit contraste, dans son isolement, avec la fréquence à laquelle cette arme médiatique a été utilisée par la machine de propagande chinoise sur son propre territoire. Des avocats aux écrivains, en passant par les éditeurs et les journalistes, quiconque dérange le régime peut disparaître pendant quelques mois, puis être contraint de répéter un dialogue dicté par les autorités, avant de le prononcer devant des caméras. Le régime a même utilisé cette arme contre des étrangers, tant suédois que britanniques, également contraints de se dénoncer et d'avouer des méfaits inventés (Fiskesjö, 2017 ; Safeguard Defenders, 2018).

Pourtant, au Xinjiang, malgré les arrestations massives de milliers de personnes, presque personne d'autre que Heyit n'a vu sa confession filmée être diffusée. L'une des raisons en est peut-être qu'en Chine même, les aveux écrits désignent les « fauteurs de troubles » individuels, les réduisant au silence, tout en signalant aux autres qu'ils subiront le même sort humiliant s'ils n'obéissent pas. En revanche, les mesures mises en œuvre au Xinjiang constituent une punition collective infligée à des populations entières. En outre, peu de Chinois Han connaissent le Xinjiang, aussi n'est-il pas très utile de diffuser des vidéos de Ouïghours. Les informations contrôlées par le gouvernement se concentrent donc sur le danger que représentent les Ouïghours — et sur la manière dont la menace a été jugulée. Cela permet d'inciter des colons Han à se rendre au Xinjiang, et à y épouser des femmes ouïghoures. La vidéo de Heyit était probablement une exception, visant davantage l'opinion publique en Turquie. Une autre vidéo rare d'un ancien détenu ouïghour, en revanche, correspond un peu mieux à la façon dont cette arme a été utilisée ailleurs en Chine : la vidéo du Nouvel An chinois de 2019 d'Erfan Hezim (Uyghur from E.T., 2019), une star du football, qui a remercié le Parti, en chinois, de lui avoir permis de s'épanouir et de permettre à sa nation (la Chine) de « jouir d'une vie si heureuse ». Sa célébrité parmi les fans de football chinois Han explique sans doute que les autorités l'aient laissé partir et figurer dans une vidéo « pas trop » humiliante.

Ces détails ne doivent pas faire oublier la similitude fondamentale et sous-jacente entre les confessions télévisées et les procédures des camps du Xinjiang. Car la thérapie à des fins de conversion ou le lavage de cerveau qu'abritent les camps reposent sur la même logique de base que les confessions forcées plus à l'Est — il se trouve simplement que les victimes ne sont pas exhibées à la télévision. Comme indiqué précédemment, il s'agit du même programme que celui employé à l'origine contre les membres de la secte Falun Gong. Tout au long de la journée, les détenus (ainsi que toute personne dans une société qui a été en substance transformée en une prison de haute technologie à ciel ouvert) sont obligés de « confesser » un crime, celui d'être différent, et de nier leur identité d'origine et leur indépendance. En effet, est recherchée une sorte de conformité forcée qui, pour les Ouïghours et les Kazakhs, implique non seulement la destruction de toute capacité de penser de manière indépendante, mais jusqu'à la capacité de penser librement dans leur propre langue — ce qui est là une nouvelle forme de génocide à la chinoise.

L'ingrédient clé, tant pour les confessions télévisées en Chine que pour celles obtenues dans les camps du Xinjiang (voir Deutsche Welle, 2020), est le recours à la force pour substituer à votre moi actuel (vos convictions, votre compréhension de vous-même et le sens que vous avez de ce qui est bon et honorable, décent ou pieux, selon votre propre culture) un moi remodelé qui obéira aux pouvoirs en place, qui ne les critiquera jamais — ni ne s'exprimera dans une langue étrangère « secrète » telle que le ouïghour ou le kazakh, qui manifestement effraient à tel point les bureaucrates communistes chinois qu'ils s'acharnent à les éradiquer (dans un monde bien différent, on aurait peut-être pu les imaginer apprenant, pour leur rendre hommage, ces mêmes langues !).

Au fond, l'assujettissement de ce nouveau moi s'apparente à la fabrication d'un mensonge public imposé par la mafia. Parce qu'il est censé vous être imposé, afin que vous vous l'appropriiez vraiment (du moins aussitôt que votre ancien moi est cassé), nous devrions l'appeler un *mensonge de vie*. C'est le mensonge tout-puissant du Parti communiste chinois, qui est fondamentalement incapable de tolérer l'existence de voix indépendantes ou de toute pluralité d'opinions, et qui a donc instauré un dispositif de surveillance et de censure draconien et extrêmement coûteux, et inventé un tout nouveau goulag pour imposer l'éradication de toute différence au Xinjiang. Dans cette région, l'intolérance du Parti communiste chinois vise des peuples entiers. À travers ses récentes tentatives de censure des étrangers et des pays étrangers au-delà de ses frontières (pas seulement de leurs entreprises, etc., mais aussi de leurs gouvernements), le régime montre qu'il ne sait pas comment arrêter cette spirale.

Je pense que les nouveaux et tragiques développements au Xinjiang ont de profondes implications pour les études chinoises dans leur contexte mondial. Il ne nous suffit pas de constater que les empires passés exerçaient un pouvoir sur des domaines multinationaux dans lesquels différentes ethnies jouissaient d'une certaine tolérance (sans oublier que les empires ont conquis leurs nouvelles frontières en assujettissant et en massacrant ceux qui se trouvaient sur leur chemin), puis de rapporter cela aux principes du nationalisme moderne — « une nation, un peuple », et un *Führer* — tout en reconnaissant que cela peut conduire au type d'obsession pour la purification nationale et l'eugénisme qui, nous le voyons aujourd'hui, s'installe au sein de l'élite du pouvoir chinois. Il y a là une part de vérité. Pour autant, cela n'explique pas pourquoi le régime ne pourrait pas, au lieu de reproduire ce que le nationalisme moderne a de pire, s'efforcer de prendre en considération ce qu'est, dans sa vérité historique, l'empire qu'il commande.

La situation au Xinjiang montre à quel point l'intolérance envers les autres est au cœur du régime chinois actuel. C'est la genèse, l'anatomie et la nature de cette monstrueuse intolérance que nous devrions placer au premier rang de nos préoccupations, en général et en matière de recherche. Cela est d'autant plus urgent que nous apprenons maintenant que le nouveau coronavirus respiratoire se propage en Chine, mettant en danger les détenus des nombreux camps, prisons et structures de travail forcé, déjà affaiblis par les abus et les situations de quasi-famine qui sévissent désormais aussi à l'extérieur (ANI, 2020 ; Byler d, 2018 ; UHRP 2020).

Traduit de l'anglais par Patrick Savidan

Bibliographie

ABC, « Uyghur Woman Details Life Inside Chinese "Re-Education Camp" in Xinjiang », 8 janvier 2019 : https://www.abc.net.au/news/2019-01-08/uyghur-woman-details-life-inside-chinese-re-education-camp/10697044

ABC, « How China is Creating the World's Largest Prison », 15 juillet 2019 : https://www.youtube.com/watch?v=t-axd1Ht_J8

ABLAJAN (Ablajan Awut Ayup), « Dear Teacher (Söyümlük Muellim) », 2016 Music Video, *Art of Life in Chinese Central Asia*, YouTube, 5 juin 2017 : https://www.youtube.com/watch?v=yPmdkB8Ww3Y

ANDERSON, Amy, « A Death Sentence for a Life of Service », *Art of Life in Central Asia*, 22 janvier 2019 : https://livingotherwise.com/2019/01/22/death-sentence-life-service/

ANI, « Coronavirus May Have Started In Xinjiang's Prison Camps. Reports », 22 février 2020 : https://www.livemint.com/news/world/coronavirus-may-have-started-in-xinjiang-s-prison-camps-reports-11582378403786.html

BAI, Tiantian, « Official Urges Archeologists to Prove Xinjiang Part of China Since Ancient Times », *Global Times*, 23 mars 2017 : http://www.globaltimes.cn/content/1039223.shtml

BBC News, « China's Hidden Camps. What's Happened to The Vanished Uighurs of Xinjiang ? », 24 octobre 2018 : https://www.bbc.co.uk/news/resources/idt-sh/China_hidden_camps

BBC News, « Inside China's "Thought Transformation" Camps », 17 juin 2019 : https://www.bbc.com/news/av/world-asia-china-48667221/inside-china-s-thought-transformation-camps

BBC Newsnight, « Are Muslim Uyghurs Being Brainwashed by the Chinese State ? », 30 août 2018 : https://www.youtube.com/watch?v=3DazSCxfUdE

BERCAULT, Thierry, « Nantes-Angers Opéra : où est Sanubar Tursun, l'artiste ouïghoure qui devait se produire en février ? », FranceInfo, 31 janvier 2019 : https://france3-regions.francetvinfo.fr/pays-de-la-loire/nantes-angers-opera-est-sanubar-tursun-artiste-ouighoure-qui-devait-se-produire-fevrier-1616201.html

BERNSTEIN, Richard, « When China Convinced the U.S. That Uighurs Were Waging Jihad », *The Atlantic*, 19 mars 2019 : https://www.theatlantic.com/international/archive/2019/03/us-uighurs-guantanamo-china-terror/584107/

BUNIN, Gene, trad., « The Uyghurs of Kazakhstan Have Been Pressured Into Inactivity — Interview with Kakharman Kozhamberdi », *Art of Life in Central Asia*,

11 octobre 2018 : https://livingotherwise.com/2018/10/11/uyghurs-kazakhstan-pressured-inactivity/

Byler, Darren, « Images in Red. Han Culture, Uyghur Performers, Chinese New Year », *Art of Life in Central Asia*, 23 février 2018 : https://livingotherwise.com/2018/02/23/images-red-han-culture-uyghur-performers-chinese-new-year/

Byler, Darren, « China's Government Has Ordered a Million Citizens to Occupy Uighur Homes », *ChinaFile*, 24 octobre 2018 : http://www.chinafile.com/reporting-opinion/postcard/million-citizens-occupy-uighur-homes-xinjiang

Byler, Darren, « The Disappearance of Rahile Dawut. A Vanished Professor, Remembered by Students and Colleagues », *Los Angeles Review of Books*, 2 novembre 2018 : https://chinachannel.org/2018/11/02/dawut-dawut/

Byler, Darren, « As If You've Spent Your Whole Life In Prison. Uyghurs Starving And Subdued In Detention Centers », *Art of Life in Central Asia*, 31 décembre 2018 : https://livingotherwise.com/2018/12/31/youve-spent-whole-life-prison-uyghurs-starving-subdued-detention-centers/

Byler, Darren, « The "Patriotism" of Not Speaking Uyghur », *SupChina*, 2 février 2019 : https://supchina.com/2019/01/02/the-patriotism-of-not-speaking-uyghur/

Byler, Darren, « How Companies Profit from Forced Labor in Xinjiang », *Art of Life in Central Asia*, 11 octobre 2019 : https://livingotherwise.com/2019/10/11/how-companies-profit-from-forced-labor-in-xinjiang/

Castets, Rémi, « China's Internal Colony », *Le Monde diplomatique*, mars 2019 : https://mondediplo.com/2019/03/10china-uygurs

Chan, Tara Francis, « How A Chinese Region That Accounts for Just 1.5 % of the Population Became One of the Most Intrusive Police States in the World », *Business Insider*, 31 juillet 2018 : https://www.businessinsider.com/xianjiang-province-china-police-state-surveillance-2018-7

Chung, Chien-peng, « Comparing China's Frontier Politics. How Much Difference Did A Century Make ? », *Nationalities Papers*, vol. 46, n° 1, 2018, p. 158-176.

CLARKE, Donald, « On Nazi Comparisons », *The China Collection*, 30 mai 2019 : https://thechinacollection.org/on-nazi-comparisons/

CLARKE, Donald, « More on the Legal Aspects of the Xinjiang Detentions », *The China Collection*, 27 juin 2019 : https://thechinacollection.org/legal-aspects-xinjiang-detentions/

CLARKE, Michael, « Urumqi 2009 and the Road to Xinjiang Re-education Centers. The Riots of July 2009 Caused A Major Rethink of China's "Colonial Project" in Xinjiang », *The Diplomat*, 11 juillet 2019 : https://thediplomat.com/2019/07/urumqi-2009-and-the-road-to-xinjiang-re-education-centers/

CLARKE, Michael (dir.), *Terrorism and Counter-Terrorism in China. Domestic and Foreign Policy Dimensions*, New York, Oxford University Press, 2018.

CLIFF, Tom, « Neo Oasis. The Xinjiang Bingtuan in the Twenty-First Century », *Asian Studies Review*, vol. 33, n° 1, 2009, p. 83-106.

CLIFF, Tom, *Oil and Water. Being Han in Xinjiang*, Chicago, University of Chicago Press, 2016.

CNES/Airbus DS/Earthrise/AFP, « Then and now : China's Destruction of Uighur Burial Grounds », *The Guardian*, 9 octobre 2019 : https://www.theguardian.com/world/2019/oct/09/chinas-destruction-of-uighur-burial-grounds-then-and-now

Coalition to End Forced Labour in the Uyghur Region, 2020, « End Uyghur Forced Labour in China Now. Call to Action » : https://enduyghurforcedlabour.org/

COLE, J. Michael, « Activists Trace Origins of China's Intensifying Repression of Uyghurs », *Taiwan Sentinel*, 19 mars 2019 : https://sentinel.tw/activists-trace-origins-of-china-intensifying-repression-of-uyghurs/

DESCHNER, Günther, *Reinhard Heydrich. A Biography*, New York, Stein & Day, 1981 (édition originale en allemand, 1977).

DEHAHN, Patrick, « More Than 1 Million Muslims are Detained in China — But How Did We Get That Number ? », *Quartz*, 4 juillet 2019 : https://qz.com/1599393/how-researchers-estimate-1-million-uyghurs-are-detained-in-xinjiang/amp/

Deutsche Welle, « Uighurs Targeted. Ex-Prisoners Reveal Forced Confessions », 8 juin 2020 : https://www. dw.com/en/uighurs-targeted-ex-prisoners-reveal-forced-confessions/av-53700067

ELLIOTT, Mark, « The Case of the Missing Indigene. Debate Over a "Second-Generation" Ethnic Policy », *The China Journal*, n° 73, 2015, p. 186-213.

FERRIS-ROTMAN, Amie *et al.*, « China Accused of Genocide over Forced Abortions of Uighur Muslim Women as Escapees Reveal Widespread Sexual Torture », *The Independent*, 6 octobre 2019 : https://www.independent.co.uk/news/world/asia/china-uighur-muslim-women-abortions-sexual-abuse-genocide-a9144721.html

FRIDERICI, Gen., Top secret report, 15 October 1940, Office of US Chief of Counsel for Prosecution of Axis Criminality. Nürnberg — International Military Trials, *Nazi Conspiracy and Aggression*, vol. 1, chap. XIII, "Germanization and Spoliation", Washington D.C., 1946, p. 1038-1039 : https://www.loc.gov/rr/frd/Military_Law/pdf/NT_Nazi_Vol-I.pdf

FINLEY, Joanne Smith, « The Wang Lixiong Prophecy. "Palestinization" in Xinjiang and the Consequences of Chinese State Securitization of Religion », *Central Asian Survey*, vol. 38, n° 1, 2018, p. 81-101.

FISKESJÖ, Magnus, « The Animal Other. Re-Naming the Barbarians in 20th-century China », *Social Text*, vol. 29, n° 4, 2011, p. 57-79.

FISKESJÖ, Magnus, « Rescuing the Empire. Chinese Nation-Building in the Twentieth Century », *European Journal of East Asian Studies*, vol. 5, n° 2, 2006, p. 15-44.

FISKESJÖ, Magnus, « The Return of the Show Trial. China's Televised "Confessions" », *Asia-Pacific Journal. Japan Focus*, vol. 15, n° 13.1, 2017 : http://apjjf.org/2017/13/Fiskesjo.html

FISKESJÖ, Magnus, « How Beijing is Using the Nazi Propaganda Playbook to Justify its Concentration Camps to the World », *Hong Kong Free Press*, 27 octobre 2018 : https://www.hongkongfp.com/2018/10/27/beijing-using-nazi-propaganda-playbook-justify-concentration-camps-world/

FISKESJÖ, Magnus, « China's "Re-Education"/Concentration Camps in Xinjiang/East Turkestan, and the Wider Campaign of Forced Assimilation against Uighurs, Kazakhs, etc. Bibliography of Select News Reports & Academic Works », 14 octobre 2019 (constamment mis à jour) : https://uhrp.org/featured-articles/chinas-re-education-concentration-camps-xinjiang

FITZGERALD, John, *Awakening China. Politics, Culture and Class in the Nationalist Revolution*, Stanford, Stanford University Press, 1996.

FORTH, Aidan, « The Ominous Metaphors of China's Uighur Concentration Camps », *The Conversation*, 20 janvier 2020 : https://theconversation.com/the-ominous-metaphors-of-chinas-uighur-concentration-camps-129665

DEFRANOUX, Laurence, « On m'a fait m'allonger et écarter les jambes, et on m'a introduit un stérilet », *Libération*, 20 juillet 2020 : https://www.liberation.fr/planete/2020/07/20/on-m-a-fait-m-allonger-et-ecarter-les-jambes-et-on-m-a-introduit-un-sterilet_1794798

GAUTHIER, Ursula, « "Ils veulent nous transformer en zombies". Le calvaire des Ouïgours dans les camps chinois », Blog, 5 avril 2019 : http://www.ursulagauthier.fr/le-calvaire-des-ouigours-dans-les-camps-chinois/

GROOT, Gerry, « Internment and Indoctrination — Xi's "New Era" In Xinjiang », Jane Golley *et al.* (dir.), *Power. China Story Yearbook*, Canberra, ANU Press, 2019 : http://press-files.anu.edu.au/downloads/press/n5274/pdf/ch04.pdf

GROSE, Timothy a, « Uyghurs from the Tarim, to Junggar, to Turpan-Hami Basins are being told to destroy their *supa* », 2019, @GroseTimothy, 30 août 2019 : https://twitter.com/GroseTimothy/status/1167461384868782080

GROSE, Timothy b, *Negotiating Inseparability in China. The Xinjiang Class and the Dynamics of Uyghur Identity*, Hong Kong, Hong Kong University Press, 2019.

HANCOCK, Tom, LIU, Nicolle, « Top Chinese Officials Plagiarised Doctoral Dissertations », *Financial Times*, 26 février 2019 : https://www.ft.com/content/2eb02fa4-3429-11e9-bd3a-8b2a211d90d5

HANN, Chris, « Smith in Beijing, Stalin in Urumchi. Ethnicity, Political Economy, and Violence in Xinjiang,

1759-2009 », *Focaal — Journal of Global and Historical Anthropology*, n° 60, 2011, p. 108-123.

HARRIS, Rachel, « Cultural Genocide in Xinjiang. How China Targets Uyghur Artists, Academics, and Writers », *The Globe Post*, 17 janvier 2019 : https://theglobepost. com/2019/01/17/cultural-genocide-xinjiang/

HANDLEY, Erin, LI, Michael, « "Dead" Uyghur Poet Abdurehim Heyit Appears on Chinese State Media », ABC, 11 février 2019 : https://www.abc.net.au/ news/2019-02-11/chinese-state-video-tape-of-uyghur-musician-reported-dead/10798536

HONG FINCHER, Leta, *Betraying Big Brother. The Feminist Awakening in China*, Londres, Verso, 2018.

HU, Angang, HU, Lianhe a, « The Second Generation of Minzu Policy. Promote Ethnic Integration and Prosperity as a Single Body », *Journal of Xinjiang Normal University*, n° 5, 2011, p. 1-12.

HU, Lianhe, HU, Angang b, « How the Nationalities Question is Handled Outside of China », introduction et traduction par David Ownby : https://www.readingthechinadream.com/hu-and-hu-nationalities-question.html

Human Rights Watch, « "Eradicating Ideological Viruses" — China's Campaign of Repression Against Xinjiang's Muslims », septembre 2018 : https://www.hrw.org/ report/2018/09/09/eradicating-ideological-viruses/chinas-campaign-repression-against-xinjiangs

INGRAM, Ruth, « Coronavirus. Uyghurs Deported to Other Provinces as Slave Laborers to Restart Economy », *Bitter Winter*, 4 janvier 2020 : https://bitterwinter.org/ coronavirus-uyghurs-deported-as-slave-laborers-to-restart-economy/

International Consortium of Investigative Journalists (ICIJ), « China Cables. Exposed. China's Operating Manuals for Mass Internment and Arrest by Algorithm. A New Leak of Highly Classified Chinese Government Documents », 24 novembre 2019 : https://www.icij.org/ investigations/china-cables/

KLIMEŠ, Ondřej, *Struggle by the Pen. The Uyghur Discourse of Nation and National Interest, c. 1900-1949*, Leyde, Brill, 2015.

KUO, Lily, « Revealed. New Evidence of China's Mission to Raze the Mosques of Xinjiang », *The Guardian*, 7 mai 2019 : https://www.theguardian.com/world/2019/may/07/revealed-new-evidence-of-chinas-mission-to-raze-the-mosques-of-xinjiang

LEE, Gregory, « Sanubar Tursun : Annulation des concerts en France de la musicienne ouïghoure », Blog : La longue marche de Gregory Lee, 31 janvier 2019 : https://blogs.mediapart.fr/gblee/blog/310119/sanubar-tursun-an-nulation-des-concerts-en-france-de-la-musicienne-oui-ghoure-0

LEIBOLD, James, « Hu the Uniter. Hu Lianhe and the Radical Turn in China's Xinjiang Policy », Jamestown Foundation, 10 octobre 2018 : https://jamestown.org/program/hu-the-uniter-hu-lianhe-and-the-radical-turn-in-chinas-xinjiang-policy/

LEIBOLD, James, *Ethnic Policy in China*, Honolulu, East-West Center, 2013 : http://www.eastwestcenter.org/publications/ethnic-policy-in-china-reform-inevitable

LEIBOLD, James, « The Spectre of Insecurity. The CCP's Mass Internment Strategy in Xinjiang », *China Leadership Monitor*, 1er mars 2019 : https://www.prcleader.org/leibold

LI, Zaili, « Muslims Forced to Throw Away Faith-Related Household Items », *Bitter Winter*, 9 avril 2018 : https://bitterwinter.org/muslims-forced-to-throw-away-faith-related-household-items/

LIU, Xiaoyuan, « From Five "Imperial Domains" to a "Chinese Nation". A Perceptual and Political Transformation in Recent History », in Li Xiaobing *et al.* (dir.), *Ethnic China. Identity, Assimilation, and Resistance*, Lanham, Oxford, Lexington Books, 2015, p. 3-38.

LYONS, Kate, KUO, Lily, « Fears for Uighur Comedian Missing Amid Crackdown on Cultural Figures », *The Guardian*, 21 février 2019 : https://www.theguardian.com/world/2019/feb/22/xinjiang-fears-for-uihgur-comedian-missing-amid-crackdown-on-cultural-figures

MA, Rong, « The "Politicization" and "Culturization" of Ethnic Groups », *Chinese Sociology & Anthropology*, vol. 42, n° 4, 2010, p. 31-45.

MAUK, Ben, « Weather Report. Voices from Xinjiang », *The Believer*, vol. 16, n° 5, oct./nov. 2019, p. 70-110 : https://twitter.com/benmauk/status/1174009656102047744

MILLWARD, James A., *Eurasian Crossroads. A History of Xinjiang*, New York, Columbia University Press, 2007.

MILLWARD, James, TURSUN, Nabijan, « Political History and Strategies of Control, 1884-1978 », in Frederick Starr (dir.), *Xinjiang. China's Muslim Borderland*. Londres, Routledge, 2015, p. 63-98.

New York Times, The Xinjiang Papers. "Absolutely No Mercy". Leaked Files Expose How China Organized Mass Detentions of Muslims. More than 400 Pages of Internal Chinese Documents Provide an Unprecedented Inside Look at The Crackdown on Ethnic Minorities in The Xinjiang Region. By Austin Ramzy and Chris Buckley, 16 novembre 2019 : https://www.nytimes.com/interactive/2019/11/16/world/asia/china-xinjiang-documents.html

OLSI, Jazexhi, « The Situation in Xinjiang. Report on My Latest Visit to China », YouTube, 25 août 2019. Part 1 : https://www.youtube.com/watch?v=VC1THdpRCPI ; Part 2 : https://www.youtube.com/watch?v=OwYNOx7KG0s

PEDROLETTI, Brice, « En Chine, l'intelligentsia ouïgoure ciblée par une purge sans précédent », *Le Monde*, 9 novembre 2018 : https://www.lemonde.fr/international/article/2018/11/09/en-chine-l-intelligentsia-ouigoure-ciblee-par-une-purge-massive-et-sans-precedent_5381201_3210.html

Radio Free Asia (RFA a), « Behind the Walls. Three Uyghurs Detail their Experience in China's Secret "Re-education" Camps », 30 septembre 2018 : https://www.rfa.org/english/news/special/uyghur-detention/

RFA b, « Interview : "We Give Them a Warning Before Ordering Them to Stand as Punishment" », 4 octobre 2018 : https://www.rfa.org/english/news/uyghur/officer-10042018162252.html

RFA c, « Xinjiang Authorities Detain Prominent Uyghur Journalist in Political "Re-Education Camp" », 18 octobre 2018 : https://www.rfa.org/english/news/uyghur/journalist-10182018151224.html

RFA d, « Uyghur Inmates in Iconic Xinjiang Detention Camp Photo Identified », 26 avril 2019 : https://www.rfa.org/english/news/uyghur/camp-photo-04262019171258.html

RFA e, « Uyghur in Xinjiang "Vocational Training" Video Identified as Educated Professional », 25 juillet 2019 : https://www.rfa.org/english/news/uyghur/video-07252019160110.html

RFA f, « Reports of China's Repression in Xinjiang "100 Percent True" : Jordanian Journalist », 12 septembre 2019 : https://www.rfa.org/english/news/uyghur/reports-09122019172439.html

ROBERTS, Sean R., « The Biopolitics of China's "War on Terror" and the Exclusion of the Uyghurs », *Critical Asian Studies*, vol. 50, n° 2, 2018, p. 232-258.

ROBERTS, Sean R., *The War on the Uyghurs. China's Campaign Against Xinjiang's Muslims*, Manchester, Manchester University Press, 2020.

ROBERTSON, Matthew, « Comparing the Brainwashing of Uighurs With the Party's Anti-Falun Gong Campaign », *ChinaChange*, 18 juin 2018 : https://chinachange.org/2018/06/18/comparing-the-brainwashing-of-uighurs-with-the-partys-anti-falun-gong-campaign/

RUDOLPH, Josh, « Video Counters Beijing's Xinjiang Narrative as Crackdown on Islam Spreads », *China Digital Times*. 23 septembre 2019 : https://chinadigitaltimes.net/2019/09/video-counters-beijings-xinjiang-narrative-as-crackdown-on-islam-spreads/

Safeguard Defenders, *Scripted and Staged. Behind the Scenes of China's Forced TV Confessions*. Safeguard Defenders, 2018 : http://safeguard.k405.es/en/blog/new-report-offers-backstage-pass-china-s-forced-tv-confessions

SAMUEL, Sigal, « China Is Treating Islam Like a Mental Illness », *The Atlantic*, 28 août 2018 : https://www.theatlantic.com/international/archive/2018/08/china-pathologizing-uighur-muslims-mental-illness/568525/

SAUTMAN, Barry, « Preferential Policies for Ethnic Minorities in China : The Case of Xinjiang », *Nationalism and Ethnic Politics*, vol. 4, n° 1-2, 1998, p. 86-118.

SAUYTBAY, Sayragul, Témoignage à l'« Open Meeting on the

Concentration Camps in China », Uyghur Educational Society, Stockholm, Suède, 31 août 2019. En kazakh avec traduction en suédois : https://www.youtube.com/watch?v=9lnsU8D9UAw ; résumé en anglais : https://twitter.com/Uyghurspeaker/status/1169374897988087808

SAUYTBAY, Sayragul, avec Alexandra CAVELIUS, *Die Kronzeugin* (*The Key Witness*), Munich, Europa Verlag, 2020 (en allemand, traductions dans d'autres langues à paraître).

Sinopsis, « Appeal to Stop the Execution of Three Uyghur intellectuals. Statement of Solidarity with Tashpolat Tiyip, Halmurat Ghopur and Sattar Sawut », 30 septembre 2019 : https://sinopsis.cz/en/appeal-to-stop-the-execution-of-three-uyghur-intellectuals/

South China Morning Post, « Xinjiang's Uygurs "Not Radical Muslims", says China's Former Culture Minister Wang Meng », 11 juin 2016 : https://www.scmp.com/news/china/policies-politics/article/1971974/xinjiangs-uygurs-not-radical-muslims-says-chinas-former

THUM, Rian, « Modular History. Identity Maintenance Before Uyghur Nationalism », *Journal of Asian Studies*, vol. 71, n° 3, 2012, p. 627-653.

THUM, Rian, « Uyghurs in Modern China », Oxford Research Encyclopedias, avril 2018 : http://asianhistory.oxfordre.com/view/10.1093/acrefore/9780190277727.001.0001/acrefore-9780190277727-e-160

Convention on the Prevention and Punishment of the Crime of Genocide, 1948. United Nations Office of the High Commissioner for Human Rights : https://www.ohchr.org/en/professionalinterest/pages/crimeofgenocide.aspx

Uyghur Human Rights Project (UHRP), *Detained and Disappeared. Intellectuals Under Assault in the Uyghur Homeland*, 21 mai 2019 : https://uhrp.org/press-release/uhrp-update-435-intellectuals-detained-and-disappeared-uyghur-homeland.html

Uyghur Human Rights Project (UHRP). "Ideological Transformation" : Records of Mass Detention from Qaraqash, Hotan. 18 février 2020 : https://uhrp.org/press-release/%E2%80%9Cideological-transformation%E2%80%9D-records-mass-detention-qaraqash-hotan.html

Uyghur Human Rights Project, « Local Residents in Danger of Starving in East Turkistan », 26 février 2020 : https://uhrp.org/press-release/uhrp-briefing-local-residents-danger-starving-east-turkistan.html

Uyghur from E.T., « Chinese New Year greetings video from Erfan Azat (Hezim) », @Uyghurspeaker, 1ᵉʳ février 2019 : https://twitter.com/Uyghurspeaker/status/1091386994926776320

WANG, Ke, *The East Turkestan Independence Movement, 1930s to 1940s*, Hong Kong, The Chinese University of Hong Kong Press, 2019 (édition originale en chinois 2013).

XIAO, Eva, « China Pushes Inter-Ethnic Marriage in Xinjiang Assimilation Drive », Agence France Presse, 17 mai 2019 : https://news.yahoo.com/china-pushes-inter-ethnic-marriage-xinjiang-assimilation-drive-044619042.html

XIE, Wenting, YUNYI, Bai, « French Professor Praises China's De-Radicalization Measures in Xinjiang », *Global Times*, 10 septembre 2019 : http://www.globaltimes.cn/content/1164175.shtml

YI, Xiaocuo, « "Saved" by State Terror. Gendered Violence and Propaganda in Xinjiang », *SupChina*, 14 mai 2019 : https://supchina.com/2019/05/14/saved-by-state-terror-gendered-violence-and-propaganda-in-xinjiang/

ZENZ, Adrian a, « "Thoroughly Reforming Them Towards a Healthy Heart Attitude". China's political re-education campaign in Xinjiang », *Central Asian Survey*, n° 38, 2019, p. 102-128 : https://www.tandfonline.com/doi/abs/10.1080/02634937.2018.1507997

ZENZ, Adrian, « Brainwashing, Police Guards and Coercive Internment. Evidence from Chinese Government Documents about the Nature and Extent of Xinjiang's "Vocational Training Internment Camps" », *Journal of Political Risk*, vol. 7, n° 7, 2019 : http://www.jpolrisk.com/brainwashing-police-guards-and-coercive-internment-evidence-from-chinese-government-documents-about-the-nature-and-extent-of-xinjiangs-vocational-training-internment-camps/

ZENZ, Adrian c, « Break Their Roots. Evidence for China's Parent-Child Separation Campaign in Xinjiang », *Journal of Political Risk*, vol. 7, n° 7, 2019 : http://www.jpolrisk. com/break-their-roots-evidence-for-chinas-parent-child-separation-campaign-in-xinjiang/

ZENZ, Adrian, « The Karakax List. Dissecting the Anatomy of Beijing's Internment Drive in Xinjiang », *Journal of Political Risk*, vol. 8, n° 2 (février 2020) : https://www. jpolrisk.com/karakax

ZENZ, Adrian, LEIBOLD, James, « Chen Quanguo : The Strongman Behind Beijing's Securitization Strategy in Tibet and Xinjiang », *China Brief*, vol. 17, n° 12, 21 septembre 2017 : https://jamestown.org/program/chen-quanguo-the-strongman-behind-beijings-securitization-strategy-in-tibet-and-xinjiang/

ZENZ, Adrian, « Sterilizations, IUDs, and Mandatory Birth Control : The CCP's Campaign to Suppress Uyghur Birth-rates in Xinjiang », Jamestown Foundation, 27 juin 2020 : https://jamestown.org/product/sterilizations-iuds-and-mandatory-birth-control-the-ccps-campaign-to-suppress-uyghur-birthrates-in-xinjiang/

ZHANG, Shawn a, « List of Re-education Camps in Xinjiang », *Medium*, 20 mai 2018 : https://medium.com/@shawnwzhang/list-of-re-education-camps-in-xinjiang-%E6%96%B0%E7%96%86%E5%86%8D%E6%95%99%E8%82%B2%E9%9B%86%E4%B8%AD%E8%90%A5%E5%88%97%E8%A1%A8-99720372419c et mise à jour : https://medium.com/@shawnwzhang

ZHANG, Shawn b, « Satellite Imagery of Xinjiang "Re-education Camp" N° 41, in Maralbishi », *Medium*, 7 septembre 2018 : https://medium.com/@shawnwzhang/satellite-imagery-of-xinjiang-re-education-camp-41-%E6%96%B0%E7%96%86%E5%86%8D%E6%95%99%E8%82%B2%E9%9B%86%E4%B8%AD%E8%90%A5%E5%8D%AB%E6%98%9F%E5%9B%BE41-a7ef02b072e2

CONFLITS DE L'EAU AU TIBET

RUTH GAMBLE
Université La Trobe, Melbourne

L'immensité du grand bassin versant himalayen (*Great Himalayan Watershed, GHW*[1]) tend à masquer son unité et les menaces qui pèsent sur lui. Il s'étend du Pakistan au reste de l'Asie du Sud, du Sud-Est et de l'Est, jusqu'au nord de la Chine. La plupart des grands fleuves d'Asie font partie de ce système, notamment l'Indus, le Gange, le Brahmapoutre, la Salween, le Mékong, le Yangzi (Yangtsé) et le fleuve Jaune. 1,3 milliard d'humains vivent dans ces bassins hydrographiques et deux autres milliards dépendent d'eux pour leur production agricole[2]. La forte dépendance à l'égard de ces rivières a multiplié et mis en évidence les problèmes de ces populations : pollution chimique, défaut d'assainissement, plastique, eutrophisation, pénurie d'eau due à l'irrigation. Les habitants de ces bassins sont donc des témoins plus directs des crises écologiques mondiales que l'autre moitié de l'humanité. Reste qu'il est peu probable que ceux-là mêmes qui vivent dans la zone soient conscients de la menace qui pèse sur leurs ressources géographiquement concentrées.

Bien que ces fleuves s'étendent sur une grande partie de l'Asie, tous leurs affluents se trouvent dans deux régions relativement petites de part et d'autre du plateau tibétain, haut dans l'Himalaya. Pendant la majeure partie de l'histoire de l'humanité, cette concentration de sources dans deux petites zones n'a pas posé de problème. Les groupes qui y résidaient étaient peu nombreux et leurs modes de vie n'ont pas eu d'incidence excessive sur le fonctionnement du bassin hydrographique. Au cours des soixante-dix dernières années, cependant, et particulièrement au cours des vingt dernières, les menaces qui pèsent sur ces sources se sont aggravées de façon exponentielle. Leur environnement fragile a été irréversiblement altéré par un développement non durable, l'augmentation de la population, la pollution croissante et les changements climatiques. En outre, ces facteurs de changement se sont renforcés les uns les autres, accélérant la destruction écologique. Leurs effets commencent maintenant à se faire sentir dans les vallées fluviales les plus peuplées du monde.

L'accélération du changement dans les montagnes a été provoquée par des processus historiques qui se chevauchent aux niveaux local, national et international. L'augmentation de la population locale et l'évolution des modes de vie et des moyens de subsistance — en particulier le passage de l'agropastoralisme au tourisme — ont eu un certain impact sur les montagnes, mais ce sont des acteurs extérieurs qui ont entraîné la majorité de ces changements « locaux ».

Au nombre de ces acteurs extérieurs, il y a tout d'abord les États qui, ironie de l'histoire, ont procédé à la territorialisation des montagnes pendant la période de décolonisation qui a suivi la Seconde Guerre mondiale. Les nouveaux grands États tels que la Chine, l'Inde et le Pakistan, qui venaient d'être créés et qui ont leur siège dans les plaines, ont tous revendiqué de vastes étendues de montagnes en s'appuyant sur les tracés cartographiques de leurs prédécesseurs britanniques et Qing plutôt qu'en se référant à la réalité des affirmations de souveraineté locales. Comme ces revendications empiriques étaient historiquement douteuses, elles ont suscité de l'agitation parmi les groupes ethniques des montagnes nouvellement minorisés et ont entraîné une série de différends frontaliers entre groupes rivaux. La résolution de ces conflits était difficile en raison de la perception qu'avaient d'elles-mêmes ces trois nations. Elles se voyaient comme les victimes permanentes de la colonisation, qui ne pouvaient donc pas annexer le territoire d'autres nations[3]. Les tensions qui existaient de longue date dans les montagnes ont également impliqué les deux petits États de la région, le Népal et le Bhoutan, fortement influencés par leurs grands voisins du nord et du sud.

La territorialisation a engendré des problèmes sociaux et environnementaux du fait du contrôle imposé aux mouvements transfrontaliers. Les nomades, les marchands, la météo, l'eau, le limon et les animaux sont notoirement peu soucieux des frontières. Les tentatives visant à les maintenir en place ont sapé les rapports d'interdépendance des sociétés, des systèmes terrestres et écologiques. La création de frontières internationales dans les montagnes a, en outre, permis aux nouveaux États de se rejeter entre eux la responsabilité et de la faire porter par les groupes minoritaires de la région.

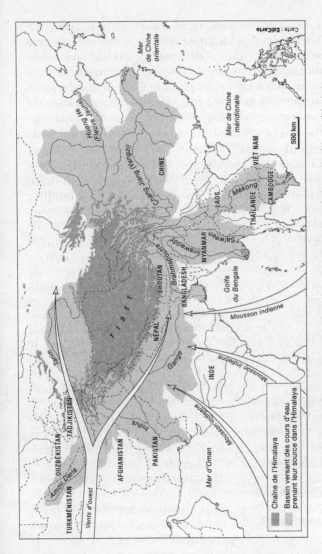

Fig. 1 Carte des bassins de l'Himalaya (Hindu Kush) ou GHW. Cette carte présente également les régimes météorologiques qui causent la pollution au noir de carbone sur le Plateau (source : ICIMOD)

Carte : EdiCarto

Cette responsabilisation s'est révélée particulièrement problématique au cours de la « Grande Accélération » de l'après-guerre, car de nombreux indicateurs du système terrestre ont fortement augmenté[4]. Dans les montagnes, la Grande Accélération s'est traduite par une augmentation supérieure à la moyenne mondiale de la population, de l'urbanisation, de la construction, de la consommation, de la pollution, de l'utilisation de combustibles fossiles et du changement climatique mondial. Le changement climatique et l'accroissement de la population ont été deux fois supérieurs à la moyenne mondiale[5].

Dans le présent chapitre, nous examinerons ces problèmes en nous référant à trois enjeux environnementaux : (1) la destruction des tourbières, (2) la ruée vers le barrage hydroélectrique et (3) la pollution au noir de carbone. Ces problèmes sont apparus au cours de différentes décennies, mais ils continuent de faire ressentir leurs effets sur le bassin hydrographique aujourd'hui. C'est au cours des années 1960 à 1980 que la destruction des tourbières a été la plus intense. À cette époque, la Chine tentait de transformer le plateau tibétain en terres agricoles. Les politiques de l'État visant à exploiter le potentiel hydroélectrique de la région ont été initiées dans les années 1990, puis intensifiées avec l'appui du Mécanisme de développement propre (*Clean Development Mechanism*, CDM) des Nations unies dans les années 2000, et se poursuivent encore aujourd'hui. L'engagement international en faveur de la réduction de la pollution au noir de carbone s'est répandu dans les années 2000 comme alternative à la réduction des gaz à effet de serre.

Ces trois exemples illustrent les conséquences que les politiques et paradigmes anthropogéniques nationalisés et internationalisés peuvent avoir sur les systèmes terrestres, les communautés locales, les non-humains et les systèmes écologiques. En tant que telles, ces études de cas offrent un aperçu de la relation, en haute altitude, entre la Grande Accélération et l'Anthropocène[6]. Le simple fait qu'un nombre croissant d'êtres humains se soient massés dans cette région peu habitable tient à la Grande Accélération et se présente comme un symptôme de l'Anthropocène. Que des humains puissent affecter les systèmes terrestres de cette zone reculée, en particulier son climat et ses cycles de l'eau, est un autre symptôme lié à la Grande Accélération de l'Anthropocène.

L'analyse du fonctionnement en haute altitude de l'Anthropocène dans la partie supérieure du grand bassin versant himalayen facilite également l'élaboration de théories sur ses interactions avec les autres strates temporelles de la région. Les montagnes recouvertes de glace au sommet du bassin versant existent depuis longtemps. Les communautés humaines de la région empruntent à des traditions héritées et adaptées au lieu et à des paradigmes politiques et sociaux plus récents qui viennent s'interposer. L'irruption de ces paradigmes extérieurs a conduit de nombreux habitants à invoquer l'« ère sombre » cosmologique (tibétain, *snyings ma'i dus* ; sanscrit, *kali yuga*) que les traditions bouddhistes et hindoues placent juste avant la fin du monde[7]. Ces éléments exogènes amènent également avec eux de multiples strates de temps. La territorialisation postcoloniale de la région véhicule avec elle les vestiges de l'empire et de l'époque coloniale et, dans le contexte temporel de la territorialisation, se manifestent aussi plusieurs périodes distinctes de changement : l'hyper-modernisme du milieu du XXe siècle, le passage au développement dans les années 1970 et 1980, et au développement durable dans les années 1990.

L'observation et l'enregistrement du temps ont été les dernières structures temporelles à pénétrer la région. Nous savons que l'activité humaine modifie jusqu'aux sommets les plus reculés, parce que nous sommes en mesure de les observer ; nous sommes capables de surveiller et de noter ces changements parce qu'il y a désormais une présence humaine dans toute cette région. De plus, dans cet espace stratégiquement et écologiquement sensible, la surveillance de l'environnement et celle de l'État se sont croisées, et de ce croisement est issue une compréhension hybride de « l'humanité » qui recouvre aussi bien les « sujets d'État » et les « espèces ».

Cette hybridité a permis à son tour à l'État d'insister sur le fait que les groupes humains vulnérables sont responsables de la destruction causée par l'humanité et, à l'image de l'eau qui s'écoule suivant la voie qui lui oppose la moindre résistance, la responsabilité de la réparation écologique s'est étendue aux minorités et aux pauvres de la région. Comme le montreront les études de cas, même lorsque les gouvernements nationaux et les organisations internationales ont tenté de redresser les torts écologiques historiques, la responsabilité de ces torts a été transférée selon la même logique aux pauvres et aux marginalisés.

DRAINER LES TOURBIÈRES

Les tourbières du plateau tibétain forment la première partie du grand bassin versant himalayen à avoir été profondément transformée par la territorialisation lors de la Grande Accélération. Ces tourbières sont des terres humides qui ont été formées lorsque des réserves de matière organique en décomposition étaient en suspension dans l'eau ou la glace. Outre les réserves de carbone qu'elles constituent, les tourbières stabilisent les cycles hydrologiques et climatiques, minimisent les inondations et préviennent la sécheresse[8]. La forte concentration en carbone de ces tourbières fait que, lorsqu'elles sont intactes, elles constituent de puissants freins aux émissions de gaz à effet de serre. Quand elles sont endommagées ou s'enflamment en revanche, elles libèrent d'énormes quantités de dioxyde de carbone et de méthane dans l'atmosphère. La plupart des tourbières du monde sont concentrées dans le pergélisol arctique ou sous les forêts tropicales, mais elles sont également dispersées sur le plateau tibétain dans les zones de pergélisol et hors pergélisol.

Certaines des tourbières les plus étendues et les plus humides du Tibet ont été observées et décrites par la population locale et les visiteurs du Plateau avant les années 1950. Le gouvernement tibétain a géré pendant des siècles le marais de Lhalu qui contient de grands segments de tourbe et se trouve à proximité de Lhassa[9]. Les voyageurs et les collecteurs d'impôts ont repéré les plus grandes tourbières alpines du monde à Zoigé, à l'extrémité est du Plateau. Les nomades utilisaient ces tourbières lorsqu'elles étaient gelées en hiver comme pâturages pour les yaks, et n'en faisaient aucun autre usage[10]. Les pèlerins et les voyageurs ont également trouvé des tourbières autour du lac Maphamtso (connu sous le nom de Manasarovar en Inde) au Tibet occidental et autour des lacs du Ladakh.

Comme la plupart des autres communautés agricoles du monde, les résidents du Plateau ont drainé des milieux humides, principalement des tourbières, afin d'en faire des terres agricoles. En effet, l'histoire du Plateau regorge de récits héroïques de drainage[11]. Malgré cette tradition, d'autres facteurs tels que la température et des interdits culturels se sont combinés pour faire en sorte que les tourbières de la région — et les terres humides en général — soient relativement épargnées jusqu'aux années 1950[12]. Cette situation a toutefois changé lorsque la majeure partie du plateau tibétain a été incorporée à la République populaire de Chine (RPC) dans les années 1950.

Le goût prononcé du gouvernement chinois pour les projets utopiques et hautement modernistes et les catastrophes qu'ils ont causées ont été bien documentés[13], de même que son incapacité à adapter les décisions de planification centralisées aux environnements locaux[14]. Le drainage des tourbières du Plateau se distingue cependant, au sein même de la surabondante quantité d'activités destructrices pour l'environnement auxquelles s'est livré le premier gouvernement de la RPC. Le marais de Lhalu a été drainé, exploité pour sa tourbe, pollué et rempli de sable[15]. Les zones humides du lac Maphamtso ont été réduites[16]. Mais c'est à Zoigé que la plus grande dégradation s'est produite.

Les tourbières de Zoigé, connues en chinois sous le nom de marais de Ruo'ergai, sont tristement célèbres au sein de l'élite chinoise pour les nombreuses morts qu'elles ont causées lors de la longue marche de 1934-1935[17]. Vingt ans plus tard, après que le Tibet oriental fut placé sous le contrôle de la RPC, ces terres ont été promises au drainage. Au cours des années 1950 et 1960, le gouvernement a construit près de 1 000 canaux de drainage artificiels à Zoigé. Ceux-ci couraient sur 2 864 kilomètres et ont drainé près de 41 % des tourbières[18]. L'idée était de transformer cette « friche » en terres agricoles susceptible de produire du blé et même du riz. À la fin des années 1960, tout l'écosystème s'effondrait en raison de l'assèchement de la nappe phréatique et de la désertification.

Portée par les mouvements environnementaux aux États-Unis et en Europe dans les années 1960, la pression internationale en faveur de la conservation d'écosystèmes importants s'est accrue. La Convention de Ramsar sur les zones humides de 1971 a été conçue pour protéger ces zones. Le gouvernement de la RPC a signé le traité en 1971, mais comme il ne l'a pas ratifié avant les années 1990, les zones humides du Plateau ont continué à se dégrader. La période la plus intense de dégradation de la tourbe a eu lieu sur le Plateau entre la signature de la Convention de Ramsar et sa ratification. Le développement des canaux s'est poursuivi et, dans les zones nouvellement asséchées qu'ils ont créées, les bergers et les futurs agriculteurs ont commencé à creuser des puits qui ont encore abaissé la nappe phréatique de 5 à 15 centimètres[19].

Le gouvernement chinois a finalement commencé à protéger les tourbières dans les années 1990, non pour avoir reconnu cette dégradation, mais en réaction aux pressions extérieures qui se sont accrues à la suite de la Conférence de Rio sur l'environnement en 1992. Après cette conférence, le gouvernement de la RPC a adopté le modèle du « développement durable » et a commencé à préserver des zones particulièrement bénéfiques pour l'environnement en faisant de celles-ci des réserves[20]. Zoigé a été rapidement désigné comme réserve et répertorié en tant que site Rasmar. Le lac Maphamtso et plusieurs autres tourbières ont par la suite reçu la même désignation. Les zones humides de Lhalu ont été déclarées aires protégées en 1995 et leur statut a connu depuis plusieurs améliorations[21].

Bien que le drainage des années 1960 à 1980 ait cessé après la déclaration de ces zones de protection, les zones humides du Plateau ont continué d'être exposées à de nombreuses menaces nationales et internationales. Au nombre de celles-ci, on peut mentionner les politiques du gouvernement central en vue de la réforme économique des régions pastorales tibétaines. Ces politiques impliquent la privatisation des droits d'utilisation des prairies et des programmes de réinstallation qui ont entraîné une augmentation du cheptel et l'utilisation concentrée de segments privés de prairies et de tourbières, qui ont eu un impact dévastateur sur les tourbières[22].

Les effets des politiques du gouvernement ont été encore intensifiés dans le contexte de la Grande Accélération. La construction d'infrastructures, en particulier de routes, de barrages et de réseaux ferroviaires, a endommagé les tourbières[23]. Et on estime que le changement climatique a provoqué une baisse générale de la nappe phréatique au Tibet. Sur ses lacs, où le niveau est le plus facile à mesurer, cette diminution a été de 1 à 1,5 mètre[24].

Les programmes dans lesquels le gouvernement chinois s'est engagé pour inverser les dommages résultant du drainage et pour atténuer les effets du changement climatique ont privé des groupes minoritaires de leurs droits. La principale réaction du gouvernement à la dégradation des tourbières et des sources fluviales du grand bassin versant himalayen a consisté à blâmer les Tibétains pour la dégradation de l'environnement et de prendre prétexte de ces dommages pour les déplacer vers des zones urbaines plus faciles à surveiller[25]. Plutôt que de rétablir les pratiques agricoles et pastorales généralement durables des nomades telles qu'elles existaient avant la RPC, l'État a imputé aux

Tibétains la destruction de l'environnement causée par les programmes hautement modernistes qu'il leur a imposés entre 1950 et 1990. Parallèlement au repeuplement, l'État a engagé des efforts de conservation qui ont consisté à soustraire certaines zones humides de l'utilisation humaine et herbivore (principalement les yaks, mais aussi les moutons et les chèvres). Ces interdictions générales relatives au pâturage des herbivores n'ont pas eu l'effet escompté. De nombreux écosystèmes de tourbières ont été maintenus par le pâturage léger pendant des millénaires, et l'arrêt du pâturage a contribué à leur effondrement écologique[26].

Le gouvernement central de la RPC a également continué à s'engager dans des projets anti-tourbières inexplicables. L'exemple le plus frappant est celui d'un projet visant à faire fondre, grâce à de l'énergie solaire, le pergélisol de tourbe dans la province de Nagchu pour faire pousser une forêt dans cette plaine de haute altitude dépourvue d'arbres. Le but du projet était de faire en sorte que les soldats chinois stationnés là-bas se sentent dans un milieu plus familier. Ce projet, qui a été salué par le président Xi Jinping, est en cours d'extension malgré la crainte des scientifiques qu'il ne perturbe les écosystèmes locaux et en dépit de son coût de plusieurs millions de yuans[27].

POLITIQUE DE L'EAU DANS L'HIMALAYA

Alors que la politique concernant les tourbières se jouait principalement entre le gouvernement de la RPC et les minorités du plateau tibétain, l'hydropolitique himalayenne a été façonnée dans une égale mesure par la politique intérieure et internationale. Bien que les États concernés le reconnaissent rarement, cette politique internationale se présente aussi comme un héritage du passé colonialiste de la région. Les États chinois, indien et pakistanais modernes et postcoloniaux entretiennent des relations complexes avec les empires britannique et Qing qui les ont précédés. Dans leurs discours nationalistes, la création de la République de l'Inde (1947), de la République islamique du Pakistan (1947) et de la République populaire de Chine (1949) a marqué la fin de la période coloniale asiatique. Mais, à bien des égards, en tentant de contrôler les déplacements de population et l'utilisation des terres sur leurs territoires, ces nouveaux États ont non seulement maintenu les pratiques impériales de leurs prédécesseurs, mais ils ont utilisé les nouvelles technologies pour les étendre à des domaines physiques et sociaux sur lesquels leurs prédécesseurs impériaux n'exerçaient pas de contrôle.

Il existe, par exemple, des précédents impériaux clairs pour les politiques interconnectées d'exploitation des ressources hydroélectriques et de sécurisation des frontières dans l'Himalaya. Les empires britannique aussi bien que chinois s'étaient engagés depuis des siècles dans ce que Ling Zhang a appelé les « modes hydrauliques de consommation[28] », c'est-à-dire qu'ils avaient surinvesti dans les technologies de contrôle hydrologique. Bien qu'aucun empire n'ait réussi à contrôler complètement les rivières sur son territoire, leurs projets fluviaux ont transformé leurs sociétés. Dans les deux pays, le développement du contrôle des cours d'eau était lié à la nécessité pour les États de contrôler la terre et la population. La transformation de ces cours d'eau a incité les collectivités, qui avaient l'habitude de se soumettre et de se soustraire au contrôle de l'État en fonction des inondations, à s'établir de façon permanente, devenant ainsi imposables, exposées aux inondations et tributaires de l'irrigation[29]. Les nouveaux États postcoloniaux ont hérité de ces communautés, ainsi que de l'infrastructure, des connaissances et des régimes bureaucratiques de contrôle des eaux.

Ces modèles sociaux, politiques et physiques ont, en outre, été encouragés et développés pendant la Grande Accélération dans le cadre de la sensibilisation à la guerre froide. En tant que nouveaux pays en développement, l'Inde, la Chine et le Pakistan ont reçu une aide à l'expansion hydraulique des États-Unis (Inde et Pakistan) et de l'Union soviétique (Chine et Inde). Dans les années 1950, ils ont construit des barrages principalement destinés à l'irrigation et à l'approvisionnement en eau des villes. Dans les années 1960 et 1970, ils ont commencé à construire de plus grands barrages hydroélectriques.

Bon nombre des barrages qu'ils ont construits au cours de ces décennies étaient médiocres et dangereux. Au cours des années 1950, le gouvernement chinois a construit environ 600 grands barrages par an[30]. L'un des plus grands, le Sanmenxia, construit sur le fleuve Jaune sous la supervision soviétique, a été la cause d'inondations mortelles en amont, et a finalement été mis hors service en raison de sa forte charge sédimentaire[31]. Le Shimantan et le Banqiao, deux barrages qui se sont effondrés en 1975 et qui ont tué environ 171 000 personnes, étaient encore plus désastreux que le Sanmenxia[32].

À l'instar de la Chine, l'Inde et le Pakistan étaient très attachés à la fonction et à la symbolique des grands barrages. Aussi ont-ils investi massivement dans ce secteur. En 1954, alors qu'il inaugurait le premier grand barrage moderne de l'Inde, le barrage de Bhakra, le tout premier Premier ministre indien, Jawaharlal Nehru, évoqua les « temples de l'Inde renaissante » et les « symboles du progrès de l'Inde »[33]. Après avoir négocié le Traité sur l'eau de l'Indus entre l'Inde et le Pakistan en 1960, la Banque mondiale a encouragé les deux pays à construire de grands barrages. Les États-Unis ont apporté à l'Inde leur expertise pour la construction de barrages, en particulier dans le cadre de la « Révolution verte » dans l'agriculture, un programme qui a augmenté la production alimentaire et mis fin aux famines[34]. Les concepteurs de cette révolution ont adopté ce que l'historien de l'environnement Rohan D'Souza a appelé une approche de l'eau « du point de vue de l'offre », en « produisant » celle-ci par la construction de réservoirs et de canaux d'irrigation[35]. Les conséquences environnementales de cette approche pèsent sur l'Inde encore aujourd'hui ; la réorientation de l'eau contre les débits naturels a entraîné l'engorgement, la salinisation et la dessiccation de l'eau dans tout le pays et exacerbé les pénuries d'eau[36].

Au cours des années 1970, au fur et à mesure que le mouvement écologiste se développait, la rhétorique attachée à la construction de barrages a changé. La plupart des États ont abandonné les discours et projets de l'hyper-modernisme qui avaient conduit à l'assèchement des tourbières du Tibet et les ont remplacés par une référence nouvelle au développement planifié. Beaucoup d'autres grands projets de construction ont été suspendus à cette époque, et la construction de barrages hydroélectriques a été reformulée dans le cadre du nouveau discours sur le développement. La Chine, l'Inde et le Pakistan avaient peut-être des systèmes politiques différents, mais ils étaient unis dans leur attachement au paradigme du développement et par leurs visions comptables et économiques du monde[37]. Pour les trois pays, les grands barrages étaient réalisables, facilement identifiables et constituaient de prestigieux symboles de progrès[38].

Dans les années 1980 et 1990, alors que les conséquences environnementales et sociales résultant de la construction de ces barrages commençaient à se faire sentir avec plus d'acuité, se sont fait entendre des appels de plus en plus nombreux à mettre fin à la construction de grands barrages (plus de 15 mètres). L'un des plus importants mouvements de protestation contre les barrages s'est produit en Inde, et il a fini par obtenir de la Banque mondiale qu'elle cesse de financer le barrage de la rivière Narmada[39]. L'influent rapport de la Commission mondiale des barrages, publié en novembre 2000, affirma que les grands barrages avaient un bénéfice net nul et que les populations vulnérables et les systèmes écologiques avaient été les principales victimes des problèmes qu'ils provoquaient[40]. La Banque mondiale cessa de financer les grands barrages à la suite de la publication de ce rapport et le nombre de nouveaux barrages construits dans le monde a diminué de façon spectaculaire[41]. Le désintérêt pour la construction de nouveaux grands barrages a persisté pendant des décennies dans la plupart des pays du monde. Les États-Unis, qui avaient auparavant encouragé la construction de barrages dans le cadre de leur stratégie de développement pendant la guerre froide, ont commencé à en démolir certains[42].

La Chine et l'Inde, cependant, ont pris à revers cette tendance mondiale. La publication du rapport de la Commission mondiale des barrages et la protestation contre l'édification d'un barrage sur le fleuve Narmada n'ont fait qu'interrompre leurs ambitions collectives et compétitives en matière d'hydroélectricité. Le plus grand barrage du monde, le barrage des Trois Gorges, a continué d'être construit au milieu du fleuve Yangzi, l'un des principaux cours d'eau du grand bassin versant de l'Himalaya. Il a été inauguré en 2004. Depuis lors, la Chine et l'Inde sont les maîtres d'œuvre de la plupart des nouvelles constructions de barrages[43]. Le gouvernement indien a même aidé l'État du Gujarat à achever le barrage de la rivière Narmada, qui a été inauguré par l'un de ses principaux bailleurs de fonds, l'ancien ministre en chef du Gujarat et actuel Premier ministre indien, Narendra Modi (né en 1950) en 2017[44].

Non seulement les États postcoloniaux ont augmenté la densité des barrages sur leur territoire, mais ils ont aussi commencé à en construire dans des zones qui n'avaient pas été développées auparavant. La libéralisation des économies de la Chine et de l'Inde au cours des années 1990 a donné l'impulsion et la capacité aux deux nations pour commencer à exploiter le potentiel hydroélectrique de l'Himalaya. Ils ont tous deux besoin de plus de sources d'énergie pour leurs économies en croissance, et leur statut de pays émergents leur a permis d'accélérer les projets de développement, généralement avec l'approbation tacite de la Banque mondiale et d'autres institutions internationales de développement et d'environnement. Après le barrage des Trois Gorges, la Chine a commencé à construire la plus grande concentration de barrages de l'histoire mondiale dans le sud-est du plateau tibétain, où les fleuves Yangzi, Mékong et Salween sont parallèles les uns aux autres. À ce jour, ils y ont construit ou sont en train de construire une centaine de grands barrages et ils prévoient d'en construire quarante-trois autres. Les deux derniers de ces fleuves, le Mékong et la Salween, sont transnationaux, coulant du plateau tibétain au Myanmar, au Laos, au Cambodge et au Vietnam, en passant par la province chinoise du Yunnan, ethniquement divers. Les barrages en amont de la Chine ont entraîné des problèmes environnementaux et des tensions géopolitiques pour leurs voisins en aval[45].

Pendant que les barrages chinois commençaient à escalader les montagnes du sud-est de l'Himalaya, l'Inde a construit dix-huit grands barrages dans le bassin supérieur de l'Indus et neuf dans le bassin supérieur du Gange dans l'Himalaya occidental. Ces barrages ont réduit le débit vers leurs voisins situés en aval au Pakistan et au Bangladesh, qui se sont plaints de la construction de ces barrages en Inde. Avec une réflexivité institutionnelle limitée, l'État indien et l'opinion publique ont alors manifesté leur inquiétude et leur ressentiment, lorsque la Chine a commencé à construire une série de barrages en amont dans le bassin supérieur du Brahmapoutre (Yarlung Tsangpo).

Les premiers barrages du bassin du Brahmapoutre, la centrale hydroélectrique de Manla, près de Shigatse dans la région autonome tibétaine de la RPC, ont été construits au début des années 2000. Au cours des vingt années qui ont suivi, les États chinois, indien et bhoutanais ont construit au moins dix-huit autres grands barrages dans ce bassin supérieur, onze autres sont en construction et environ soixante-dix ont été approuvés pour construction[46].

Les États indien et chinois ont incité d'autres nations à s'engager dans la construction de leurs barrages. L'Inde a ainsi soutenu les barrages du Bhoutan. Le Pakistan, en proie aux problèmes climatiques et à l'instabilité politique, est devenu plus dépendant de son allié chinois et a eu tendance à suivre son exemple. La Chine a également proposé au Népal une série de barrages dans le cadre du développement de la nouvelle route de la soie.

Bien que les gouvernements nationaux et les organisations de gouvernance internationale aient mis une bonne partie de la ruée vers les barrages himalayens au compte des besoins croissants de la Chine et de l'Inde en matière d'approvisionnement en électricité, il semble que la fonction des barrages soit autant de protéger et de contrôler les montagnes que de fournir l'énergie hydroélectrique. Il n'y a pas eu de projet hydroélectrique privé réussi dans l'Himalaya ; tous les barrages hydroélectriques de la région ont été construits par des États ou des entreprises d'État qui ne font pas de profits, et l'essentiel de l'argent pour ces barrages vient de l'Inde et de la Chine[47].

L'accent mis par les deux États sur le développement et l'extraction de l'hydroélectricité dans la région suggère que ces projets sont une manifestation de leur concurrence en tant qu'États. Ils ont choisi de construire des projets « nationaux », de grande envergure, visibles et susceptibles de leur servir de vitrines, plutôt que des projets communautaires de production d'électricité de plus petite envergure. Ces projets ne sont pas seulement la preuve visible du contrôle que le gouvernement central exerce sur les montagnes, ils perturbent également les communautés minoritaires sur les terres desquelles ils ont été construits. Alors que les tendances majoritaires se sont accentuées en Inde et en Chine, leurs gouvernements nationaux ont présenté ces perturbations comme des opportunités d'assimilation à la société majoritaire.

Pour leur part, les peuples des montagnes ont estimé que ces projets avaient leurs qualités et leurs défauts. Les communautés « élues » de l'Inde, du

Népal, du Pakistan et du Bhoutan sont contraintes de choisir entre leur mode de vie traditionnel et la mise à disposition selon une perspective assimilationniste par le gouvernement central de services en matière d'énergie, de transport, d'éducation et de santé. Des protestations se sont exprimées contre la plupart des barrages hydroélectriques dans le sud de l'Himalaya, et certaines d'entre elles ont bloqué ou au moins ralenti leur construction[48]. Toutefois, des efforts concertés ont également été déployés par le gouvernement pour contrecarrer ces mouvements de protestation, et les mesures prises, en particulier au Cachemire, ont impliqué la suspension des droits démocratiques[49]. Les communautés de la RPC n'ont généralement pas le choix ; les déplacements de population par les grands projets de développement et l'assimilation qui en découle ont été présentés comme inexorables[50].

Les effets des projets hydroélectriques sur les systèmes écologiques de la partie supérieure du bassin versant de l'Himalaya ont été aussi profonds que ceux affectant les minorités de la région. Ces grands projets de barrages polluent les cours d'eau, favorisent l'érosion et les glissements de terrain, constituent un danger endémique pour la faune et la flore[51], perturbent la migration des oiseaux et des poissons et séparent des cours d'eau[52]. Ils réduisent également le débit d'eau vers les collectivités en aval.

Comme la plupart des politiques environnementales dans l'Himalaya, la construction de barrages a une relation symbiotique avec la Grande Accélération et la réponse que la communauté mondiale lui apporte. Les menaces qui pèsent sur les barrages se multiplient[53]. Le changement climatique rend déjà les barrages vulnérables aux phénomènes météorologiques extrêmes, aux inondations et aux sécheresses. À l'heure actuelle, ces changements touchent principalement les populations qui vivent près des barrages, mais les changements dans l'hydrologie, l'écologie et le climat des rivières se propagent lentement en aval. Face à la menace croissante du changement climatique, les Nations unies et la Banque mondiale ont toutefois recommencé à financer les grands barrages au titre de la « compensation carbone » par le biais du Mécanisme pour un développement propre (MDP)[54]. Presque tous les barrages financés ont été construits en Chine et en Inde. Bien que la Commission mondiale des barrages ait constaté que ces barrages ont eu un impact disproportionné sur les populations vulnérables, la décision de réinvestir dans de grands barrages a été prise. Les populations vulnérables de l'Himalaya ont été considérées, une fois de plus, comme un site de moindre résistance par opposition à un schéma de protection environnementale « nécessaire ».

NATIONALISER LA POLLUTION
AU NOIR DE CARBONE

Alors que la compétition autour des tourbières et des structures hydroélectriques se poursuit, un nouveau problème environnemental est apparu, nécessitant une réponse qui affecte aussi de manière disproportionnée les pauvres de l'Himalaya : la pollution au noir de carbone. Les disputes qui s'y rapportent recouvrent des enjeux centraux pour ce millénaire ; ceux-ci tiennent à la réaction internationale au changement climatique et sont aggravés par la poursuite de la concurrence nationaliste que se livrent l'Inde et la Chine.

Le noir de carbone est la matière particulaire laissée par la combustion incomplète de carburants non raffinés. Lorsque les combustibles raffinés brûlent, ils se transforment plus complètement en dioxyde de carbone et laissent moins de noir de carbone. Lorsque des combustibles moins transformés comme le bois, le fumier, le charbon thermique et le diesel brûlent, ils émettent un mélange de dioxyde de carbone et de noir de carbone. Le noir de carbone est aussi le principal composant de la suie.

Le monde développé s'est, pour l'essentiel, attaqué à la pollution par le noir de carbone. Pendant la majeure partie du XVIIIᵉ siècle et la première moitié du XIXᵉ siècle, la pollution au noir de carbone a créé un risque pour la santé dans les villes des pays développés, et il y a donc eu une incitation à la réduire. L'introduction généralisée de carburants raffinés et l'utilisation obligatoire de filtres ont permis de lutter efficacement contre ce type de pollution. Dans le monde en développement et en particulier dans l'Himalaya, le noir de carbone reste toutefois un problème.

S'est établi un consensus de scientifiques, de la Banque mondiale, de l'Agence des Nations unies pour la protection de l'environnement (PNUE), de l'Environmental Protection Agency (EPA) des États-Unis et de multiples ONG, selon lequel la réduction de la pollution au noir de carbone dans l'Himalaya serait l'une des stratégies les plus efficaces pour atténuer le changement climatique mondial[55]. Cela tient à l'effet particulier que cette pollution au noir de carbone a eu sur l'Himalaya et la perception qu'il est assez facile d'en réduire la production. Les différents organismes cités ont fait valoir que la technologie et les changements de comportement requis pour mettre fin à la pollution au noir de carbone ont déjà été adoptés dans les pays développés et qu'ils pourraient donc être appliqués dans d'autres régions du monde.

Des rapports ont établi que les conséquences les plus dangereuses attachées à la production de noir de carbone sont celles qui résultent soit d'événements incontrôlés tels que des incendies de forêts humides, de tourbes et de gisements de pétrole, soit de l'utilisation fréquente, dans des régions où la population est dense, de biocarburants, de charbon thermique et de diesel en guise de combustibles, soit encore de la pratique consistant à brûler des terres agricoles. Les événements involontaires étant par nature difficiles à contrôler, les efforts devraient porter sur la modification du comportement des groupes de population denses qui brûlent régulièrement des biocarburants. Comme les bassins fluviaux du bassin versant de l'Himalaya sont les régions les plus peuplées du monde et que la Chine et l'Inde sont responsables ensemble de vingt à trente pour cent de la production de noir de carbone, le bassin hydrographique s'est imposé comme un point de préoccupation central pour la communauté internationale[56].

L'intérêt des organisations internationales pour le bassin versant de l'Himalaya a été renforcé par les impératifs topographiques de la région en matière de réduction des émissions de noir de carbone. Lorsque le noir de carbone se dépose sur la neige et la glace, ses effets néfastes s'intensifient de façon exponentielle. Le noir de carbone empêche la neige et la glace de réfléchir les rayons UV dans l'atmosphère (l'albédo), et la chaleur qu'il retient accélère la vitesse de fonte. Au moins la moitié du réchauffement augmenté de l'Himalaya est provoqué par le noir de carbone[57]. Selon ces organisations, il est impératif de réduire la production de noir de carbone près des glaces, et les blocs de glace les plus vulnérables et les plus affectés par le noir de carbone se trouvent dans l'Himalaya.

Contrairement aux deux banquises, les glaciers himalayens sont situés près de l'équateur. Un système météorologique relativement stable régit la moitié ouest ; des précipitations modérées portées par des courants froids traversent l'Asie centrale en hiver. Quant à la partie est de la montagne, elle doit ses précipitations à la mousson en été. Les petits changements de température qui s'y sont déjà produits font que les précipitations prennent la forme de pluie plutôt que de neige. Cette évolution élimine déjà la fonte des neiges printanière dont dépendent les agriculteurs de l'ensemble du bassin et accroît les inondations et les périodes de sécheresses dans la région[58].

La majeure partie de la glace et de la neige stockées dans l'Himalaya se trouve soit dans le pergélisol, soit au-dessus de la ligne de neige permanente des glaciers. Si les deux diminuent, c'est le retrait des glaciers qui est le plus marqué. Ce retrait est engagé depuis la fin du Petit Âge glaciaire au milieu du XIXe siècle, mais il a augmenté considérablement depuis les années 1980. Entre les années 1980 et 2017, la plupart des bassins hydrographiques de l'Himalaya ont perdu de 20 à 30 % de leur couverture glaciaire[59].

Dans les années 1990 et 2000, pour combattre le retrait des glaciers himalayens, la solution principale passait par la réduction des gaz à effet de serre, du dioxyde de carbone et du méthane. Mais à la suite de l'erreur commise dans le rapport du GIEC de 2007 concernant la fonte des glaces dans l'Himalaya[60] et de l'incapacité de la Conférence des Nations unies sur les changements climatiques de 2009 à

Copenhague de déboucher sur un accord, les stratégies de la communauté internationale visant à atténuer le changement climatique sont devenues plus
créatives. De nombreux scientifiques et spécialistes
du développement ont fait valoir qu'un accord sur
la réduction des gaz à effet de serre n'avait pas pu
être trouvé, mais qu'il serait possible de réduire le
réchauffement en se concentrant sur la pollution au
noir de carbone. Ce dernier, comme l'a fait valoir un
article influent, était alors perçu comme « The Climate Threat We Can Beat » (« La menace climatique
que nous pouvons vaincre »)[61].

Selon cette perspective, une seule chose était
nécessaire pour réduire considérablement le réchauffement de la planète : mettre en œuvre les stratégies
qui avaient fait leurs preuves dans les pays développés. Le plan comportait plusieurs volets : la mise en
œuvre de normes efficaces de contrôle des émissions
sur les véhicules et les machines diesel, la réduction de la combustion agricole et la mise en place
de filtres sur les machines industrielles et les poêles.

Ce que les défenseurs de l'atténuation des émissions de noir de carbone comme « The Climate
Threat We Can Beat » n'ont pas précisé, toutefois,
c'est que cette manière de poser le problème signifiait aussi que l'on jugeait moins coûteux et plus
facile d'atténuer cette pollution au noir de carbone
que de se préoccuper du dioxyde de carbone produit dans le monde développé. Ce sont les populations pauvres et marginalisées qui devaient être
contraintes de changer leurs comportements pour
réduire la production de noir de carbone, et non les
propriétaires privilégiés et puissants des entreprises
de combustibles fossiles ou les habitants du monde
développé et riche qui bénéficiaient de leurs services.

À leurs risques et périls, cette évaluation et ces

programmes ont ignoré des points importants, à commencer par la donne géopolitique dans le bassin versant de l'Himalaya. Les multiples formes de rivalité et les principes de gouvernance centralisée des États concernés ont influé, comme sur tout ce qui se passe pour l'essentiel dans l'Himalaya, sur la poursuite de la réduction du noir de carbone.

L'esprit de concurrence et l'arbitraire ont pesé sur les premières études scientifiques visant à établir les sources de la pollution au noir de carbone. Scientifiques chinois et indiens, les premiers mieux financés que les seconds, ont livré des résultats marqués par des biais nationalistes. Le professeur Cong Zhiyuan, du Plateau Research Institute de Beijing, par exemple, a mené une étude sur le versant nord du mont Chomolungma (Everest) et a conclu que le noir de carbone pouvait traverser la barrière de l'Himalaya et que l'essentiel du noir de carbone himalayen était le résultat du « nuage brun d'Asie » créé par la combustion de biocarburants en Asie du Sud en hiver. Il était, selon lui, peu probable que le noir de carbone provienne de la combustion de combustibles fossiles en Chine parce que les vents ne soufflent pas d'est en ouest. Le graphique utilisé pour faire valoir son point de vue présentait une vision ridiculement déséquilibrée des sources de noir de carbone, suggérant que tout cela avait été produit en Inde, excepté de légères émissions provenant d'un yak solitaire au Tibet. Le professeur Cong a également refusé d'analyser les dépôts de noir de carbone dans l'Himalaya oriental plus près des sources chinoises[62].

Par médias interposés, les scientifiques indiens ont répliqué que c'était en fait la production chinoise et pakistanaise de combustibles fossiles qui avait causé la pollution au noir de carbone[63].

Toutes les sources de noir de carbone n'ont pas encore été établies, mais des études récentes ont permis l'élaboration d'une carte des sources beaucoup plus complexe. Selon une étude, les Tibétains et d'autres groupes ethniques de haute altitude étaient responsables d'une quantité considérable de noir de carbone de l'Himalaya en brûlant de la bouse de yak. Une autre a trouvé des preuves que la combustion du pétrole pendant la guerre du Golfe au début des années 1990 avait conduit à des dépôts de noir de carbone dans l'Himalaya occidental, des particules ayant circulé à travers la steppe d'Asie centrale[64]. Une autre a trouvé des quantités élevées de pesticides, y compris du DDT et du mercure provenant de mines d'Asie centrale et de Russie[65].

Jusqu'à présent, les deux études les plus complètes sur les sources de noir de carbone affectant les glaciers ont révélé qu'environ dix pour cent de celui-ci provenaient de sources internes comme le fumier de yak, tandis que seize pour cent environ « proviennent principalement de la combustion de combustibles fossiles en cohérence avec des sources chinoises » ; quant au reste, les soixante-quatorze pour cent de noir de carbone, ils proviennent de la combustion de biocarburants, principalement en Asie du Sud mais aussi en Asie orientale[66].

Au-delà du jeu visant à établir les responsabilités des autres, les « réalités géopolitiques » du bassin versant de l'Himalaya ont conduit à la suspension de nombreux programmes de réduction de la pollution au noir de carbone. Les plans de réduction de la pollution liés au diesel n'ont été que partiellement couronnés de succès. La Chine a mis en œuvre en 2017 une série de programmes dont l'objectif est la fin des moteurs diesel civils[67]. L'Inde, en revanche, a continué à subventionner l'utilisation du gazole pour les véhicules à moteur, les groupes électrogènes et les pompes à eau. Aucun de ces États ni leurs alliés respectifs, Bhoutan et Pakistan, n'ont accepté de réduire la consommation de diesel de ceux qui en sont les plus gros utilisateurs dans les montagnes, à savoir les multiples armées stationnées le long de la frontière.

Les programmes n'ont pas non plus réussi à déboucher sur l'engagement d'un pays du bassin versant de l'Himalaya à réduire la combustion du charbon pour la fabrication d'énergie ou d'acier. La Chine s'efforce d'améliorer les normes de ses centrales au charbon et encourage les gens à ne pas brûler de charbon à des fins domestiques[68], mais sa consommation de charbon, qui contribue à la fois à la production de dioxyde de carbone et à la pollution au noir de carbone, continue d'augmenter. L'utilisation du charbon en Inde augmente encore davantage[69].

D'autres voies pouvant favoriser la réduction de la pollution au noir de carbone ont également été bloquées. Mettre un terme aux conflits pétroliers au Moyen-Orient, c'est sans doute beaucoup demander, mais il aurait dû être plus facile d'obtenir que l'on cesse de brûler les terres agricoles dans la partie inférieure du bassin versant de l'Himalaya, or cela n'a pas pu être obtenu. Les liens étroits entre la classe politique de l'Asie du Sud et ses producteurs agricoles ont empêché l'adoption d'une législation interdisant ou limitant cette pratique[70]. Au lieu de cela, au cours des dernières années, les efforts visant à réduire la pollution au noir de carbone se sont, pour l'essentiel, concentrés sur les femmes indiennes de basses castes et les peuples himalayens qui utilisent des poêles à fumier. L'EPA et le PNUE ont tous deux déclaré que les fours de cuisson domestiques figuraient en tête de leur liste d'actions pratiques contre la pollution au noir de carbone. Inutile de dire que les poêles à fumier ne sont pas souvent utilisés par les gens riches et bien connectés de la région.

Une fois de plus, ce sont les plus pauvres et les plus marginalisés qui ont été sommés de changer leurs habitudes pour contribuer à l'atténuation du changement climatique mondial. Il y a eu des résistances dont se sont étonnées les organisations internationales. De multiples études de l'échec des politiques en Inde de remplacement des fours polluants par des cuisinières propres ont montré que ces dernières induisaient un surcroît d'effort pour des femmes déjà surchargées de travail et favorisaient chez celles-ci un sentiment d'insécurité[71]. Moins étudiée, une autre réaction dans l'Himalaya a été plus virulente encore. Cette réaction s'est manifestée tout d'abord via les médias sociaux en réponse à une étude de 2014 qui suggérait que les habitants du Plateau étaient responsables de la pollution au noir de carbone et qu'ils contribuaient, par conséquent, de façon disproportionnée au changement climatique[72]. La colère suscitée par cette affirmation est encore palpable aujourd'hui, cinq ans plus tard, sur Internet et chaque fois que le sujet est abordé dans une conversation. Beaucoup de peuples de l'Himalaya estimaient si scandaleux que la bouse de yak soit tenue pour responsable de la destruction de l'environnement que celle-ci est devenue un symbole croissant de fierté et d'identité culturelle. Des magnets pour réfrigérateur et des tee-shirts représentant des bouses séchées sont en vente dans certaines boutiques de la communauté tibétaine.

CONCLUSIONS

Les trois études de cas relatives à des questions environnementales dans le bassin hydrographique du Grand Himalaya traitent de sujets qui sont apparus à différentes périodes de l'histoire récente du bassin hydrographique, elles visent des composantes diverses du cycle de l'eau de la région et ont impliqué différents acteurs. À bien des égards cependant, ces études de cas racontent une histoire similaire.

Nous avons tout d'abord la dégradation des tourbières sur le plateau tibétain. Le nouveau gouvernement de la République populaire de Chine a envoyé des forces pour drainer les tourbières du Tibet dans les années 1950. Des décennies plus tard, dans les années 1990 et 2000, après avoir signé des traités internationaux sur la protection des zones humides et adopté une éthique de développement durable, la RPC a tenté de réparer les tourbières. Ces efforts de conservation ont toutefois été menés parallèlement à des programmes qui ont encouragé les éleveurs tibétains locaux à abandonner les pratiques pastorales collectives et nomades traditionnelles au profit du pastoralisme sédentaire. Après avoir constaté que ces changements causaient des dommages environnementaux aux tourbières, le gouvernement en a imputé la responsabilité aux éleveurs et les a forcés à se réinstaller dans le cadre de programmes de protection environnementale. Dans de nombreux endroits, cette réinstallation a entraîné non seulement le délitement des communautés, mais aussi l'effondrement du système écologique des tourbières qui dépendaient auparavant des animaux de pâturage.

Nous avons ensuite le problème de la concurrence

entre la Chine et l'Inde pour l'exploitation hydraulique des rivières de l'Himalaya. Cette concurrence
s'est accélérée au cours des années 1990 et 2000,
alors que la construction de grands barrages dans le
reste du monde diminuait rapidement. Depuis lors,
la majorité des nouveaux grands barrages du monde
ont été construits dans le bassin versant de l'Himalaya. Ce développement rapide s'est poursuivi malgré l'opposition locale aux barrages, les dommages
environnementaux et sociaux qu'ils causent et leur
vulnérabilité croissante au changement climatique.
Manifestement, les deux nations s'appuient sur la
construction de barrages pour affirmer leur domination dans les régions où vivent des minorités ethniques hostiles le long de leurs frontières contestées.
Cette stratégie est, en outre, soutenue par le Mécanisme pour un développement propre des Nations
unies au titre des politiques visant le développement
de sources d'« énergie propre » et, ce, en dépit de
son impact sur les populations locales et l'environnement.

Nous avons enfin le problème transhimalayen plus
récent de la pollution au noir de carbone. Au début
des années 2010, plusieurs organismes internationaux ont fait de la réduction de la pollution au noir
de carbone dans le bassin hydrographique du Grand
Himalaya le projet de lutte contre le réchauffement
climatique susceptible d'être, dans le monde, mis
en œuvre le plus aisément. Les renvois de responsabilités entre l'Inde, la Chine et le Pakistan, la résistance d'intérêts puissants tels que les militaires et les
agriculteurs ont toutefois sapé ces programmes de
réduction de la pollution au noir de carbone. Suite
à ces revers, les programmes de réduction de la pollution ont concentré leurs efforts sur la réduction de
l'utilisation des bouses de yak comme combustibles

par les femmes des plaines des basses castes et de la population de l'Himalaya.

Ces trois exemples, bien que différents à bien des égards, racontent la même histoire. Ils décrivent tous un processus qui voit la territorialisation du bassin supérieur au sein de grands États conduire à des pratiques de gouvernance centralisées qui ont profondément fragilisé les communautés locales et les systèmes écologiques dont elles dépendent. Les décisions ainsi prises ont vu leurs effets renforcés par les logiques inhérentes à la Grande Accélération. Lorsque, au niveau international et national, on s'est efforcé de réparer les dommages écologiques causés à cette région d'importance mondiale, le poids des efforts exigés et des sacrifices est tombé sur les groupes les plus pauvres et les plus marginalisés de la région. Ces études de cas mettent en évidence la tension entre les généralisations omniprésentes de « l'âge humain » ou Anthropocène et les disparités de pouvoir qui ignorent les besoins des personnes vulnérables et leur demandent ensuite d'assumer pour l'humanité le coût de la transition environnementale.

Les causes de ces problèmes et les réponses qui y ont été apportées au XXᵉ et au XXIᵉ siècle ont eu un impact sur le système terrestre dans ses composantes que sont les montagnes, l'eau et le climat, ainsi que sur les modes de vie des communautés qui entretiennent de longue date des relations étroites et largement soutenables avec les montagnes. Dans les négociations constantes qui se jouent actuellement entre ces grandes échelles de temps et les intérêts à court terme du capital transnational et de l'ordre mondial porté par les États, les court-termistes semblent l'emporter. Mais l'accélération du temps a, de par sa nature, poussé les systèmes écologiques du bassin versant supérieur jusqu'au point de rupture. Les glaciers et le pergélisol fondent, les écosystèmes fluviaux se dégradent et les tourbières se dessèchent. Si ces tendances se poursuivent, l'habitation humaine dans tous les secteurs du bassin versant de l'Himalaya deviendra difficile et le constat établi par la population locale s'avérera juste : l'humanité aura connu son *kali yuga*, son « âge dégénéré ». Les montagnes resteront les montagnes, l'eau descendra encore en cascade dans leurs vallées, mais le bassin versant de l'Himalaya aura mis un terme à l'Anthropocène, à « l'âge des hommes » dans cette région.

Traduit de l'anglais par Patrick Savidan

Bibliographie

BHALLA, Ajit S., LUO, Dan, *Poverty and Exclusion of Minorities in China and India*, Londres, Palgrave Macmillan, 2017.

CHATTERJEE MILLER, Manjari, *Wronged by Empire. Post-Imperial Ideology and Foreign Policy in India and China*, Stanford, Stanford University Press, 2013.

DAI, Qing (dir.), *The River Dragon Has Come ! Three Gorges Dam and the Fate of China's Yangtze River and Its People*, Londres, Routledge, 2016.

DHARMADHIKARY, Shripad *et al.*, *Unravelling Bhakra. Assessing the Temple of Resurgent India*, Badwani, Manthan Adhyayayn Kendra, 2005.

D'SOUZA, Rohan, *Drowned and Dammed. Colonial Capitalism and Flood Control in Eastern India*, New Delhi, Oxford University Press, 2006.

KHAGRAMA, Sanjeev, *Dams and Development. Transnational Struggles for Water and Power*, Ithaca, New York, Cornell University Press, 2004.

McCULLY, Patrick, *Silenced Rivers. The Ecology and Politics of Large Dams*, Londres, Zed Books, 2001.

McMICHAEL, Philip, *Development and Social Change. A Global Perspective*, Thousand Oaks, Londres, Pine Forge Press, 2008.

NÜSSER, Marcus (dir.), *Large Dams in Asia. Contested Environments between Technological Hydroscapes and Social Resistance*, Dordrecht, Springer, 2014.

PIETZ, David Allen, *The Yellow River. The Problem of Water in Modern China*, Cambridge, Harvard University Press, 2015.

SHAPIRO, Judith, *Mao's War against Nature. Politics and the Environment in Revolutionary China*, Cambridge, Cambridge University Press, 2001.

SÖRENSEN, Per Kjeld, HAZOD, Guntram, GYALBO, Tsering, *Rulers on The Celestial Plain. Ecclesiastic and Secular Hegemony in Medieval Tibet. A Study of Tshal Gungthang*, Vienne, Verlag der Österreichischen Akademie der Wissenschaften, 2007.

WANG, Pu, DONG, Shikiu, LASSOIE, James, *The Large Dam Dilemma. An Exploration of the Impacts of Hydro Projects on People and the Environment in China*, Dordrecht, Springer, 2014.

World Commission on Dams, *Dams and Development. A New Framework for Decision Making*, Earthscan Publications Ltd, 2000.

YEH, Emily T., *Taming Tibet. Landscape Transformation and the Gift of Chinese development*, Ithaca, New York, Cornell University Press, 2013.

ZHANG, Ling, *The River, the Plain, and the State. An Environmental Drama in Northern Song China (1048-1128)*, Cambridge, Cambridge University Press, 2016.

LES CRISES SANITAIRES
ET ENVIRONNEMENTALES
DANS LA CHINE CONTEMPORAINE

FRÉDÉRIC KECK
CNRS

LE SRAS, UNE CRISE SANITAIRE
ET ENVIRONNEMENTALE PARADIGMATIQUE

Entre janvier et juillet 2003, la Chine fut confrontée à une épidémie d'une ampleur et d'une rapidité sans précédent, nommée par l'Organisation mondiale de la santé (OMS) « Syndrome Respiratoire Aigu Sévère » (SRAS). Plus de 8 000 personnes dans le monde furent touchées par cette épidémie, dont environ 800 moururent. Les foyers d'épidémie se développèrent en Chine (environ 5 000 cas en Chine continentale, 1 800 à Hong Kong, 700 à Taïwan) ou dans la diaspora chinoise (250 au Canada, 200 à Singapour, 75 aux États-Unis et 63 au Vietnam). Le SRAS fit prendre conscience des interdépendances entre la santé mondiale et l'écologie chinoise, en montrant l'urgence de la question : comment la Chine peut-elle gérer les crises sanitaires causées par les transformations de son environnement ?

Au moment d'affronter le SRAS, le gouvernement chinois sortait d'une crise politique (1989) et d'une crise financière (1997), et venait d'obtenir l'entrée de la Chine à l'Organisation mondiale du commerce et l'organisation des jeux Olympiques de 2008. Le SRAS a révélé les difficultés de ce gouvernement à gérer une crise qui affecte sa population, du fait d'une tradition politique marquée par la culture du secret et la volonté de garder la face. L'épidémie commença en effet à un moment de transition politique entre le congrès du Parti communiste chinois de novembre 2002 et le Congrès national du peuple de mars 2003, au terme duquel le pouvoir fut confié à Hu Jintao et Wen Jiabao. Le maire de Pékin Meng Xuenong, qui avait dissimulé les victimes aux experts de l'OMS dans des hôpitaux militaires, ainsi que le ministre de la Santé Zhang Wenkan, qui avait initialement attribué la maladie à une bactérie venue de l'étranger, durent démissionner (Kleinman et Watson, 2006 ; Abraham, 2007). La vice-Premier ministre Wu Yi remplaça celui-ci et déclara lors du sommet de l'APEC en juin 2003 : « Lorsque l'épidémie a d'abord frappé, nous n'étions pas conscients de sa gravité. En outre, notre système de santé était faible et fragile, et il n'y avait pas de chaîne de commandement unifiée ni de circulation d'information fluide. Après avoir surmonté l'épidémie de SRAS, la société chinoise est plus mûre et plus ouverte. » (Loh, 2004, p. 174.) Les observateurs internationaux saluèrent la plus grande transparence des autorités sanitaires chinoises après le SRAS, et l'efficacité avec laquelle elles avaient construit des hôpitaux et imposé des mesures de contrôle pour les maladies infectieuses, en annulant notamment les grandes fêtes du 1er Mai. La population se mobilisa également à travers le port du masque, l'utilisation de vinaigre blanc ou la circulation d'informations en deçà des déclarations officielles.

Si la nouvelle génération de gouvernants chinois formée dans l'épreuve de la crise du SRAS sut mobiliser des ressources de communication et d'action, les causes profondes de cette crise nécessitaient des efforts supplémentaires de réflexion et de préparation. Les études virologiques et épidémiologiques montrèrent en effet que l'épidémie de SRAS était causée par un coronavirus jusque-là inconnu, qui s'est transmis par les civettes consommées dans la médecine chinoise traditionnelle pour soigner la fièvre, et dont on a retrouvé des traces chez les chauves-souris dans tout le sud de la Chine. Un virus ordinairement bénin chez les humains devenait ainsi très virulent et contagieux par voie aérienne chez certaines personnes qualifiées de *super-spreaders* (« super-contaminateurs »), et son temps d'incubation relativement long (dix jours) lui permettait de voyager à travers le monde sur des personnes asymptomatiques. Le gouvernement ordonna la fermeture des marchés de civettes dans le Guangdong en janvier 2004 et imposa un moratoire de quelques mois sur le commerce des animaux sauvages (Loh, 2004, p. 237), mais cette mesure était insuffisante pour atténuer la véritable cause de l'épidémie : la circulation accélérée des animaux sauvages et des personnes humaines sur fond de déforestation et d'urbanisation, dont la rencontre malheureuse entre une civette, un virus et un cuisinier dans le Guangdong était le signe (MacLean *et al.*, 2007).

L'épidémie de SRAS fut paradigmatique non seulement parce qu'elle montra que les réglementations en Chine avaient des effets dans le reste du monde, mais aussi parce qu'elle reliait une crise sanitaire à une crise environnementale. La diffusion rapide d'un virus sur toute la planète par voie aérienne faisait prendre conscience de transformations lentes dans les relations des Chinois avec leurs forêts, leur faune, leur atmosphère. En mobilisant un grand nombre d'acteurs humains et non humains dans la perception d'un risque ou d'un danger, la crise fait prendre conscience de leurs interdépendances et conduit à intervenir sur leurs relations. La question est alors de savoir comment la nature fut pensée en Chine dans ses contacts avec le reste du monde. Pour répondre à cette question, il faut croiser les études récentes en histoire médicale et en histoire environnementale de la Chine.

CRISES SANITAIRES : DE LA SANTÉ PUBLIQUE À LA SANTÉ GLOBALE

Pour qu'une épidémie devienne une crise sanitaire, il faut que le gouvernement considère que la santé de sa population relève de ses responsabilités. Cette idée s'est formée en Europe au XVIIIᵉ siècle avec les savoirs statistiques, et est arrivée en Chine au XIXᵉ siècle à travers la colonisation européenne. Si la rupture que marque une épidémie (*yi*) avec la vie quotidienne a toujours été marquée par l'usage des techniques rituelles et l'invocation de divinités (Schipper, 1985), du fait des menaces qu'elle fait peser sur la vie collective, la possibilité d'en circonscrire la propagation nécessite l'intervention d'un État éloigné du foyer d'infection.

Il est remarquable, à ce titre, que la crise du SRAS soit partie du sud de la Chine, car c'est en ce point que se sont croisées les préoccupations des fonctionnaires impériaux pour les « maladies chaudes » (*wenbing*) et celles des médecins coloniaux pour les « maladies tropicales » (Bretelle-Establet, 2002 ; Hanson, 2011). Ces deux groupes d'acteurs devaient en effet s'acclimater à un nouvel environnement et en domestiquer les maladies pour en valoriser les ressources. Si les observateurs européens s'inquiétaient de la diffusion de la peste bubonique et du choléra dans des ouvrages intitulés *The Diseases of China* (comme ceux de Dudgeon en 1877 et Jefferys en 1910), les médecins chinois comme Zhao Zhibeng ou Wang Xueyan expliquaient la contagiosité des maladies par les miasmes ou par un *qi* impur (Benedict, 1996 ; Leung, 2010). En 1894, les Anglais, les Japonais et les Français rivalisèrent pour identifier le bacille de la peste, mais c'est Alexandre Yersin qui l'observa au microscope et parvint à fabriquer un sérum, marquant ainsi une victoire de la médecine pasteurienne.

C'est cependant en Chine du Nord que les techniques de santé publique s'implantèrent véritablement, lorsque les Européens s'installèrent à Tianjin au milieu du XIXᵉ siècle où ils soignèrent la population locale pour montrer la supériorité de leur médecine. Le concept de *weisheng*, qui désignait traditionnellement les règles de vie personnelle, devint, par l'intermédiaire du japonais *eisei*, une stratégie militaire d'expansion impériale (Rogaski, 2004). Le gouvernement international de Tianjin, mis en place en 1900 après la révolte des Boxers, chercha ainsi à éviter les épidémies de peste et de choléra par des mesures de quarantaine (Singaravélou, 2017, p. 228-235). À Pékin, les règles de santé publique et d'hygiène affichées au même moment par les réformateurs se heurtèrent à l'indifférence ou à la résistance des populations, tandis qu'elles étaient davantage intégrées dans la société plus cosmopolite de Shanghai (Gabbiani, 2011 ; Nakajima, 2018).

Un troisième lieu d'introduction des raisonnements de santé publique se situe en Mandchourie, où des chercheurs russes, français et chinois retracèrent les voies de la peste bubonique en 1910-1911. Dans cette région ouverte aux travailleurs chinois par le chemin de fer, la commercialisation de peaux de marmottes fut identifiée par ces chercheurs comme une cause de transmission du pathogène. Différentes théories furent mobilisées, notamment par le médecin chinois formé à Cambridge Wu Liande, pour expliquer comment la peste se transmet des marmottes aux humains, et pourquoi les chasseurs mongols évitaient la contamination par des techniques de détection des animaux malades (Summers, 2012 ; Lynteris, 2016). Dans ce contexte, les épidémies n'étaient pas expliquées par une propension naturelle des milieux ou par l'ignorance culturelle des habitants mais par les transformations écologiques de l'environnement.

Cette diversité de foyers épidémiologiques fut perdue de vue lors de la mise en place d'un gouvernement centralisé de la santé publique après 1949. Les efforts pour mettre en place des services de santé publique sous la Chine républicaine avec le soutien américain furent en effet interrompus par la guerre avec le Japon (Liu, 2014). Le gouvernement communiste imposa une politique de « santé patriotique » (*aiguo weisheng*) mobilisant les ouvriers et les paysans selon un modèle militaire. La propagande d'État mit en scène les suspicions de guerre bactériologique en Corée pour configurer la prévention des épidémies comme une lutte contre un ennemi. Le contrôle des mouvements de population par le *hukou* (sorte de passeport intérieur) et le système des « médecins aux pieds nus » envoyés dans tout le territoire permettaient au gouvernement de produire des données biostatistiques fiables, qui n'étaient cependant pas transmises aux autorités sanitaires internationales. Ces campagnes de santé publique combinaient médecine occidentale et médecine chinoise traditionnelle dans le traitement des effets immédiats et des effets à long terme des maladies. Mao Zedong lança ainsi des campagnes contre la schistosiomase en 1956, contre le choléra en 1962 et contre la méningite cérébrospinale en 1967 (Gross, 2016 ; Fan, 2014). L'épidémie de choléra de 1962 est arrivée à Wenzhou par la diaspora chinoise en provenance d'Indonésie, ce qui relativise l'idée d'une fermeture de la Chine pendant cette période. La méningite cérébrospinale de 1967 a été diffusée par les mobilisations de masse pour la Révolution culturelle, alors que celles-ci visaient entre autres à lutter contre les épidémies.

Si la Chine maoïste mettait en scène la crise sanitaire comme l'occasion d'une mobilisation rapide et spectaculaire contre un ennemi, la Chine des réformes économiques cherchait plutôt à étouffer les crises sanitaires liées à la diffusion de maladies lentes et stigmatisantes, comme le sida et le cancer. Ces crises sanitaires étaient en effet moins dues aux mouvements des étudiants et des travailleurs vers les villes qu'aux transformations de l'économie rurale, où les alertes sur la diffusion des maladies sont plus difficiles à lancer parce que les victimes sont moins visibles. Les premiers cas de sida en Chine furent déclarés dans le Yunnan en 1985 et attribués à des pratiques sexuelles minoritaires (prostitution, homosexualité) venues de l'étranger (Hyde, 2007). Cependant, le scandale des transfusions de sang dans le Henan révéla un foyer endémique de sida au centre de la Chine. L'interdiction de l'importation de sang en 1985 par peur du VIH avait en effet conduit les autorités des provinces centrales à développer un commerce de la transfusion dans des conditions sanitaires précaires, avec réutilisation des seringues et collectivisation des poches de sang. En 2005, à la suite de la crise du SRAS, les autorités sanitaires nationales déclarèrent environ 30 000 personnes infectées par le VIH dans la seule province du Henan, dont 16 000 avaient développé le sida, mais l'OMS estimait plutôt le nombre de cas à un million (Haski, 2005).

Des cas de cancers furent également déclarés dans des villages à proximité d'usines chimiques, qualifiés de « villages du cancer ». En 2010, des études faites par des ONG et des experts universitaires ont dénombré ces villages à 459 hors des provinces du Qinghai et du Tibet, et le ministère de la Protection environnementale les mentionna dans son plan quinquennal (Lee, 2010 ; Wainwright, 2014). Si la causalité entre la pollution chimique et le cancer est plus difficile à estimer qu'entre la transfusion de sang et le sida, les études épidémiologiques révèlent des phénomènes similaires entre les deux cas, ainsi que la difficulté pour les victimes à obtenir les soins nécessaires et à réclamer justice pour les erreurs des fonctionnaires et des industriels qui ont favorisé la contagion. Le cancer est moins une épidémie qu'une maladie environnementale causée par une commune exposition à un produit dangereux, comme nous le verrons plus loin avec les crises sanitaires liées à la consommation d'aliments. Dans les villages de cancer comme dans les cas de sida au Henan, les crises sanitaires débouchent sur des crises environnementales, puisque l'épidémie résulte d'une pratique industrielle encouragée par l'État et non de pratiques individuelles stigmatisées.

La question de la santé environnementale (*huanjing weisheng*) est au cœur de la mobilisation sur la grippe, qui a été renforcée par la crise du SRAS. Au lendemain de la Seconde Guerre mondiale, l'OMS lança un grand programme de surveillance des mutations des virus de la grippe à partir de laboratoires de références qui les collectent et les comparent, de façon à éviter une grippe pandémique comme celle qui avait frappé la planète en 1918. Cependant la Chine, n'étant pas membre de l'OMS, ne participait pas à cette initiative. Un chercheur australien, Kennedy Shortridge, créa un département de microbiologie dans la colonie britannique de Hong Kong pour suivre les virus de grippe dans le sud de la Chine. Il développa l'hypothèse selon laquelle cette région est un épicentre pour les pandémies de grippe du fait de la proximité entre les oiseaux sauvages, les volailles domestiques et les cochons, qui constituent le réservoir animal dans lequel mutent les virus de grippe avant de passer aux humains avec des réactions immunitaires imprévisibles (Keck a, 2010). Les probabilités de mutation inter-espèces sont accrues par l'augmentation du nombre d'animaux élevés à des fins de consommation humaine : on cite souvent les chiffres de 13 millions de volailles en Chine en 1968, lors de la pandémie de grippe qui est partie de Hong Kong et a tué environ un million de personnes, et de 13 milliards de volailles en 1997, lorsqu'un nouveau virus de grippe fut découvert sur 20 % des marchés aux volailles de Hong Kong et sur 12 personnes dont 8 décédèrent (Greger, 2006). Des foyers de grippe aviaire sont régulièrement déclarés en Chine et éradiqués par l'abattage des volailles infectées, notamment lorsque le virus H5N1 est passé vers l'Europe et l'Afrique en 2005 (il a infecté environ 500 personnes en tuant deux tiers des personnes infectées) ou lorsque le virus H7N9 est apparu à Shanghai et dans le Jiangsu en 2013, infectant environ 1 500 personnes dont un tiers décéda. Le ministère de la Santé chinois communique de façon plus transparente sur les cas de grippe humains, notamment au moment de la pandémie de grippe H1N1 de 2009 qui a commencé sur des porcs en Amérique du Nord (Manson) ; mais le ministère de l'Agriculture répugne à déclarer les cas dans une industrie fortement bénéficiaire qui maintient des pratiques traditionnelles à risque, comme l'achat de poulets vivants sur les marchés ou le mélange des canards sauvages et domestiques dans les fermes (Fearnley, 2015).

L'émergence de la grippe aviaire en 1997 a été une crise à la fois sanitaire et environnementale parce qu'elle signalait, au moment d'un changement de mandat politique (la rétrocession de la colonie britannique de Hong Kong à la République populaire de Chine), la dépendance croissante du reste du monde à l'égard des transformations de l'environnement chinois (l'augmentation du nombre de volailles élevées de façon industrielle et exportées dans des conditions peu contrôlées). D'où le décalage entre le faible nombre de victimes humaines et le grand nombre de volailles abattues pour anticiper et préparer les crises sanitaires à venir. La crise du SRAS, du fait du plus grand nombre de victimes humaines, a confirmé le scénario pandémique construit par les experts de la grippe aviaire. Dans ce scénario, les oiseaux servent de « sentinelles » aux médecins qui détectent à l'avance les signaux d'alerte des virus émergents, dans un nouvel imaginaire de la guerre contre la nature (Shortridge, Peiris et Guan, 2003).

Entre la période maoïste et la période des réformes, il s'est produit un élargissement de la santé publique vers la santé globale dans la gestion des crises sanitaires. Il s'agit d'abord d'une forme de sécurisation de la santé publique qui vise à prévenir l'émergence d'une maladie dans n'importe quel lieu de la planète par la collaboration entre les autorités sanitaires des différents gouvernements, selon une logique d'urgence et de transparence. Dans cette perspective, la Chine est bien entrée dans la santé globale, notamment avec l'élection en 2006 de Margaret Chan à la tête de l'OMS, puisque celle-ci avait géré les crises de la grippe aviaire et du SRAS lorsqu'elle dirigeait le département de la Santé à Hong Kong. Mais il s'agit aussi d'une politique de santé qui prend en compte l'ensemble des causes d'une maladie, notamment les transformations environnementales qui ont favorisé l'émergence de nouveaux pathogènes. L'élection en juin 2019 de Qu Dongyu, vice-ministre de l'Agriculture en Chine, à la tête de l'Organisation mondiale en charge de l'Alimentation et de l'Agriculture (FAO) est le signe d'une participation de la Chine à la formation de règles écologiques mondiales. La militarisation de la santé publique, que l'on a pu constater depuis le XIXᵉ siècle jusqu'à la période maoïste, conduit ainsi paradoxalement à une plus grande attention à l'environnement. Il faut donc suivre la genèse de cette préoccupation écologique pour voir comment elle croise les logiques sanitaires.

CRISES ENVIRONNEMENTALES : DE LA GUERRE CONTRE LA NATURE À LA PROTECTION DE L'ENVIRONNEMENT

L'histoire environnementale montre que la Chine a été soumise très tôt à une forte pression anthropique du fait d'une importante population sur un territoire relativement restreint et pauvre en ressources énergétiques, par comparaison avec celles dont bénéficiaient les pays européens du fait de la colonisation (Pomeranz, 2010). Les observateurs de la Chine classique soulignaient déjà le lien entre la déforestation, la désertification, la disparition des espèces sauvages, le débordement des rivières et l'apparition de nouvelles maladies pour souligner la nécessité d'une « harmonie entre l'homme et le ciel » (*tian ren heyi*) (Elvin et Liu, 1998 ; Elvin, 2004). Mais l'idée d'une nature à protéger des interventions humaines (*ziran*, ce qui croît de soi-même) est une invention récente, issue d'écrits inspirés des romantiques occidentaux et de mobilisations contre les projets modernisateurs (Weller, 2006).

Le gouvernement maoïste est à ce titre un accélérateur de tendances puisqu'il proclame que « l'homme doit conquérir la nature » (*ren ding sheng tian*) en se réclamant des figures classiques comme Yu le Grand, dompteur de rivières (Le Mentec, 2014). Mao Zedong reprit le projet formulé par Sun Yat-sen de construire un barrage dans la région des Trois Gorges, mais dut y renoncer. Il fit assécher les lacs pour créer des terres cultivables sur le modèle de la commune agricole de Dazhai dans le Shanxi, et couper les forêts primaires du Yunnan pour y planter des arbres à caoutchouc, dont le coût de production était trop élevé pour accéder au marché international. Le Grand Bond en avant augmenta les productions de charbon et de métal au détriment de la pousse des forêts. Ces mouvements volontaristes (*yundong*), dont l'exemple paradigmatique fut la « campagne contre les quatre pestes » qui encouragea les Chinois à tuer les moineaux et conduisit à la multiplication des insectes dont ceux-ci se nourrissaient, ignorent la logique de la crise, car ils ne reposent ni sur des savoirs experts ni sur la consultation des populations concernées (Shapiro a, 2001).

La notion de crise environnementale en Chine apparaît à la fin des années 1970 à travers une réflexion sur les limites de la croissance démographique de la population chinoise, souvent qualifiée de « bombe démographique » du fait du passage de 600 millions à un milliard d'habitants entre 1949 et 1980 (Smil, 1993). Alors que Mao visait à accroître sa population, des démographes chinois, comme Liu Zheng, proposèrent à Deng Xiaoping des mesures pour rendre compatible production et reproduction. En reprenant les travaux du Club de Rome, ces experts établirent le niveau de population tolérable en fonction des ressources de l'environnement et de l'économie, et en déduisirent des mesures de planning familial comme la politique de l'enfant unique. Ils évitaient cependant le vocabulaire de la crise (*weiji*) pour ses accents trop malthusiens, et insistaient davantage sur les limites de la nature (*jixian*) et le fardeau de la population (Greenhalgh, 2008, p. 144). La politique de l'enfant unique obligeait en outre ces experts à anticiper de nouvelles crises démographiques, comme l'inversion de la pyramide des âges et le vieillissement de la population. La question démographique révèle une pression naturelle qui offre des opportunités d'action pour rééquilibrer les relations entre les hommes et leur environnement.

La réduction de la croissance de la population chinoise fut cependant accompagnée par une forte urbanisation, dont les coûts environnementaux étaient également importants. En 2010, les courbes de croissance de la population rurale et de la population urbaine se sont inversées, et c'est aujourd'hui plus de la moitié de la population chinoise qui vit dans les villes, malgré les fortes restrictions de mobilité imposées aux habitants des régions rurales. Cette croissance urbaine, liée à de nouvelles pratiques de consommation, entraîne de nouveaux besoins en énergie, en transports et en construction : l'électricité est en grande partie produite par le charbon, le parc automobile chinois aujourd'hui est le plus grand du monde avec près de 180 millions de véhicules, et le ciment utilisé par la Chine relâche 4 % des émissions de gaz à effet de serre sur la planète (Huchet, 2016, p. 81-83). Les villes sont aussi les espaces dans lesquels la pollution de l'air est la plus perceptible, du fait de la concentration des activités industrielles sur leur périphérie. Un rapport de la Banque mondiale en 2001 montrant que 16 villes chinoises figuraient parmi les 20 villes les plus polluées au monde fit prendre conscience aux autorités de la nécessité de déplacer les activités industrielles pour diminuer la quantité de particules polluantes. Si le dégagement de l'atmosphère des grandes villes pouvait relâcher le sentiment de crise causé par la couleur du ciel, des études récentes montrent l'effet des particules très fines sur l'organisme et soulignent le caractère imprévisible des cocktails de particules invisibles à l'œil nu. Un consortium d'universitaires américains estima à 1,2 million par an le nombre de morts en Chine du fait de la pollution de l'air, soit 40 % du total mondial de ces décès (Huchet, 2016, p. 19-36).

Si les épisodes de smog urbain produisent des images spectaculaires, les crises environnementales sont cependant plus fortement marquées lors des scandales liés à l'alimentation, car elles donnent lieu à des révélations dans les médias. Un rapport publié en 2013 par l'Académie chinoise des sciences sociales montra que la sécurité alimentaire et la qualité de l'environnement étaient les deux domaines pour lesquels la population chinoise faisait le moins confiance à son gouvernement (Shapiro b, 2016, p. 40). L'augmentation de l'offre alimentaire est sans doute un des piliers de la Chine des réformes après les pénuries de la période maoïste, mais elle s'est accomplie dans des conditions industrielles telles qu'elles suscitent la méfiance chez les consommateurs. L'urbanisation a en outre multiplié les intermédiaires entre les produits alimentaires et les consommateurs, sans garantie de la traçabilité des aliments. Les épizooties qui affectent un élevage porcin en pleine expansion (comme la maladie de la langue bleue ou la peste porcine africaine, non transmissibles aux humains) ont suscité des images de porcs jetés dans les rivières, rappelant ainsi le manque de système d'incinération des déchets.

La crise du lait contaminé en 2008 peut être considérée comme paradigmatique pour la sécurité alimentaire en Chine. Une entreprise néozélandaise révéla que deux bébés étaient morts et qu'un millier d'enfants souffraient de calculs rénaux suite à la consommation de lait en poudre produit par le groupe chinois Sanlu. Ce lait avait été complété par de la mélamine, un composé chimique dérivé de l'urée qui augmente la valeur protéique. Le premier ministre Wen Jiabao déclara dans *Science* que l'intoxication alimentaire était « inacceptable ». Suite à la révélation de ce scandale, qui touchait une transformation récente dans l'alimentation des bébés, le directeur de l'Administration de surveillance de la qualité, de l'inspection et de la quarantaine démissionna, de même que le ministre de la Santé de Taïwan, et la directrice de l'entreprise Sanlu fut soumise à un procès retentissant à Shijiazhuang au terme duquel elle fut condamnée à la prison à vie (Keck b, 2009). Cette crise marqua, comme celle du SRAS cinq ans plus tôt, un renversement de priorité entre le développement économique et la lutte contre la contamination qu'elle engendre.

Le domaine dans lequel s'observe le mieux ce renversement est sans doute celui de la gestion de la forêt. La couverture forestière de la Chine est aujourd'hui estimée à 16 % contre 27 % en moyenne dans le monde, et la déforestation s'est accélérée au cours du XXe siècle au-delà des taux de renouvellement naturels du fait d'une importante consommation de bois de chauffe (Economy, 2004, p. 64). Après le débordement du fleuve Yangzi (Chang Jiang ou Yangzi Jiang) qui tua 3 000 personnes du fait de l'érosion des sols, la coupe de bois industrielle fut interdite en 1998 par le Premier ministre Zhu Rongji, même si la Chine importe de grandes quantités de bois de l'étranger et les exporte sous forme de produits manufacturés. Dans certaines provinces comme le Yunnan, les arbres sont replantés et des réserves naturelles sont créées, marquant l'introduction d'une sensibilité environnementale (Hathaway, 2013).

Les crises environnementales, si elles commencent toujours par un événement qui affecte dramatiquement les vies ordinaires, se prolongent ainsi par des réformes administratives, selon le précepte *shang you zhengce, xia you duice* (« Il y a les mesures d'en haut et les contre-mesures d'en bas », Weller, 2006, p. 138). C'est ce double mouvement qu'il faut à présent examiner pour voir comment la Chine peut répondre à ses défis sanitaires et écologiques.

LANCEURS D'ALERTES ET RÉFORMES ADMINISTRATIVES

La notion de « lanceur d'alerte » a été appliquée aux scandales politiques et financiers, puis aux crises sanitaires et environnementales. Elle désigne des individus ou des collectifs qui perçoivent un trouble dans les relations entre les hommes et leur milieu, et dont la mobilisation peut déboucher sur des savoirs experts et des réformes administratives (Chateauraynaud et Torny, 1999). Dans la Chine maoïste, les scientifiques qui alertaient sur les risques des projets volontaristes, comme le démographe Ma Yinchu ou l'ingénieur hydraulique Huang Wanli, étaient réduits au silence et parfois réprimés comme contre-révolutionnaires (Shapiro a, 2001). Mais la période des réformes a conduit à une réhabilitation de ces « spécialistes » (*zhuanjia*) comme l'ornithologue Yang Yuanchang, qui établit la première liste de biodiversité dans le Yunnan et accueillit le prince de Galles lorsqu'il était président du World Wildlife Fund en 1986, ou l'ethnologue Yu Xiaoguang, qui reçut en 2006 le prix Goldman pour sa mise en valeur des savoirs indigènes dans la protection de l'environnement (Hathaway, 2013). Les journalistes de l'environnement, après avoir adopté une démarche critique et militante souvent censurée par le gouvernement, comme He Bochuan, auteur de *La Chine au bord du gouffre* (1988) ou Dai Qing, autrice de *Yangzi ! Yangzi !* (1989), doivent aujourd'hui afficher une démarche d'expertise et d'objectivité (Yang et Calhoun, 2007 ; Salmon, 2018).

La crise du SRAS, du fait de son déroulement rapide et de ses renversements soudains, fut l'occasion pour les médias internationaux de décrire les lanceurs d'alerte comme des héros. Le 17 mars 2017, Sydney Chung, professeur à la Chinese University de Hong Kong, contredit le secrétaire à la Santé du gouvernement Eng-Kiong Yeoh en affirmant lors d'une conférence de presse que le SRAS ne touchait pas seulement la communauté médicale mais se propageait dans l'environnement urbain. Le 9 avril, Jiang

Yanyong, médecin à Pékin, déclara au journaliste de *Time Asia* que les hôpitaux militaires cachaient à l'OMS les victimes du SRAS dans la capitale. Ces révélations accélérèrent le développement de la crise et ne donnèrent pas lieu à des sanctions, puisque les responsables accusés de dissimuler les cas durent démissionner. Le déroulement est beaucoup plus long pour les cas de sida dans le Henan, dont la première lanceuse d'alerte fut la gynécologue Gao Yaojie qui rédigea des brochures et un livre à compte d'auteur après avoir découvert l'épidémie chez une de ses patientes en 1996. Alors que les autorités du Henan tentèrent de l'entraver, le gouvernement central reconnut la crise en 2001, et autorisa Gao Yaojie à recevoir le prix Jonathan Mann de la santé globale et des droits de l'homme.

L'action des lanceurs d'alerte est relayée par les organisations non gouvernementales, qui assurent un travail de veille permanente. L'ONG taïwanaise Harmony Home intervient ainsi depuis 2003 auprès des communautés rurales du Henan pour promouvoir les traitements et soutenir l'économie locale ; son objectif est autant humanitaire — venir en aide aux victimes — que sécuritaire — contrôler la propagation du sida de la Chine vers Taiwan (Rollet a, 2009). L'association Aizhixing, dont le fondateur, Wan Yanhai, a été emprisonné en 2002, emprunte davantage le modèle de défense des minorités sexuelles aux États-Unis. Les ONG encadrées par le gouvernement chinois (GONGO) sont souvent dirigées par des fonctionnaires à la retraite, et prolongent l'action de l'État dans le domaine social. On retrouve cet encadrement étatique dans le domaine environnemental en Chine populaire avec deux grands mouvements lancés en 1993 : Friends of Nature (Ziran zhi you), dont le fondateur Liang Congjie est un historien membre de l'Académie de la culture et de la Conférence consultative politique du peuple chinois, ainsi que la Marche pour l'Environnement (Huanbao shijixing) organisée par Qu Geping, chimiste et président du Comité pour la protection des ressources environnementales de l'Assemblée populaire nationale. Le gouvernement chinois demanda ainsi le soutien de Friends of Nature dans son « Plan d'action pour des jeux Olympiques verts », tandis que le ministère de l'Éducation a publié des guides en collaboration avec WWF-China (Obringer, 2007, p. 103). De façon plus activiste, Greenpeace, très présente à Hong Kong, lance des campagnes contre l'intoxication chimique, la pollution de l'air ou le risque nucléaire (Choy, 2011). Les associations d'observateurs d'oiseaux à Taïwan et Hong Kong suivent les modèles états-unien et britannique d'enrôlement d'une classe moyenne éduquée dans la défense de la nature, en développant des compétences nécessaires aux gouvernements dans le comptage de la biodiversité et la surveillance sanitaire de la faune sauvage (Keck c, 2015).

Les réformes administratives accompagnent et encadrent ces mobilisations des lanceurs d'alerte et des associations. Dans le domaine de l'environnement, cet encadrement a connu une croissance importante, puisque le NEPA (National Environment Protection Agency) n'avait que 320 employés en 1984, alors que le SEPA (State Environment Protection Administration) acquiert en 1998 le rang de quasi-ministère, jusqu'à la création d'un véritable ministère de la Protection de l'Environnement en 2008 contrôlant 3 000 administrations régionales et 130 000 employés (Huchet, 2016, p. 98-100). La loi de 2014 sur la protection de l'environnement confère un statut aux lanceurs d'alertes et donne aux citoyens chinois le droit de porter plainte pour des pollutions industrielles. La loi de 2015 sur la sécurité alimentaire accroît les droits des consommateurs, qui peuvent demander des dommages et intérêts allant jusqu'à dix fois la valeur du produit défectueux. L'AQSIQ, créée en 2001 et compromise dans le scandale de la mélamine, a été démantelée en 2018 et intégrée dans le State Market Regulatory Administration (SMRA), qui inclut également le contrôle des médicaments et de la propriété intellectuelle.

Les réformes du système de santé en Chine sont liées à la crise du SRAS. En Chine populaire, les stations anti-épidémiques mises en place dans la période maoïste furent divisées en 2003 entre des Instituts d'inspection de la santé (*weisheng jiandusuo*) et des Centres de contrôle et de prévention des maladies (*jibing yufang kongzhi zhongxin*), sur le modèle des CDC américains. Si une telle réforme avait été décidée avant la crise du SRAS, celle-ci fut l'occasion pour les CDC chinois d'acquérir des moyens et de l'autonomie pour réagir aux crises suivantes, notamment aux foyers de grippe (Manson, 2016). À Hong Kong, le Département de la Santé fut également divisé après 2003 entre une Autorité en charge des hôpitaux et un Centre de protection de la santé, chargé de faire la veille épidémiologique et d'organiser des exercices de préparation aux pandémies (Leung et Bacon-Shone, 2006). À Taïwan, les CDC furent créés en 1999, et le Département de la Santé devint en 2013 le ministère de la Santé et du Bien-être, avec un rôle diplomatique important puisque Taïwan exporte ses techniques de préparation aux pandémies vers les pays qui la soutiennent (Rollet b, 2014).

Les crises sanitaires et environnementales révèlent ainsi la diversité et la dynamique de la société chinoise confrontée à des transformations globales qui, du fait qu'elles se sont accélérées au cours des quarante dernières années dans un territoire fortement anthropisé depuis des millénaires et sur un marché de plus en plus globalisé, suscitent une attention particulière en Chine de la part des observateurs extérieurs. Plutôt que de « la crise environnementale » qui suscite un discours expert sur les limites du développement chinois, il convient de parler d'une succession de crises qui ont suscité une multiplicité de réactions dans la société chinoise, en montrant les liens entre santé humaine et protection de l'environnement et en révélant la diversité des attachements qui constituent la vie en commun. Ces différents acteurs visent à anticiper et préparer la prochaine crise bien que celle-ci reste imprévisible, et jouent sur les différentes temporalités allant d'une maladie infectieuse comme la grippe aux effets du changement climatique en passant par les pollutions industrielles. La nature se pense en Chine à partir des capacités critiques stimulées par les crises.

POST-SCRIPTUM SUR LE COVID-19

Que les crises environnementales et sanitaires qui affectent la Chine concernent le monde entier, la pandémie de Covid-19 l'illustre de façon stupéfiante. Un coronavirus analogue à celui qui a causé la crise du SRAS en 2003 — que les experts en virologie ont continué à appeler « SARS-Cov2 », alors que l'OMS préférait l'appellation *Coronavirus disease 2019* — a émergé en décembre 2019 à Wuhan et s'est rapidement propagé entre humains. Les analyses virologiques ont révélé des virus très analogues sur les

chauves-souris et les pangolins, même si les analyses épidémiologiques n'ont pas permis de retracer
la chaîne de contacts qui a fait passer ce nouveau
virus des animaux aux humains — contrairement au
SRAS, dont la transmission des chauves-souris vers
les humains par les civettes masquées fut confirmée
par les analyses des premiers foyers dans les marchés du sud de la Chine[1].

Au 18 août 2020, la pandémie de Covid-19 a
infecté, selon l'OMS, vingt millions de personnes
dans le monde en causant près de 770 000 morts.
La Chine a confirmé 90 000 cas de personnes infectées et 4 700 morts. Le taux de létalité de ce nouveau
coronavirus est remarquablement stable (entre 1 et
3 % selon les pays) car à la différence des virus de
grippe, les coronavirus mutent très peu du fait de
leur taille relativement importante (ce sont des virus
à ADN et non à ARN, ce qui limite les erreurs de
réplication). Comparativement à d'autres virus émergents (90 % pour Ebola en Afrique centrale, 70 %
pour H5N1, 10 % pour le SRAS), cette létalité est
faible. Mais sa forte contagiosité et la longue durée
de la période d'incubation où il circule de manière
asymptomatique (peut-être deux semaines, alors
qu'elle était de 48 heures pour le SRAS) en font un
des virus émergents les plus dangereux de l'histoire
récente.

La pandémie de coronavirus a mis à l'épreuve les
systèmes de santé des pays du monde entier, et à
travers eux les relations entre les États-nations et
leurs populations civiles dans les frontières de leurs
territoires. Le 23 janvier, les autorités de la province
du Hubei ont imposé une quarantaine sur une zone
de 50 millions de personnes autour de Wuhan pour
éviter la propagation de l'épidémie. Cette mesure fut
recommandée par les experts qui avaient suivi la

crise du SRAS dès son origine, notamment Zhong Nanshan à l'Institut des maladies respiratoires de Canton et Kwok-yung Yuen au département de microbiologie de l'Université de Hong Kong. À l'approche du Nouvel An chinois, environ 5 millions de personnes, pour la plupart des travailleurs migrants, étaient retournés dans leurs familles, et l'épidémie s'est propagée à l'ensemble de la Chine. Le gouvernement de Xi Jinping a remplacé les autorités sanitaires de Wuhan et du Hubei par des personnalités qu'il contrôlait, et imposé des mesures de surveillance sans précédent sur l'ensemble du territoire, notamment à travers des applications sur téléphones mobiles, des appels sur les réseaux sociaux et des drones dans les rues des villes. Les personnes qui ont quitté le Hubei ont été retrouvées et isolées avec le concours de leurs familles. Au terme de deux mois de mobilisation, Xi Jinping a pu déclarer victoire sur le Covid-19 et visiter la ville de Wuhan en héros protecteur du peuple. Un nouveau foyer d'une centaine de cas découvert à Pékin le 12 juin a conduit les autorités sanitaires à reconfiner une partie de la ville, tandis que 300 cas positifs étaient annoncés sur les tests réalisés auprès de dix millions de personnes à Wuhan. Le rapport publié par l'OMS le 28 février décrit la réaction de la Chine comme « peut-être l'effort de contrôle le plus ambitieux, agile et agressif de l'histoire », et s'inquiète de savoir si le reste du monde est prêt pour de telles mesures, qui restent à ce jour les plus efficaces contre le Covid-19[2].

Tandis que l'épidémie s'est transmise au reste de la planète, les États se sont divisés sur la pertinence d'appliquer des mesures de confinement et de dépistage aussi sévères que la Chine. D'autres États aux frontières de la Chine sont apparus comme des modèles de contrôle de l'épidémie par des technologies de surveillance permettant d'éviter le confinement, comme Hong Kong, Taïwan et Singapour — même si le gouvernement de Singapour a dû se résoudre à confiner sa population en mai après un foyer important chez des travailleurs migrants. Tandis que le coût économique des mesures sanitaires ne cessait d'augmenter, la discussion internationale a porté de plus en plus vivement sur la responsabilité de la Chine dans le déclenchement de l'épidémie. Le gouvernement chinois a répondu à cette discussion en mettant d'abord en avant le sacrifice de sa population pour contenir l'épidémie, puis la générosité de ses industries dans la fourniture de masques aux États qui en manquaient, puis l'avancée de son entreprise pharmaceutique Sinovac dans la fabrication d'un vaccin, et finalement une stratégie du « loup combattant » (*wolf warrior* en anglais) reprochant aux États occidentaux leur faiblesse dans la gestion de l'épidémie. La loi sur la sécurité nationale adoptée par le Parlement chinois le 30 juin 2020 a encore accru cette tension, en permettant au gouvernement de Xi Jinping de reprendre la main sur la population de Hong Kong qui contestait son autorité depuis un an. En rendant visite à la présidente de Taïwan le 10 août, le secrétaire à la santé des États-Unis a indiqué que les bonnes performances sanitaires de l'île pouvaient aviver la guerre latente entre les deux Chines.

Si la crise sanitaire causée par ce nouveau coronavirus a bénéficié à la Chine, qui a pu affirmer sa prétention dans la gouvernance des instances internationales, reste qu'elle en révèle également les faiblesses internes. Deux faits restent troublants et seront peut-être éclairés dans les années à venir. Le premier foyer de l'épidémie a été déclaré à Wuhan à proximité d'un marché aux animaux, ce qui a conduit les autorités sanitaires à encadrer davantage ces lieux de contagion potentielle et à interdire le trafic de pangolins, un animal exotique dont la consommation dans la médecine chinoise traditionnelle avait augmenté depuis des années en suscitant les critiques des associations environnementales. Mais Wuhan est aussi la ville où l'Académie des sciences de Chine a coopéré avec son équivalent français depuis 2004 pour la construction d'un laboratoire de biosécurité de niveau 4 permettant de manipuler des virus très pathogènes. C'est sans doute grâce à ce laboratoire, auquel 600 chercheurs de l'Institut de virologie de Wuhan ont accès et qui dispose des meilleures technologies bio-informatiques, que le coronavirus a été séquencé début janvier 2019 et que ses ressemblances avec un virus proche du SRAS circulant chez les chauves-souris ont été repérées et publiées dans les revues scientifiques internationales de façon transparente. Mais une échappée du laboratoire d'un virus de chauve-souris collecté dans le sud de la Chine reste possible, ce qui mettrait en question la responsabilité des scientifiques chinois, sans toutefois confirmer les théories complotistes selon lesquelles le virus aurait été intentionnellement fabriqué.

En outre, le décès le 7 février de l'ophtalmologue Li Wenliang, qui fut un des premiers médecins à alerter les autorités de Wuhan sur le *cluster* de pneumonies atypiques le 30 décembre et qui fut blâmé pour diffusion de « fausses nouvelles portant atteinte à l'harmonie sociale », a profondément bouleversé l'opinion chinoise, suscitant une vague ambivalente de compassion et de colère sur les réseaux sociaux. La mise au silence des autres médecins qui ont géré le début de la crise, et plus généralement la répression des intellectuels critiquant la gestion de l'épidémie, interroge sur la capacité du régime chinois à soutenir les « lanceurs d'alerte ». Alors que Pékin a voulu faire de Wuhan un nouveau centre d'anticipation des maladies infectieuses émergentes, en concurrence avec d'autres sentinelles des pandémies comme Hong Kong, Taïwan ou Singapour, il se pourrait que cette ville, qui fut le point de départ de la Révolution de 1911 remplaçant l'Empire par une République, soit à nouveau un lieu sensible captant les tensions entre la Chine et l'Occident. Si le devenir de cette pandémie est imprévisible, on peut parier que les relations entre Pékin et Wuhan joueront un rôle déterminant dans la gestion de cette crise sanitaire et environnementale. Ceci confirme l'idée selon laquelle une épidémie engage les relations entre un centre et une périphérie, qui est au cœur de la médecine globale depuis deux siècles mais qui prend des sens différents selon qu'on la pense en Europe ou en Chine.

Bibliographie

ABRAHAM, Thomas, *Twenty-First Century Plague. The Story of SARS, with a new Preface* on *Avian Flu*, Hong Kong, Hong Kong University Press, 2007.

BENEDICT, Carol, *Bubonic Plague in Nineteenth Century China*, Stanford, Stanford University Press, 1996.

BRETELLE-ESTABLET, Florence, *La santé en Chine du Sud (1898-1928)*, Paris CNRS Éditions, 2002.

CHATEAURAYNAUD, Francis, TORNY, Didier, *Les Sombres Précurseurs. Une sociologie pragmatique de l'alerte et du risque*, Paris, EHESS, 1999.

CHOY, Timothy, *Ecologies of Comparison. An Ethnography of Endangerment in Hong Kong*, Durham, Duke University Press, 2011.

ECONOMY, Elizabeth, *The River Runs Black. The Environmental Challenge to China's Future*, Ithaca, Cornell University Press, 2004.

ELVIN, Mark, *The Retreat of the Elephants. An Environ-mental History of China*, New Haven, Yale University Press, 2004.

ELVIN, Mark, LIU, Tsui-Jung, *Sediments of Time. Environ-ment and Society in Chinese History*, New York, Cambridge University Press, 1998.

FAN, Ka-Wai, « Epidemic Cerebrospinal Meningitis during the Cultural Revolution », *Extrême-Orient Extrême-Occident*, n° 37, 2014, p. 197-232.

FEARNLEY, Lyle, « Wild Goose Chase. The Displacement of Influenza Research in the Fields of Poyang Lake, China », *Cultural Anthropology*, vol. 30, n° 1, 2015, p. 12-35.

GABBIANI, Luca, *Pékin à l'ombre du Mandat Céleste. Vie quotidienne et gouvernement urbain sous la dynastie Qing (1644-1911)*, Paris, EHESS, 2011.

GREENHALGH, Susan, *Just One Child. Science and Policy in Deng's China*, Berkeley, University of California Press, 2008, p. 144.

GREGER, Michael, *Bird Flu. A Virus of Our Own Hatching*, New York, Lantern Books, 2006.

GROSS, Miriam, *Farewell to the God of Plague. Chairman Mao's Campaign to Deworm China*, Oakland, University of California Press, 2016.

HANSON, Martha, *Speaking of Epidemics in Chinese Medi-cine. Disease and the Geographic Imagination in Late Imperial China*, Londres, Routledge Press, 2011.

HASKI, Pierre, *Le sang de la Chine. Quand le silence tue*, Paris, Grasset, 2005.

HATHAWAY, Michael, *Environmental Winds. Making the Glo-bal in Southwest China*, Berkeley, University of California Press, 2013.

HUCHET, Jean-François, *La crise environnementale en Chine. Évolutions et limites des politiques publiques*, Paris, Presses de Sciences Po, 2016.

HYDE, Sandra T., *Eating Spring Rice. The Cultural Politics of AIDS in Southwest China*, Berkeley, University of California Press, 2007.

KECK, Frédéric a, « Une sentinelle sanitaire aux frontières du vivant. Les experts de la grippe aviaire à Hong Kong », *Terrain*, n° 54, mars 2010, p. 26-41.

KECK, Frédéric b, « L'affaire du lait contaminé », *Perspectives chinoises*, n° 1, 2009, p. 96-101.

KECK, Frédéric c, « Des sentinelles pour l'environnement : les observateurs d'oiseaux à Taïwan et Hong Kong », *Perspectives chinoises*, n° 2, 2015, p. 43-54.

KLEINMAN, Arthur, WATSON, James (dir.), *SARS in China. Prelude to Pandemics*, Stanford, Stanford University Press, 2006.

LEE, Liu, « Made in China. Cancer Villages », *Environmental Science and Policy for Sustainable Development*, vol. 52, n° 2, 2010, p. 8-21.

LEUNG, Angela K.C., « The Evolution of the Idea of *Chuanran* (Contagion) in Imperial China », in Angela K.C. Leung, Christine Furth (dir.), *Health and Hygiene in Chinese East Asia. Policies and Publics in the Long Twentieth Century*, Durham, Duke University Press, 2010, p. 25-50.

LEUNG, Gabriel, BACON-SHONE, John, *Hong Kong's Health System. Reflections, Perspectives and Visions*, Hong Kong, Hong Kong University Press, 2006.

LIU, Michael Shiyung, « Epidemic Controls and War in Republican China (1935-1955) », *Extrême-Orient Extrême-Occident*, n° 37, 2014, p. 111-139.

LE MENTEC, Katiana, « The Three Gorges Dam and the Demiurges. The Story of a Failed Contemporary Myth Elaboration in China », *Water History*, n° 6, vol. 4, 2014, p. 385-403.

LOH, Christine, *At the Epicentre. Hong Kong and the SARS Outbreak*, Hong Kong, Hong Kong University Press, 2004.

LYNTERIS, Christos, *The Ethnographic Plague. Configuring Disease on the Chinese-Russian Frontier*, Londres, Palgrave Macmillan, 2016.

MANSON, Katherine A., *Infectious Change. Reinventing Chinese Public Health After an Epidemic*, Stanford, Stanford University Press, 2016.

MCLEAN, Angela, MAY, Robert, PATTISON, John, WEISS, Robin, *SARS. A Case Study in Emerging Infectious*, Oxford, Oxford University Press, 2007.

NAKAJIMA, Chieko, *Body, Society, and Nation. The Creation of Public Health and Urban Culture in Shanghai*, Cambridge, Harvard University Asia Center, 2018.

OBRINGER, Frédéric, « La croissance économique chinoise au péril de l'environnement : une difficile prise de conscience », *Hérodote*, vol. 125, n° 2, 2007, p. 95-104.

POMERANZ, Kenneth, *Une grande divergence. La Chine, l'Europe et la construction de l'économie mondiale*, Paris, Albin Michel, 2010.

ROGASKI, Ruth, *Hygienic Modernity. Meanings of Health and Disease in Treaty-Port China*, Berkeley, University of California Press, 2004.

ROLLET, Vincent a, « L'origine transnationale d'une réponse au VIH/SIDA dans la province du Henan », *Perspectives chinoises*, n° 1, 2009, p. 19-31.

ROLLET, Vincent b, « Framing SARS and H5N1 as an Issue of National Security in Taiwan. Process, Motivations and Consequences », *Extrême-Orient Extrême-Occident*, n° 37, 2014, p. 141-170.

SALMON, Nolween, « Les journalistes chinois engagés dans le domaine de l'environnement. Les équilibres de la critique entre acceptation et refus du politique », thèse, INALCO, 2018.

SCHIPPER, Kristofer, « Seigneurs royaux, dieux des épidémies », *Archives des Sciences Sociales des Religions*, vol. 59, n° 1, 1985, p. 31-40.

SHAPIRO, Judith a, *Mao's War against Nature. Politics and the Environment in Revolutionary China*, Cambridge, Cambridge University Press, 2001.

SHAPIRO, Judith b, *China's Environmental Challenges*, Cambridge, Polity Press, 2016.

SHORTRIDGE, Kennedy, PEIRIS, Malik, GUAN, Yi, « The Next Influenza Pandemic. Lessons from Hong Kong », *Journal of Applied Microbiology*, n° 94, 2003, p. 70-79.

SINGARAVELOU, Pierre, *Tianjin Cosmopolis. Une autre histoire de la mondialisation*, Paris, Le Seuil, 2017.

SMIL, Vaclav, *China's Environmental Crisis. An Inquiry into the Limits of National Development*, New York, ME Sharpe, 1993.

SUMMERS, William C., *The Great Manchurian Plague of 1910-1911. The Geopolitics of an Epidemic Disease*, New Haven, Londres, Yale University Press, 2012.

WAINWRIGHT, Anna Laura, *Fighting for Breath. Living*

Morally and Dying of Cancer in a Chinese Village, Honolulu, University of Hawai'i Press, 2014.

WELLER, Robert, *Discovering Nature. Globalization and Environmental Culture in China and Taiwan*, Cambridge, Cambridge University Press, 2006.

YANG, Guobin, CALHOUN, Craig, « Media, Civil Society, and the Rise of a Green Public Sphere in China », *China Information*, vol. 21, n° 2, 2007, p. 211-236.

YIP, Ka-Che, *Health and National Reconstruction in Nationalist China. The Development of Modern Health Services (1928-1937)*, Ann Arbor, Association for Asian Studies, 1995.

APPENDICES

Contributeurs

Séverine Arsène
Affiliation : Médialab, Sciences Po et Chinese University of Hong Kong

Séverine Arsène est politologue et sinologue. Ses recherches portent sur la stratégie numérique de la Chine. Docteure de l'IEP de Paris, elle a mené des recherches au Centre d'Études Français sur la Chine Contemporaine à Hong Kong, au laboratoire Orange Labs à Pékin et enseigné à l'Université de Lille 3 et à l'Université de Georgetown (Washington D.C.). Elle a été rédactrice en chef de la revue *Perspectives chinoises*. Son livre, *Internet et politique en Chine*, a été publié aux éditions Karthala en 2011.

Anne Cheng
Affiliation : Collège de France

Titulaire de la Chaire d'Histoire intellectuelle de la Chine au Collège de France, Anne Cheng s'intéresse à l'histoire des idées (*Histoire de la pensée chinoise*), et plus particulièrement du confucianisme, en Chine et dans les cultures voisines. *La Chine pense-t-elle ?*, titre de sa leçon inaugurale au Collège de France, est une question qu'elle ne cesse de se poser au fil de ses publications récentes. Depuis 2010, elle co-dirige la collection bilingue « Bibliothèque chinoise » aux Belles Lettres.

Chu Xiaoquan 褚孝泉
Affiliation : Université Fudan, Shanghai
Chu Xiaoquan, né en 1954 à Shanghai, a fait ses études universitaires à l'Université d'Aix-Marseille où il a obtenu son doctorat. Linguiste de formation, il a publié de nombreux ouvrages et articles dans des revues spécialisées sur la linguistique et sur les problèmes d'échanges culturels entre la Chine et l'Occident. Il est le traducteur des *Écrits* de Jacques Lacan en chinois.

Magnus Fiskesjö
Affiliation : Cornell University
Magnus Fiskesjö a été formé dans sa Suède natale, ainsi qu'au Danemark, en Chine et à l'Université de Chicago. Il a été attaché culturel à l'Ambassade de Suède à Pékin et directeur du Musée des antiquités extrême-orientales de Stockholm. Depuis 2005, il enseigne l'anthropologie et les études asiatiques à l'Université Cornell aux États-Unis.

Ge Zhaoguang 葛兆光
Affiliation : Université Fudan, Shanghai
Né en 1950 à Shanghai, diplômé de l'Université de Pékin, puis professeur de 1992 à 2006 à l'Université Tsinghua de Pékin, Ge Zhaoguang est actuellement professeur émérite à l'Université Fudan de Shanghai. Éminent spécialiste de l'histoire intellectuelle, culturelle et religieuse de la Chine et de l'Asie orientale, Ge Zhaoguang est l'auteur de nombreux livres qui ont connu une large diffusion en Chine comme dans le monde anglophone grâce à des traductions en anglais : *An Intellectual History of China. Knowledge, Thought, and Belief Before the Seventh Century CE*, Boston, Leyde, Brill, 2014 ; *Here in "China" I Dwell. Reconstructing Historical Discourses of China for our Time*, Boston, Leyde, Brill, 2017 ; *What Is China ? Territory, Ethnicity, Culture, and History*, The Belknap Press of Harvard University Press, 2018.

Ji Zhe 汲 喆
Affiliation : INALCO
Né à Shenyang en Chine, Ji Zhe est professeur de sociologie à l'Institut national des langues et civilisations orien-

tales, directeur du Centre d'études interdisciplinaires sur le bouddhisme (CEIB) et membre de l'Institut français de recherche sur l'Asie de l'Est (IFRAE). Formé à la tradition sociologique française, il s'intéresse actuellement aux développements du bouddhisme contemporain en Chine.

Ruth Gamble
Affiliation : La Trobe University (Melbourne)
Ruth Gamble est historienne de l'environnement et des cultures du Tibet et de l'Himalaya. Son livre, *Reincarnation in Tibetan Buddhism. The Third Karmapa and the Invention of a Tradition* (New York, Oxford University Press, 2018) retrace les liens entre les lignages de réincarnation dans le bouddhisme tibétain et la géographie sacrée. Elle écrit actuellement une histoire environnementale du bassin supérieur du Brahmapoutre.

Frédéric Keck
Affiliation : CNRS
Frédéric Keck, membre du Laboratoire d'anthropologie sociale, a publié plusieurs ouvrages sur l'histoire de l'anthropologie française (Lucien Lévy-Bruhl, Émile Durkheim, Henri Bergson, Claude Lévi-Strauss) et deux livres sur les crises sanitaires causées par les maladies animales : *Un monde grippé* (Paris, Flammarion, 2010) et *Les Sentinelles des pandémies. Chasseurs de virus et observateurs d'oiseaux aux frontières de la Chine* (Bruxelles, Zones sensibles, 2020).

Anne Kerlan
Affiliation : CNRS
Anne Kerlan est directrice de recherche au CNRS. Après avoir été de 2008 à 2017 chercheuse à l'Institut d'histoire du temps présent, elle a rejoint l'UMR Chine-Corée-Japon (CNRS-EHESS-Université de Paris). Historienne de la Chine du XXe siècle spécialisée dans l'histoire de la culture visuelle et du cinéma chinois, elle a publié notamment *Hollywood à Shanghai. L'épopée des studios Lianhua, 1930-1948* (Rennes, Presses de l'Université de Rennes, 2015) et *Lin Zhao. « Combattante de la liberté »* (Fayard, 2018).

John Makeham

Affiliation : La Trobe University (Melbourne) et Australian National University (Canberra)

John Makeham est professeur émérite à La Trobe University et à l'Australian National University, spécialiste de l'histoire intellectuelle de la philosophie chinoise. Il porte un intérêt particulier à la pensée confucéenne à travers l'histoire de la Chine et à l'influence du bouddhisme chinois sur la philosophie confucéenne prémoderne et moderne. Il travaille actuellement à une traduction annotée du *Tiyong lun* de Xiong Shili.

Damien Morier-Genoud

Affiliation : Université Grenoble Alpes

Damien Morier-Genoud est maître de conférences en études chinoises à l'Université Grenoble Alpes. Ses recherches portent sur les conceptions et pratiques de l'histoire dans le monde chinois contemporain et, plus récemment, sur les liens entre histoire, mémoire et pouvoir dans la Chine post-maoïste.

David Ownby

Affiliation : Université de Montréal

David Ownby a obtenu son doctorat à l'Université Harvard en 1989 et a travaillé au cours de sa carrière sur l'histoire des sociétés secrètes chinoises (*Brotherhoods and Secret Societies in Early and Mid-Qing China. The Formation of a Tradition*, Stanford, Stanford University Press, 1996), sur la religion populaire en Chine contemporaine (*Falun Gong and the Future of China*, Oxford, New York, Oxford University Press, 2008), et plus récemment sur la vie intellectuelle en Chine (voir le site : readingthechinadream.com).

Qin Hui 秦晖
Affiliation : Université Tsinghua, Pékin

Qin Hui, né en 1953, est un historien chinois qui a mené ses recherches et son enseignement à l'Institut des sciences humaines et sociales de l'Université Tsinghua à Pékin. Auparavant, pendant la Révolution culturelle, il a été envoyé vivre auprès des paysans dans le sud-ouest de la Chine. En qualité d'intellectuel, Qin Hui écrit principalement sur les enjeux de la justice sociale en Chine — et propose en particulier une réforme des droits de propriété terrienne et de la perception des impôts fonciers. Ses convictions vont souvent à l'encontre de celles du Parti communiste chinois ; en décembre 2015, la vente de son livre, *Zou chu dizhi (Sortir du système impérial)*, qu'il a présenté dans une conférence traduite dans ce volume par David Ownby, a été interdite par le gouvernement chinois.

Marshall Sahlins
Affiliation : Université de Chicago

Marshall Sahlins est un anthropologue américain, dont les nombreux travaux dépassent largement l'étude des sociétés polynésiennes qui ont constitué son premier terrain.

Nathan Sperber
Affiliation : EHESS

Nathan Sperber est titulaire d'un doctorat en sociologie de l'École des hautes études en sciences sociales. Il est actuellement chercheur à Shanghai et docteur associé au Centre européen de sociologie et de science politique (EHESS-Paris I). Ses recherches portent principalement sur l'économie politique de la Chine en perspective comparée.

Isabelle Thireau
Affiliation : CNRS et EHESS

Isabelle Thireau est sociologue, directrice d'études à l'EHESS, directrice de recherche au CNRS, rattachée au Centre d'études sur la Chine moderne et contemporaine (CECMC). Elle a publié récemment *Des lieux en commun. Ethnographie des rassemblements publics en Chine* (Éditions de l'EHESS, 2020).

Sebastian Veg
Affiliation : EHESS
Sebastian Veg est directeur d'études à l'EHESS (histoire intellectuelle de la Chine moderne et contemporaine), et professeur honoraire à l'Université de Hong Kong. Son dernier ouvrage s'intitule *Minjian. The Rise of China's Grassroots Intellectuals* (« Minjian » : l'essor des intellectuels non institutionnels en Chine), Columbia University Press, 2019).

Chronologie

Période dynastique

IIIe millénaire-XVIIIe s. Dynastie Xia (semi-mythique)
XVIIIe s.-XIe s. Dynastie Shang
XIe s.-256 av. J.-C. Dynastie Zhou
— Printemps et Automnes (722-481) → Confucius (551-479)
— Royaumes Combattants (403-256)

221-207 av. J.-C. Dynastie Qin (Premier empereur Qin Shihuang)
206 av. J.-C. - 220 apr. J.-C. Dynastie Han
220-316. Dynasties Wei-Jin
317-589. Dynasties du nord et du sud
581-618. Dynastie Sui
618-907. Dynastie Tang
907-960. Cinq Dynasties
960-1279. Dynastie Song
1264-1368. Dynastie Yuan (Mongols)
1368-1644. Dynastie Ming
1644-1911. Dynastie Qing (Mandchous)

Période moderne et contemporaine

1857-1860. « Seconde guerre de l'opium » (début du « siècle des humiliations »)
1868-1912. Ère des réformes de Meiji au Japon

1898. Réforme dite « des Cent jours » menée sur l'impulsion de Kang Youwei (1858-1927)

1912. Instauration de la République de Chine par Sun Yat-sen

1919. Mouvement du 4 mai 1919

1937-1945. Invasion de la Chine par le Japon et guerre sino-japonaise

1945. Capitulation du Japon

1946-1949. Guerre civile entre nationalistes du Kuomintang (Chiang Kai-shek) et communistes (Mao Zedong)

1949. Proclamation de la République populaire de Chine (RPC) présidée par Mao Zedong et dirigée par le Parti communiste chinois (PCC)

1950-53. Guerre de Corée

1955. Annexion du Tibet, désormais appelé « région autonome »

1957. Campagne des Cent Fleurs, suivie de la répression « anti-droitière »

1958-61. Grand Bond en avant, suivi de la Grande Famine

1959. Soulèvement de Lhassa au Tibet ; le Dalaï-Lama se réfugie en Inde

1962. Offensive armée contre l'Inde dans l'Himalaya

1963-64. Premiers essais nucléaires

1966-1976. Grande Révolution culturelle prolétarienne

1976. Mort de Zhou Enlai en janvier et de Mao Zedong en septembre ; retour au pouvoir de Deng Xiaoping

1979. Création des « zones économiques spéciales » ; mise en place de la politique de l'enfant unique

Printemps 1989. Manifestations sur la place Tian'anmen à Pékin, suivies du massacre du 4 juin

1992-93. Deng Xiaoping lance l'« économie socialiste de marché »

1993-2003. Ère Jiang Zemin

1997. Rétrocession de Hong Kong à la Chine selon le principe « Un pays, deux systèmes »

2001. Accord sur l'adhésion de la Chine à l'OMC (Organisation mondiale du commerce)

2003-2012. Ère Hu Jintao placée sous le signe de la « société d'harmonie socialiste »

Août 2008. Jeux Olympiques à Pékin

2012 -. Ère Xi Jinping placée sous le signe du « rêve chinois »
et du « socialisme aux caractéristiques chinoises »

2014 -. Mise en place de camps d'internement au Xinjiang

2018. Xi Jinping « président à vie », et la « pensée Xi
Jinping » inscrite dans la constitution du Parti communiste chinois.

2019. Manifestations à Hong Kong contre l'amendement
de la loi d'extradition

Décembre 2019. Premiers signes de l'épidémie de Coronavirus à Wuhan

30 juin 2020. Adoption de la loi sur la sécurité nationale
à Hong Kong

Notes

PHILOSOPHIE CHINOISE
ET VALEURS UNIVERSELLES
DANS LA CHINE D'AUJOURD'HUI

1. Maukuei Chang, « The Movement to Indigenize the Social Sciences in Taiwan. Origin and Predicaments », *Cultural, Ethnic, and Political Nationalism in Contemporary Taiwan. Bentuhua*, John Makeham, A-chin Hsiau (éd.), New York, Palgrave, 2005, p. 221-260.

2. Le Parti démocrate progressiste, créé en 1986, a remporté les élections présidentielles pour la première fois en 2000. L'influence croissante du Parti démocratique progressiste s'est accompagnée d'un mouvement appelant au renforcement de l'indigénisation des institutions politiques, sociales et culturelles « indigènes » de l'île — l'indigénisation (*bentuhua*) s'affirmant comme un type de nationalisme attaché à la défense de la légitimité d'une identité taïwanaise distincte, dont le caractère et le contenu devaient être déterminés par le peuple taïwanais. De nombreux partisans de l'indigénisation à Taïwan voient tout particulièrement en celle-ci un projet de désinisation : une tentative d'en finir avec le joug de l'hégémonie coloniale « chinoise » de sorte que l'identité autochtone (*bentu*) présumée de Taïwan puisse être reconnue et davantage encouragée. Pour ces partisans, le rôle de l'Autre dans le paradigme de l'indigénisation est assimilé à une concep-

tion monolithique de la Chine et de la sinité, qui est généralement présentée comme hostile à l'intégrité de l'identité taïwanaise.

3. Chang, « The Movement », *op. cit.*, p. 245 ; Qiao Jian *et al.* (dir.), *21 shiji de Zhongguo shehuixue yu renleixue* (*Sociologie et anthropologie chinoises au XXIᵉ siècle*), Kaohsiung, Liwen chubanshe, 2001 ; Xu Jieshun (dir.), *Bentuhua : Renleixue de da qushi* (*Indigénisation : principaux courants en anthropologie*), Guangxi, Minzu chubanshe, 2001.

4. Shun Kwong-loi, « Studying Confucian and Comparative Ethics. Methodological Reflections », *Journal of Chinese Philosophy*, vol. 36, n° 3, été 2009, p. 455-478.

5. Shun, « Studying », *op. cit.*, p. 456-457, p. 472.

6. Sur ce renouveau, voir mon article, « Le Renouveau du Guoxue. Antécédents historiques et Aspirations contemporaines », 1, 2011, p. 14-21.

7. Chen, Lai, « Ruhe kandai guoxue re », (« Comment le *Guoxue* devrait-il être considéré ? »), *Guangming ribao*, 2 août 2010, http://culture.china.com.cn/guoxue/2010-08/02/content_20619540.htm.

8. Chen Ming, « Qidai yu yilü : cong Qinghua Guoxue yuan kan Renda Guoxue yuan », (« Espérances et doutes : L'Institut *Guoxue* de l'Université envisagé du point de vue de l'Académie Tsinghua d'enseignement chinois »), dans son *Wenhua Ruxue : sibian yu lunbian* (*Ruxue culturel. Pensées et arguments*), Chengdu, Sichuan renmin chubanshe, 2009, p. 178.

9. Jiao Guocheng, « Zengshe guoxue wei yijie xueke hen you biyao » (« Du besoin d'ajouter le *Guoxue* au niveau 1 des catégories disciplinaires »), *Guangming ribao*, 13 septembre 2010.

10. Zhu Hanmin, cité dans « Ba wei zhuanjia : guoxue shi yimen xueke » (« Huit experts : le *Guoxue* est une discipline »), *Guangming ribao*, 12 octobre 2009.

11. « Xi Jinping zai Quanguo Dangxiao gongzuo huiyi shang de jianghua » (« Discours de Xi Jinping à la conférence de l'École centrale du Parti communiste »), *Qiu shi* (2016.9), http://www.qstheory.cn/dukan/qs/2016-04/30/c_1118772415.htm.

12. Hoyt Cleveland Tillman, « China's Particular Values and the Issue of Universal Significance. Contemporary Confucians Amidst the Politics of Universal Values », *Philosophy East and West*, vol. 68, n° 4, octobre 2018, p. 1276.

13. Hoyt Cleveland, « China's Particular Values », *op. cit.*, p. 1284.

14. *Ibid.*, p. 1278.

15. Chen Lai, « Chongfen renshi Zhonghua dute jiazhiguan : cong Zhong-Xi bijiao kan » (« Reconnaître pleinement les valeurs de "Zhonghua". Comparer la Chine et l'Occident »), *Renmin ribao*, 4 avril 2015, 7.

16. Chen, *Zhonghua wenming*, p. 199-200.

17. Chen Lai, « Shei zhi zeren ? He zhong lunli ? Cong Rujia lunli kan shijie lunli xuanyan » (« Quelle responsabilité ? Quel type d'éthique ? Déclaration en faveur d'une éthique globale du point de vue de l'éthique confucéenne »), *Dushu*, 10, 1998, p. 12.

18. Zeng Yi et Guo Xiaodong (dir.), *He wei pushi ? Shei de jiazhi ? Dangdai Rujia pushi jiazhi*, Shanghai, Huadong shifan daxue, 2013 ; édition révisée, 2014.

19. Gan Yang *et al.*, « Kang Youwei yu zhiduhua Ruxue » (« Kang Youwei et le confucianisme institutionnalisé »), *Kaifang shidai*, 5, 2014, p. 25.

20. Chang Hao, *Chinese Intellectuals in Crisis. Search for Order and Order (1890-1911)*, Berkeley et Los Angeles, University of California Press, 1987, p. 37.

21. *Ibid.*, p. 62.

22. Wang Gungwu, *Renewal. The Chinese State and The New Global History*, Hong Kong, The Chinese University of Hong Kong Press, 2013, p. 133.

23. Zhao Tingyang, « Rethinking Empire from a Chinese Concept "All-under-Heaven" (*Tian-xia*, 天下) », *Social Identities*, vol. 12, n° 1, janvier 2006, p. 33 et 34.

24. Xu Jilin, « Xin tianxiazhuyi : chongjian Zhongguo de neiwai zhixu » (« Le Nouveau Tianxia-isme. Reconstruire les ordres intérieur et extérieur de la Chine »), publié initialement dans *Zhishi fenzi luncong* 13, Shanghai, Shanghai renmin chubanshe, 2015, http://www.aisixiang.com/data/91702.html.

25. *Ibid.*

26. *Ibid.*

27. *Ibid.*

28. *Ibid.*

29. Ge Zhaoguang, *He wei Zhongguo ? Jiangyu, minzu, wenhua yu lishi (Qu'est-ce que la Chine ? Territoire, ethnicité, culture et histoire)*, Hong Kong, Oxford University Press, 2014, p. 161.

30. *Ibid.*, p. 173.

31. Ge Zhaoguang, « Yi xiang tian kai : jinnian lai dalu xin Ruxue de zhengzhi suqiu » (« Un grand élan d'imagination. Les revendications politiques des nouveaux confucéens du continent de ces dernières années »). L'article date de 2017, http://www.aisixiang.com/data/104951.html et est traduit en partie dans le présent volume.

32. Ge Zhaoguang, *He wei Zhongguo ?, op. cit.*, p. 178.

33. Salvatore Balbones, « American Tianxia. When Chinese Philosophy Meets American Power », *Foreign Affairs*, 22 juin 2017, https://www.foreignaffairs.com/articles/2017-06-22/american-tianxia.

L'EMPIRE-MONDE FANTASMÉ

1. Les ouvrages sur le sujet sont nombreux, citons les principaux : Sheng Hong, *Vers la paix suprême éternelle*, Pékin, 1999 (réédité en 2010). Zhao Tingyang, *Le système tianxia. Introduction à une philosophie des institutions mondiales*, Nankin, 2005 ; Yao Zhongqiu, *Histoire politique de la distinction hua/xia*, 2012 ; Li Yangfan, *Histoire de la vision chinoise du monde et de ses mutations, 1500-1911*, Pékin, 2012.

Note des éditeurs : Afin de ne pas alourdir inutilement les notes pour un lectorat non sinophone, les références bibliographiques ont été réduites à l'essentiel et données seulement en traduction française.

La bibliographie complète en chinois peut se retrouver facilement en consultant la version originale du texte de Ge Zhaoguang : http://www.aisixiang.com/data/92884.html.

2. En décembre 2012 un colloque fut organisé à Pékin (dont les actes furent publiés dans *Kaifang shidai*,

Guangzhou, 2013, n° 2) sous le titre « Le moment chinois de l'histoire du monde ». Ses auteurs semblent particulièrement attachés à cette expression. La revue *Wenhua zongheng* (Pékin) publia en juin 2013 un recueil intitulé « L'ordre mondial imaginé par la Chine », réunissant à peu près les mêmes participants, et dont l'une des contributions s'intitule précisément « Le moment chinois de l'histoire du monde », signée de Qiufeng, nom de plume de Yao Zhongqiu, l'organisateur du colloque de 2012. Citons encore deux articles de ce numéro aux titres particulièrement sensationnels et quelque peu intimidants : Ou Shujun, « La Chine de retour au centre du pouvoir mondial » et Shi Zhan, « Dépasser le nationalisme », ayant pour sous-titre, « L'expérience historique d'un pays destiné à guider le monde ».

3. Karl Mannheim, *Ideologie und Utopie*, Bonn, Klostermann, 1929. Édition française : *Idéologie et utopie*, Paris, Librairie Marcel Rivière et Cie, 1956.

4. Guo Yi, « Le *Tianxia*-isme, projet confucianiste d'une refondation de l'ordre mondial », *Quotidien du peuple*, mars 2013.

5. Xing Yitian, « Tous sous le Ciel comme une seule famille : la conception chinoise du *tianxia* », 1982 ; Luo Zhitian, « Le système tributaire pré-impérial et l'idée de *tianxia* en Chine ancienne », *Le nationalisme et la pensée chinoise récente*, Taipei, 1998. Cf. également Ge Zhaoguang, « Le *tianxia*, la Chine et les barbares », *Xueshu jilin*, Wang Yuanhua (dir.), vol. 16, Shanghai, 1999.

6. Xing Yitian, « Tous sous le Ciel comme une seule famille : la conception chinoise du *tianxia* », *op. cit.*, p. 289.

7. Chen Li, *Baihu tong shuzheng*, Pékin, Zhonghua shuju, 1994, vol. 2, p. 47.

8. Shin'ichirō Watanabe, *Les prérogatives royales en Chine ancienne sous l'ordre tianxia*, éd. originale japonaise de 2003.

9. Au cours de son analyse de l'histoire notionnelle du *tianxia*, Watanabe distingue deux acceptions du terme chez les universitaires japonais et coréens : la première identifie le *tianxia* à un domaine transnational et transfrontalier, à un univers autocentré dont l'expansion suivrait une loi

concentrique, ou encore à une forme d'ordre mondial et d'empire (Tasaki Hitoshi, Takeo Hiraoka et Kim Hankyu, notamment) ; la seconde restreint le *tianxia* à la seule Chine (les neuf provinces) et l'interprète, dans le cadre conceptuel de l'État-nation, comme une manifestation brutale de l'idée de sa souveraineté (Mitsuru Yamada, Takeo Abe).

10. *Zhanguo ce*, Shanghai guji chubanshe, 1978, vol. 5, « Qin san », p. 190.

11. Cf. aussi *Shiji*, chap. « Tianguan shu » : « Qin anéantit par ses armées les six princes, s'annexa le Royaume du Milieu et sema le trouble chez les barbares des quatre directions ».

12. *Liji zhengyi*, vol. 22. Cf. *Shisan jing zhushu*, p. 1422.

13. Chen Li, *Baihu tong shuzheng*, Beijing, Zhonghua shuju, vol. 2, 1994, p. 57.

14. Comme le souligne Watanabe, citant à l'appui l'historien taïwanais Gao Mingshi, à partir des dynasties Sui et Tang la notion de *tianxia* symbolisait essentiellement « une structure par élargissements concentriques allant de la Chine jusqu'aux bouts du monde en passant par l'Asie orientale ».

15. *Liji zhengyi*, *Shisan jing zhushu*, vol. 12, p. 1338.

16. *Zhouli zhushu*, *Shisan jing zhushu*, vol. 37, p. 892.

17. La perception que les Chinois avaient de la Chine durant l'Antiquité impliquait ces trois éléments fondamentaux, comme le note Ma Rong (professeur d'anthropologie et de sociologie à l'Université de Pékin) : 1. L'identification des « plaines centrales » de l'Extrême-Orient au centre à la fois culturel, politique et économique du monde ; identification participant à l'élaboration conceptuelle du *tianxia* ; 2. La distinction entre « descendants des Xia » et « barbares Yi » au sein d'un *tianxia* ayant pour noyau civilisateur les « plaines centrales » et leurs habitants ; 3. L'idée d'une « grande unité » réalisable au travers de l'influence civilisatrice de la culture chinoise sur les peuples barbares des quatre directions. Ces trois éléments sont aussi complémentaires qu'interdépendants. Cf. Shi Zhao, « Analyse de l'idée de "groupe ethnique" en Chine ancienne et des occurrences du terme "tribu" dans les sources pré-impériales », Guan

Shijie (dir.), *Shijie wenhua de dongya shijiao*, Beijing daxue chubanshe, 2004, p. 390.

18. « Zhouyu shang », *Guoyu*, Shanghai guji chubanshe, 1988, p. 4. Comme le note Isamu Ogata (1975), la formule « tous sous le Ciel comme une seule famille » comprend trois présupposés fondamentaux : 1. que la structure intra-familiale puisse être étendue à l'ordre politique collectif ; 2. que l'unification politique de « tout sous le Ciel » réclame le monopole d'un seul clan ou d'une seule famille. 3. que tout domaine privé doive être réprimé, au profit du seul clan souverain. Le premier point incarne typiquement la vision confucéenne de l'ordre politique idéal, et les deux suivants, compte tenu de l'inévitable fossé entre ordre idéal et ordre concret, sont un rappel de la réalité politique des Han et une réaffirmation de la hiérarchie des pouvoirs en vigueur sous leur empire.

19. C'est notamment la méthode de Feng Youlan. Cf. *Zhongguo zhexue shi* (*Histoire de la pensée chinoise*), Pékin, 1984.

20. Zhao Tingyang déclara dans un entretien de 2011 avec un universitaire coréen, publié sous le titre « Débat sur le système *tianxia* : surmonter la distinction Chinois / barbares, et en route pour l'utopie » : « Les deux principes directeurs du "système *tianxia*" sont l'inclusion et l'harmonie. »

21. Qian Mu, *Introduction à l'histoire de la culture chinoise*, Pékin, rééd. 1994.

22. Comme d'autres l'ont relevé déjà, le concept de *tianxia* impliquait en soi une conception à la fois holistique et sino-centrée du monde ; or, à partir de l'unification des Qin et des Han, cette notion vint à signifier autant une réalité qu'un idéal, et son ambivalence tient beaucoup à l'enchevêtrement de ces dimensions.

23. « Wu Cheng », *Wei guwen Shangshu*. Le commentaire officiel note : « *yi* signifie ici "soumettre" ; et que la soumission des barbares et la destruction de leur domaine s'accordant au désir des foules l'entreprise est couronnée de succès ». Bien que le chapitre « Wu cheng » soit à présent reconnu comme apocryphe, son intégration depuis les Han au corpus canonique lui a toujours conféré le prestige et l'autorité d'un Classique.

24. Zhao Tingyang, « Tianxia tixi : diguo yu shijie zhidu », *Shijie zhexue*, 2003, n° 5, p. 20. Cet article est reproduit dans son ouvrage, *Meiyou shijie de shijie guan*, Beijing, Zhongguo renmin daxue chubanshe, 2005, p. 33. C'est aussi une section de sa monographie *Tianxia tixi*.

25. Cf. *Shiji*, « Xiongnu liezhuan » ; « Wei jiangjun piaoqi liezhuan » ; « Xinan yi liezhuan » ; « Nan yue liezhuan ».

26. Cf. *Jiu tangshu*, « Tubo xia ».

27. Cf. *Hanshu*, « Yuandi ji » : « L'empereur Xuan déclara courroucé : "la Maison des Han institua ses propres règles et mesures, mêlant depuis toujours la voie autoritaire à celle de l'enseignement de la vertu ; comment donc pourrait-elle ne recourir qu'aux institutions des anciens rois de Zhou ?" » Cela montre que le système politique de la Chine ancienne n'était pas une pure application du confucianisme et de la réalité des enseignements moraux.

28. D'aucuns proposent d'ailleurs de retraduire *La République* de Platon en *Institutions Royales* (*Wang zhi*), d'après le titre du chapitre 3 du *Traité des rites* [N.d.T. : la traduction « classique » en chinois de *La République* de Platon (*Perì politeías*, litt. « à propos des affaires de la Cité ») est *Lixiang guo*, « Pays idéal »].

29. En 1393, Yi Seong-gye, fondateur de la dynastie coréenne des Joseon (1392-1897), déclara aux gens de sa suite à propos de l'empereur des Ming (Zhu Yuanzhang) que ce dernier présumait que « la rigueur de ses châtiments et l'abondance de ses troupes suffisaient à lui obtenir "tout sous le Ciel" » ; or, poursuit le fondateur des Joseon, « ses massacres ont dépassé la mesure et beaucoup de nos ministres héroïques y laissèrent la vie » mais c'est notre dynastie qui devrait en porter la responsabilité et satisfaire à ses « requêtes insatiables » sous peine d'être anéantie ? Voilà des manières bien puériles de nous intimider.

30. Cf. *Ming Taizong shilu*, « Yongle yuannian shiyue xinhai ».

31. *Mingshi*, « Xiyu zhuan si — Yutian ».

32. *Mingshi*, « Huanguan — Zhenghe ».

33. Cf. Zheng He *et al.*, « Chronique véridique de Tianfei, déesse des matelots ».

34. Comme le souligne Wang Gungwu, « les expéditions

maritimes de l'empereur Yongle constituèrent un élément important de la manifestation extérieure de la puissance effective de la Chine » et « l'invasion du Vietnam fut voulue comme avertissement et sommation à tous les pays alentour ».

35. Cf. Yang Yongkang et Zhang Jiawei, « Étude de l'influence de l'annexion d'Annam sur les expéditions maritimes de Zheng He », *Wenshi zhe*, n° 5, 2014, p. 106-114.

36. Zhao Tingyang, *Tianxia tixi : shijie zhidu zhexue daolun*, Nankin, 2005, p. 41, 51 et préface [N.d.T. : Zhao Tingyang a publié une version remaniée de ses idées dans ce texte en français, « La philosophie du *tianxia* », *Diogène*, vol. 1, n° 221, 2008, p. 4-25].

37. Notamment avec cet article de Sheng Hong, l'un des premiers à employer le terme « império-mondialisme » (*tianxia zhuyi*) : « Du nationalisme à l'império-mondialisme », 1996.

38. Une des sections de l'ouvrage de Zhao Tingyang parut d'abord sous forme d'article dont, d'après une note de l'auteur, la rédaction fut entreprise en 2002.

39. Zhao Tingyang, *Tianxia tixi*, *op. cit.*, p. 77-80.

40. Ainsi, en 1994, Li Shenzhi, un intellectuel tenu pour libéral, écrit « qu'à cette époque en voie de mondialisation accélérée, maintenant que la Chine renaît et retrouve sa place parmi les grandes nations, il convient que notre pays renoue avec sa doctrine culturelle et son "império-mondialisme", c'est-à-dire, en termes contemporains, avec son cosmopolitisme ». Cf. Li Shenzhi, « Mondialisation et culture chinoise », *Taiping yang xuebao*, 1994, n° 2, p. 28.

41. Sheng Hong, « Du nationalisme au *Tianxia*-isme », *Wei wanshi kai taiping* (*Ouvrir une ère de paix pour dix mille générations*).

42. *Ibid.*, p. 45, où Sheng Hong fait cette étrange connexion entre ce qu'il nomme un nationalisme « de compromis moral » avec ce que le néoconfucianisme désigne comme « l'effondrement de la vertu ». Cf. la synthèse récente de Jiang Xiyuan : « De l'império-mondialisme au monde harmonieux : la philosophie chinoise des relations étrangères et sa signification pratique », *Waijiao pinglun*, août 2007, p. 46.

43. Récemment encore la revue *Wenhua zongheng* incluait une rubrique « Visions du monde » discutant de diverses problématiques de relations internationales, comme dans ce numéro de février 2013, intitulé « Le nationalisme à l'échelle d'un pays immense » et traitant de la politique étrangère de la Chine. Un an plus tard (février 2014), une nouvelle rubrique fit son apparition : *Tianxia*, rubrique sous laquelle est également abordée la politique extérieure chinoise ; ainsi le numéro de février s'intéresse à la question démocratique aux Philippines, le numéro d'août aux investissements chinois au Cambodge, et dans celui d'octobre on trouve un article sur les investissements en Birmanie et un autre sur ceux au sud du Soudan, etc.

44. Parmi les nombreux ouvrages à ce sujet, citons : Ma Licheng, *Huit courants de pensée en Chine contemporaine*, Pékin, 2012 ; ainsi que Huang Yu, Li Jinquan, « La construction médiatique du nationalisme chinois continental des années 1990 », *Taiwan shehui yanjiu jikan*, n° 15, juin 2003.

45. Ce sont les mots de Wang Xiaodong. Cf. *La Chine est mécontente*, Nankin, 2009. D'après le coordinateur de l'ouvrage, Zhang Xiaobo, « il s'agit de la version augmentée de *La Chine peut dire non*, paru en 1996, douze années durant lesquelles des transformations considérables sont advenues à l'intérieur comme au-dehors du pays, mais une chose n'a pas changé : la Chine continue d'abattre son jeu devant l'Occident ».

46. Ou Shujun, « La Chine de retour au centre du pouvoir mondial », *Wenhua zongheng*, Pékin, juin 2013.

47. Les exposés de ce genre se multiplient au sein du monde universitaire et des cercles intellectuels. Cf. notamment l'édito introductif « Repenser la diplomatie chinoise et sa philosophie » ainsi que l'article « La diplomatie confucéenne et sa pertinence actuelle » de Sheng Hong, tous deux dans ce numéro de *Wenhua zongheng*, 2012, n° 8, p. 17 et 45.

48. Yao Zhongqiu (Qiufeng), « Le moment chinois de l'histoire du monde », *Wenhua zongheng*, juin 2013, p. 78.

49. Wang Xiaodong, *Au grand pays le mandat du ciel*, Nankin, 2008.

50. « Le Parti communiste chinois continue de guider notre peuple, sa mission de transformation de la société demeure, et son Mandat Céleste subsiste encore. » Cf. Cao Jinqing, Ma Ya, « Cent ans de renaissances : entretien sur le Mandat Céleste du Parti communiste chinois », *Hongqi wenzhai*, 9 septembre 2013.

51. Yao Zhongqiu (Qiufeng), « Le moment chinois de l'histoire du monde », *op. cit.*, p. 78.

52. Yao Zhongqiu, « Le mandat céleste chinois » : http://www.aisixiang.com/data/82361.html.

53. Cf. Mo Luo, *Chine, relève-toi !*, Wuhan, 2010. Avec une attention particulière au chapitre 22 (« La civilisation chinoise se doit de sauver bientôt l'Occident malade ») et au chapitre 24 (« La Chine serait-elle sur le point d'unifier le monde ? »). Au sujet de la conversion intellectuelle de Mo Luo du libéralisme à l'étatisme, cf. Xu Jilin, « En route pour l'autel de la patrie : le nihilisme chinois d'aujourd'hui à la lumière des virages de Mo Luo », *Dushu*, Pékin, 2019, n° 8-9.

54. Xu Jilin, « La mission de la Chine au sein d'un âge multiculturel », *Wenhua zongheng*, juin 2013, p. 87.

55. Cette expression d'outrepassement provient d'un ouvrage de Qiao Lang et Wang Xiang, *La stratégie d'outrepassement. Réflexions sur la guerre et ses méthodes à l'âge de la mondialisation*, Pékin, 1999. Les auteurs y suggèrent aux autorités chinoises, en cas de conflit avec les États-Unis, de recourir d'une part aux méthodes de la « guerre totale » (sans limites, sans règles et sans distinction des civils et des troupes) et de compenser, d'autre part, l'avantage militaire américain par le recours aux armes de la guerre numérique, biologique et de la terreur.

56. Le projet monumental des « nouvelles routes de la soie » lança un signal fort et alarmant aux pays voisins. Un quotidien taïwanais pointait récemment que celui-ci ne semblait être qu'« une version chinoise du plan Marshall d'après-guerre, visant à faire renaître un vaste ensemble continental incluant l'Asie centrale, l'Europe de l'Est, le Moyen-Orient et jusqu'à l'océan Indien ; c'est aussi pour la Chine sa nouvelle "marche vers l'ouest" ». Cf. *Lianhe wanbao*, 28 janvier 2015.

57. Zhao Tingyang fut invité en 1999 dans l'émission « Paroles d'experts » (*Bai jia jiangtan*, CCTV), sous le titre « Voir le monde à la lumière du *Tianxia* ». Il y évoque dès le début de l'ouvrage de Michael Hardt et Antonio Negri (*Empire*, Cambridge (Mass.), Harvard Univerity Press, 2000) et la manière dont leurs réflexions sur l'empire (ancien et nouveau) lui firent l'effet d'un « choc » et le poussèrent à commencer sa « recherche d'un autre système de gouvernement ». Il y avait déjà eu auparavant des réunions-débats organisées par Chen Xiaoming, Han Yuhai et leurs étudiants à propos d'*Empire*, sous le titre « L'empire, c'est-à-dire ? L'empire, pour quoi faire ? ». Hardt et Negri furent ensuite invités à l'Université Tsinghua, en 2004, pour une conférence, à l'initiative du rédacteur en chef de la revue littéraire *Dushu*.

58. Michael Hardt et Antonio Negri, « Introduction », *Empire*, *op. cit.*

59. *Ibid.*

60. Ge Zhaoguang, *Zhai zi Zhongguo. Chongjian you guan « Zhongguo » de lishi lunshu* (Reconstruire le récit historique de « la Chine »), Pékin, 2011 ; *Hewei Zhongguo ? — Jiangyu, minzu, wenhua yu lishi* (Que signifie « la Chine » ? — Territoires, ethnies, cultures et histoire), Hong Kong, Oxford University Press, 2014.

61. Cette formule de Gan Yang apparaît pour la première fois dans une interview avec Wu Ming, le 29 décembre 2003 sous le titre « Gan Yang : passer de l'État-nation à la civilisation-État ». Sans doute considère-t-il que la Chine fut contrainte au XXᵉ siècle d'entrer dans la modernité et d'adopter le système d'État-nation, et qu'elle s'est dévoyée en cela, puisque sa nature originelle est celle d'une « civilisation-État » ; et que sa tâche future est de le redevenir.

62. Citons notamment, de Zhang Weiwei, *L'ébranlement de la Chine, ou l'essor d'une civilisation-État*, où l'on peut lire, dès le chapitre 3, que la Chine, en tant que civilisation-État, possède ces huit caractéristiques essentielles : une immense population, un territoire gigantesque, une civilisation plurimillénaire, une culture abyssale, ainsi qu'une langue, une politique, une société et une économie absolument singulières. Cependant, de mon point de vue, aucune

des caractéristiques précédemment citées ne permet de prouver que la Chine historique ait été une « civilisation-État » ; elles ne prouvent en fait que sa singularité actuelle.

63. Cf. Nishikawa Nagao, « L'après-guerre du point de vue de l'État-nation », *La portée de l'État-nation*, Tokyo, 1998. Nous reprenons ici une bonne part de ses analyses à la fois claires et synthétiques par commodité, sans ignorer toutefois l'abondance des publications au sujet de l'État-nation moderne.

64. D'aucuns soutenaient encore récemment que « l'apaisement » serait le principe d'expansion de la civilisation chinoise traditionnelle, tandis que l'expansion des civilisations occidentales serait essentiellement dirigée par un principe de « conquête ».

65. Bien sûr, auparavant, la plupart des lettrés partisans de ce genre de thèses partageaient une même attitude de « cordial respect » à l'égard de la tradition. Cf. notamment Qian Mu, *Zhongguo wenhua shi daolun*, chap. 2, p. 23 : « En règle générale, dans l'esprit des Chinois, le concept de "nation" est soluble dans celui d'"'humanité", et celui d'"'État" est soluble dans le concept de *tianxia* ou de monde. La nation et l'État y représentent des organismes culturels qui, loin de leur sens étroit habituel, ne subsistent qu'en raison de la culture elle-même. »

66. Michael Hardt et Antonio Negri, *Empire, op. cit.*

67. Cf. Régis Debray, Zhao Tingyang, *Du ciel à la terre. La Chine et l'Occident*, Paris, Les Arènes, 2014. William A. Callahan exprima, au sujet du « système *tianxia* » de Zhao Tingyang, des réserves similaires dans *Empire and the World* ; en ligne : https://pdfs.semanticscholar.org/576ᵉ/cf893590afa9d0f4e5063f4e8fbe2d6898d4.pdf.

68. Baik Youngseo, « Zhonghua diguo lun zai dongya yiyi », *Kaifeng shidai* (Guangzhou), n° 1, 2014, p. 93. Il y pose également la question suivante : « La Chine deviendra-t-elle un empire à l'image de l'hégémonie américaine, suivra-t-elle une logique opposée d'organisation internationale, ou bien une troisième voie ? »

69. Zhao Tingyang n'est pas le seul à associer les termes de *tianxia* et d'empire. Xu Jilin, dans un article intitulé « Le

nouveau *Tianxia* », discute des moyens pour la Chine de redevenir un grand pays ; et bien qu'il adjoigne à « empire » l'épithète de « civilisé », à l'évidence à ses yeux les mots *tianxia* et empire sont quasi synonymes.

70. Note des éditeurs : Sur cette tradition textuelle, ainsi que sa résurgence à l'ère moderne, on peut se reporter aux travaux d'Anne Cheng : *Étude sur le confucianisme Han. L'élaboration d'une tradition exégétique sur les Classiques*, Paris, Collège de France, Institut des hautes études chinoises, 1985 ; « Tradition canonique et esprit réformiste à la fin du XIXᵉ siècle en Chine. La résurgence de la controverse *jinwen/guwen* sous les Qing », *Études chinoises*, vol. 14, n° 2, automne 1995, p. 7-42.

71. Jiang Qing, *Gongyang xue yinlun*, Shenyang, Liaoning jiayu chubanshe, 1995, p. 2.

72. Benjamin A. Elman, *From Philosophy to Philology. Intellectual and Social Aspects of Change in Late Imperial China*, Cambridge, Harvard University Press, Council on East Asian Studies, 1990 (traduction chinoise parue en 1998).

73. Cf. Wang Hui, *Xiandai Zhongguo sixiang de xingqi*, Beijing, Sanlian shudian, vol. 10, section 2, « Diguo yu guojia », 2003, p. 821-828.

74. Gan Chunsong, *Retour à la Voie Royale. Confucianisme et ordre mondial*, Huadong shifan daxue chubanshe, 2012.

75. Citons notamment ce propos d'Emmanuel Kant, dans *Idée d'une histoire universelle d'un point de vue cosmopolite* (8ᵉ proposition) : « Bien que ce corps politique ne soit encore qu'à l'état d'ébauche, il semble que chacun de ses membres futurs en éprouve déjà l'impulsion, et sache que son destin individuel dépend du bien-être collectif, espérant ainsi qu'après tant de révolutions le grand projet de la Nature se réalise enfin, celui d'une cité universelle où les dispositions intrinsèques de l'humanité trouveraient leur plein épanouissement. Je ne doute pas que ce projet se réalise un beau jour. »

LES INSTITUTS CONFUCIUS,
PROGRAMME ACADÉMIQUE MALVEILLANT

1. Ce chapitre reprend, avec l'aimable autorisation de l'auteur, une partie du texte paru sous le titre *Confucius Institutes. Academic Malware*, aux Éditions Prickly Paradigm Press à Chicago en 2015.

2. Le Falun Gong est un mouvement spirituel d'abord soutenu par le Parti communiste chinois, puis interdit et sévèrement réprimé à partir de 1999 (N.d.T.).

3. http://culture.people.com.cn/GB/22226/57597/57600/12691228.html.

4. http://yongning.gov.cn/ynkxfzg/contents/265/2221_5.html.

5. http://opinion.china.com.cn/avis_20_35820.html.

6. http://www.china.com.cn/policy/txt/2012-01/02/content_24306776.html.

7. http://edu.chinese.cn/onlinelearning/Notes/NotesDetail. aspx ? AnnouncementID = 79), extrait du rapport sur la visite de Li Changchun, *op. cit.*

8. http://theory.people.com.cn/GB/16480463.html.

9. http://news.163.com/07/0725/09/3K84OOOV000000122FH.html.

10. http://www.chinanews.com/cul/2011/09-15/3330742.shtml.

11. http://www.gwytb.gov.cn/gatsw/fdct/201202/t20120214_2291723.htm.

12. http://www.chinese.cn/conference11/node_37099htm.

13. David Shambaugh, « China's Propaganda System. Institutions, Processes and Efficacy », *The China Journal*, n° 57, 2007, p. 25-58, voir p. 48-49 ; voir aussi Stephen T. Hoare-Vance, « The Confucius Institutes and China's Evolving Foreign Policy », 2009, maîtrise, Université de Canterbury, Nouvelle-Zélande [http://ir.canterbury.ac.nz/bitstream/10092/3619/1/Thesis_fulltext.pdf].

14. Bloomberg.com, 1er novembre 2011 : http://www.bloomberg.com/news/2011-11-01/china-says-no-talking-tibet-as-confucius-funds-u-s-s- universities. html.

15. *The Guardian*, 18 avril 2013.

16. *The Diplomat*, 7 mars 2011.

17. http://asaa.asn.au/ASAA2010/reviewed_papers/Hartig-Falk.pdf.

18. *Chicago Tribune*, 4 mai 2014.

19. http://www.chinafile.com/Debate-Over-Confucius-Institutes#comment-496 ; voir aussi : http://sinosphere.blogs.nytimes.com/2014/02/18).

20. *Jerusalem Post*, 1er octobre 2009 ; « Chronique de l'enseignement supérieur », 22 octobre 2010.

21. http://www.globalpost.com/dispatch/news/regions/asia-pacific/chine/130529/censorat-chinoise-chinoise-parti communiste ; http://globalvoicesonline.org/2013/05/16/chinoise-government-bans-seven-speak- not-school-subjects/.

22. http://www.chinafile.com/Debate-Over-Confucius-Institutes#comment-496.

23. Voir aussi : http://www.theepochtimes.com/n2/china-news/canadian-performs-red-opera-at-beijing-propaganda-show-346600.html.

24. *Bloomberg News*, 1er novembre 2011.

25. http://www.chinaheritagequarterly.org/articles.php ? searchterm + 206_confuciud. inc & issue + 206.

26. http://www.theaustralian.com.au/archive/higher-education/chinas-soft-power-play/story-fnama19w-1226178665629.

27. http://www.chinafile.com/Debate-Over-Confucius-Institutes#comment-496.

28. *Facts and Details*, 2008 ; mis à jour avril 2012, http://factsanddetails.com/china.php?itemid=19040).

29. *The Globe and Mail*, 7 février 2013 ; *China Digital Times*, 22 juin 2012 ; *Times Higher Education*, 4 avril 2013 ; *The New York Times*, 17 juin 2014 ; Bloomberg.com, 1er novembre 2011.

30. Voir Zhonghua renmin gongheguo jiaoyufa (Loi sur l'enseignement supérieur de la RPC), Ministère de l'Éducation de la RPC (1999) : http://www.moe.edu.cn/publicfiles/business/htmlfiles/moe/moe_619/200407/1311.html.

31. Lionel M. Jensen, « Culture Industry, Power, and

the Spectacle of China's "Confucius Institutes" », *China in and beyond the Headlines*, Timothy B. Watson et Lionel M. Jensen (dir.), 3ᵉ édition, 2012, p. 292-293 ; en ligne.

32. Hanban.org ; *Epoch Times*, 27 juin 2012.

33. http://www.21ccom.net/articles/dlpl/shpl/2014/0806/110647.html.

34. http://english.hanban.org/node_43075.html.

DE L'ÉCART AU DIVORCE :
HISTOIRE OFFICIELLE ET HISTOIRES
PARALLÈLES DE LA CHINE MODERNE

1. Sur la « fièvre culturelle » des années 1980 en Chine, voir Joël Thoraval, « La "fièvre culturelle" chinoise. De la stratégie à la théorie », *Critique*, n° 507-508, août-septembre 1989, et Yan Chen, *L'Éveil de la Chine. Les bouleversements intellectuels après Mao, 1976-2002*, La Tour d'Aigues, Éditions de l'Aube, 2002, p. 75-100.

2. Sur les grands débats des historiens chinois de l'époque, voir par exemple Pu Pang, *Wenhua de minzuxing yu shidaixing* 文化的民族性与时代性 (*Dimensions nationale et historique de la culture*), Beijing, Zhongguo heping chubanshe, 1988.

3. Cette coïncidence de l'écriture de l'histoire et de la légitimation du pouvoir en Chine a déjà fait l'objet de nombreuses études du côté de la sinologie occidentale. Parmi les travaux désormais classiques en la matière, voir par exemple Charles S. Gardner, *Chinese Traditional Historiography*, Cambridge, Harvard University Press, 1961. Pour des analyses en français, voir Léon Vandermeersch, « La conception chinoise de l'histoire », Anne Cheng (dir.), *La pensée en Chine aujourd'hui*, Paris, Gallimard, coll. Folio essais, 2007, p. 47-74 ; Damien Chaussende, *Des trois royaumes aux Jin. Légitimation du pouvoir impérial en Chine au IIIᵉ siècle*, Paris, Les Belles Lettres, 2010, ou encore l'introduction très érudite que ce dernier consacre à sa traduction annotée de Liu Zhiji, *Traité de l'historien parfait. Chapitres intérieurs*, Paris, Les Belles Lettres, 2014.

4. En chinois : *Guanyu ruogan lishi wenti de jueyi*. Le

texte de cette Résolution est reproduit dans le troisième volume des *Œuvres choisies de Mao Zedong* (*op. cit.*, 1953, p. 975-995).

5. Yves Chevrier, *Mao et la révolution chinoise*, Paris, Casterman ; Florence, Giunti, 1993, p. 88-113.

6. Ces ouvrages de Fan Wenlan ont fait l'objet de multiples rééditions après la fondation de la République populaire de Chine. Je renvoie ici à deux d'entre elles, parues à titre posthume : Fan Wenlan 范文澜, *Zhongguo tongshi jianbian* 中国通史简编 (*Précis d'histoire générale de la Chine*), Shanghai, Shanghai shuju, 1989, et 范文澜, *Zhongguo jindaishi* 中国近代史 (*Histoire de la Chine moderne*), « Minguo congshu, IV », vol. 78, Shanghai, Shanghai shudian, 1992.

7. Damien Morier-Genoud, « Écrire l'histoire vis-à-vis de la guerre : postures historiennes, conceptions et récits de l'histoire sous la République de Chine (1912-1949) », *Extrême-Orient, Extrême-Occident*, n° 38, 2014, p. 169-206.

8. Sur cette question, voir Susanne Weigelin-Schwiedrzik, « Party Historiography in the People's Republic of China », *The Australian Journal of Chinese Affairs*, n° 17, janvier 1987.

9. En chinois : *Guanyu jianguo yilai dang de ruogan lishi wenti de jueyi*. Cette nouvelle Résolution a été publiée, quelques jours après son adoption, dans le *Quotidien du peuple* (*Renmin ribao*) en date du 1er juillet 1981, p. 1-7.

10. Howard W. French, *Everything under the Heavens. How the Past Helps Shape China's Push for Global Power*, New York, Vintage Books, 2018.

11. Sur cette question, voir Sophie Boisseau du Rocher et Emmanuel Dubois de Prisque, *La Chine e(s)t le monde. Essai sur la sino-mondialisation*, Paris, Odile Jacob, 2019, p. 116-118.

12. En chinois : *Xiandaihua yu lishi jiaokeshu*.

13. *Bingdian* peut se traduire en français par « Point de congélation ». Ce titre fait référence aux analyses « à froid » que propose l'hebdomadaire, par opposition à l'actualité « à chaud » (*redian*) dont traitent les grands quotidiens nationaux.

14. Il existe une version antérieure de l'article de Yuan Weishi, que celui-ci avait publiée en 2002 dans le bimensuel

chinois *Cultures orientales* (*Dongfang wenhua*, n° 6). Resté confiné aux cercles académiques, le texte n'avait alors pas attiré l'attention des autorités. On peut le retrouver sur le moteur de recherche du site Internet de l'American History Research Association of China (http://www.ahrac. com). Pour un aperçu historique de l'« affaire *Bingdian* », voir Li Huaiyin, *Reinventing Modern China. Imagination and Authenticity in Chinese Historical Writing*, Honolulu, University of Hawai'i Press, 2013, p. 245-248, et Richard McGregor, *The Party. The Secret World of China's Communist Rulers*, Londres, Penguin Books, 2012, p. 248-252.

15. Voir Haipeng Zhang, « La lutte contre l'impérialisme et le féodalisme demeure le thème central de l'histoire de la Chine moderne », *Zhongguo qingnian bao*, 1er mars, 2006.

« SORTIR DU SYSTÈME IMPÉRIAL »
AVEC QIN HUI

1. Sur ce sujet, voir l'article de Sebastian Veg dans ce volume.

2. Pour un texte représentatif qui abonde dans ce sens, voir Jiang Shigong, « Philosophy and History. Interpreting the "Xi Jinping Era" through Xi's Report to the Nineteenth National Congress of the CCP », traduction intégrale en anglais disponible en ligne : https://www.readingthechinadream.com/jiang-shigong-philosophy-and-history.html.

3. Cf. https://newleftreview.org/issues/II20/articles/hui-qin-dividing-the-big-family-assets.

4. *Shichang de zuotian yu jintian : shangpin jingji, shichang lixing, shehui gongzheng* « 市场的昨天与今天：商品经济、市场理性、社会公正 », 1998, Guangdong jiaoyu chubanshe, 广东教育出版社.

5. *Gengyunzhe yan : nongminxue wenji* « 耕耘者言：农民学文集 », 1999, Shandong jiaoyu chubanshe 山东教育出版社。mise à jour 2013.

6. *Wenti yu zhuyi* 问题与主义, Changchun chubanshe 长春出版社.

7. *Chuantong shi lun : bentu shehui de zhidu, wenhua ji qi biange* 传统十论：本土社会的制度, 文化及其变革, Fudan

daxue chubanshe复旦大学出版社. Un chapitre de ce volume a été traduit en français par Song Gang, cf. « La culture traditionnelle aujourd'hui. Un devoir d'inventaire pour penser le politique », *Extrême-Orient, Extrême-Occident*, n° 31, 2009, p. 63-102.

8. *Nongmin Zhongguo : lishi fansi yu xiandai xuanze*农民中国：历史反思与现实选择, Henan renmin chubanshe河南人民出版社.

9. *Shijian ziyou*实践自由, Zhejiang renmin chubanshe浙江人民出版社.

10. *Biange zhi dao*变革之道, Zhengzhou daxue chubanshe郑州大学出版社.

11. Nan Fei de qishi : Mandela zhuan — cong Nan Fei kan Zhongguo, xin Nan Fei 19 nian南非的启示：曼德拉传·从南非看中国·新南非19年, Jiangsu wenyi chubanshe 江苏文艺出版社.

12. Une version de cette recherche est disponible en traduction anglaise en ligne : https://www.readingthechinadream.com/qin-hui-looking-at-china-from-south-africa.html.

13. *Ding ge zhi ji : Ming Qing jiaotishi wenji*鼎革之际：明清交替史文集, Shandong renmin chubanshe山西人民出版社.

14. Traduction intégrale en anglais disponible ici : https://www.readingthechinadream.com/qin-hui-dilemmas.html.

15. http://chinaheritage.net/xu-zhangrun-%E8%A8%B1%E7%AB%A0%E6%BD%A4/ .

16. Pour un exemple de ce type d'argument, cf. https://www.readingthechinadream.com/chen-ming-transcend-left-and-right.html.

17. Voir le compte rendu critique de Wang Chaohua, « China's First Revolution », disponible en ligne : https://newleftreview.org/issues/II106/articles/chaohua-wang-china-s-first-revolution.

18. Conférence présentée par Qin Hui le 3 novembre 2015 à Pékin à l'occasion de la sortie en librairie de son livre *Sortir du système impérial*, qui devait être interdit un mois plus tard.

Pour éviter d'encombrer la traduction par une surabondance de notes, j'ai pris la liberté d'ajouter des mots, voire des phrases dans le texte pour expliciter certains points qui risquent d'être obscurs pour un lectorat non chinois (N.d.T.).

Pour la version originale en chinois, voir : http://www.aisixiang.com/data/94256.html.

19. Sur le légisme, voir le chapitre 9 d'Anne Cheng, *Histoire de la pensée chinoise*, Paris, Le Seuil, coll. Poche-Essais, 2014 (N.d.T.).

20. Bi Fujian est un animateur célèbre de la chaîne de télévision officielle du gouvernement central CCTV. Il s'est trouvé sanctionné pour avoir tenu des discours peu « orthodoxes » sur des sujets sensibles lors d'un banquet privé, lesquels ont été enregistrés à son insu et publiés en ligne (N.d.T.).

21. Le « système des neuf rangs » (*jiupin zhongzheng zhi*) était un système à mi-chemin entre recommandation locale et sélection centralisée, qui a fonctionné ponctuellement à partir de la fin des Zhou au IIIᵉ siècle avant notre ère jusqu'à la fin des Tang (618-907) (N.d.T.).

22. Jing Ke est connu et admiré dans l'histoire chinoise pour avoir tenté d'assassiner le premier empereur des Qin, même si sa tentative a échoué (N.d.T.).

23. Zilu était un disciple de Confucius (N.d.T.).

24. Il s'agit là d'un jeu de mots sur le fameux slogan « Sans le Parti communiste il n'y aurait pas de Chine nouvelle ».

25. Cette série datant de 2001 raconte l'histoire d'un mariage arrangé par les dirigeants de l'armée entre un officier de rang élevé et une jeune fille dont il est tombé amoureux (N.d.T.).

26. Cette série de 2009 raconte l'histoire des huit mille femmes du Hunan recrutées par l'armée et envoyées au Xinjiang pour travailler aux côtés des soldats stationnés là, fonder des familles et produire une deuxième génération de soldats afin d'y assurer la poursuite du travail de défrichement (N.d.T.).

MAI 68 VU DE CHINE

1. Ce texte a fait l'objet d'une conférence donnée en français par le Pr Chu Xiaoquan au Collège de France le 7 juin 2018 : https://www.college-de-france.fr/site/anne-cheng/guestlecturer-2018-06-07-14h30.htm.

2. *L'âge des extrêmes. Le court XXe siècle 1914-1991*, édition originale en anglais parue en 1994, traduction française publiée en 1999 à Paris par les Éditions Complexe et *Le Monde diplomatique*.

3. « La grande colère des faits », *Le Nouvel Observateur* n° 652, 9-15 mai 1977, p. 84-86.

4. Voir notamment *La transformation du monde. Une histoire globale du XIXe siècle*, Nouveau Monde Éditions, 2017 (édition originale en allemand, 2009), et *Unfabling the East. The Enlightenment's Encounter with Asia*, Princeton, Princeton University Press, 2018 (édition originale en allemand, 1998).

LA MARGINALISATION DES INTELLECTUELS D'ÉLITE ET L'ESSOR D'INTELLECTUELS NON INSTITUTIONNELS DEPUIS 1989

1. L'Académie des sciences sociales est placée sous la direction de Hu Qiaomu, avec comme vice-présidents Yu Guangyuan et Deng Liqun. Voir Edward X. Gu, « Cultural Intellectuals and the Politics of the Cultural Public Space in Communist China (1979-1989). A Case Study of Three Intellectual Groups », *The Journal of Asian Studies*, vol. 58, n° 2, mai 1999, p. 396.

2. Sur cette Résolution de 1981, voir l'article de Damien Morier-Genoud dans le présent volume.

3. Cette partie s'inspire de l'ouvrage récent que j'ai publié sous le titre *Minjian. The Rise of China's Grassroots Intellectuals*, New York, Columbia University Press, 2019.

ENQUÊTER ENSEMBLE
SUR CE QU'ON PEUT PENSER

1. Il s'agit alors de moderniser l'industrie, l'agriculture, le secteur scientifique et technologique et la défense nationale.

2. Sur l'histoire de la Chine à partir de 1949 et les transformations actuelles, voir notamment la publication récente de trois ouvrages : Gilles Guiheux, *La République populaire de Chine. Histoire générale de la Chine (1949 à nos jours)*, Paris, Les Belles Lettres, 2018 ; Alain Roux et Xiaohong Xiao-Planes, *Histoire de la République populaire de Chine. De Mao Zedong à Xi Jinping*, Paris, Armand Colin, 2018 ; Tania Angeloff (en collaboration avec Su Wang), *La société chinoise depuis 1949*, Paris, La Découverte, 2018.

3. « China Adopts Law Protecting Reputation of Martyrs, Heroes », Xinhuanet : http://www.xinhuanet.com/english/2018-04/27/c_137141703.htm ; mis en ligne le 27 avril 2018, consulté le 3 septembre 2019.

4. « China Orders Crackdown on Large Outdoor Religious Statues to "Prevent Commercialization" », *South China Morning Post*, 26 mai 2018.

5. Sur l'histoire de Tianjin voir notamment : Lai Xinxia et Chen Weimin, *Tianjin renkou de bianqian* 天津人口的变迁 (*Les évolutions de la population de Tianjin*), Tianjin, Tianjin guji chubanshe, 2004 ; Esherick Joseph, *Ancestral Leaves. A Family Journey through Chinese History*, Berkeley, Los Angeles, Londres, University of California Press, 2011.

6. Dans le temple de la rue du Shanxi, outre les deux cultes du dimanche matin, l'un à 8 h 30 et l'autre à 10 h 30, la semaine est ponctuée par le « rassemblement évangélique » qui a lieu le dimanche de 19 h 00 à 20 h 30 ; la « réunion de prière » le mardi à la même heure ; l'« assemblée de témoignages » le jeudi de 9 h 00 à 11 h 00 ; le « rassemblement des jeunes » chaque jeudi de 19 h 30 à 21 h 00, et enfin « le rassemblement d'étude biblique » le samedi soir, de 19 h 00 à 20 h 30.

7. Pour une analyse du rassemblement observé sur la place Shengli à Tianjin, voir Isabelle Thireau, « S'accorder

sur ce qui est. Les dimensions politiques d'un rassemblement public à Tianjin », *Politix*, n° 125, 2019, p. 161-190.

8. Tianjin, 9 septembre 2015, Point de rassemblement, frère W., prédicateur laïc régulier, 65 ans.

9. Tianjin, 24 septembre 2015, Temple, sœur F., prédicatrice laïque occasionnelle, 45 ans.

10. Tianjin, 26 mai 2011, Temple, frère L., prédicateur laïc occasionnel, 60 ans.

11. Tianjin, 20 septembre 2014, Temple, pasteur M., 55 ans.

12. Sur le devoir d'assistance à autrui dans les lieux publics et les circonstances de ce débat comme du débat sur le dispositif des « acteurs vertueux », voir les travaux de Chayma Boda, et notamment : « De passants secourables à acteurs vertueux. Politiques de l'engagement au secours d'autrui dans les lieux publics en Chine contemporaine », *Études Chinoises*, XXXVII-1, 2018, p. 113-124.

13. Tianjin, 10 mai 2011, Temple, sœur W. prédicatrice laïque, 45 ans.

14. Tianjin, 6 décembre 2011, Temple, sœur J., prédicatrice laïque, 65 ans.

15. Tianjin, 1er mai 2013, Point de rassemblement, sœur Z., prédicatrice laïque régulière, 65 ans.

16. Tianjin, place Shengli, 8 juin 2014, Mei L., ingénieure à la retraite, 63 ans.

17. Tianjin, 15 juin 2011, Point de rassemblement, pasteur Z., 35 ans.

18. Tianjin, place Shengli, 14 avril 2013, Wang laoshi, 66 ans.

19. Tianjin, Point de rassemblement, 26 octobre 2011, F., 66 ans.

20. Sur la question de l'apparence en politique, voir notamment les réflexions de Hannah Arendt dans *La vie de l'Esprit*, vol. 1, *La Pensée*, Paris, PUF, 1981. Voir aussi l'article d'Étienne Tassin, « La question de l'apparence », dans le Colloque Hannah Arendt, *Hannah Arendt. Politique et pensée*, Paris, Éditions Payot & Rivages, 2004, p. 87-120.

BOUDDHISME ET ÉTAT :
UNE HISTOIRE DE NÉGOCIATIONS

1. Selon mes estimations, les adeptes des bouddhismes des minorités ethniques, c'est-à-dire des bouddhismes tibétain, mongol et dai, représentent environ 10 % de l'ensemble de la population bouddhiste en Chine.

LE SYSTÈME DE CRÉDIT SOCIAL,
OU LA GESTION TECHNOCRATIQUE
DE L'ORDRE PUBLIC

1. Jie Yang, par exemple, mentionne une unité de travail qui a indiqué frauduleusement dans les dossiers personnels de plusieurs centaines de femmes qu'elles avaient été licenciées, afin de toucher et réinvestir les sommes destinées aux compensations. Voir son article, « The Politics of the *Dang'an*. Spectralization, Spatialization, and Neoliberal Governmentality in China », *Anthropological Quarterly*, vol. 84, n° 2, 2011, p. 507-533.

NI SOCIALISME, NI LIBÉRALISME :
LE CAPITALISME D'ÉTAT EN CHINE

1. Bureau national des Statistiques de la République populaire de Chine : http://data.stats.gov.cn/données consultées en septembre 2019).
2. *Fortune Global 500* : https://fortune.com/global500/2019/ (consulté en septembre 2019).
3. *Forbes Global 200* : https://www.forbes.com/global2000/list/(consulté en septembre 2019).
4. Ministère des Finances de la République populaire de Chine, Direction de l'Administration des Actifs, « 2018年1 — 12月全国国有及国有控股企业经济运行情况 » [« Situation économique des entreprises publiques et des entreprises contrôlées publiquement, janvier-décembre 2018 »], 22 janvier 2019.

CONFLITS DE L'EAU AU TIBET

1. Kenneth Pomeranz a forgé ce terme dans « The Great Himalayan Watershed. Agrarian Crisis, Mega-Dams and the Environment », *New Left Review*, n° 58, 2009, p. 5-39.

2. Il est difficile de donner des chiffres exacts en raison de l'importance des populations. En 2009, l'ICIMOD a calculé que 1,345 milliard de personnes vivent dans ces bassins, et que les services écologiques rendus s'étendent à quelque 3,552 milliards d'autres personnes.

3. Manjari Chatterjee Miller, *Wronged by Empire. Post-Imperial Ideology and Foreign Policy in India and China*, Stanford, Stanford University Press, 2013.

4. Will Steffen, Wendy Broadgate, Lisa Michele Deutsch, Owen Gaffney, « The Trajectory of the Anthropocene. The Great Acceleration », *The Anthropocene Review*, vol. 2, n° 1, 2015, p. 81-98.

5. Veerabhadran Ramanathan, Gregory Carmichael, « Global and Regional Climate Changes Due to black Carbon », *Nature Geoscience*, vol. 1, n° 4, 2008, p. 221-226.

6. J'utilise le terme Anthropocène en un sens métaphorique plus que géologique. Il désigne ici « l'âge des humains ».

7. Yamini Narayanan, Sumanth Bindumadhav, « "Posthuman Cosmopolitanism" for the Anthropocene in India. Urbanism and Human-Snake Relations in the Kali Yuga », *Geoforum*, n° 106, 2018. Anja Byg, Jan Salick, « Local perspectives on a Global Phenomenon. Climate Change in Eastern Tibetan Villages », *Global Environmental Change*, vol. 19, n° 2, 2009, p. 156-166.

8. Biksham Gujja, « WWF International's Regional Approach to Conserving High-altitude Wetlands and Lakes in The Himalaya », *Mountain Research and Development*, vol. 25, n° 1, 2005, p. 76-80.

9. Emily T. Yeh, « From Wasteland to Wetland ? Nature and Nation in China's Tibet », *Environmental History*, vol. 14, n° 1, 2009, p. 103-137.

10. Jack P. Hayes, « Modernisation with Local Characteristics. Development Efforts and the Environment on the

Zoige Grass and Wetlands, 1949-2005 », *Environment and History*, vol. 16, n° 3, 2010, p. 323-347.

11. Per Kjeld Sörensen, Guntram Hazod, Tsering Gyalbo, *Rulers on The Celestial Plain. Ecclesiastic and Secular Hegemony in Medieval Tibet. A Study of Tshal Gungthang*, Vienne, Verlag der Österreichischen Akademie der Wissenschaften, 2007.

12. Yao Li, Yan Zhao, Shujun Gao, Jinghui Sun, Furong Li, « The Peatland Area Change in Past 20 Years in the Zoige Basin, Eastern Tibetan Plateau », *Frontiers of Earth Science*, vol. 5, article n° 271, 2011, p. 3.

13. Voir par exemple Judith Shapiro, *Mao's War against Nature. Politics and the Environment in Revolutionary China*, Cambridge, Cambridge University Press, 2001.

14. Emily T. Yeh, *Taming Tibet. Landscape Transformation and the Gift of Chinese Development*, Ithaca, New York, Cornell University Press, 2013.

15. Emily T. Yeh, « From Wasteland to Wetland ? Nature and Nation in China's Tibet », *op. cit.*, p. 103-137.

16. Vu Phan, Roderick Lindenbergh, Massimo Menenti, « ICESat Derived Elevation Changes of Tibetan Lakes between 2003 and 2009 », *International Journal of Applied Earth Observation and Geoinformation*, vol. 17, n° 1, 2012, p. 12-22.

17. Jack P. Hayes, « From Great Green Walls to Deadly Mires. Wetlands as Military Environments and Ecosystems in Chinese History », *Water History*, vol. 5, n° 1, 2013, p. 7-26.

18. Zhibao Dong, Guangyin Hu, C. Z. Yan, Wenli Wang, Junfeng Lu, « Aeolian Desertification and its Causes in the Zoige Plateau of China's Qinghai-Tibetan Plateau », *Environmental Earth Sciences*, vol. 59, n° 8, 2010, p. 1731-1740.

19. Shuang Xiang, Ruqing Guo, Ning Wu, Shucun Sun, « Current Status and Future Prospects of Zoige Marsh in Eastern Qinghai-Tibet Plateau », *Ecological Engineering*, vol. 35, n° 4, 2009, p. 553-562.

20. Jack P. Hayes, « Modernisation with Local Characteristics », *op. cit.*, p. 340.

21. Biksham Gujja, Archana Chatterjee, Parikshit Gautam, Pankaj Chandan, « Wetlands and Lakes at The Top

of the World », *Mountain Research and Development*, vol. 23, n° 3, 2003, p. 219-221.

22. Kabzung Gaerrang, « Tibetan Buddhism, Wetland Transformation, and Environmentalism in Tibetan Pastoral Areas of Western China », *Conservation and Society*, vol. 15, n° 1, 2017, p. 14-23.

23. Zhanhuan Shang, Malcolm John Gibb, Florian Leiber, Maiie Ismail, Luming Ding, Xu Shi Guo, Ruijun Long, « The Sustainable Development of Grassland-Livestock Systems on The Tibetan Plateau. Problems, Strategies and Prospects », *The Rangeland Journal*, vol. 36, n° 3, 2014, p. 267-296.

24. Shuqing An, Harbin Li, Baohua Guan, Changfang Zhou, Zhongsheng Wang, Zifa Deng, Yingbiao Zhi, Yuhong Liu, Chi Xu, Shubo Fang, Jinhui Jiang, Hongli Li, « China's Natural Wetlands. Past Problems, Current Status, and Future Challenges », *AMBIO. A Journal of the Human Environment*, vol. 36, n° 4, 2007, p. 335-341.

25. Gongbo Tashi, Marc Foggin, « Resettlement as Development and Progress ? Eight Years on. Review of Emerging Social and Development Impacts of An "Ecological Resettlement" Project in Tibet Autonomous Region, China », *Nomadic Peoples*, vol. 16, n° 1, 2012, p. 134-151.

26. Xuyang Lu, Y. Yan, Jian Sun, X. Zhang, Y. Chen, X. Wang, G. Cheng, « Short-Term Grazing Exclusion Has no Impact on Soil Properties and Nutrients of Degraded Alpine Grassland in Tibet, China », *Solid Earth*, vol. 6, n° 4, 2015, p. 1195-1205.

27. Stephen Chen, « China's Plan to Use Solar Power to Melt Permafrost to Turn a Tibetan Grassland into An Artificial Forest on The Roof of The World », *South China Morning Press*, 18 novembre, 2017.

28. Ling Zhang, *The River, the Plain, and the State. An Environmental Drama in Northern Song China (1048-1128)*, Cambridge, Cambridge University Press, 2016, p. 141-187.

29. Rohan D'Souza, *Drowned and Dammed. Colonial Capitalism and Flood Control in Eastern India*, New Delhi, Oxford University Press, 2006, p. 1-20.

30. Patrick McCully, *Silenced Rivers. The Ecology and Politics of Large Dams*, Londres, Zed Books, 2001, p. 19.

31. David Allen Pietz, *The Yellow River. The Problem of Water in Modern China*, Cambridge, Harvard University Press, 2015, p. 130-194.

32. Yi Si, « The World's most Catastrophic Dam Failures. The August 1975 Collapse of the Banqiao and Shimantan Dams », Dai Qing (éd.), *The River Dragon Has Come ! Three Gorges Dam and the Fate of China's Yangtze River and Its People*, Londres, Routledge, 2016, p. 25-38.

33. Ruth Gamble, « How Dams Climb Mountains. China and India's State-Making Hydropower Contest in the Eastern-Himalaya Watershed », *Thesis Eleven*, vol. 150, n° 1, 2019, p. 42-67.

34. Sanjeev Khagrama, *Dams and Development. Transnational Struggles for Water and Power*, Ithaca, New York, Cornell University Press, 2004, p. 33-64.

35. Rohan D'Souza, *Drowned and Dammed*, *op. cit.*, p. 215-220.

36. Shripad Dharmadhikary, Swathi Sheshadri, Rehmat., Manthan Adhyayan Kendra, *Unravelling Bhakra. Assessing the Temple of Resurgent India*, Badwani, Manthan Adhyayayn Kendra, 2005, p. 169-190, p. 227-229.

37. Philip McMichael, *Development and Social Change. A Global Perspective*, Thousand Oaks, Londres, Pine Forge Press, 2008.

38. Marcus Nüsser, *Large Dams in Asia. Contested Environments between Technological Hydroscapes and Social Resistance*, Dordrecht, Heidelberg, New York, Springer, 2014.

39. Madhav Gagil, Ramachandra Guha, « Ecological Conflicts and The Environmental Movement in India », *Development and Change*, vol. 25, n° 1, 1994, p. 101-136.

40. World Commission on Dams, *Dams and Development. A New Framework for Decision Making*, Earthscan Publications Ltd, 2000, p. xxiii.

41. Patrick McCully, *Silenced Rivers*, *op. cit.* ; Marcus Nüsser, « Technological Hydroscapes in Asia », *Large Dams in Asia*, *op. cit.*, p. 8.

42. Martin W. Doyle, Emily H. Stanley, Jon M. Harbor, Gordon S. Grant, « Dam Removal in the United States. Emerging Needs for Science and Policy », *Eos, Transactions American Geophysical Union*, vol. 84, n° 4, 2003, p. 29-33.

43. Pu Wang, Shikiu Dong, James Lassoie, *The Large Dam Dilemma. An Exploration of the Impacts of Hydro Projects on People and the Environment in China*, Dordrecht, Heidelberg, New York, printemps 2013, p. 2.

44. Alexander Davis, Ruth Gamble, « Constructing an "Iron" Unity. The Statue of Unity and India's Nationalist Historiography », *Australian Journal of Politics and History*, vol. 65, n° 3, 2019.

45. Philip Hirsch, « The Shifting Regional Geopolitics of Mekong Dams », *Political Geography*, n° 51, 2016, p. 63-74.

46. Ruth Gamble, « How Dams Climb Mountains », *op. cit.*, p. 63, note 1.

47. *Ibid.*, p. 56-58.

48. Ameli Huber, Deepa Joshi, « Hydropower, Anti-politics, and The Opening of New Political Spaces in the Eastern Himalayas », *World Development*, n° 76, 2015, p. 13-25.

49. Muazzam Sabir, Andre Torre, Habibullah Magsi, « Land-Use Conflict and Socio-Economic Impacts of Infrastructure Projects. The Case of Diamer Bhasha Dam in Pakistan », *Area Development and Policy*, vol. 2, n° 1, 2017, p. 40-54.

50. Ajit Bhalla, Dan Luo, *Poverty and Exclusion of Minorities in China and India*, Londres, Palgrave Macmillan, 2017.

51. Stephanie Biggs, « Water Management on the Brahmaputra and The Applicability of The UNECE Water Convention », *Vanderbilt Journal of Transnational Law*, n° 51, 2018, p. 555-589.

52. Shuqing An, Harbin Li, Baohua Guan, Changfang Zhou, Zhongsheng Wang, Zifa Deng, Yingbiao Zhi, « China's Natural Wetlands. Past Problems, Current Status, and Future Challenges », *AMBIO. A Journal of the Human Environment*, vol. 36, n° 4, 2007, p. 335-342.

53. Stephanie Higgins, Irina Overeem, Kimberly Rogers, Evan Kalina, « River Linking in India. Downstream Impacts on Water Discharge and Suspended Sediment Transport to Deltas », *Elem Sci Anth*, vol. 6, n° 1, 2018.

54. Alexander Erlewein, Marcus Nüsser, « Offsetting Greenhouse Gas Emissions in the Himalaya ? Clean Deve-

lopment Dams in Himachal Pradesh, India », *Mountain Research and Development*, vol. 31, n° 4, 2011, p. 293-305.

55. Mahesh Gautam, Govinda Timilsina, Kumud Acharya, *Climate Change in the Himalayas. Current State of Knowledge*, The World Bank, 2013. UNEP, WMO, *Integrated Assessment of Black Carbon and Tropospheric Ozone. Summary for Decision Makers*, United Nations Environment Programme, 2011. Venkatesh Rao, Joseph Somers, « Black Carbon as a Short-lived Climate Forcer. A Profile of Emission Sources and Co-emitted Pollutants », Nineteenth Annual International Emission Inventory Conference, San Antonio, Texas, 27-30 septembre 2010.

56. Veerabhadran Ramanathan, Gregory Carmichael, « Global and Regional Climate Changes Due to Black Carbon », *Nature Geoscience*, vol. 1, n° 4, 2008, p. 226, note 1.

57. Charles Gertler, Siva Praveen Puppala, Arnico Panday, Dorothea Stumm, Joseph Shea, « Black Carbon and the Himalayan Cryosphere. A Review », *Atmospheric Environment*, vol. 125, 2016, p. 404-417.

58. Suruchi Bhadwal, S. Ghosh, Ganesh Gorti, M. Govindan, D. Mohan, Prasoon Singh, S. Singh, Y. Yogya, « The Upper Ganga Basin Will Drying Springs and Rising Floods Affect Agriculture ? », *HI-AWARE Working Paper*, n° 8, 2017.

59. Michael Zemp, Holger Frey, Isabelle Gärtner-Roer, Samuel U. Nussbaumer, Martin Hoelzle, Frank Paul, Wilfried Haeberli, Florian Denzinger, Andreas P. Ahlstrøm, Brian Anderson, Samjwal Bajracharya, « Historically Unprecedented Global Glacier Decline in The Early 21st Century », *Journal of Glaciology*, vol. 61, n° 228, 2015, p. 745-762.

60. Quirin Schiermeier, « IPCC Flooded by Criticism », *Nature*, 2010, p. 596-597.

61. David G. Victor, Charles F. Kennel, Veerabhadran Ramanathan, « The Climate Threat We Can Beat. What It is and How to Deal With It », *Foreign Affairs*, n° 91, 2012, p. 112-121.

62. Zhiyuan Cong, Kimitaka Kawamura, Shichang Kang, Pinqing Fu, « Penetration of Biomass-Burning Emissions from South Asia through The Himalayas. New

Insights from Atmospheric Organic Acids », *Scientific Reports*, vol. 5, 2015, article n° 9580.

63. Aditi Gaddam, « South Asian Soot Drifts Over Himalayas », *The Third Pole*, 22 avril 2015.

64. Jiamao Zhou, Xuexi Tie, Baiqing Xu, Shuyu Zhao, Mo Wang, Guohui Li, Ting Zhang, Zhuzi Zhao, Suixin Liu, Song Yang, Luyu Chang et Junji Cao, « Black Carbon (BC) in A Northern Tibetan Mountain. Effect of Kuwait Fires on Glaciers », *Atmospheric Chemistry and Physics*, vol. 18, 2018, art. n° 13673-13685.

65. Usman Ali, Anam Bajwa, Muhammad Jamshed Iqbal Chaudhry, Adeel Mahmood, Jabir Hussain Syed, Jung Li, Gan Zhang, Kevin C. Jones, Riffat Naseem Malik, « Significance of Black Carbon in The Sediment-Water Partitioning of Organochlorine Pesticides (OCPs) in the Indus River, Pakistan », *Ecotoxicology and Environmental Safety*, n° 126, 2016, p. 177-185.

66. Chaoliu Li, Carme Bosch, Shichang Kang, August Andersson, Pengfei Chen, Qianggong Zhang, Zhiyuan Cong, Bing Chen, Dahe Qin, Örjan Gustafsson, « Sources of Black Carbon to the Himalayan-Tibetan Plateau Glaciers », *Nature Communications*, n° 7, 2016, art. n° 12574.

67. Agence France-Presse, « China to Ban Production of Petrol and Diesel Cars "in the near future" », *The Guardian*, 11 septembre 2017.

68. Rong Wang, Shu Tao, Wentao Wang, Jungfeng Liu, Huizhong Shen, Guofeng Shen, Bin Wang *et al.*, « Black Carbon Emissions in China from 1949 to 2050 », *Environmental Science & Technology*, vol. 46, n° 14, 2012, art. n° 7595-7603.

69. Staff, « Asia Digs Up and Burns Three-Quarters of The World's Coal », *The Economist*, 22 août 2019.

70. Staff, « Blazing Himalayas set off Blame Game », *India Climate Dialogue*, 03.05.16.

71. Rema Hanna, Esther Duflo, Michael Greenstone, « Up in Smoke. The Influence of Household Behavior on the Long-Run Impact of Improved Cooking Stoves », *American Economic Journal. Economic Policy, American Economic Association*, vol. 8., n° 1, p. 80-114.

72. Qingyang Xiao, Eri Saikawa, Robert J. Yokelson,

Pengfei Chen, Chaoliu Li, Shichang Kang, « Indoor Air Pollution from Burning Yak Dung as a Household Fuel in Tibet », *Atmospheric Environment*, n° 102, 2015, p. 406-412.

LES CRISES SANITAIRES ET ENVIRONNEMENTALES DANS LA CHINE CONTEMPORAINE

1. Cf. Jasper Fuk-Woo Chan, Shuofeng Yuan, Kin-Hang Kok, Kelvin Kai-Wang To, Hin Chu, Jin Yang *et al.*, « A Familial Cluster of Pneumonia Associated with The 2019 Novel Coronavirus Indicating Person-to-Person Transmission. A Study of a Family Cluster », *Lancet*, vol. 395, n° 1223, 2020, p. 514-523.

2. Report of the WHO-China Joint Mission on Covid-19, p. 16. https://www.who.int/docs/default-source/coronaviruse/who-china-joint-mission-on-covid-19-final-report.pdf.

Index

TROISIÈME PARTIE

MODES DE CONTRÔLE
DE LA SOCIÉTÉ CIVILE

QUATRIÈME PARTIE

TENSIONS ET CRISES

APPENDICES

Composition Nord Compo
Impression Grafica Veneta
à Trebaseleghe, le 11 janvier 2021
Dépôt légal : janvier 2021

ISBN : 978-2-07-287092-7./Imprimé en Italie

359640